LA PRÊTRESSE D'AVALON

MARION ZIMMER BRADLEY
& DIANA PAXSON

LA PRÊTRESSE
D'AVALON

Le cycle d'Avalon ****

Traduit de l'anglais (États-Unis)
par Monique Lebailly et Édith Ochs

ÉDITIONS DU
ROCHER
Jean-Paul Bertrand

Titre original : *Priestess of Avalon*, HarperCollins, Londres, 2000.

Ce texte est publié avec l'accord de Baror International, Inc., Armonk, New York, USA.

Tous droits de traduction, de reproduction et d'adaptation réservés pour tous pays.

© 2000 Marion Zimmer Bradley & Diana Paxson.

© 2001 Éditions du Rocher, pour la traduction française.

ISBN 2 268 03909 9

À nos petits-enfants

AVANT-PROPOS

Cette histoire est celle d'une légende.

Les faits historiques concernant Hélène sont rares en comparaison de l'abondance des contes que son nom a inspirés. Nous savons qu'elle fut la concubine de l'empereur Constance Ier et la mère honorée de Constantin le Grand, et qu'on l'associait à la ville de Drepanum (en Turquie septentrionale). Nous savons qu'elle possédait des biens à Rome, qu'elle visita la Palestine. Rien de plus.

Pourtant, où qu'elle se rendît, des mythes naissaient derrière elle. Elle est honorée en Allemagne, en Israël, et à Rome – où plusieurs églises portent son nom. L'hagiographie médiévale lui attribue la découverte de nombreuses reliques ; elle apporta à Cologne les têtes des Trois Sages, à Trèves la tunique que Jésus portait, et à Rome, la Vraie Croix.

Mais elle occupe surtout une place privilégiée dans les légendes de l'Angleterre, où l'on dit qu'elle fut une princesse britannique qui épousa un empereur. On croit qu'elle vécut à York et à Londres et qu'elle créa des routes au Pays de Galles. Certains l'identifient même à la déesse Nehalennia. Ces histoires sont-elles nées parce que Constance et Constantin ont entretenu tous deux des relations intenses avec l'Angleterre, ou se pourrait-il qu'elle fût originaire de cette île ?

S'il en est ainsi, peut-être n'est-ce pas trop extrapoler que de la lier à la mythologie d'Avalon et d'ajouter une légende de plus à tout le reste.

Marion Zimmer Bradley et moi avions déjà travaillé ensemble avant de commencer ce roman. À la fin de sa vie, Marion fréquentait une église chrétienne, et pourtant elle fut ma première grande initiatrice aux anciens mystères. En racontant l'histoire d'Hélène, qui vécut aussi entre les mondes païen et chrétien, j'ai tenté de rester fidèle aux enseignements de Marion.

Marion a fourni l'inspiration et l'origine de ce livre. Je me suis occupée des recherches historiques.

Parmi les nombreuses sources qui me furent utiles, je citerai : *Roman Britain*, de Fry ; *Decline and Fall of the Roman Empire*, de Gibbon, qui rapporte tous les potins ; *The Later Roman Empire*, de A.H.M. Jones ; le fascinant *Pagans and Christians*, de Robin Lane Fox ; enfin *The Aquarian Guide to Legendary London*, ouvrage dirigé par John Matthews et Chesca Potter, en particulier le chapitre sur les déesses de Londres, par Caroline Wise, de l'Atlantis Bookstore. Plus particulièrement, je me suis appuyée sur *Constantine the Great*, de Michael Grant, et le grand classique *Helena Augusta*, de Jan William Drijver ; enfin, en ce qui concerne le voyage d'Hélène et la réinvention de la Terre sainte, *Holy City* [1].

Diana L. PAXSON
Fête de Brigid, 2000

---

1. Parmi ces ouvrages, ont été traduits en français : Edward Gibbon, *Histoire du déclin et de la chute de l'Empire romain*, Éditions du Seuil, 1994, et Robbin Lane Fox, *Païens et Chrétiens : la religion et la vie religieuse dans l'Empire romain de la mort de Commode au Concile de Nicée*, Presses universitaires du Mirail-Toulouse, 1997. *(NdT)*

LISTE DES PERSONNAGES

* : *figure historique.*

(…) : *mort avant le début de l'histoire.*

Aelia : jeune prêtresse, compagne d'études d'Hélène.

* Allectus : ministre des Finances de Carausius, par la suite empereur des Gaules de 293 à 296.

Arganax : archidruide durant la jeunesse d'Hélène.

* Asclepiodotus : préfet du Prétoire de Constance.

Atticus : précepteur grec de Constantin.

* Aurélien (Lucius Domitius Aurelianus) : empereur de 270 à 275.

* Carausius : empereur des Gaules de 287 à 293.

* Carin (Marcus Aurelius Carinus) : fils aîné de Carus, empereur en 283-284.

* Carus : empereur en 282-283.

Ceridachos : Grand Druide lorsque Dierna devient Grande Prêtresse.

Cigfolla : prêtresse d'Avalon.

* Claude II : empereur de 268 à 270, grand-oncle de Constance.

Coelius (le roi Coel) : prince de Camulodunum, père d'Hélène.

* Constance Ier Chlore, dit le Pâle (Caius Flavius Julius Constantius) : amant d'Hélène, César, puis Auguste de 293 à 306.

* Constance III : deuxième fils de Constantin et de Fausta.

* Constant : troisième fils de Constantin et de Fausta.

* Constantia Ire : fille de Constance Chlore et de Theodora, mariée à Licinius.

* Constantia II : fille de Constantin et de Fausta.

* Constantin (Flavius Valerius Constantinus) : fils de Constance Chlore et d'Hélène, empereur de 306 à 337.
* Constantin II, dit le Jeune : fils aîné de Constantin et de Fausta.
Corinthius l'Aîné : précepteur d'Hélène.
Corinthius le Jeune : maître d'école à Londinium.
* Crispus : fils illégitime de Constantin et de Minervina.
Cunoarda : esclave d'Hélène originaire d'Alba.
* Dalmatius : fils de Constance et de Theodora.
Dierna : cousine d'Hélène, par la suite Dame d'Avalon.
* Dioclétien : Auguste, empereur de 284 à 395.
Drusilla : cuisinière d'Hélène et de Constance.
* Eusèbe : évêque métropolite de Césarée, en Palestine, important historien de l'Église et biographe de Constantin.
* Fausta : fille de Maximien, épouse de Constantin et mère de ses enfants légitimes.
Flavius Pollio : parent de Constance.
* Galère (Caius Galerius Valerius Maximianus) : César de 293 à 305, Auguste de 305 à 311.
* Gallien (Publius Licinus Egnatius Gallienus) : empereur de 253 à 268.
Ganeda : tante d'Hélène, Dame d'Avalon.
Gwenna : vierge, élève d'Avalon.
Haggaia : archidruide lorsqu'Hélène revient à Avalon.
* Hélène la Jeune (« Lena ») : aristocrate de Trèves, épouse de Crispus.
Heron : vierge, élève d'Avalon.
Hrodlind : servante germanique d'Hélène.
* (Joseph d'Arimathie : fondateur de la communauté chrétienne du Tor.)
* Julia Coelia Helena, par la suite, Flavia Helena Augusta, après sa mort, sainte Hélène (Eilan) : fille du prince Coelius, concubine de Constance, mère de Constantin et prêtresse d'Avalon.
* Julius Constantius : second fils de Constance et de Theodora.
Katiya : prêtresse de Bastet à Rome.
* Lactance (Caecilius Firmianus, dit Lactantius) : rhéteur et apologiste chrétien, précepteur de Crispus.
* Licinius Licinianus : désigné César par Galère pour remplacer Sévère, puis Auguste de l'Empire d'Occident de 313 à 324.

* Lucius Viducius : marchand de poterie faisant le commerce entre la Gaule et Eburacum.
* Macaire : évêque de Jérusalem.
Marcia : sage-femme qui mit Constantin au monde.
Martha : esclave syrienne, guérie par Hélène.
* Maxence (Marcus Aurelius Valerius Maxentius) : fils de Maximien, proclamé Auguste à Rome à la mort de Constance Chlore, empereur de 307 à 312.
* Maximien (Marcus Aurelius Velarius Maximianus Herculius) : promu Auguste de l'Empire d'Occident par Dioclétien de 286 à 305.
* Maximin Daia : désigné César de l'Orient par son oncle Galère, se fait proclamer Auguste par ses soldats en 310.
* Minervina : concubine de Constantin, mère de Crispus.
* Numérien (Marcus Aurelius Numerianus) : le plus jeune fils de Carus, empereur en 283-284.
Philip : domestique de Constance.
* Postumus : empereur rebelle d'Occident de 259 à 268.
* Probus : empereur de 276 à 282.
* Quintillus : frère de l'empereur Claude II, grand-oncle de Constance.
(Rian : Grande Prêtresse d'Avalon, mère d'Hélène.)
Roud : vierge, élève d'Avalon.
* Sévère : nommé César par Dioclétien, puis Auguste par Galère, il gouverna l'Afrique et l'Italie et fut vaincu par Maxence.
Sian : fille de Ganeda, mère de Dierna et de Becca.
Suona : jeune prêtresse d'Avalon.
* Sylvestre : pape de 314 à 335.
Teleri : épouse de Carausius, puis d'Allectus, par la suite Grande Prêtresse d'Avalon.
* Tetricus et Marius : co-empereurs rebelles d'Occident en 271.
* Theodora (Flavia Maximiana Theodora) : belle-fille de Maximien, seconde épouse de Constance Ier.
Tulia : vierge, élève d'Avalon.
* Victoria (Aurelia Augusta) : mère de Victorinus qui régna en son nom et fit ensuite proclamer Tetricus empereur.
* Victorinus : empereur rebelle d'Occident en 269-270.

Vitellia : matrone chrétienne vivant à Londinium.
Wren : vierge, élève d'Avalon.

Chiens d'Hélène : Surette, Hylas, Faviona et Borée, Arié.

NOMS DE LIEUX

Angleterre
Aquae Sulis : Bath
Avalon : Glastonbury
Calleva : Silchester
Camulodunum : Colchester
Cantium : Kent
Clausentum : Bitterne
Corinium : Cirencester
Dubris : Douvres
Eburacum : York
Inis Witrin : Glastonbury
Isurium Brigantum : Aldoborough, Yorkshire
Lindinus : Ilchester
Lindum : Lincoln
Londinium : Londres
Luguvalium : Carlisle
Estuaire de la Sabrina : la Severn
Le Pays d'Été : Somerset
Les terres de Trinovante : Essex
Tanatus : Thanet, Kent

Empire d'Occident
Alba : ville du Piémont, province de Cumeo
Aquileia : Aquilée (nord-est de l'Italie)
Aquitanica : Aquitaine
Arelate : Arles

15

Argentoratum : Strasbourg, alors en Germanie
Augusta Treverorum (Treveri) : Trèves (Allemagne)
Baiae : Baia (Italie)
Belgica Prima : est de la France
Belgica Secunda : Pays-Bas
Borbetomagus : Wurms (Allemagne)
Brixia : Brescia
Corduba : Cordoue
Colonia Agrippinensis : Cologne (Allemagne)
Depranum : Trapani, port de Sicile
Erythrea : ville grecque, ouest de l'Anatolie
Gallia (Gaule) : France
Ganuenta : autrefois une île au confluent de la Schelde et du Rhin, aux Pays-Bas
Germania Prima : terres à l'ouest du Rhin, de Coblence à Bâle
Germania Secunda : terres à l'ouest du Rhin, de la mer du Nord à Coblence
Gesoriacum : Boulogne
Glanum : Saint-Rémy-de-Provence
Londinium : Londres
Massilia : Marseille
Lugdunum : Lyon
Mediolanum : Milan
Moenus : Main
Mogontiacum : Mayence (Allemagne)
Mosella : Moselle
Mutina : Modène
Neapolis : Naples
Nicer : Neckar
Noricum : sud autrichien du Danube
Rhaetia : sud de l'Allemagne et Suisse
Rhodanus : Rhône
Rothomagus : Rouen
Segusio : Suse
Treveri (Augusta Trevorum) : Trèves (Allemagne)
Ulpia Traiana : Xanten (Allemagne)
Vindobona : Vienne (Autriche)

Empire d'Orient

Aegeum : mer Égée
Aelia Capitolina : Jérusalem
Aigai : ville de Macédoine
Ancyra : Ankara, capitale de la Turquie
Aquincum : Pest, Budapest (Hongrie)
Asia : Turquie occidentale
Bithynie et Pontus : Turquie septentrionale
Byzantium : Byzance (Constantinople)
Carrhae : Carrhes
Caesareia : Césarée, port situé autrefois au sud d'Haïfa en Israël
Carpathus : Carpathes
Chalcédoine : Khadikoy (Turquie)
Colonia Agrippensius : Cologne
Dacie : Roumanie
Dalmatie : Albanie
Drepanum (Helenopolis) : Hersek (Turquie septentrionale)
Emesus : Homs (Syrie)
Galatie, Cappadoce : Turquie orientale, Balkans
Heracleia Pontica : Eregli (Turquie)
Hierusalem : Jérusalem
Illyrie : Yougoslavie
Joppa : Jaffa
Margus : la Morava, rivière de Yougoslavie
Moesie : Bulgarie
Naissus : Nis, Yougoslavie (Serbie)
Navissus : la Nisava, rivière de Yougoslavie
Neapolis : Kavala, Macédoine (nord de la Grèce)
Nicaea : Iznik (Turquie)
Nicomedia : Izmit (Turquie)
Pannonie : Hongrie
Parthie : pays de l'Iran ancien
Monts Rhipaéens : le Caucase
Savus : la Save ou Sava (Serbie)
Scaldis : l'Escaut
Scythie : pays situé au nord de la mer Noire
Serdica : Sofia (Bulgarie)

Singidunum : Belgrade (Yougoslavie)
Sirmium : Mitrovica ou Sabac sur la Save (Serbie)
Thrace : Bulgarie méridionale

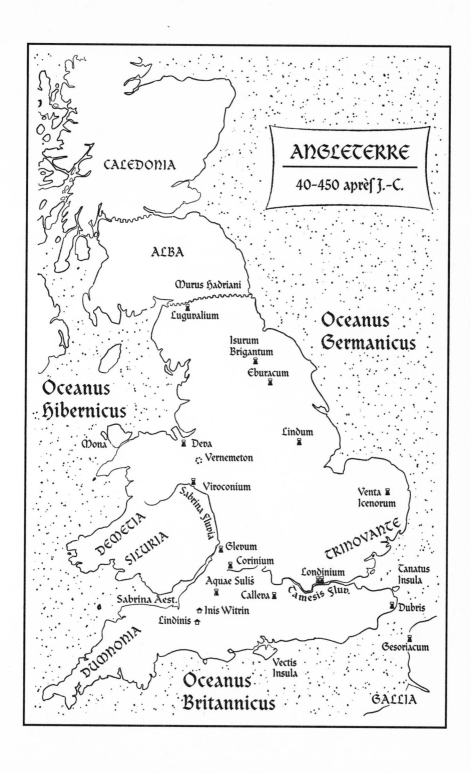

ANGLETERRE

40-450 après J.-C.

CALEDONIA

ALBA

Murus Hadriani

Luguvalium

Oceanus
Germanicus

Isurum
Brigantum

Eburacum

Oceanus
Hibernicus

Mona

Deva

Lindum

Vernemeton

Viroconium

Venta
Icenorum

Sabrina Fluvia

DEMETIA

SILURIA

TRINOVANTE

Glevum

Corinium

Londinium

Tanatus
Insula

Aquae Sulis

Calleva

Camesis Fluv.

Sabrina Aest.

Inis Witrin

Dubris

Lindinis

Gesoriacum

DUMNONIA

Vectis
Insula

Oceanus
Britannicus

GALLIA

Eburacum

BRITANNIAE

Londinium

Avalon

Rutupiae Gesoriacum

GERMANIA

Colonia Agrippinensis

Oceanuſ Britannicuſ

GALLIA

• Augusta Treverorum

• Argentorate

Aquileia

Lugdunum

Mediolanum

• Pola

Massilia

ITALIA

• Roma

HISPANIA

Nea

Hiatus

Puteoli

Mare Noſtrum

N

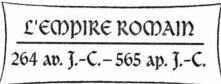

L'EMPIRE ROMAIN

264 av. J.-C. – 565 ap. J.-C.

DACIA

Singidunum

MOESIA

Naissus

THRACIA

Byzantium   Nicomedia

Nicaea

ILLYRIA

lis

Pontuſ Euxinuſ

BITHYNIA

CAPPADOCIA

PARTHIA

Antiocha

Palmyra

Caesaria

JUDAEA

Hierusalem

AEGYPTUS

PROLOGUE

249 après J.-C.

Au coucher du soleil, un air frais et vivifiant s'était mis à souffler de la mer. En cette saison, les fermiers brûlaient le chaume de leurs champs, mais le vent avait balayé le voile de brume et la Voie lactée traçait d'un bout à l'autre du ciel une route d'un blanc éclatant. Le Merlin d'Angleterre [1] était assis sur la Pierre du Veilleur, au sommet du Tor, les yeux fixés sur les étoiles. Bien que la gloire des cieux dominât sa vision, elle ne retenait pas toute son attention. Il tendait l'oreille pour capter tous les bruits provenant de la demeure de la Grande Prêtresse, située sur la pente en dessous de lui.

Depuis l'aube, Rian connaissait les douleurs de l'enfantement. Ce serait son cinquième enfant et les premiers bébés étaient venus au monde facilement. L'accouchement n'aurait pas dû s'éterniser ainsi. Les sages-femmes celaient jalousement leurs mystères, mais au coucher du soleil, quand Merlin s'était préparé à sa veille, il avait lu de l'inquiétude dans leurs yeux. Le roi Coelius de Camulodunum, qui avait convoqué Rian au grand rite pour qu'elle protège ses champs inondés, était un grand blond solidement charpenté, comme tous les membres des tribus belges qui avaient envahi et colonisé les terres de l'est de l'Angleterre. La Grande Prêtresse, en revanche, était une

---

1. L'emploi de l'article est ici justifié car le nom « Merlin » ne désigne pas seulement l'enchanteur du cycle arthurien, mais aussi la fonction même de grand magicien et de voyant. *(NdT)*

petite brune présentant tous les traits elfiques du peuple qui fut le premier à s'établir dans ces collines.

Rien de surprenant à ce que l'enfant que Coelius avait engendré fût trop gros pour sortir aisément de l'utérus. Quand Rian avait découvert qu'elle était enceinte, des prêtresses plus âgées lui avaient vivement conseillé de s'en débarrasser. Mais agir ainsi, ç'aurait été nier l'existence de la magie, et Rian leur avait répliqué qu'elle servait depuis trop longtemps la Déesse pour ne pas s'en remettre à ses Desseins.

Mais à quel dessein obéissait la naissance de cet enfant ? Les yeux usés de Merlin sondaient les cieux, cherchant à comprendre les secrets inscrits dans les étoiles. Le soleil reposait maintenant dans le signe de la Vierge et la lune décroissante, en passant devant lui ce matin, avait été visible dans le ciel. Maintenant, dissimulant son visage, elle abandonnait la nuit à la splendeur des étoiles.

Le vieil homme, sentant jusque dans ses os le froid glacial de la nuit automnale, se blottit dans les épais replis de sa cape grise. Il avait toujours supposé que cette Rian lui fermerait les paupières et chanterait son hymne funéraire. Mais tandis qu'il regardait la roue du Grand Chariot s'éloigner toujours plus dans le ciel sans qu'aucune nouvelle ne lui parvienne, il comprit qu'il frissonnait non de froid, mais de peur.

Lentes comme des moutons à la pâture, les étoiles traversaient les cieux. Saturne scintillait au sud-ouest, dans le signe de la Balance. Les heures passant, la détermination de la femme en travail faiblissait. À présent, par moments, un gémissement de douleur sortait de la cabane. Mais ce ne fut qu'à l'heure calme et silencieuse où les étoiles s'effacent que Merlin se redressa, le cœur battant, en entendant un nouveau bruit : le faible vagissement de protestation d'un enfant nouveau-né.

À l'est, l'approche du jour pâlissait déjà le ciel, mais, au zénith, les étoiles brillaient encore. Une longue habitude poussa le vieil homme à lever les yeux. Mars, Jupiter et Vénus se trouvaient dans une brillante conjonction. Exercé depuis l'enfance aux disciplines des druides, il mémorisa la position des étoiles. Puis, grimaçant sous la plainte de ses articulations raidies, il se leva et, lourdement penché sur son bâton sculpté, descendit la colline.

Le bébé avait cessé de crier, mais comme Merlin s'approchait de la cabane des naissances, son cœur se serra car il entendit des pleurs à l'intérieur. Les femmes s'écartèrent lorsqu'il repoussa le lourd rideau qui pendait sur le seuil ; il était le seul mâle à pouvoir y pénétrer.

L'une des plus jeunes prêtresses, Cigfolla, assise dans un coin, chantonnait au paquet emmailloté qu'elle tenait dans ses bras. Le regard de Merlin l'abandonna pour la femme couchée sur le lit et il s'arrêta, car Rian, dont la beauté avait toujours tenu à la grâce de ses mouvements, était totalement immobile. Ses cheveux noirs reposaient, ternes, sur l'oreiller ; ses traits anguleux affichaient déjà cette vacuité caractéristique qui distingue la mort du sommeil.

— Comment…

Il fit un petit geste d'impuissance en luttant pour retenir ses larmes. Il ne savait pas si Rian était ou non son enfant par le sang, mais il l'avait toujours considérée comme sa fille.

— C'est son cœur, dit Ganeda dont les traits, en cet instant douloureux, ressemblaient à ceux de la femme couchée sur le lit, bien que la plupart du temps la douce expression de Rian eût permis de distinguer aisément les sœurs l'une de l'autre. L'accouchement a trop duré. L'enfant était gros et son cœur a cédé lors du dernier effort qu'elle a fait pour l'expulser.

Merlin s'approcha de la couche et regarda le cadavre, puis il se pencha pour tracer sur le front glacé le sceau de la bénédiction.

J'ai vécu trop longtemps, pensa-t-il, hébété. *Rian aurait dû réciter le rituel pour moi.*

Il entendit Ganeda respirer derrière lui.

— Alors, dis-nous, druide, quel destin les étoiles prédisent à la petite fille née à cette heure ?

Le vieil homme se retourna. Ganeda lui faisait face, les yeux brillants de colère, et secs. *Elle est en droit de le demander*, pensa-t-il amèrement. Ganeda avait été écartée en faveur de sa sœur plus jeune quand la précédente Grande Prêtresse était morte. Il supposait que le choix se porterait sur elle à présent.

Puis l'esprit s'éveilla en lui, relevant le défi. Il s'éclaircit la voix.

— Ainsi parlent les étoiles…, dit-il d'une voix un peu tremblante. L'enfant née au Tournant de l'Automne, juste au moment où la nuit fait place à l'aube, se tiendra au Tournant de l'Ère, au portail entre deux mondes. Le temps de Rian est passé ; maintenant, le Poisson régnera. La lune cache son visage… Cette vierge devra dissimuler la lune qu'elle porte sur son front, et ne disposera de son véritable pouvoir qu'en sa vieillesse. Derrière elle s'étend la route qui mène à l'obscurité et à ses mystères, devant elle brille la dure lumière du jour.

« Mars est dans le signe du Lion, mais la guerre ne l'abattra pas, car les conflits sont gérés par l'étoile de la royauté. Pour cette enfant, l'amour marchera de pair avec la souveraineté, car Jupiter se languit de Vénus. Leur éclat, lorsqu'ils seront unis, éclairera le monde. En cette nuit, tous les astres se déplacent vers la Vierge qui sera leur véritable reine. Beaucoup s'inclineront devant elle, mais sa véritable souveraineté restera cachée. Tous la loueront, pourtant peu d'entre eux sauront son vrai nom. Saturne est maintenant en Balance… Le plus difficile pour elle, ce sera d'apprendre à maintenir un juste équilibre entre l'ancienne sagesse et la nouvelle. Mais Mercure est caché. Je prévois, pour cette enfant, beaucoup d'errances et beaucoup d'incompréhension. Cependant, à la fin, toutes les routes la mèneront à l'allégresse et à son véritable foyer. »

— Il prophétise de la grandeur, murmurèrent les prêtresses rassemblées autour de lui. Elle sera la Dame du Lac comme sa mère avant elle !

Merlin fronça les sourcils. Les étoiles lui avaient montré une vie pleine de magie et de puissance, mais il avait lu de nombreuses fois le ciel étoilé pour les prêtresses et les dessins des astres qui avaient prédit leurs vies n'étaient pas ceux qu'il voyait maintenant. Il lui semblait que cette enfant était destinée à emprunter une route différente de celle que toutes les prêtresses d'Avalon avaient parcourue jusqu'ici.

— Le bébé est-il sain et bien formé ?

— Elle est parfaite, seigneur.

Cigfolla se leva, tenant l'enfant emmaillotée contre ses seins.

— Où lui trouverez-vous une nourrice ?

Il savait qu'aucune femme d'Avalon n'allaitait en ce moment.

— Elle peut aller au village des habitants du Lac, répondit Ganeda. Là, il y a toujours une femme avec un nouveau-né. Je l'enverrai chez son père lorsqu'elle sera sevrée.

Cigfolla serra le fardeau dans ses bras en un geste protecteur, mais l'aura de pouvoir qui entourait la Grande Prêtresse descendait déjà sur Ganeda, et si la jeune femme avait des objections à émettre, elle ne les formula pas à voix haute.

– Es-tu certaine que ce soit sage ? fit remarquer Merlin qui, en vertu de l'office qu'il remplissait, *pouvait* se permettre de poser la question. N'a-t-elle pas besoin d'être élevée à Avalon pour se préparer à sa destinée ?

– Ce que les dieux ont décrété, ils l'accompliront, quoi que nous fassions, répliqua Ganeda. Mais il s'écoulera du temps avant que je puisse contempler son visage sans voir ma sœur couchée morte devant moi.

Merlin fronça les sourcils, car il lui avait toujours semblé que Ganeda et Rian ne s'aimaient guère. Mais peut-être cela se tenait-il… Si Ganeda se sentait coupable d'avoir envié sa sœur, le bébé le lui rappellerait douloureusement.

– Si, à l'approche de l'adolescence, l'enfant montre qu'elle a le don, peut-être pourra-t-elle revenir, concéda Ganeda.

S'il avait été plus jeune, Merlin aurait pu tenter de l'influencer, mais il avait vu l'heure de sa propre mort dans les étoiles et savait qu'il ne serait pas là pour protéger la petite fille au cas où Ganeda n'apprécierait pas sa présence. Peut-être valait-il mieux qu'elle passe ses premières années auprès de son père.

– Montre-moi l'enfant.

Cigfolla se leva en rabattant le coin de la couverture. Merlin examina le visage du bébé, encore refermé sur lui-même comme un bouton de rose. C'était un bel enfant, robuste comme son père. Rien d'étonnant à ce que sa mère ait dû mener une sinistre bataille pour la mettre au monde.

– Qui es-tu, petite ? murmura-t-il. Vaux-tu un si grand sacrifice ?

– Avant de mourir… la Dame… a dit qu'elle devait s'appeler Eilan, lui répondit Cigfolla.

– Eilan…, répéta Merlin – et comme si l'enfant avait compris, elle ouvrit les yeux.

Ils avaient l'iris gris opaque du nouveau-né, mais leur expression, éveillée et grave, était bien plus âgée.

– Ah, ce n'est pas la première fois pour toi, dit-il alors, la saluant comme un voyageur qui rencontre un vieil ami sur la route et s'arrête

juste le temps d'échanger un salut avant que l'un et l'autre pour-
suivent des chemins différents.

Il s'aperçut qu'il regrettait de ne pas vivre assez longtemps pour
voir cette enfant grandir.

– Bienvenu soit ton retour, chère petite. Bienvenue en ce monde.

Un instant, le bébé fronça les sourcils. Puis les lèvres minuscules
se relevèrent en un sourire.

Première partie

La voie d'Avalon

I

259 après J.-C.

— Oh ! Je vois de l'eau scintiller au soleil ! Est-ce la mer ?

J'enfonçai mes talons dans les flancs ronds du poney pour l'amener à côté du grand cheval de Corinthius. L'animal entama un trot brutal et je m'accrochai à sa crinière.

— Ah ! Hélène, tes jeunes yeux sont meilleurs que les miens, répondit le vieil homme qui avait été le tuteur de mes demi-frères avant qu'on lui confie la tâche d'éduquer la fille que le prince Coelius avait eu, par mégarde, d'une prêtresse d'Avalon. Un torrent de lumière, c'est tout ce que je peux voir. Mais je pense que ce qui s'étend devant nous, ce doit être les plaines du Pays d'Été, inondées par les pluies de printemps.

Je rejetai en arrière une mèche de cheveux et regardai le paysage. Des monticules de terre surgissaient, telles des îles, de ces eaux divisées par des rangées d'arbres sinueuses. Plus loin, je pouvais distinguer, se terminant dans une brume brillante qui devait être l'estuaire de la Sabrina, la chaîne des collines : selon Corinthius, elles abritaient des mines de plomb.

— Alors, nous sommes presque arrivés ?

Le poney secoua la tête lorsque je lui serrai les flancs, puis tirai sur les rênes.

— Si les pluies n'ont pas recouvert la chaussée et si nous arrivons à localiser le village des habitants du Lac que mon maître m'a dit de chercher.

Je levai les yeux vers lui, prise soudain de pitié, car il semblait très fatigué. Le visage mince, abrité sous le large chapeau de paille, se

31

creusait de rides et son corps s'affaissait sur la selle. C'était très mal de la part de mon père d'avoir obligé le vieil homme à faire tout ce chemin. Mais après ce voyage, Corinthius, un Grec qui s'était vendu, tout jeune, comme esclave afin de doter ses sœurs, serait affranchi. Il avait au cours des ans accumulé un beau petit pécule et souhaitait ouvrir une école à Londinium.

— Nous arriverons cet après-midi au village du Lac, dit le guide qui, à Lindinis, s'était joint à mon escorte.

— Quand nous y serons, nous nous reposerons, lançai-je brusquement.

— Je croyais que tu avais hâte de rejoindre le Tor, fit remarquer Corinthius avec bienveillance.

Peut-être serait-il désolé de me quitter, pensai-je en lui souriant. Il avait déclaré qu'après mes deux frères qui n'aimaient que la chasse, il prenait plaisir à éduquer une enfant qui avait vraiment envie d'apprendre.

— Je peux attendre un jour de plus. J'aurais tout le reste de mes jours pour me délecter d'Avalon, lui répondis-je.

— Et pour reprendre tes études ! s'exclama Corinthius en riant. On dit que les prêtresses d'Avalon ont conservé l'ancienne sagesse des druides. Savoir que tu ne passeras pas ta vie à gérer la maisonnée d'un gras magistrat et à mettre ses enfants au monde me console un peu de te perdre.

Je souris. L'épouse de mon père avait tenté de me convaincre que ce genre de vie était ce qu'une femme pouvait espérer de mieux, mais j'avais toujours su que, tôt ou tard, je partirais pour Avalon. Que cela se fût réalisé tôt était dû à la rébellion d'un général appelé Postumus, qui avait coupé l'Angleterre de l'Empire. Les côtes sud-est, privées de protection, allaient attirer les pillards, aussi le prince Coelius avait-il estimé qu'il valait mieux mettre sa petite fille en sécurité à Avalon pendant que ses fils et lui se préparaient à défendre Camulodunum.

Un moment, mon sourire s'effaça, car je tenais à mon père et détestais l'idée qu'il puisse être en danger. Mais je savais très bien qu'en son absence ma vie n'aurait pas été heureuse. Pour les Romains, j'étais une enfant illégitime, sans parenté maternelle, car il était interdit de parler d'Avalon. À vrai dire, Corinthius et la vieille Huctia, ma nourrice, avaient constitué ma seule famille, et celle-ci était morte l'hiver dernier. Il était temps pour moi de retourner dans le monde de ma mère.

La route descendait maintenant en lacets au flanc de la colline. Lorsque nous émergeâmes des arbres qui nous avaient abrités, je mis ma main en visière devant mes yeux. À nos pieds, les eaux recouvraient la terre comme une feuille d'or.

– Si tu étais un cheval fée, murmurai-je à mon poney, nous pourrions galoper sur cette voie scintillante jusqu'à Avalon.

Mais l'animal se contenta de secouer la tête et de tondre une bouchée d'herbe, et nous continuâmes à descendre, dans le martèlement des sabots, pas à pas, jusqu'à ce que nous atteignîmes les rondins glissants de la chaussée. À présent, je pouvais apercevoir les tiges grises des herbes de l'été dernier onduler dans l'eau et, plus loin, les roselières qui bordaient les canaux permanents et les mares. Les profondeurs de l'onde étaient sombres, chargées de mystère. Quels esprits régnaient sur ces marais où les éléments étaient si indistincts, si mêlés, qu'on ne pouvait distinguer où finissait la terre et où commençait l'eau ? Je frissonnai un peu et tournai mon regard vers le jour radieux.

Comme l'après-midi approchait de sa fin, une brume commença à s'élever. Nous nous déplaçâmes plus lentement, laissant nos montures choisir elles-mêmes l'endroit où elles posaient le pied sur les rondins glissants. Dès que j'avais su marcher, j'étais montée à cheval, mais jusqu'à ce soir, la chevauchée de chaque jour avait été brève, appropriée à la résistance d'un enfant. Celle d'aujourd'hui, dernière étape de notre voyage, avait duré plus longtemps. Mes jambes et mon dos m'élançaient sourdement et je savais que je serais bien contente de mettre pied à terre quand le jour prendrait fin.

Nous sortîmes du couvert des arbres et le guide, tirant sur ses rênes, montra quelque chose du doigt. Au-delà de l'enchevêtrement des marais et des bois pointait la cime d'une montagne. J'avais quitté cet endroit lorsque j'avais à peine un an, et pourtant, avec une certitude qui dépassait le souvenir, je savais que je me trouvais face au mont sacré du Tor. Touché par les derniers rayons du soleil, il semblait luire de l'intérieur.

– L'Île de Verre…, murmura Corinthius, qui ouvrait de grands yeux devant sa beauté.

Mais pas Avalon, pensai-je en me remémorant les histoires que j'avais entendues. Les huttes en forme de ruches rassemblées au pied du Tor appartenaient à une petite communauté de chrétiens. L'Avalon des druides reposait dans les brumes, entre ce monde et celui des Fées.

— Et voici le village des habitants du Lac…, ajouta notre guide en montrant les traînées de fumée qui s'élevaient derrière les saules.

Il frappa l'encolure de son poney avec les rênes, et tous les chevaux, sentant que le voyage tirait à sa fin, avancèrent avec empressement.

— Nous avons une barge, mais pour traverser jusqu'à Avalon, il faut une prêtresse. Elle dira si vous êtes les bienvenus. Y aller tout de suite, est-ce important ? Vous voulez que je lance un appel ?

Les paroles du chef étaient respectueuses, mais son attitude n'avait rien de déférent. Depuis près de trois cents ans, son peuple était le gardien d'Avalon.

— Pas ce soir, répondit Corinthius. La jeune fille a enduré les fatigues d'un long trajet. Laissons-lui une bonne nuit de sommeil avant qu'elle soit obligée d'affronter toutes ces personnes nouvelles, dans son nouveau foyer.

Je lui pressai la main avec gratitude. J'avais hâte d'arriver à Avalon, mais à présent que notre voyage était terminé, je prenais douloureusement conscience que je ne reverrais plus le vieil homme. Et je me rendais enfin compte à quel point je l'aimais. J'avais pleuré lorsque ma nourrice était morte et je savais que la perte de Corinthius me ferait tout autant pleurer.

Les habitants du lac nous logèrent dans l'une des chaumières rondes perchées sur pilotis au-dessus des marais. Un long bateau plat y était attaché, et une passerelle branlante la reliait à la terre ferme. Les villageois, petits et frêles, avaient les yeux et les cheveux noirs. À dix ans, j'étais aussi grande que leurs femmes, et pourtant j'avais la même chevelure brune qu'elles. Je les regardais avec curiosité car j'avais entendu dire que ma mère leur ressemblait, mais peut-être étaient-ils tous semblables au peuple des Fées.

Ils nous apportèrent une bière légère, un ragoût de poisson et de millet à l'ail sauvage, ainsi que des galettes d'avoine cuites sur la pierre du foyer. Quand nous eûmes mangé cette nourriture simple, nous nous assîmes près de l'âtre ; le corps trop fatigué pour bouger, mais l'esprit trop éveillé pour dormir, nous regardâmes les flammes se transformer en braises qui brillaient comme le soleil disparu.

— Corinthius, te souviendras-tu de moi lorsque tu auras ton école, à Londinium ?

— Comment pourrais-je oublier ma petite fille, vive comme l'un des rayons du soleil d'Apollon, quand il me faudra lutter pour introduire de force des hexamètres latins dans la tête dure d'une douzaine de garçons ?

Un sourire rida ses traits las.

— Il faut appeler le soleil Belenos dans cette terre nordique, dis-je.

— Je faisais allusion à l'Apollon des Hyperboréens, mon enfant, mais c'est le même…

— Tu le crois vraiment ?

Corinthius leva un sourcil.

— Un seul et même soleil brille ici et sur la terre où je suis né, bien que nous lui donnions un nom différent. Au royaume des Idées, les grands principes qui se dissimulent derrière les formes que nous voyons sont identiques.

Je fronçai les sourcils en essayant de saisir le sens de ses paroles. Il avait tenté de m'expliquer la philosophie de Platon, mais je la trouvais difficile à comprendre. Chaque endroit que je découvrais avait son esprit propre, aussi distinct que les âmes humaines. Cette terre qu'on appelait le Pays d'Été, tout en collines, en bois et en mares cachées, semblait être un monde bien éloigné des plaines cultivées et des boqueteaux qui entouraient Camulodunum. Si les contes que l'on m'en avait faits étaient vrais, Avalon serait plus étrange encore. Comment leurs dieux pourraient-ils être les mêmes ?

— Je pense que c'est plutôt toi, petite, qui as toute ta vie devant toi, qui m'oublieras, dit alors le vieil homme. Qu'y a-t-il, enfant ? demanda-t-il en se penchant pour écarter la boucle de cheveux qui cachait mes yeux. As-tu peur ?

— Et si… si elles ne m'aimaient pas ?

Corinthius me caressa les cheveux un moment, puis se redressa avec un soupir.

– Je devrais te dire que pour le vrai philosophe, cela importe peu, et qu'une personne vertueuse n'a pas besoin de l'approbation des autres. Mais quel réconfort cela peut-il apporter à un enfant ? Néanmoins, c'est vrai. Certaines personnes ne t'aimeront pas, quoique tu fasses, et lorsque cela arrivera, tu ne pourras que tenter de servir la Vérité, telle que tu la vois. Et pourtant, si tu as conquis mon cœur, d'autres t'aimeront aussi. Cherche celles qui auront besoin de ton amour et elles te rendront la bénédiction.

Son ton était tonifiant ; je déglutis et réussis à sourire. J'étais une princesse, et un jour je serais aussi une prêtresse. Il ne fallait pas que l'on me voie pleurer.

J'entendis un bruit au seuil de notre porte. Quelqu'un écarta le rabat en cuir et j'aperçus un enfant, tenant dans ses bras un chiot qui se tortillait. L'épouse du chef l'aperçut et lui parla sur un ton de reproche, dans le dialecte du Lac. Je saisis le mot « chien » et compris qu'on lui disait de l'emporter ailleurs.

– Oh, non... j'adore les chiots ! m'exclamai-je. Je vous en prie, laissez-moi le voir !

La femme semblait dubitative, mais comme Corinthius hochait la tête, le petit garçon s'approcha de moi en souriant et déposa l'animal dans mes mains tendues. En empoignant le paquet de fourrure qui gigotait, je souris aussi. Je voyais déjà que ce n'était pas l'un des gracieux sloughis flânant avec une noble dignité dans la grande salle de mon père. Le chiot était trop minuscule, sa fourrure crème déjà trop épaisse, et sa queue trop recourbée. Mais les yeux bruns brillaient de curiosité et la langue qui, pour me lécher la main, darda sous la truffe noire et humide, pas plus grosse qu'un bouton, était rose et tiède.

– Là, voilà... n'est-ce pas un amour ?

Je pressai le chien sur ma poitrine et ris de nouveau lorsqu'il essaya de me lécher aussi la figure.

– C'est une bête qui n'est ni racée, ni dressée, déclara Corinthius qui n'aimait pas beaucoup les animaux. Et elle a probablement des puces...

– Non, Seigneur, répondit le petit garçon, c'est un chien fée.

Corinthius leva un sourcil éloquent et le petit garçon se renfrogna.

– Je dis vrai ! s'exclama-t-il. Ça arrive avant. La maman s'est perdue, y'a deux trois jours. L'avait qu'un chiot, blanc comme ça. Un chien fée vit longtemps et, si pas tué, quand vieux, il disparaît. Le chien voit les esprits et sait chemin de l'Autre Monde !

Imprégnée de la bonne chaleur de l'animal que j'avais dans les bras, j'enfouis mon visage dans la douce fourrure pour dissimuler mon sourire, car les gens du Lac hochaient solennellement la tête à ces paroles et je ne voulais pas leur faire injure.

— C'est cadeau, elle te gardera…, dit alors le petit garçon.

Je réprimai un éclat de rire à l'idée que cette boule de peluche puisse protéger quiconque, puis relevai la tête pour sourire à l'enfant.

— Elle a un nom ?

— Les fées savent, répondit-il en haussant les épaules. Peut-être elle te dit un jour.

— En attendant qu'elles le fassent, je vais l'appeler Surette, car elle est aussi blanche et délicate que la fleur du sureau.

En disant cela, je la regardai, puis je me retournai vers le petit garçon.

— Et toi… comment tu t'appelles ?

Une rougeur aviva son teint cireux.

— C'est « Loutre » dans ta langue, dit-il tandis que les autres riaient.

Un nom d'usage, pensai-je. À son initiation, il en recevrait un autre qui ne servirait que dans la tribu. Et comment allais-je lui répondre ? Dans le monde de mon père, j'avais été Julia Helena, mais cela n'avait rien à voir avec ce monde-ci.

— Je te remercie. Tu peux m'appeler Eilan.

Je me réveillai, sortie d'un rêve d'eaux, clignant des yeux dans la lumière matinale. J'avais été à bord d'un long bateau plat qui glissait silencieusement dans les tourbillons de brume jusqu'à ce qu'ils s'écartent pour révéler une belle île verte. Mais soudain, la scène avait changé et je m'étais retrouvée à bord d'une galère qui se dirigeait vers les marécages infinis. Un vaste fleuve se divisait en une myriade de bras en se jetant dans la mer. Et puis ce paysage avait de nouveau fait place à un pays de pierre dorée et de sable, baigné par une mer d'un bleu éclatant. Mais l'île verte avait été la plus belle vision. Parfois, au cours de ma vie, j'avais rêvé de choses qui étaient devenues réelles. Je me demandai si ce serait le cas pour celle-là. Déjà le souvenir s'estompait. Je soupirai, repoussai les fourrures de nuit dans lesquelles je m'étais blottie avec Surette en boule contre moi, et me frottai les yeux. Une femme que je ne connaissais pas était accroupie à côté du feu du chef et buvait du thé dans une coupe en argile grossier. Je remarquai d'abord la longue tresse brune et la cape bleue, puis, lorsqu'elle se retourna, la marque d'une prêtresse tatouée entre les sourcils. Le croissant bleu était encore brillant et le doux visage, celui d'une jeune fille. Son initiation datait de peu. Alors, comme si elle avait senti mon regard, la prêtresse se retourna et je baissai les yeux devant le sien, indifférent, sans âge.

— Elle s'appelle Suona, dit Corinthius en me tapotant l'épaule. Elle est arrivée à l'aube.

Je me demandai comment le chef avait fait pour la prévenir. Est-ce qu'un membre du peuple des Fées avait porté le message ou existait-il une invocation secrète ?

— C'est elle ? demanda Suona.

— La fille du prince Coelius de Camulodunum, répondit Corinthius. Mais sa mère était d'Avalon.

— Elle semble trop âgée pour commencer sa formation ici.

Corinthius secoua la tête.

— Elle est grande pour son âge, mais elle n'a que dix hivers. Helena n'est pas dépourvue d'instruction. Elle a appris à se servir de son intelligence tout comme à accomplir les tâches d'une femme. Elle peut lire et écrire le latin et sait un peu de grec, et elle a aussi appris à compter.

Suona ne parut pas très impressionnée. Je levai le menton et la regardai droit dans les yeux. Un moment, je sentis un étrange picotement dans ma tête, comme si quelque chose avait effleuré mon esprit. Puis la prêtresse hocha légèrement la tête et cette sensation disparut. Pour la première fois, elle s'adressa directement à moi.

— Est-ce toi qui désires venir à Avalon ? Ou ton père qui t'envoie ?

Je sentis mon cœur s'emballer, mais fus soulagée lorsque j'entendis mes paroles sortir fermement de ma bouche.

— Je veux aller à Avalon.

— Laisse l'enfant déjeuner, ensuite nous serons prêts à partir, dit Corinthius.

Mais la prêtresse fit non de la tête.

– Pas toi, seulement la petite fille. Il est interdit à un étranger de voir Avalon, sauf lorsque les dieux l'appellent.

Un moment, le vieil homme parut affligé, puis il baissa la tête.

– Corinthius…

Je sentis les larmes me picoter les yeux.

– Ne t'inquiète pas, dit-il en me tapotant le bras. Pour un philosophe, toutes les affections sont éphémères. Je dois m'évertuer à faire preuve de plus de détachement, c'est tout.

– Mais je ne te manquerai pas ?

Je m'agrippai à sa main. Il demeura un moment les yeux fermés. Puis il relâcha son souffle en un long soupir.

– Tu me manqueras, fille de mon cœur, répondit-il d'une voix douce. Même si cela va à l'encontre de ma philosophie. Mais n'aie crainte : tu vas te faire de nouvelles amies et apprendre de nouvelles choses.

Je sentis Surette s'agiter sur mes genoux et l'inquiétude commença à s'effacer.

– Moi, je ne t'oublierai pas…, dis-je vaillamment – et je fus récompensée par son sourire.

Mes doigts serrèrent le bastingage lorsque les passeurs enfoncèrent leurs perches et que la barge s'éloigna du rivage en glissant. Pendant la nuit, le brouillard s'était élevé de nouveau des eaux et, une fois sortis du village, on ne put guère compter sur la vue pour appréhender le monde. Je n'étais montée sur un bateau qu'une seule fois auparavant, lorsque nous avions traversé la Tamise, à Londinium. Je m'étais sentie presque submergée par la détermination immense, impérieuse, du fleuve, et sur le point de fondre en larmes quand nous avions atteint l'autre rive, parce qu'on ne me permettait pas de le suivre jusqu'à la mer.

Sur le Lac, ce que je ressentis le plus fortement, c'était sa profondeur, ce qui me parut étrange car le fond était encore à la portée des perches des passeurs, et je pouvais voir onduler les tiges des roseaux, sous la ligne de flottaison.

Mais ce que mes yeux voyaient semblait être une illusion. Je sentais des eaux courir sous le lit du Lac et compris que j'avais commencé à le faire dès le début de notre traversée des Plaines, quand nous étions encore sur ce qui passait dans ce pays pour de la terre ferme. Ici, il n'y avait guère de différence entre la terre et l'eau, tout comme il y avait peu de séparation entre le monde des hommes et l'Autre Monde.

Je regardais avec curiosité la femme assise à la proue, enveloppée, encapuchonnée de bleu. Pour être une prêtresse, fallait-il devenir si détachée de tout sentiment humain ? Corinthius prêchait également le détachement, mais je savais qu'il y avait un cœur sous sa robe de philosophe. *Quand je deviendrai prêtresse, je n'oublierai pas ce qu'est l'amour !* Cela, je me le promis à moi-même.

J'aurais tellement voulu qu'elles permettent à mon vieux professeur de rester avec moi pour ce dernier petit bout de chemin. Il me faisait toujours signe du rivage, et bien qu'il m'eût dit adieu avec la retenue d'un vrai stoïcien, il me semblait que ses yeux brillaient de larmes. J'essuyai les miennes et lui rendis son salut avec plus d'ardeur, puis, comme le premier voile de brume se déployait entre nous, je me réinstallai sur mon banc.

Au moins, j'avais encore Surette, fourrée bien à l'abri dans le repli que faisait ma tunique en blousant sur ma ceinture. Je sentais la chaleur du chiot contre ma poitrine et le tapotais au travers du tissu pour le rassurer. Jusqu'ici, il n'avait ni aboyé ni bougé, comme s'il comprenait qu'il fallait garder le silence. Tant qu'il demeurerait caché, personne ne pourrait me défendre de l'emmener à Avalon.

J'ouvris le col de ma tunique et souris en voyant deux yeux brillants se lever vers moi, puis je m'enveloppai de nouveau – pas trop serré – dans ma cape.

Le brouillard s'épaississait, se déployant d'un bout à l'autre de l'eau en écheveaux denses, comme si non seulement la terre mais l'air se dissolvaient pour retourner dans la matrice liquide des origines. Ce qui, des éléments pythagoriciens dont Corinthius m'avait parlé, ne laissait que le feu. Je respirai à fond, à la fois perturbée et curieusement rassurée ; on aurait dit que quelque chose, en moi, reconnaissait cette incorporation protéenne et lui faisait bon accueil.

Nous étions bien engagés sur le Lac maintenant, et les passeurs pagayaient. La barge avançant, le village sur pilotis s'évanouit dans la brume, derrière eux. Le Tor avait disparu, lui aussi. Pour la première fois, je frissonnai de peur.

Mais Surette me réchauffait le cœur et, à la proue, la jeune prêtresse restait calmement assise, le visage serein. Suona avait l'air d'une jeune fille quelconque mais, pour la première fois, je compris ce que ma nourrice avait voulu dire en m'ordonnant de me tenir comme une reine.

Bien que je n'aie aperçu aucun signal, les mariniers levèrent soudain leurs pagaies et les posèrent sur leurs cuisses. La barge flottait tranquillement et les dernières rides produites par son passage s'élargissaient de chaque côté. Je sentis une pression dans mes oreilles et secouai la tête pour la faire cesser.

Puis, enfin, la prêtresse bougea et, rejetant son capuchon, se leva. Debout, les pieds écartés, elle parut grandir tandis qu'elle levait les bras pour lancer une invocation. Elle aspira l'air à pleins poumons et ses traits ordinaires se mirent à rayonner de beauté. *Les dieux ont cet air-là*, pensai-je lorsque Suona émit une kyrielle de syllabes musicales dans une langue que je n'avais jamais entendue auparavant.

Puis, cela aussi fut oublié, car les brumes recommencèrent à ondoyer. Les passeurs s'étaient caché les yeux, mais je gardais les miens ouverts, les écarquillant lorsque les nuages gris scintillèrent d'un arc-en-ciel de couleurs. La lumière tournoya autour de moi dans le sens du soleil, les couleurs se fondirent, arrachant la réalité au Temps. Durant une impossible éternité, nous restâmes suspendus entre les mondes. Puis, sur une dernière explosion de splendeur, le brouillard se transforma en un léger nuage de lumière.

La prêtresse se laissa retomber sur le banc, la sueur perlant à son front. Les mariniers reprirent leurs pagaies et recommencèrent à les manœuvrer comme si tout cela n'avait été qu'un intermède destiné à reposer leurs bras. Je respirai de nouveau ; je n'avais même pas eu conscience de retenir mon souffle. *Ils doivent avoir l'habitude de ce… phénomène*, pensai-je, abasourdie, puis : *Comment peut-on s'accoutumer à une telle merveille !*

Durant quelques instants, bien que l'eau dégoûtât des pagaies, nous ne parûmes pas avancer. Puis la brume lumineuse s'effaça soudain, le Tor se précipita vers nous, et je frappai mes mains l'une contre l'autre en reconnaissant la belle île couleur d'émeraude.

Toutefois, il y avait là plus de choses que dans mon rêve. Je m'étais en partie attendue à voir les cabanes en bois que j'avais aperçues depuis le village du petit peuple du Lac, mais cela, c'était Inis Witrin, l'île des moines. À leur place, il y avait sur l'autre île d'Avalon des édifices de pierre. J'avais déjà vu des bâtiments romains plus grands, mais aucun d'eux n'était à la fois aussi massif et aussi gracieux, orné de colonnes de pierre fuselées aux fûts polis. Bénis par le soleil printanier, ils semblaient luire de l'intérieur.

Si j'avais été capable de parler, j'aurais supplié nos passeurs d'arrêter le bateau, de me dire ce qu'était chaque maison, pendant que je pouvais encore englober d'un seul regard leur harmonie. Mais la terre venait trop rapidement à nous. En une seconde, le fond de la barge racla le sable et accosta doucement sur le rivage.

Pour la première fois, la jeune prêtresse sourit. Elle se leva et me tendit la main.

— Sois la bienvenue à Avalon.

— Regarde, c'est la fille de Rian…

Les chuchotements se propagèrent. Je les entendis distinctement en entrant dans le manoir.

— C'est impossible. Elle est trop grande et Rian est morte il y a dix ans seulement.

— Elle doit tenir de la famille de son père…

— Cela ne va pas la faire aimer de la Dame, répliqua quelqu'un avec un petit rire.

Je déglutis. Difficile de faire semblant de ne pas entendre, et plus dur encore de marcher avec le fier port de tête d'une fille de noble maison, comme ma nourrice me l'avait appris, alors que je désirais rester bouche bée devant la demeure de la prêtresse, tel un paysan passant pour la première fois sous la grande porte de Camulodunum.

Je ne pus m'empêcher de recueillir quelques impressions de mon environnement. Le manoir était circulaire, comme les maisons que les Bretons bâtissaient avant la venue des Romains, mais celle-là était en pierre. Le mur extérieur ne dépassait pas la hauteur d'un homme de haute taille, mais le toit en pente était soutenu par un cercle de colonnes de pierre sculptées de spirales et de triples nœuds, de chevrons entourés de bandes de couleur torsadées. Les poutres du toit ne se rejoignaient pas tout à fait, et par l'ouverture centrale pénétrait un flot de clarté.

La galerie ronde était dans l'ombre, mais la prêtresse qui s'y tenait rayonnait de lumière. Lorsque Suona pilotait la barge dans le brouillard, elle portait une tunique en peau de daim. Là, j'étais plongée dans une mer de bleu prêtresse. Certaines avaient natté leurs cheveux comme Suona, mais d'autres les avaient remontés avec des épingles ou laissés pendre sur leurs épaules. Les rayons du soleil brillaient sur leurs têtes nues, blondes, brunes, argentées et rousses.

Il y en avait de tous âges, de toutes tailles, avec pour seul trait commun le croissant bleu peint entre les sourcils – cela et une chose indéfinissable dans les yeux. Après réflexion, je décidai que c'était de la sérénité et je souhaitai la partager, car mon ventre gargouillait d'inquiétude.

N'en tiens pas compte, me dis-je sévèrement. *Tu vas vivre avec ces femmes-là jusqu'à la fin de ton existence. Tu regarderas ce manoir tant de fois que tu ne le verras plus. Pas besoin de le fixer comme cela, ni d'avoir peur.*

Surtout maintenant, poursuivit ma pensée lorsque celles qui étaient devant moi s'écartèrent et que j'aperçus la Grande Prêtresse qui m'attendait. Mais les doutes me revinrent lorsque je sentis la chienne fée s'agiter sous le corsage de ma robe. Je comprenais maintenant que j'aurais dû laisser le chiot dans la Maison des Vierges, mais alors Surette dormait et il m'avait semblé que si elle s'éveillait dans un environnement étranger, elle pourrait s'effrayer et s'enfuir. Je n'avais pas pensé à ce qui pourrait arriver si la chienne se manifestait pendant la cérémonie officielle d'accueil à Avalon.

Je croisai les bras, pressai le corps poilu et chaud contre ma poitrine pour la rassurer. Surette était une chienne magique – peut-être entendrait-elle ma supplication silencieuse et se tiendrait-elle tranquille.

Les murmures firent place au silence lorsque la Grande Prêtresse leva la main. Les femmes se disposèrent d'elles-mêmes en cercle, les prêtresses âgées près de leur Dame et les jeunes filles, qui réprimaient leurs gloussements, à l'autre bout. Je pensais qu'elles étaient cinq, mais n'osais pas les regarder assez longtemps pour en être certaine.

Tous les yeux étaient fixés sur moi. Je me forçai à continuer d'avancer.

Maintenant, je voyais clairement la Dame. À cette époque, Ganeda, le corps épaissi par les grossesses, venait d'aborder la cinquantaine. Ses cheveux, qui avaient été roux, étaient poudrés de gris comme des braises mourantes. Je m'arrêtai devant elle, me demandant quel genre de révérence convenait pour la Dame d'Avalon. Ma nourrice m'avait enseigné les saluts appropriés à chaque rang jusqu'à celui d'impératrice, bien qu'il parût improbable qu'un César revienne jamais jusqu'en Angleterre.

Je ne peux pas me tromper si je lui donne celui réservé à une dame impériale, pensai-je alors. *Car, en vérité, elle est l'impératrice de sa propre sphère.*

En me redressant, je croisai le regard de la vieille femme et il me sembla que, durant un instant, une lueur d'amusement éclaira la mine glaciale de Ganeda. Peut-être l'avais-je seulement imaginé, car, à la seconde suivante, les traits de la Grande Prêtresse étaient de marbre.

— Alors… tu es venue à Avalon. Pourquoi ?

La question avait été lancée brusquement, comme une épée qu'on abat dans le noir.

Je la regardai fixement, soudain privée de mots.

— Tu as effrayé cette pauvre enfant, dit une autre prêtresse, une femme à l'air maternel dont les cheveux blonds commençaient juste à grisonner.

— Cigfolla, c'était une simple question que je suis en droit de poser à toutes celles qui cherchent à entrer dans la communauté d'Avalon, répliqua la Grande Prêtresse d'un ton acerbe.

— Elle veut savoir si tu es venue ici de ton plein gré et non sous la contrainte d'un homme, expliqua Cigfolla. Cherches-tu à devenir prêtresse ou seulement à recevoir un enseignement avant de retourner dans le monde ?

Elle souriait pour m'encourager.

Je fronçai les sourcils, reconnaissant qu'il était légitime de me poser cette question.

— C'était la volonté de mon père que je vienne ici en ce moment, à cause des incursions saxonnes, répondis-je lentement — et je vis comme une étincelle de satisfaction dans les yeux de Ganeda. Mais retourner en Avalon a toujours été ma destinée, poursuivis-je.

Si j'avais eu le moindre doute, ce voyage dans les brumes l'avait dissipé. C'était la magie au cœur des choses qui, je l'avais toujours su, était là. À cet instant, j'avais reconnu mon héritage.

— Suivre la voie d'une prêtresse, c'est mon plus cher désir…

Ganeda soupira.

— Fais attention à ce que tu souhaites, de peur de découvrir que ton souhait n'ait vraiment été exaucé… Pourtant, tu as prononcé les paroles, et pour finir, c'est la Déesse et non moi qui décidera de t'accepter ou non. Aussi, je te souhaite la bienvenue en ce lieu.

Cette réception à contrecœur provoqua des commentaires qui coururent comme un murmure parmi les autres prêtresses. Je clignai des yeux pour retenir mes larmes, comprenant que ma tante ne désirait pas ma présence et, sans doute, espérait me voir échouer.

Mais je n'échouerai pas ! Je me le promis. *J'étudierai plus que jamais et deviendrai une grande prêtresse – si célèbre que, dans mille ans, on se souviendra de mon nom !*

Ganeda soupira.

— Viens.

Le cœur battant si fort que je craignais de réveiller Surette, je m'avançai vers elle. Ganeda ouvrit les bras. *Elle est à peine plus grande que moi !* pensai-je, surprise, en me livrant à l'étreinte réticente de la femme âgée. La Grande Prêtresse avait paru si grande et si majestueuse auparavant.

Ganeda me prit par les épaules et m'attira violemment contre sa poitrine. Surette, écrasée entre nous, se réveilla en se contorsionnant et poussa un jappement de surprise. La prêtresse me relâcha comme si j'étais un charbon ardent, et je sentis une rougeur révélatrice envahir mon visage tandis que la petite chienne passait la tête par l'encolure lâche de ma robe.

Quelqu'un réprima un gloussement, mais ma propre envie de rire mourut devant le froncement de sourcils de Ganeda.

— Qu'est-ce que c'est que ça ? As-tu l'intention de te moquer de nous ?

Il y avait dans la voix de la prêtresse un sous-entendu qui résonna comme un coup de tonnerre lointain.

— C'est une chienne fée ! m'exclamai-je, les yeux pleins de larmes. Les gens du Lac me l'ont donnée !

— Une créature rare et merveilleuse, intervint Cigfolla avant que Ganeda eût pu reprendre la parole. On ne peut pas prendre de tels dons à la légère.

Un murmure d'acquiescement monta des autres prêtresses. Le tonnerre qui grondait en elle resta un moment encore suspendu dans l'air, puis, comme il devenait clair que la plupart de ces femmes me regardaient avec sympathie, Ganeda mit un frein à sa colère et réussit à m'adresser un sourire pincé.

— Un beau cadeau, il est vrai, articula-t-elle faiblement, mais le Manoir des Prêtresses n'est pas un endroit pour elle.

— Je suis désolée, ma dame, bégayai-je, je ne savais pas où…

— Cela ne change rien à l'affaire, coupa Ganeda. La communauté attend. Va saluer le reste de tes sœurs.

Le chiot toujours dressé, sortant la tête par le col de ma tunique, je me réfugiai avec reconnaissance dans les bras de Cigfolla, humant la lavande qui parfumait sa robe. La femme qui se tenait à côté d'elle était une pâle copie de Ganeda. Elle tenait dans ses bras une fillette dont les cheveux rougeoyaient comme un feu.

— J'ai *vu* ton visage en rêve, petite, et suis heureuse de t'accueillir ! Je suis ta cousine Sian, et voici Dierna, dit-elle d'une voix douce.

La petite fille, aussi blonde et aussi potelée qu'on pouvait l'attendre d'une enfant de cet âge, m'adressa un sourire édenté. À côté de ses cheveux flamboyants, sa mère semblait encore plus blême, comme si elle avait donné toute sa force à sa progéniture. Ou peut-être était-ce de grandir à l'ombre de Ganeda qui avait sapé sa vitalité.

— Bonjour, Dierna.

Je serrai la main potelée.

— J'ai deux ans ! proclama la petite.

— Je l'avais tout de suite deviné ! lui répondis-je après un moment d'embarras.

C'était apparemment la bonne réponse, car Sian sourit aussi.

— Tu es vraiment la bienvenue à Avalon, dit-elle en se penchant pour m'embrasser sur le front.

Au moins un membre de la famille de ma mère était content de me voir, pensai-je en me tournant vers la femme suivante.

Tandis que je parcourais le cercle, certaines des femmes tapotèrent aussi la tête du chiot, et d'autres eurent un mot de louange pour ma mère morte. Les pucelles qui étaient en cours d'apprentissage sur l'île sacrée me reçurent avec un respect craintif plein de ravissement, comme si j'avais eu l'intention, depuis le début, de jouer un tour à la Grande Prêtresse. Roud et Gwenna avaient le teint rubicond des Celtes royaux, et Heron, l'aspect sombre et frêle des gens du Lac. Aelia était presque aussi grande que moi, bien que ses cheveux fussent d'un châtain plus clair. Tuli, qui les regardait d'un œil amusé, du haut de son initiation prochaine, avait, comme sa jeune sœur Wren, des cheveux blonds, coupés court comme ceux des autres, et des yeux gris. Je n'avais pas eu l'intention de les impressionner avec ma petite chienne, mais, que ce fût un bien ou un mal, elle semblait être un talisman puissant.

La formalité de l'accueil prit fin et la rangée solennelle se transforma en une foule de femmes livrées au bavardage. Tandis que les jeunes filles m'emmenaient en hâte vers le havre de la Maison des Vierges, Ganeda ne me quittait pas des yeux ; je compris que si ma tante ne m'avait jamais aimée, désormais elle me détestait. J'avais grandi à la cour d'un prince et savais qu'aucun chef ne peut supporter qu'on se moque de lui dans sa propre demeure.

II

262-263 après J.-C.

— Mais où les gens vont-ils donc lorsqu'ils visitent le Pays des
Fées ? Est-ce que l'esprit seul voyage, comme dans un rêve, ou le
corps se déplace-t-il réellement entre les mondes ?

J'étais couchée sur le ventre, la lumière du soleil inondait mon dos
et les paroles de Wren semblaient vraiment venir d'un autre monde.
Une partie de mon esprit savait que j'étais étendue sur la terre de l'île
sacrée, en compagnie des autres jeunes filles, et que j'écoutais la
leçon de Suona, mais mon essence flottait dans un étrange état intermédiaire d'où il serait très facile de partir totalement ailleurs.

— Vous êtes ici, n'est-ce pas ? demanda Suona d'un ton acerbe.

— Pas complètement…, chuchota Aelia en gloussant.

Comme d'habitude, elle avait réclamé une place à côté de moi.

— Vous avez traversé les brumes pour venir dans cet endroit, sinon
vous auriez abouti sur Inis Witrin, poursuivit la prêtresse. Il est plus
facile de voyager seulement en esprit, mais en fait, le corps peut aussi
être transféré, par ceux qui ont appris l'ancienne sagesse…

Je roulai sur le dos et m'assis. C'était un jour exceptionnellement
chaud de printemps et Suona avait emmené celles dont elle était chargée dans la pommeraie. La lumière, miroitant d'une façon inégale au
travers des feuilles nouvelles, pommelait d'or les robes de lin brut des
jeunes filles. Wren réfléchit à la réponse, la tête penchée sur le côté
comme le roitelet dont elle tenait son nom.

On pouvait compter sur elle pour énoncer des truismes, et, comme
elle était la plus jeune des élèves d'Avalon, elle devait supporter bon
nombre de taquineries. J'avais vu ce qui se passait lorsqu'on introduisait

un nouveau membre dans une meute de chiens de chasse et je m'étais attendue à ce qu'elles se liguent contre moi.

Cependant, bien que Ganeda ne me montrât aucune préférence, j'étais parente de la Dame d'Avalon. Ou peut-être était-ce dû à ma taille – car, à treize ans, Aelia et moi étions aussi grandes que beaucoup de prêtresses adultes – ou bien parce que Wren constituait une cible facile. En tout cas, c'était la plus jeune que les autres harcelaient, et moi qui faisais de mon mieux pour la protéger.

– Les chrétiens racontent l'histoire d'un prophète appelé Élie qui fut emporté aux cieux dans un chariot de feu, dis-je d'un ton jovial – on nous avait emmenées, pour notre instruction, à un service religieux sur l'autre île. Était-ce aussi un adepte ?

Suona parut un peu mécontente, et les autres filles éclatèrent de rire. Elles avaient l'habitude de prendre les chrétiens d'Inis Witrin pour des vieillards idiots, bien qu'habituellement gentils, qui marmonnaient des prières et avaient oublié l'ancienne sagesse. Pourtant, si ce que j'avais entendu dire de leur fondateur, Joseph le saint homme, était vrai, ils avaient aussi connu autrefois en partie les Mystères.

– Peut-être…, reconnut Suona à contrecœur. Je suppose que les lois du monde de l'Esprit ressemblent à celles du monde de la Nature, et n'opèrent pas très différemment dans les autres pays qu'elles ne le font ici. Mais c'est à Avalon que l'on met en pratique l'ancienne sagesse et que l'on se souvient de la vérité. Pour la plupart des hommes, cet endroit est un songe où court une rumeur de magie. Vous avez beaucoup de chance de résider ici !

Les gloussements se calmèrent et les petites filles, reconnaissant que la patience de leur enseignante s'épuisait, disposèrent leurs jupes autour d'elles de façon plus convenable et se redressèrent.

– Je me souviens de ce que j'ai ressenti la première fois que j'ai traversé les brumes, dis-je, car il n'y a que trois ans que je suis arrivée ici. J'ai eu l'impression que l'on retournait mon esprit, et puis le monde s'est transformé.

Seulement trois ans… Pourtant, c'était le monde extérieur qui maintenant semblait être un rêve. Même le chagrin causé par la disparition de mon père, mort en combattant les pillards saxons, s'était apaisé. Ma grand-tante hostile était maintenant ma parente la plus proche, mais les autres prêtresses se montraient bonnes envers moi et, parmi les jeunes filles, Aelia était ma plus fidèle amie.

Suona eut un petit sourire.

— Je suppose que cette description en vaut une autre. Mais ce n'est pas la seule manière de se déplacer de monde en monde. Passer de la vie des tribus à Londinium est, pour l'esprit, un aussi grand voyage, et certains de ceux qui l'entament tombent malades et dépérissent comme des arbres transplantés dans un sol hostile, parce que leurs esprits ne peuvent pas supporter le changement.

J'acquiesçai d'un hochement de tête. J'étais allée plusieurs fois à Londinium durant mon enfance, et bien que le prince Julius Coelius fût romain de nom et enseignât le latin à ses enfants autant que leur langue maternelle, je me souvenais encore du choc que j'éprouvais lorsque nous franchissions la porte de la ville et que le bruit de la capitale montait autour de nous ; c'était comme de sauter dans l'océan.

— Mais est-ce que nos corps vont au Pays des Fées ? demanda Wren qui s'accrochait à un sujet comme un terrier lorsqu'elle s'y intéressait.

Voyant le froncement de sourcils de Suona, j'intervins, une fois encore.

— Nous savons que nos corps matériels sont assis ici, dans le verger, sous le Tor, mais, sauf que le temps qu'il y fait diffère parfois un peu, Avalon n'est pas si dissemblable que cela du monde extérieur.

— Il y a d'autres différences que vous apprendrez lorsque vous serez plus avancées dans vos études. Certaines sortes de magie opèrent plus aisément ici, parce que nous sommes à la croisée des lignes du pouvoir, et en raison de la structure du Tor... Mais dans l'ensemble, ce que tu dis est vrai.

— Cependant le Pays des Fées n'est pas le même, intervint Tuli. Le temps s'y écoule plus lentement et son peuple est magique.

— C'est exact, pourtant un mortel qui est prêt à en payer le prix peut y vivre.

— Quel est ce prix ? m'enquis-je.

— Perdre le doux changement graduel des saisons et toute la sagesse qu'a pu amasser un mortel.

— Est-ce une si mauvaise chose ? demanda Roud dont la chevelure scintilla lorsque sa natte se balança en avant. Si on y va quand on est jeune ?

— Aimerais-tu demeurer éternellement à l'âge de neuf ans ? demanda Suona.

— Quand j'avais neuf ans, j'étais un bébé ! s'exclama Roud du haut de ses quatorze ans.

— Chaque âge a ses joies et ses satisfactions, poursuivit la prêtresse, que vous perdrez si vous allez là où le temps n'a plus de signification, par-delà les cercles du monde.

— Bien sûr que je veux grandir, murmura Roud. Mais qui voudrait devenir vieille ?

Tout le monde, si l'on s'en remettait à Suona, pensai-je. Pourtant, c'était dur à croire, alors que de jeunes yeux pouvaient contempler, entre les arbres, la lumière aveuglante du soleil sur l'eau, que de jeunes oreilles écoutaient le chant d'une alouette s'élevant droit dans le ciel et qu'un jeune corps se contractait, pris d'impatience de courir avec Surette dans les hautes herbes, de danser, d'être libre.

— C'est pourquoi la plupart d'entre nous n'effectuent leur voyage qu'en esprit, ajouta Suona. Et en ce moment, les vôtres bondissent comme des agneaux dans un pré. Ce serait gentil de votre part de vous concentrer quelques instants encore, il nous reste du travail.

Hélas, pensai-je, cela n'avait rien d'aussi excitant qu'un voyage au Pays des Fées. Les gens d'Avalon, aussi bien les prêtresses que les prêtres, ne passaient pas tout leur temps à accomplir les rites. Il fallait filer la laine et le chanvre, soigner les jardins, réparer les bâtiments. Mais au moins, une partie de ce travail occupait le cœur aussi bien que les mains. En cette saison des fruits, il fallait travailler avec les esprits des arbres.

— Restez tranquilles, alors, et mettez-vous en contact avec la terre…

À ces paroles de la prêtresse, les petites filles prirent docilement la posture de méditation, jambes croisées comme le Cornu lorsqu'il bénit les animaux.

Je fermai les yeux, ma respiration adoptant automatiquement le rythme lent et régulier de la transe.

— Voyez ce verger avec les yeux de votre esprit… l'écorce rugueuse et lisse des pommiers, le miroitement des feuilles que le

51

vent agite. Et maintenant, essayez de voir avec vos autres sens. Tendez la main et touchez l'esprit de l'arbre qui est devant vous. Sentez le pouvoir qu'il irradie, sa lueur dorée.

Tandis que la douce voix continuait, je me sentis glisser dans cet état passif où des images se formaient dès que j'entendais les mots. Était-ce réel ou imaginaire, je ne pouvais le dire, mais je savais que j'étais en train d'entrer en contact avec l'esprit de l'arbre.

– Laissez votre propre pouvoir couler vers l'extérieur… Remerciez l'arbre pour les fruits qu'il a donnés et offrez-lui une partie de votre énergie afin de l'aider à en faire plus…

J'exhalai mon souffle en un soupir, me sentant plonger de plus en plus profondément à l'instant même où une lueur plus vive émanait de l'arbre. Et aussitôt, je m'aperçus que la forme que je voyais briller n'était pas celle d'un arbre, mais celle d'une femme scintillante qui tendait les bras en souriant. Un moment, je crus qu'un autre pays s'ouvrait devant moi, chatoyant d'une beauté qui dépassait même celle d'Avalon. Une onde de joie me parcourut en une vague qui emporta toute conscience.

Quand je revins à moi, j'étais étendue sur le dos dans l'herbe. Suona était penchée sur moi. Derrière la prêtresse, je vis Aelia qui me regardait, le visage pâle, les yeux pleins d'inquiétude.

– Tu devais n'utiliser qu'une parcelle de ton énergie…, remarqua Suona d'un ton acerbe en se redressant.

La sueur perlait à son front et je me demandai quel effort il lui avait fallu exercer pour ramener mon esprit.

– Une prêtresse doit apprendre non seulement à donner, mais à contrôler son pouvoir !

– Je te demande pardon, chuchotai-je.

Je me sentais plus transparente que faible, ou peut-être la substance du monde s'était-elle amenuisée, car je voyais encore une lueur sortir du tronc du pommier.

Le printemps fit place à l'été, mais Sian, la fille de la Dame, était toujours souffrante. Souvent le soin de ses deux enfants me revint durant ces longues journées. J'étais devenue une vraie conteuse tant je m'évertuais à les amuser. Parfois, l'un des garçons que les druides formaient, tel le petit Haggaia, se joignait à nous.

– Au temps jadis, avant que les Romains viennent, il y avait, dans les terres de l'ouest, un roi dont le peuple se plaignait parce que sa reine ne lui avait pas donné de fils.

– Avait-elle une fille ? interrogea Dierna dont la tête flamboyait dans la lumière vespérale qui dardait ses rayons obliques autour du puits sacré.

On était au frais ici à la fin de l'été, à écouter le doux chant perpétuel des froides eaux qui jaillissaient des sources sacrées.

La petite sœur de Dierna, Becca, dormait sur une pile de couvertures, Surette roulée en boule à côté d'elle. La petite chienne avait trop grandi pour que je la porte sous ma robe, mais elle n'était toujours pas plus grosse qu'un chat. Sans sa truffe, ainsi endormie, elle eût ressemblé à une toison blanche. Haggaia, dont les cheveux bruns scintillaient au soleil, était couché à plat ventre, à demi soulevé sur les coudes.

– Pas que je sache, répliquai-je.

– Alors, c'était pour cela qu'ils se plaignaient, dit fermement Dierna. Tout aurait été très bien si elle avait eu une fille.

Cet après-midi-là, Sian se reposait. Elle n'avait pas vraiment retrouvé ses forces depuis la naissance de Becca, un an et demi plus tôt, et aucune des herbes médicinales de Cigfolla ne semblait l'aider. Je savais que les prêtresses plus âgées étaient inquiètes, même si elles n'en parlaient pas, rien qu'à voir la reconnaissance avec laquelle elles avaient accepté ma proposition de prendre soin des deux petites filles. À vrai dire, cela ne m'ennuyait pas, car Becca était aussi maligne et guillerette qu'un chiot, et Dierna ressemblait à la petite sœur que j'avais toujours désiré avoir.

– Veux-tu apprendre ce qui est arrivé ou non ? lui demandai-je, amusée malgré moi.

Haggaia faisait la moue. Il n'y avait rien d'étonnant à ce que Dierna, qui vivait sur l'île sacrée où les druides étaient soumis à la volonté de la Dame d'Avalon, eût pensé qu'une fille était plus importante. Si Merlin avait été présent, l'autorité aurait été répartie d'une façon plus égale, mais ce dernier était mort peu après ma naissance, et personne n'avait hérité de ses pouvoirs.

– Alors, que s'est-il passé ? interrogea le petit garçon.

– Le roi aimait sa dame et dit à ses conseillers de leur accorder encore une année. Et avant que celle-ci se fût écoulée, ils eurent une petite fille…

Ce n'était pas ainsi que le chanteur du manoir de mon père avait raconté cette histoire, mais n'étant pas druide, il n'avait pas parfaitement mémorisé l'ancien savoir et disait souvent qu'un barde devait adapter son récit au goût de l'auditoire. Encouragée par un sourire de Dierna, je fonçai.

— La reine avait des suivantes qui veillaient sur elle, mais ces femmes tombèrent un jour endormies et, pendant ce laps de temps, la petite princesse disparut ! Quand elles se réveillèrent, elles furent terrifiées à l'idée que le roi allait se mettre en colère. Cette même nuit, la chienne de la reine avait mis bas, aussi les femmes prirent deux des petits, les tuèrent, barbouillèrent de sang la bouche de la reine et posèrent les os à côté d'elle ; lorsque le roi arriva, elles jurèrent que la dame avait mangé sa fille !

Maintenant, il n'y avait pas que les enfants de mécontents ; Surette s'était réveillée et me regardait avec des yeux bruns pleins de reproche, comme si elle avait compris toutes mes paroles.

— Est-ce que je dois te plaire, à toi aussi ? murmurai-je, essayant d'imaginer comment je pourrais sauver mon histoire. Ne pleure pas, Dierna… tout va s'arranger, je te le promets.

— Est-ce que la reine est morte ? chuchota le petit garçon.

— En fait non, car le roi qui l'aimait n'a pas cru ces accusations, bien qu'il ne pût prouver qu'elles étaient fausses. Mais la reine n'a pas été châtiée.

— On aurait su que les os appartenaient à des chiots si elle avait été à Avalon, déclara Dierna. Mais je suis désolée pour la maman chienne qui a perdu ses petits, ajouta-t-elle en s'adressant à Surette.

— Elle n'était pas la seule ! dis-je, poursuivant à toute vitesse sans m'inquiéter de la forme traditionnelle du conte. Dans le même pays, il y avait un fermier dont la chienne mettait bas tous les ans un chiot qui disparaissait, tout comme l'enfant de la reine. Aussi resta-t-il éveillé une nuit pour voir ce qui se passait…

Je fis une pause dramatique.

— Y avait-il un monstre ? demanda Dierna, les yeux ronds.

— Oui, en vérité, et le fermier lui donna un coup de hache et trancha les griffes qui tenaient le chiot, puis il se mit à chasser la bête qu'il entendit s'enfuir. Il ne put la rattraper, mais quand il revint dans la grange, que croyez-vous qu'il trouva ?

– Le reste des chiots ? s'exclama Haggaia.

Surette glapit d'approbation, et je modifiai encore l'histoire.

– Non seulement les chiots étaient là, mais à côté d'eux il y avait une jolie petite fille enveloppée dans un tissu brodé, et elle ressemblait tout à fait à la reine !

– On l'a ramenée à sa mère, n'est-ce pas, et ils furent tous heureux…

Dierna faisait des bonds de plaisir en apportant sa propre conclusion au conte.

– Et les chiots aussi, ajouta-t-elle, et ils ont tous grandi ensemble, comme toi et Surette !

Je hochai la tête en riant tandis que la petite chienne se jetait sur Dierna et sautait pour lui lécher la figure avec enthousiasme. La petite fille tomba en arrière, enfant et chien firent plusieurs roulades dans l'herbe. Le bruit troubla Becca qui commença à s'agiter, aussi la pris-je dans mes bras.

– Est-ce ainsi que tu remplis ta tâche ?

Je levai la tête, alarmée, clignant des yeux pour voir la forme sombre qui se dressait entre le soleil et moi. Je me remis maladroitement debout, tenant le bébé bien serré sur ma poitrine, et m'aperçus que c'était Ganeda, dont les traits marqués étaient pleins de désapprobation. Cela n'avait rien de nouveau. La Grande Prêtresse fronçait toujours les sourcils lorsqu'elle regardait l'enfant de sa sœur.

– Regarde-moi ça… c'est honteux ! Dierna ! Lâche immédiatement cette bête malpropre !

Je clignai des yeux en entendant ces paroles, car le pelage frisé brillait au soleil comme une toison fraîchement lavée. La chienne s'arrêta la première, puis la petite fille, et lorsque celle-ci leva les yeux vers sa grand-mère, son rire mourut.

– Lève-toi ! Tu es l'héritière d'Avalon ! Et toi, petit garçon… retourne du côté des hommes. Tu n'as rien à faire ici !

Je levai un sourcil. Dierna descendait d'une lignée de prêtresses, c'était sûr, mais moi aussi. Et les grandes prêtresses, comme les empereurs romains, étaient choisies pour leurs mérites et non par droit du sang. *Elle veut régner sur Avalon même quand elle aura disparu*, pensai-je. *Et si sa fille meurt, elle chargera cette enfant du fardeau…*

– Oui, grand-mère, dit Dierna en se relevant et ôtant les feuilles de sa robe.

Haggaia s'éloignait déjà furtivement, espérant s'enfuir avant que les choses empirent. Surette jeta un regard noir à la Grande Prêtresse, puis traversa la prairie au trot et urina insolemment au pied d'un arbre. Je me mordis la lèvre pour ne pas rire. Ganeda lui tournait le dos.

– C'est l'heure pour Sian d'allaiter le bébé. Je vais emmener les enfants.

Je détachai avec difficulté les doigts minuscules de Becca de l'encolure de ma robe et la tendis à la vieille femme. Ganeda remonta la colline à grands pas et Dierna, après avoir jeté un regard plein de regret par-dessus son épaule, la suivit. Tandis que je les regardais partir, une truffe froide me toucha la jambe. Je pris la petite chienne pour lui faire un câlin.

– Je suis désolée que tu aies perdu ta compagne de jeux, lui dis-je à voix basse.

Mais en vérité, c'était Dierna que je plaignais le plus, car je ne pouvais rien faire pour elle.

De temps à autre, un pèlerin venu à Avalon apportait des nouvelles du monde qui s'étendait au-delà des brumes. L'Empire des Gaules, établi par Postumus l'année où j'étais arrivée à Avalon, englobait maintenant l'Espagne aussi bien que la Gaule et l'Angleterre, et il ne semblait guère probable que l'empereur Gallien, harcelé par une multitude de prétendants au trône dans d'autres régions de son empire, pût rétablir son autorité. C'était Postumus et non Rome qui avait confié la Basse-Bretagne à Octavius Sabinius. La rumeur courait que celui-ci reconstruisait certaines forteresses tombées en ruine depuis que les troupes chargées de les garder avaient rejoint d'autres armées romaines sur le continent. Mais rien ne pressait car le calme régnait dans le Nord depuis quelques temps.

En fait, même si chaque année la Gaule souffrait de l'incursion de quelque nouvelle tribu barbare, l'Angleterre reposait, plongée dans une paix enchantée, comme si les brumes avaient déferlé vers l'extérieur afin de la couper du monde. Les moissons et les récoltes étaient abondantes et les tribus du Nord restaient paisiblement de l'autre côté du Mur [1]. Si les régions occidentales de l'Empire romain devaient être à jamais séparées des autres, en Angleterre, du moins, personne ne semblait disposé à le déplorer.

De ces événements, seules quelques rumeurs atteignaient Avalon. Ici, le passage des jours était marqué par les grandes fêtes qui honoraient la ronde des saisons, célébrées année après année avec une régularité invariable et éternelle. Mais chaque hiver, Ganeda semblait grisonner et se courber un peu plus, et chaque printemps, les jeunes filles qui dormaient à la Maison des Vierges s'épanouissaient avec plus d'éclat à l'approche de la puberté.

Un matin, juste après l'équinoxe, je me réveillai avec une douleur sourde dans le ventre. Quand je me levai et ôtai ma robe de nuit, j'y découvris la tache brillante de mon premier sang-de-lune.

J'éprouvai d'abord un grand soulagement et beaucoup de satisfaction, car Heron et Roud avaient déjà effectué le passage, bien qu'elles fussent plus jeunes que moi. Mais elles étaient petites, douces et rondes, alors que j'avais grandi tout en jambes et en bras. Cigfolla m'avait dit de ne pas me tracasser, que les jeunes filles potelées étaient formées les premières et devenaient grasses avec l'âge.

– Quand tu atteindras la trentaine en gardant une taille bien marquée, tu béniras ta minceur. Tu verras.

Mais j'étais maintenant la plus grande de la Maison des Vierges et si mes seins n'avaient pas déjà commencé à pousser, je me serais demandé s'il ne me fallait pas aller vivre avec les garçons que les druides éduquaient, de l'autre côté de la colline, plutôt que de rester chez les prêtresses. Même Aelia, qui était bâtie comme moi, avait ses règles depuis un an.

Je savais ce qu'il fallait faire – Heron et les autres ne s'étaient que trop empressées de me l'expliquer. Je sentis que je rougissais, mais réussis à garder ma voix naturelle pour demander à la vieille

---

1. Édifié (de 122 à 127) par Hadrien de l'embouchure de la Tyne au golfe de Solway, cet édifice comprenait un mur de pierre et un vallum, précédés chacun d'un fossé, ainsi qu'un réseau serré de forteresses et de camps permanents. *(NdT)*

Ciela ce dont j'avais besoin, de la mousse absorbante et des bandes de toile que de fréquents lavages avaient dotées d'une douceur veloutée.

Je souffris les félicitations des autres femmes du mieux que je pus en me demandant combien de temps Ganeda me ferait attendre le rituel. La maturation du corps n'était qu'un signe extérieur. La transformation intérieure de l'enfant en jeune fille serait confirmée par mon rite de passage.

On vint me chercher à l'heure calme qui suit immédiatement minuit, quand seules celles qui veillent la Déesse devraient être éveillées. J'étais en train de rêver d'eaux courantes. Lorsqu'on me mit la cagoule sur la tête, le rêve se transforma en cauchemar de noyade. Durant quelques instants de panique, je me débattis contre la main qui s'était posée lourdement sur ma bouche, puis, reprenant conscience, j'identifiai l'odeur de lavande qui imprégnait les robes des prêtresses et compris ce qui se passait.

L'année dernière, Aelia ne se trouvait pas dans son lit quand la corne nous avait réveillées pour saluer le soleil levant, et ensuite, cela avait été le tour de Heron. Elles avaient reparu le soir à la célébration, pâles de fatigue et ravies d'avoir un secret, et ni les menaces ni les supplications n'avaient pu les contraindre à raconter aux filles non initiées ce qui s'était passé.

En dehors du fait que cela avait renforcé leur sentiment de supériorité, que j'avais toujours trouvé excessif, ce qui leur était arrivé semblait ne leur avoir causé aucun mal. J'obligeai mes membres à se détendre. Surette, qui dormait toujours dans le creux de mon bras, commença à grogner et je repoussai fermement la petite chienne sous les draps en caressant sa fourrure soyeuse jusqu'à ce que son petit corps s'abandonne.

Je souhaiterais que tu puisses venir avec moi, pensai-je, *mais je dois affronter cela toute seule.* Puis je m'assis sur mon séant et laissai mes ravisseuses invisibles m'aider à sortir du lit, m'envelopper dans une cape chaude et m'emmener.

Des gravillons crissèrent sous mes pieds et je compris qu'on me faisait suivre un chemin le long du Lac. Je humai l'odeur froide et humide des marais, entendis le vent siffler dans les roseaux et me demandai, un instant, si elles avaient l'intention de me faire traverser l'eau jusqu'à l'une des autres îles.

Plusieurs fois mon escorte inversa notre direction, me faisant tournoyer jusqu'à ce que je me sente prise de vertige, et seule la poigne qui me serrait le coude m'évita de tomber. Instinctivement, je tendis une main vers la cagoule, mais quelqu'un d'autre m'empêcha de l'ôter.

– N'essaie pas de voir, me chuchota-t-on sévèrement à l'oreille. Tu dois poser les pieds sur le sentier d'un avenir que tu ne peux pas connaître. Il faut que tu marches sans regarder en arrière vers ton enfance, en faisant confiance à la sagesse de celles qui l'ont emprunté auparavant pour te montrer le chemin. Comprends-tu ?

Je hochai la tête, acceptant la nécessité du rituel, mais j'avais déjà un excellent sens de l'orientation et, comme mon vertige était passé, je sentis le pouvoir du Tor sur ma droite, tel un pilier de feu.

Nous étions alors en train de gravir une pente et, sous l'effet d'un air glacé et humide, j'eus bientôt la chair de poule. J'entendis le gargouillis musical de l'eau et la petite procession fit une halte tandis que quelqu'un ouvrait un portail. *J'entends le ruisseau qui s'écoule de la Fontaine du Sang, au pied du Tor*, pensai-je alors. Savoir où j'étais me donna l'impression d'être moins vulnérable. Je tentais de me convaincre que je tremblais à cause du froid.

Soudain, j'aperçus la lueur rouge des torches au travers du tissage grossier de la cagoule. On m'enleva celle-ci et je m'aperçus que j'avais eu raison, car nous étions devant la porte de l'enclos entourant le puits. Mais tout paraissait étrange. Des femmes voilées m'entouraient, anonymes dans cette lumière vacillante. La plus petite me tenait par le bras. Elles m'ôtèrent la cape et la mince robe de nuit, me laissant nue devant elle, frissonnante dans l'air glacé.

– Nue, tu es entrée dans le monde, dit la même voix discordante qui avait déjà parlé. Nue, tu dois effectuer le passage dans ta nouvelle vie.

Celle qui me tenait recula. À sa taille, je devinai que c'était Heron. La plus récente initiée devait être chargée de guider la suivante. Les autres femmes se mirent en rang entre le portail et moi, jambes écartées.

– Par ce passage tu es venue au monde. Franchis le tunnel de naissance et renais…

— Il faut que tu rampes entre leurs jambes jusqu'à la porte, siffla Heron entre ses dents en me poussant vers le sol.

— Par ce tunnel tu es née dans le cercle des femmes. Par ce passage tu entreras dans un monde nouveau.

Je rampai, me mordant la lèvre lorsque les graviers s'enfonçaient dans mes genoux. Je sentais le tissage grossier des capes de laine et la douceur des robes de lin balayer mon dos. En passant entre les cuisses des prêtresses, leur peau douce glissait contre la mienne et je humais l'odeur musquée de leur féminité qui me faisait tourner la tête comme de l'encens. Ce fut un choc d'émerger de la chaleur de ce tunnel de chair dans l'air froid du jardin.

Le portail était ouvert. Mon guide me le fit franchir et les autres femmes nous suivirent, se déployant de chaque côté. La dernière ferma la barrière derrière moi. La lumière des torches scintillait, rouge, sur les eaux tranquilles de la mare.

Une grande forme s'avança, occultant la vue que j'avais des autres. La silhouette était celle de Cigfolla, mais elle semblait plus grande et sa voix avait adopté le timbre mystérieux du rituel.

— Tu dois entrer dans le temple de la Grande Déesse. Sache qu'Elle adopte autant de formes qu'il y a de femmes et qu'Elle est cependant unique et suprême. Elle est éternelle et immuable, et pourtant, à chaque saison, Elle se montre à nous sous différentes apparences. Elle est la Vierge, à jamais intacte et pure. Elle est la Mère, la Source de Tout. Et Elle est l'ancienne Sagesse qui perdure au-delà du tombeau. Eilan, fille de Rian, es-tu disposée à L'accepter sous toutes ces apparences ?

Je passai la langue sur mes lèvres soudain sèches, mais fus heureuse d'entendre ma réponse sonner ferme et claire.

— Je le suis…

La prêtresse leva les bras pour une invocation.

— Dame, nous venons ici pour accueillir dans notre cercle Eilan, la fille de Rian, et pour l'instruire des mystères de la féminité. Sainte, écoute-nous ! Puissent nos paroles exprimer Ta volonté comme nos corps incarnent la forme de Ta divinité, car nous mangeons et buvons et respirons et aimons en Toi…

— Qu'il en soit ainsi…

Un murmure d'assentiment parcourut le cercle, et je commençai à me détendre.

Heron remit la cape sur mes épaules et me poussa en avant. On avait disposé trois fauteuils de l'autre côté du puits. Les prêtresses s'étaient dévoilées, mais celles assises sur les trônes restaient enveloppées dans les plis d'une gaze, blanche, puis noire, et rouge au milieu. Aelia était assise face à moi et, croisant mon regard, elle me sourit.

— Fille de la Déesse, tu as laissé l'enfance derrière toi, dit Heron avec l'intonation prudente de quelqu'un qui répète des phrases sues depuis peu. Apprends maintenant ce que seront les saisons de ta vie.

Je m'agenouillai devant la prêtresse qui portait le voile blanc. Durant un moment, le silence régna. Puis le fin tissu trembla lorsque celle qui le portait rit. Le bruit retentit, doux et argenté comme une trille de cloches, et je frissonnai, comprenant qu'il y avait là plus qu'une prêtresse humaine.

— *Je suis la fleur qui s'épanouit sur la branche*, dit la Vierge.

La voix légère, suave de promesses, m'était aussi familière que la mienne, bien que je fusse certaine de ne l'avoir jamais entendue auparavant. J'eus l'impression d'écouter le chant de mon âme et je compris que c'était vraiment la Déesse.

> « *Je suis le croissant qui couronne le ciel,*
> *Je suis le soleil qui scintille sur la vague*
> *Et la brise qui courbe l'herbe nouvelle.*
> *Aucun homme ne m'a jamais possédée,*
> *Pourtant je suis l'aboutissement de tout désir.*
> *Chasseresse et Sainte Sagesse je suis,*
> *Souffle de l'Inspiration, et Dame des Fleurs.*
> *Regarde dans l'eau et tu verras mon visage*
> *S'y refléter, car tu m'appartiens...* »

Je fermai les yeux, engloutie par l'image du Lac qu'une brume argentée de pluie voilait à demi. Puis les nuages se déchirèrent. Debout sur le rivage se tenait un jeune homme dont les cheveux brillaient comme les rayons du soleil, et non loin de lui, je me vis ; mes cheveux étaient longs, et je compris aussitôt que cette image était située plusieurs années dans le futur. Je m'avançai vers lui, mais lorsque je tendis la main pour toucher la sienne, la scène changea. À présent, je voyais la lumière d'un feu de joie se refléter sur l'arbre de Beltane couvert de fleurs. Des jeunes gens et des jeunes filles dansaient sauvagement autour de lui et, parmi eux, je vis le même jeune homme dont les yeux rayonnaient d'excitation tandis que des prêtresses couronnées de fleurs lui amenaient une silhouette voilée, que je savais être moi-même. Puis il m'enleva dans ses bras.

Maintenant, nous étions sous la charmille sacrée. Il arracha le voile de la vierge et je vis mon visage illuminé de joie. J'aperçus le croissant de lune entre les feuilles nouvelles, puis la scène se fondit en une pluie d'étoiles et je fus de nouveau moi-même, les yeux levés vers le Mystère dissimulé sous le voile blanc.

— Je T'écoute, chuchotai-je d'une voix tremblante. Je Te servirai.

— Jures-tu de n'abandonner ta virginité qu'à l'homme que je choisirai pour toi, selon les rites sacrés d'Avalon ?

Je la regardai fixement, me demandant si c'était une épreuve, car sûrement la Dame venait de me montrer l'homme que j'étais destinée à aimer. Mais la voix avait perdu sa douceur surnaturelle et je pensai que, peut-être, la Déesse était repartie. Cependant, je savais que ce serment était exigé de toutes celles qui étaient à Son service en Avalon.

— Je le jure, dis-je avec plaisir, car, malgré la brièveté de la vision, mon âme avait commencé à désirer ardemment le jeune homme que j'avais vu.

— C'est bien, dit la Vierge, mais il y en a encore une Autre que tu dois entendre…

Je reculai, me tournant un peu vers la seconde silhouette dont le voile cramoisi luisait au feu des torches.

— *Je suis le fruit qui se gonfle sur les branches. Je suis la pleine lune qui règne dans le ciel…*

Cette voix était dorée, puissante comme le ronronnement d'un félin, douce comme le miel, et réconfortante comme le pain qui vient de cuire.

> « *Je suis le soleil dans sa gloire,*
> *Et le vent chaud qui mûrit le grain.*
> *Je me donne en mon temps et saison*
> *Et j'apporte l'abondance.*

Je suis la Maîtresse et la Mère,
Je donne naissance et je dévore.
Je suis l'amante et l'aimée,
Et un jour tu m'appartiendras. »

Tandis que j'écoutais cette voix, je compris que c'était aussi la Déesse, et penchai respectueusement la tête. Et c'est dans cette posture d'acquiescement que la vision s'empara à nouveau de moi.

J'étais à bord d'un bateau de commerce romain qui avançait, secoué sous toute sa voilure. Derrière moi, la mer scintillait, mais le navire pénétrait dans l'embouchure d'un fleuve puissant qui avait creusé de nombreux bras dans une plaine côtière. À côté de moi, les yeux fixés sur l'horizon, se tenait l'homme qui m'avait courtisée. Alors la scène changea : j'étais grosse d'un enfant, puis je donnai le sein à un bébé, un grand et beau garçon plein de santé à la crinière blonde. Le choc que me causa la sensation de sa bouche mordant mon mamelon me renvoya dans mon corps.

— Je T'écoute, chuchotai-je, et lorsque ma saison arrivera, je Te servirai.

— En vérité, tu le feras, répliqua la Dame, mais il y en a encore une Autre que tu dois entendre…

Je frissonnai lorsque les sombres atours qui enveloppaient la troisième silhouette s'agitèrent.

— *Je suis la noix qui s'accroche à la branche dépourvue de feuilles.*

Le chuchotement m'atteignit comme le bruissement des arbres nus dans le vent d'hiver.

« Je suis la lune à son déclin
Dont le croissant moissonne les étoiles.
Je suis le soleil couchant
Et le vent froid, messager des ténèbres.
Je suis mûre d'années et de sagesse ;
Je suis tous les secrets derrière le Voile.
Je suis la Mégère et la Reine des Moissons,
La Sorcière et la Femme Sage,
Et un jour, tu m'appartiendras… »

Ce chuchotement était un vent qui, une fois de plus, emporta ma conscience dans un tourbillon. Je me vis âgée, les vêtements déchirés, les joues mouillées de larmes, en train de contempler un bûcher funéraire. Un moment, les flammes s'écartèrent et j'aperçus l'homme aux cheveux blonds. À la douleur que j'éprouvai, la scène changea. J'étais dans une grande salle parée de marbre et d'or, je portais un diadème et une robe pourpre.

Mais avant que je puisse me demander ce que je faisais là, tout se transforma à nouveau et je me vis, drapée de noir, marchant sur le rivage au bord d'une mer d'un bleu éclatant. Je me détournai du scintillement impitoyable du soleil sur l'eau pour regarder un paysage de roches nues qui dégageait la beauté sévère et dépouillée d'un crâne. Il me remplit de crainte, pourtant je savais que c'était là que je devais aller.

Alors monta en moi la nostalgie des froides brumes et des vertes collines de mon pays, et je me retrouvai une fois encore assise sur l'herbe à côté du puits sacré.

— Tu es la Déesse, chuchotai-je, et je Te servirai. Seulement, laisse-moi finir mes jours ici, à Avalon…

— Réclames-tu de la compassion ? demanda la figure voilée de noir. Je n'en ai pas… Je ne connais que la nécessité. Tu ne peux m'échapper, car je suis ton destin.

Je me redressai, frissonnante, mais, par bonheur, la Femme Sage ne parla plus.

Je n'avais pas eu conscience du temps qui passait ; cependant, au-dessus de ma tête le ciel pâlissait et je sentis dans l'air le froid humide annonciateur de l'aube.

— Tu as affronté la Déesse, fit Cigfolla, et Elle a accepté tes vœux. Une fois purifiée, tu veilleras, et quand le jour finira, tu reviendras dans la communauté pour être honorée au cours d'une célébration. Ta nouvelle vie commencera au lever du soleil.

Heron m'aida à me relever, et toutes les femmes s'avancèrent vers la mare sous la fontaine sacrée. Comme le ciel s'éclairait, elles l'entourèrent d'un cercle protecteur. Heron m'ôta la cape et, tandis que je frissonnais, elle enleva aussi sa robe. Les autres vierges et les plus jeunes des prêtresses firent de même et j'eus un moment de satisfaction en voyant que je n'étais plus la seule à avoir la chair de poule, comme une volaille plumée.

Je pris conscience que les oiseaux chantaient depuis un moment dans les pommiers ; leur chœur triomphant appelait le soleil. La brume courait encore sur le sol et restait suspendue aux branches, mais, plus haut, elle s'était dissipée et les torches n'étaient plus que de pâles lueurs dans l'air qui blanchissait. D'instant en instant, le monde devenait plus visible, comme s'il ne se manifestait que maintenant. Lentement, la douce déclivité du Tor émergea du brouillard baigné d'un éclat nacré.

Le jour devint plus brillant. Heron me prit par le bras et m'entraîna dans la mare. Les autres jeunes femmes nous suivirent, tenant à la main des coquillages marins. Je suffoquai au contact de l'eau froide et retins mon souffle lorsque le globe embrasé du soleil apparut soudain au-dessus de l'horizon, se réfléchissant dans chaque goutte de brume et chaque ride de l'eau en éclats de lumière rosée. Je levai les bras en un geste d'adoration et vis ma peau pâle s'embraser.

Heron recueillit de l'eau et me la versa dessus, mais le feu qui était en moi fit bon accueil à sa flamme glacée.

– Par l'eau qui est le sang de la Dame, puisses-tu être purifiée, murmurèrent les autres vierges en faisant de même. Laisse l'eau emporter toutes les taches, toutes les souillures. Laisse tout ce qui cache ton vrai moi se dissoudre. Ne bouge pas et laisse l'eau caresser ton corps, car tu renais de l'eau qui est la Matrice de la Déesse.

Je m'enfonçai dans la mare et les boucles de ma chevelure détachée flottèrent à la surface, scintillant comme les rayons du soleil. Une partie de mon esprit savait que l'eau était froide, mais mon corps tout entier me picotait comme si je me baignais dans la lumière ; je sentais chaque particule de ma chair se transformer.

Durant un moment intemporel, je flottai dans l'eau. Puis de douces mains me tirèrent vers le haut et j'émergeai à la pleine lumière du jour.

– Maintenant lève-toi, Eilan, propre et rayonnante, révélée dans toute ta beauté. Lève-toi et prends ta place parmi nous, Vierge d'Avalon !

III

265 après J.-C.

C'était la fin de l'été et je taillais la haie de noisetiers lorsque quelque chose me piqua le mollet. Je sursautai et me retournai, portant instinctivement un coup avec la branche que je venais de couper.

— Oh, oh ! Qu'est-ce qui te prend !

Dierna recula en agitant les brindilles qu'elle avait prises sur le tas, dans le sentier.

Elle avait huit ans et sa tête rousse flamboyait comme une torche. Becca, qui allait sur ses cinq ans, trottinait derrière elle à pas hésitants. Je tendis la main pour stabiliser la petite tandis que Dierna partait comme une flèche, et je la poursuivis en faisant siffler ma branche d'un air menaçant, mais j'imagine que mes éclats de rire gâchèrent quelque peu l'effet produit.

— Est-ce que tu gardes Becca, aujourd'hui ? demandai-je à Dierna lorsque nous nous écroulâmes toutes les trois dans l'herbe, hors d'haleine.

— J'en ai l'impression, répondit la petite fille. Elle me suit partout…

Je hochai la tête. J'avais entendu parler les prêtresses les plus âgées et savais que Sian se fatiguait vite. Il était inévitable que Dierna se retrouve responsable de sa petite sœur.

Sian ne semblait pas souffrir, mais ses forces diminuaient chaque mois, et même lorsque la nouvelle lune grandissait de nouveau, elles ne revenaient pas. Ganeda ne disait rien, mais de nouvelles rides marquaient son visage. Je finissais par la prendre en pitié, tout en sachant que j'étais bien la dernière personne dont ma tante accepterait des signes de sympathie.

Bien avant que je me sente prête à me relever, Dierna bondit sur ses pieds pour courir après Becca que ses jambes robustes emportaient déjà sur le sentier.

— Il y a des canetons dans la roselière, lui dis-je, mais j'ai promis de terminer la taille de cette haie avant le dîner.

— Tu travailles tout le temps ! se plaignit Dierna.

Elle se retourna, vit Becca disparaître à un tournant et se précipita à sa suite.

Je restai un moment à regarder la tête rousse rattraper la brune, et toutes deux continuèrent à descendre le sentier vers le Lac qui étincelait au soleil de l'après-midi. Puis je soupirai et retournai une fois de plus à ma tâche.

Quand j'étais petite, j'enviais mes demi-frères plus âgés qui s'entraînaient au combat. En ce temps-là, donner avec une branche brisée de grands coups à l'un des gardes qui s'enfuyait en riant était mon jeu favori. Ils m'avaient raconté des histoires sur Boudicca [1] dont les armées avaient autrefois effrayé les Romains, et m'appelaient leur princesse guerrière. Mais mes frères souriaient d'un air de supériorité mâle et m'assuraient que ce qu'on leur apprenait était beaucoup trop difficile pour une fille.

Parfois, quand je me souvenais de ce temps, je me demandais si mes frères auraient enduré l'éducation que je recevais à présent. Durant les trois années écoulées depuis la cérémonie qui m'avait introduite parmi les femmes, la formation de prêtresse avait réglé mes jours. À vrai dire, je partageais toujours le travail et les cours des petites filles et des vierges qui avaient été envoyées à Avalon pour apprendre les anciennes coutumes avant de rentrer se marier chez elles. Mais maintenant, je recevais aussi une autre formation, et devais effectuer des tâches supplémentaires.

Les jeunes filles destinées à devenir prêtresses se réunissaient avec les jeunes gens éduqués par les druides pour mémoriser d'innombrables listes de noms et maîtriser des symboles compliqués et leurs

---

1. Fille d'un roi des Icéniens que Néron avait dépouillé de ses biens, Boudicca ou Boadicée, devenue reine, prit la tête d'une insurrection qui, en 60 après J.-C., causa la mort de milliers de Romains. Vaincue un an plus tard par Suetonius Paulinus, la reine s'empoisonna avec ses filles. *(NdT)*

correspondances, qui pouvaient masquer ou enrichir leur significa-tion. Nous faisions le tour de l'île sacrée en courant, car il était stipulé qu'un esprit puissant exigeait un corps vigoureux. On nous apprenait à utiliser correctement la voix et nous nous exercions à chanter en chœur pour les cérémonies. En outre, avec les prêtresses initiées, nous, les jeunes filles, entretenions à tour de rôle les flammes de l'autel qui était le foyer d'Avalon.

Monter la garde dans le temple et alimenter le petit feu n'exigeait aucun effort physique. Mais, bien que la méditation fût encouragée durant la vigile, il était défendu de dormir. Rester seule dans la cabane ronde au toit de chaume sur l'île des Vierges à contempler les flammes sautillantes me plaisait beaucoup, mais maintenant, dans la torpeur de l'après-midi, le manque de sommeil commençait à me rat-traper. Je me surpris en train de vaciller et regardai fixement, d'un air stupide, la petite branche de coudrier que je tenais à la main.

Je ferais mieux d'arrêter avant de me couper un doigt ! pensai-je et je me penchai pour poser les cisailles sur le sol. La haie était vieille et, devant moi, des branches tordues formaient un dossier naturel. Quoi de plus simple que de m'y pelotonner et, en un instant, mes yeux se fermèrent.

Mes lèvres remuèrent sans émettre un son. *Abrite-moi un petit moment, frère coudrier, et je finirai de tailler tes cheveux…*

Je ne sus jamais si ce fut un bruit venu d'en bas ou un murmure de la haie elle-même qui me réveilla. Un instant, encore hébétée de sommeil, je ne pus comprendre pourquoi mon cœur battait si fort, alarmé.

Les ombres s'étaient un petit peu allongées, l'après-midi restait chaude et calme. J'aperçus la tête rousse de Dierna près des rose-lières, plus loin sur le rivage – les petites filles devaient observer les canetons. Puis un mouvement plus proche retint mon regard. Becca rampait sur le tronc du vieux chêne qui était à moitié tombé dans l'eau, lors de la dernière tempête.

Je sautai sur mes pieds.

– Becca ! Arrête !

Un moment, je crus que la petite fille m'avait entendue, mais elle ne s'était arrêtée que pour tenter de saisir quelque chose dans le Lac. Puis elle reprit sa reptation.

— Becca, arrête ! Attends ! criai-je en descendant la colline à toute vitesse.

Dierna s'était levée à présent, mais à cet endroit le rivage s'incurvait vers l'intérieur et elle se trouvait bien trop loin pour intervenir. J'économisai ce qui me restait de souffle pour courir lorsque je vis la bambine se lever, tendre les mains vers l'eau avec un cri ravi, et tomber dedans.

Je m'étonnai brièvement que le temps, qui quelques instants auparavant avait paru se traîner avec une telle lenteur, s'écoulât maintenant en un tourbillon rapide. Becca avait disparu sous la surface. L'herbe et les arbustes défilaient comme l'éclair, puis je traversai les hauts-fonds en battant l'eau de mes jambes, tendis les mains au moment où la petite fille remontait en se débattant de tous ses membres et la pris dans mes bras.

Becca hoqueta, recracha de l'eau en toussant, puis se mit à hurler.

En quelques secondes, sembla-t-il, les prêtresses nous entourèrent. J'abandonnai l'enfant à la petite femme brune du Lac que l'on avait amenée à Avalon pour qu'elle fût sa nourrice et soupirai de soulagement en entendant les hurlements de Becca diminuer à mesure qu'elle s'éloignait. Alors, je m'aperçus que quelqu'un criait toujours.

Dierna, tapie sur le sol, pleurnichait tandis que Ganeda la réprimandait avec une violence d'autant plus surprenante que son corps était aussi rigide que la pierre. Seule sa chevelure, s'échappant de ses tresses, s'agitait par à-coups et tremblait. Je la regardai, les yeux écarquillés, m'attendant presque à ce qu'elle s'enflammât.

— Tu comprends ce que je te dis ? Ta sœur aurait pu se noyer ! Et ta pauvre mère qui est couchée, malade… tu voulais la tuer aussi en tuant son enfant ?

Elle s'inquiète pour Sian, me dis-je, mais même les autres prêtresses semblaient choquées du ton venimeux de Ganeda.

Dierna secouait la tête, écrasant sa joue contre la terre en un paroxysme de négation. Sous les taches de rousseur, son visage avait la blancheur de l'os.

Tout comme la peur m'avait portée à sauver Becca, la compassion me poussa à agir. Un pas vif m'amena à côté de Dierna. Je me penchai, prenant la fillette dans mes bras comme si l'assaut contre lequel je m'efforçais de la protéger était physique.

— Elle n'avait aucune mauvaise intention ! Elle jouait… C'est une trop lourde responsabilité pour une enfant aussi jeune !

Je levai les yeux vers la Grande Prêtresse, commençant moi-même à trembler lorsque son regard furieux se fixa sur moi. Je me demandais souvent si ma mère morte avait ressemblé à sa sœur… J'espérais que Rian n'avait jamais eu cet air-là.

— Elle doit apprendre la discipline ! Elle appartient à la lignée sacrée d'Avalon, s'exclama Ganeda.

Moi aussi, ma tante… moi aussi, pensai-je, *mais la peur avait desséché ma bouche. Autrefois, j'espérais que tu m'aimerais, mais je crois bien que tu ne sais même pas ce que cela veut dire !*

— Éloigne-toi d'elle, avant que j'oublie la reconnaissance que je te dois pour avoir sauvé la petite. Tu ne dois pas te dresser entre Dierna et son châtiment !

Dierna suffoqua et s'accrocha à ma taille. Je resserrai mon étreinte en lançant un regard de défi à la vieille femme.

— Elle n'a que huit ans ! Si tu l'épouvantes à mort, comment pourra-t-elle comprendre ?

— Et toi, tu en as seize ! siffla Ganeda. Crois-tu que cela te confère la sagesse de la Dame d'Avalon ! Tu aurais dû rester avec ton père dans les terres romaines !

Je fis non de la tête. Ma place était *ici* ! Mais Ganeda choisit d'interpréter cela comme un geste de soumission.

— Gwenlis, emporte l'enfant !

L'une des jeunes prêtresses s'avança, regardant la Grande Prêtresse d'un air hésitant. Un instant, je résistai, puis il me vint à l'esprit que plus tôt Dierna serait hors de portée du courroux de sa grand-mère, mieux ce serait. J'étreignis brièvement la petite fille et la fourrai dans les bras de Gwenlis.

— Et enferme-la dans la réserve ! poursuivit Ganeda.

— Non ! m'écriai-je en me relevant. Elle va avoir peur !

— C'est toi qui devrais avoir peur. Ne fais pas fi de ma volonté ou je t'enfermerai aussi !

Je souris, car j'avais déjà subi de plus pénibles épreuves au cours de ma formation.

Ganeda, furieuse, fit un pas vers moi.

— Ne t'imagine pas que je n'ai pas remarqué combien tu gâtais cette enfant, en contrecarrant ma discipline, en complotant pour me voler son affection !

— Je n'en ai guère besoin ! Tu ne gagneras que sa haine en la traitant ainsi !

— À l'avenir, tu n'auras plus rien à faire avec Dierna, tu m'entends ? Ni avec Becca, d'ailleurs !

La colère de Ganeda s'était soudain refroidie et, pour la première fois, j'eus peur.

— Écoutez-moi toutes, et attestez…

La Grande Prêtresse s'était retournée pour fixer les autres de son regard glacial.

— Telle est la volonté de la Dame d'Avalon !

Avant même que Ganeda eût fini de parler, j'avais décidé de la défier. Mais un ordre sévère me renvoya en haut de la colline terminer la taille de la haie, et ce ne fut qu'à l'heure tranquille qui suit la tombée du crépuscule, où le peuple d'Avalon se rassemble pour le repas du soir, que je pus ouvrir la porte de la réserve sans que l'on me voie.

Rapidement, je me glissai à l'intérieur et pris l'enfant frissonnante dans mes bras.

— Eilan ?

La petite fille s'agrippa à moi en reniflant.

— Il fait froid ici, et noir, et je crois qu'il y a des rats…

— Alors, nous devons parler à l'Esprit Rat et lui demander de les éloigner, répliquai-je d'un ton réconfortant.

Dierna frissonna et secoua la tête.

— Tu ne sais pas comment ? Alors, nous allons le faire ensemble et lui promettre de la nourriture pour son clan…

— Personne ne m'a apporté à manger, chuchota la petite fille. J'ai faim.

J'étais bien contente que l'obscurité dissimule mon froncement de sourcils.

— Vraiment ? Eh bien, peut-être pourrai-je t'apporter une partie de mon dîner, ainsi qu'une offrande à l'Esprit Rat. Nous la mettrons dehors et nous lui demanderons d'y emmener son peuple.

Avec un soupir de soulagement, je sentis que l'enfant commençait à se détendre dans mes bras et j'entamai la litanie familière de respiration rythmée et de relaxation qui nous mettrait en contact avec l'Autre Monde.

J'avais oublié que le dîner serait suivi d'une narration d'histoires. Le pain et le fromage formaient une bosse disgracieuse dans un coin de mon châle, mais quand je sortis pour aller aux toilettes, il y avait trop de monde autour de moi pour que je puisse m'esquiver. On s'en apercevrait si j'essayais de partir maintenant, et mon absence attirerait le genre d'attention que je souhaitais éviter.

La grande et longue salle était éclairée par des torches et un feu brûlait dans l'âtre, car même au début de l'automne, les nuits étaient glaciales. Je ne pouvais m'empêcher d'imaginer ce que Dierna devait éprouver, toute seule dans l'obscurité froide.

Le premier jour de la semaine, dans la grande salle d'Avalon, on nous racontait des histoires sur les dieux. À l'époque, j'avais déjà entendu la plupart d'entre elles, mais tandis que je me forçais à ramener mon attention sur le druide qui parlait, je m'aperçus que je n'avais jamais rencontré celui-ci auparavant.

– Notre plus ancienne sagesse nous enseigne que « tous les dieux sont un seul Dieu, et toutes les déesses une seule Déesse, et qu'il n'y a qu'un seul Initiateur ». Mais qu'est-ce que cela signifie ? Les Romain disent que les dieux sont les mêmes, et que les divers peuples les appellent simplement de noms différents. Ainsi disent-ils que Cocidius et Belatucadros sont leur dieu Mars, et donnent-ils à Brigantia et à Sulis le nom de leur déesse Minerve.

« Il est vrai que ces déités s'occupent en grande partie des mêmes choses. Or nous enseignons qu'ils sont comme des morceaux de verre romain disposés l'un derrière l'autre. En ce lieu où tous les dieux sont Un, toutes les couleurs sont contenues dans la pure lumière des cieux. Mais quand cette lumière blanche traverse un morceau de verre, elle prend une certaine couleur, et une deuxième quand elle frappe un autre morceau, et c'est seulement à l'endroit où le verre se chevauche que nous en voyons une troisième qui sépare les deux.

« C'est la même chose dans ce monde, où les dieux montrent à l'humanité une multitude de visages. Pour un œil non initié, ces couleurs peuvent paraître semblables, mais la vision dépend souvent de la manière dont on a appris à voir... »

Je clignai des yeux, me demandant ce que cette philosophie pourrait expliquer d'autre. J'avais appris à reconnaître l'aura qui entourait chaque chose vivante, et à lire les signes du temps qu'il allait faire dans les nuages. Je n'étais pas aussi douée pour déchiffrer les visages, même si la mine renfrognée de ma tante exigeait peu d'interprétation. Subrepticement, je m'assurai que je n'avais pas perdu la nourriture qui était dans mon châle, souhaitant pouvoir apprendre à Dierna à voir dans l'obscurité. Ce soir, la lune était presque pleine et les cloisons d'osier tressé de la réserve devaient laisser passer un peu de lumière.

– Et il y a des dieux pour lesquels les Romains n'ont pas d'analogue. Ils disent que c'est leur Mercure des carrefours qui guide le voyageur. Mais nous avons une déesse qui veille sur les routes du monde, et nous croyons qu'elle était là avant même que les Bretons arrivent dans ce pays. Nous l'appelons Elen des Voies.

Je me redressai, car c'était très proche du nom qu'on me donnait ici – Eilan…

– De corps, elle est grande et vigoureuse, poursuivit le prêtre barbu, et l'on dit qu'elle aime beaucoup les bons chiens de chasse et le sureau. Toutes les routes que les hommes parcourent sont sous sa protection, aussi bien les sentiers qui parcourent la terre que les voies de la mer. Les voyageurs la prient pour obtenir sa protection et où elle passe, les moissons prospèrent.

« Peut-être était-ce elle qui, la première, montra à nos ancêtres le chemin qui permet de traverser la mer jusqu'à cette île, et certainement est-ce elle qui nous enseigne comment franchir en toute sécurité les marécages qui entourent Avalon car, par-dessus tout, elle aime les endroits où les eaux se mêlent à la terre. Nous l'invoquons aussi lorsque nous cherchons à voyager entre les mondes, car elle est également la Maîtresse des Voies Cachées…

Je me souvins comment la réalité avait changé autour de moi lorsque nous avions traversé les brumes d'Avalon. C'était sûrement l'une des routes sur lesquelles régnait Elen. Prise de vertige à ce souvenir, je parvins presque à comprendre comment cela était advenu. Puis l'instant passa et je m'aperçus que le druide avait fini d'accorder sa petite harpe et allait chanter.

« Ô Dame du chemin de la lune, si brillant,
Des routes que le soleil va sur la mer traçant,
Des sentiers de dragon courant de crête en crête,
Et de toutes les voies sacrées et secrètes,
Ô Dame Elen des Voies... »

Je clignai des yeux lorsque la flamme d'une torche, devant moi, se fractionna soudain en rayons de lumière. Un moment, je fus simultanément consciente de leur infinie potentialité et de l'équilibre éternel de leur centre radieux, et compris qu'il existait un endroit où toutes les voies n'étaient plus qu'Une. Le barde chantait toujours...

« De bruyère et colline en marais et fougère
Tes chiens nous guideront notre vie tout entière ;
Par les sentiers tortueux que tracèrent nos rois,
Gentille Dame, révèle-nous toutes les voies,
Ô Dame Elen des Voies... »

Je pensai à Surette et souris à l'image de la chienne au pelage blanc et duveteux, essayant de traîner quelque pauvre âme égarée au sommet d'une montagne. Mais je savais combien de fois la dévotion inconditionnelle du petit animal m'avait remise d'aplomb lorsque Dame Ganeda jurait que je ne serais jamais capable de devenir prêtresse d'Avalon. Cette nouvelle déesse pourrait-elle me montrer la voie vers ma destinée ?

« Si la vision faiblit, si le courage détale,
Ô puisse ta lumière nous tirer du dédale ;
Quand la force et les sens ne servent à rien,
Que ton amour enseigne au cœur d'autres chemins
Ô Dame Elen des Voies... »

Les notes de la harpe moururent en une douce ondulation. Les auditrices commencèrent à sortir de la transe où la musique – ou le bon dîner – les avait plongées. Dans la confusion qui se produisit lorsque la communauté se sépara pour se préparer au sommeil, vint pour moi le moment d'apporter son dîner à Dierna.

Prudemment, je décrivis un cercle pour m'éloigner, feignant d'être prise d'un besoin naturel, et relevai l'autre pan de mon châle pour soustraire mon visage pâle au clair de lune. L'astre n'était pas encore bien haut et la réserve était dans l'ombre. Je laissai le châle retomber avec un soupir de soulagement, mais lorsque je touchai la porte, mon estomac se noua de nouveau car elle pivota librement sous ma main.

J'avais sans aucun doute refermé le loquet en repartant ! pensai-je avec désespoir. Je me glissai à l'intérieur en appelant doucement, mais hormis un faible grattement venu de derrière les paniers de noix, il n'y avait aucun bruit, et aucun signe de Dierna, sauf mon écharpe. *Dierna avait raison*, m'informa une partie de mon esprit. *Il y a des rats ici…*

L'autre partie s'interrogeait frénétiquement. Peut-être Ganeda, prise de pitié, avait-elle relâché l'enfant, ou l'une des autres prêtresses était-elle intervenue. Mais je savais que la Grande Prêtresse ne revenait jamais sur ses arrêts et qu'aucune autre n'aurait eu le courage de la contredire. *Quand je serai grande*, pensai-je sombrement, *je le ferai…*

Cette fois, je pris soin de refermer la porte derrière moi. Puis, me forçant à ne pas courir, je fouillai la petite maison douillette où dormaient les plus petites, demandant, en guise d'excuse, si elles n'étaient pas en train de jouer avec Surette. Mais je ne vis ni la chienne ni Dierna et remarquai que les enfants étaient d'un calme inaccoutumé, comme si l'idée de la punition de leur compagne les accablait toutes.

Je leur souhaitai hâtivement bonne nuit et revins à la Maison des Vierges. J'aurais dû donner aussitôt l'alarme, mais je tremblais à la pensée de la correction que Dierna recevrait pour s'être enfuie. Surette sauta sur moi en gémissant, comme si elle sentait mon angoisse, et je la fis taire. Puis je me figeai. Surette n'avait pas le flair d'un chien de chasse, mais elle avait fait la preuve de son intelligence. Peut-être y avait-il un autre moyen.

J'attendis que les autres jeunes filles revêtent leurs robes de nuit et brossent leurs cheveux, fassent leurs besoins et éteignent les lampes, puis se tournent et toussotent jusqu'à ce que le sommeil s'emparent d'elles ; ce fut pour moi un supplice. Après une éternité, le silence s'installa. J'attendis encore jusqu'à ce que mes propres paupières s'alourdissent. Alors, je me glissai hors de mon lit et, cachant mes souliers sous mon châle, je gagnai la porte sur la pointe des pieds.

– Qu'est-ce qu'il y a ?

J'étouffai un hoquet de surprise en entendant la question d'Aelia.

– Surette a encore besoin de sortir, chuchotai-je en montrant la petite chienne qui, à moins qu'on lui dise de rester, était déjà derrière mes talons. Rendors-toi.

Mais Aelia s'assit sur son séant, se frotta les yeux et me regarda.

– Pourquoi emportes-tu tes chaussures ? chuchota-t-elle. Et ton châle épais ? Vas-tu faire quelque chose qui t'attirera des ennuis ?

Sur le moment, je restai muette. Puis il me vint à l'idée que, peut-être, je ferais mieux de mettre *quelqu'un* au courant de ce que j'allais faire ; je pouvais me fier à Aelia qui ne me trahirait pas.

– C'est Dierna qui est dans l'ennui...

Rapidement, je lui chuchotai un compte rendu de ce qui était arrivé.

– Je pense que Surette peut la retrouver. Il faut au moins que j'essaie !

– Oh, Eilan, fais attention ! murmura Aelia quand j'eus terminé. Je vais être dans l'inquiétude jusqu'à ce que tu reviennes !

Elle me tendit les bras et je me penchai pour l'embrasser. Puis elle soupira et se laissa retomber sur l'oreiller. Le cœur battant si fort que je craignis qu'il ne réveille tout le dortoir, je me glissai dehors.

À présent, la lune était vraiment levée, peignant le manoir et les dépendances en blanc et noir. Il fallait que je fasse vite car il y avait peu d'abris. Je courus comme une flèche d'ombre en ombre. Surette trotta derrière moi jusqu'à ce que j'arrive une fois de plus à la réserve.

Haletante, je ramassai l'écharpe et la mis sous le nez de Surette.

– C'est à Dierna... Dierna... tu la connais ! Cherche Dierna, Surette, cherche !

La chienne renifla l'étoffe. Puis elle gémit et se tourna vers la porte. Je la tins entrouverte puis me glissai moi aussi dehors, la refermant doucement derrière moi tandis que Surette traversait la cour d'un air déterminé.

La chienne me remonta certainement le moral. Lorsque nous passâmes devant le dernier bâtiment, je respirai enfin et sentis le même picotement que j'avais parfois éprouvé lorsque les prêtresses s'exerçaient au pouvoir. J'hésitai, regardant autour de moi, dubitative. Ce n'était pas encore le soir du rituel de la pleine lune, ni la nuit d'une

76

des grandes fêtes. Peut-être les druides étaient-ils en train de travailler ? Je ne connaissais pas leurs cérémonies, mais il se passait certainement quelque chose car la nuit était pleine de magie. Avec un peu de chance, personne n'aurait le temps de s'apercevoir de mon absence.

Le nez au sol, Surette contourna le pied du Tor. Dierna avait dû se diriger vers les terres plus élevées de l'est… En cette saison, elles étaient suffisamment sèches pour qu'on puisse les traverser jusqu'aux pâtures. Mais bien que le ciel fût clair au-dessus du Tor, au-delà s'étendait la brume, épaisse, sur la terre comme sur l'eau. Aussi Avalon semblait-il émerger d'une mer de nuages.

Il était facile de se perdre dans ce brouillard, et même si Dierna évitait le Lac, beaucoup de tourbières et de creux pouvaient s'avérer plus traîtres encore. Si je n'avais pas eu de chien pour me guider, je n'aurais jamais osé emprunter ce sentier dans l'obscurité, et même ainsi, je faisais attention où je mettais le pied car Surette pouvait gambader aisément sur un terrain qui cèderait sous mon poids.

Les premières volutes de brume s'enroulèrent sur le sentier. Était-il possible de les franchir sans l'incantation ? me demandai-je. Et si je la prononçais, me retrouverais-je à jamais bannie dans le monde extérieur ?

– Elen des Voies, marmonnai-je, montre-moi le chemin !

Je fis un pas et la brume, qu'un changement de vent fit tourbillonner autour de moi, réfléchit la lumière si bien que la lueur de la lune m'encercla.

J'appelai la chienne, car je ne voyais rien que la lumière nébuleuse, et j'attendis en frissonnant que la silhouette blanche de Surette apparaisse, telle une condensation de la brume. J'attachai un bout de l'écharpe de Dierna à son collier, mais dans cette étrange atmosphère où l'air et l'eau, la lumière et l'obscurité se confondaient comme au commencement du monde – quand, selon les druides, tous les éléments étaient joints –, je n'avais plus l'impression d'avancer. Seul le picotement du pouvoir devenait de plus en plus intense.

La brume scintillait toujours, puis, soudain, elle s'éclaircit. Je m'arrêtai net, observant attentivement. Devant moi, une lueur pâle qui ne venait ni du soleil ni de la lune découpait les formes des arbres aux feuilles bordées d'or et des prairies constellées de fleurs. Juste à l'endroit où je me tenais, le chemin se divisait en trois. Celui de gauche tournait et disparaissait dans les ténèbres. Les zigzags de l'étroit sentier de droite franchissaient une petite colline et j'eus l'impression, en tournant la tête dans cette direction, d'entendre le doux son d'une cloche.

Mais celui du milieu était large, brillant et beau, et Surette me tira vers lui.

Ma peur fit place à un grand émerveillement. Devant moi s'élevait un vénérable chêne. Les yeux levés vers ses puissantes branches, je compris que j'avais franchi les frontières d'Avalon ou de toute terre habitée par les hommes, car sûrement les druides auraient entouré un tel arbre d'une clôture et y aurait suspendu des offrandes. Je caressai le tronc, si large que trois personnes se tenant par la main auraient à peine pu l'entourer, et sentis le bois vibrer, comme si la vie de l'arbre palpitait sous ma main.

– Je te salue, Père Chêne. Étendras-tu ta protection sur moi tant que je marcherai dans ce royaume ? chuchotai-je en m'inclinant, et je frissonnai en entendant les feuilles murmurer, comme pour me répondre.

J'aspirai l'air avec précaution, concentrant mes sens comme j'avais appris à le faire. Durant mes premiers jours passés à Avalon, tout m'avait paru plus vivant que dans le monde extérieur. Maintenant cette impression était cent fois plus intense et je compris que la magie d'Avalon – sa source et sa forme originelle – était à ce royaume ce que la lune était au soleil.

L'écharpe s'était détachée du collier de Surette, mais cela n'avait plus d'importance. La silhouette miroitante de la petite chienne dansait devant moi et des fleurettes blanches étoilaient ses traces. Voyais-je l'animal ainsi parce que nous étions au Pays des Fées, me demandai-je, ou était-ce seulement en ce monde que se révélait sa véritable nature ?

Le sentier menait à un bosquet de coudriers, semblables à ceux que je taillais ce matin même quand Becca avait failli se noyer. Le temps s'écoulait différemment au Pays des Fées, avais-je entendu dire, et il était facile d'y perdre ses souvenirs aussi bien que son chemin.

Mais ces arbres-là n'avaient jamais connu le toucher du fer. Pourtant, bien qu'ils ne fussent pas taillés, un esprit avait sûrement dû guider leur luxuriance pour en faire cet entrelacs de branches souples dans lequel ne s'ouvrait qu'une seule brèche où Surette avait disparu. J'hésitai un moment, mais si j'étais incapable de retrouver Dierna, je pouvais tout aussi bien me perdre au Pays des Fées, car je n'oserais certainement pas reparaître à Avalon. Seule la pensée d'Aelia, m'attendant avec inquiétude, me retenait d'avancer.

Au moment où je franchis l'ouverture, j'entendis soudain un chant, comme si les branches dissimulaient un chœur d'oiseaux ; pourtant je sus – car j'avais été formée à remarquer de telles choses – que je n'avais jamais entendu ces oiseaux-là en Avalon. Ravie, je levai les yeux, espérant apercevoir les chanteurs qui se dérobaient à moi. Lorsque je baissai la tête, une femme étrange se dressait devant moi.

Je clignai des paupières en découvrant qu'il m'était difficile de concentrer sur elle mon regard, car le manteau de la dame était de cet or pâle et changeant qu'empruntent les feuilles des saules quand vient l'automne. Un diadème de baies rouges couronnait son front et ses cheveux noirs.

Elle ressemble à Heron, pensai-je, émerveillée, *ou au petit peuple brun du village lacustre !* Mais aucune femme du Lac ne s'était tenue ainsi, comme si son environnement n'avait été créé que pour lui servir de cadre, aussi majestueuse qu'une prêtresse, aussi noble qu'une reine. Surette avait couru à elle et sautait comme elle le faisait pour m'accueillir lorsque je m'étais absentée.

Réprimant un pincement de jalousie, car jusqu'ici la petite chienne n'avait jamais témoigné autant d'affection à quelqu'un d'autre, je fis une profonde révérence, hommage dû à une impératrice.

– Tu t'inclines devant moi, et c'est bien, mais d'autres feront de même, un jour, devant toi.

– Quand je deviendrai Grande Prêtresse ?

– Quand tu accompliras ta destinée.

La voix de la Dame avait la douceur du chant des abeilles par un jour d'été, mais je me souvins combien cette musique pouvait rapidement se transformer en fureur si l'on menaçait la ruche, et j'ignorais ce qui pouvait mettre cette reine en colère.

– Quelle est ma destinée ? osai-je enfin demander, le cœur battant.

– Cela dépendra de ce que tu choisiras…

– Que voulez-vous dire ?

– Tu as vu trois routes en venant ici, n'est-ce pas ?

La voix de la Dame restait douce et basse, mais il y avait en elle une force contraignante qui m'obligea à revivre la scène qui se matérialisa aussitôt devant moi – le chemin qui reconduisait dans les brumes, la route rocailleuse, et le sentier central, large et beau, bordé de lis pâles.

– Le choix que tu devras faire repose dans l'avenir : chercher le monde des Romains, ou le Pays Caché, ou Avalon, poursuivit la Reine des Fées, comme si je lui avais répondu.

– Mais j'ai déjà choisi, répliquai-je, surprise. Je serai prêtresse d'Avalon.

– Ainsi parle ta tête, mais que dit ton cœur ?

La Dame rit doucement et je sentis une cuisante chaleur empourprer ma peau.

– Je suppose que lorsque je serai assez âgée pour penser à de telles choses, je saurai choisir, dis-je d'un air de défi. Mais j'ai juré de ne me donner à aucun homme, sauf si la Déesse le désire, et je ne romprai pas mon serment !

– Ah, ma fille, dit la Dame en riant de nouveau, ne sois pas si certaine de comprendre ce que tes vœux signifient, et où ils te mèneront ! Mais je peux te dire ceci : il te faudra comprendre qui tu es vraiment avant de connaître ta voie.

De je ne sais où, des mots me vinrent.

– Je suis Eilan et Elen me guidera…

La Reine des Fées me regarda et soudain, inopinément, elle sourit.

– Exactement. Et si tu sais cela, alors tu as déjà mis le pied sur le chemin. Mais assez parlé de choses graves – car pour le moment, tu es ici, et c'est un privilège qui n'est pas accordé à beaucoup de mortels. Viens, petite, festoyer avec nous dans mon manoir !

Me contemplant avec une douceur qui m'étreignit le cœur comme une douleur, elle me tendit la main.

– Si je vais avec vous… pourrais-je retourner en Avalon ? demandai-je avec hésitation.

– Si tu le souhaites.

– Et retrouverai-je Dierna ?

– Est-ce ce que tu souhaites vraiment ? demanda la Dame.

– De tout mon cœur ! m'exclamai-je.

La Reine des Fées soupira.

— Le cœur, encore ! Si tu la retrouves, tu la perdras, mais je suppose que tu ne peux pas comprendre. Viens et réjouis-toi un petit moment, si c'est le seul don que tu veux bien accepter de moi...

Puis la Dame me prit par la main et m'emmena par des chemins sinueux et inconnus. Nous arrivâmes peu de temps après à un manoir tout en bois, non pas coupé et chevillé comme je l'avais vu dans les pays des hommes, mais entrelacé dès sa croissance, si bien que les poutres étaient en bois vivant, avec un toit de branches et de feuilles vertes. D'autres branches qui dépassaient des cloisons portaient des torches dont la pâle lumière vacillante dansait dans les yeux brillants des convives assis à la grande table.

On me donna une boisson sucrée qui sentait la levure, dans une coupe qui n'était ni d'argent ni d'or, et, tandis que je buvais, je sentis ma lassitude disparaître. Il y avait des paniers de fruits inconnus, des tourtes fourrées de racines et de champignons baignant dans une sauce savoureuse, ainsi que du pain tartiné de miel.

La nourriture revigora mon corps, même si, me souvenant des contes sur le Pays des Fées, je me demandai si ce n'était pas une illusion. Mais la harpe abreuva mon esprit quand j'ignorais qu'il eût soif. Un jeune homme aux yeux joyeux, aux boucles noires couronnées d'épis dorés, me prit par la main et m'entraîna dans la danse. Tout d'abord, je trébuchai, car celle-ci ne ressemblait en rien aux pas pleins de dignité qui convenaient aux vierges éduquées à Avalon. Le rythme s'apparentait pourtant au battement de tambour qui émanait du Tor lorsque les prêtresses initiées dansaient avec les druides aux feux de Beltane, et que les jeunes filles de la Maison des Vierges écoutaient dans l'obscurité, le sang palpitant d'une façon qu'elles ne comprenaient pas encore.

Je ris et laissai la musique me soulever, mais lorsque mon cavalier voulut m'attirer dans une charmille feuillue, je sus reconnaître une autre tentation et, échappant à son étreinte, je revins à la table du festin.

— Ce jeune homme n'était pas à ton goût ? demanda la reine.

— Il m'a plu bien assez, dis-je — et je sentis mes joues brûler d'une rougeur révélatrice, car bien que sa beauté n'eût pas fait vibrer de corde en mon cœur, son contact avait réveillé mes sens d'une manière qui m'était inconnue. Mais je suis restée ici trop longtemps, repris-je.

Je vous serais obligée de tenir la promesse que vous m'avez faite, Dame, de me conduire à Dierna, puis de me ramener chez moi.

– L'heure en est venue, en effet. Attends juste un peu ; le plus grand de nos bardes va chanter…

Mais je fis non de la tête.

– Je dois partir. Je *vais* partir… Surette ! Surette, viens !

Je regardai autour de moi, soudain terrorisée à l'idée que la petite chienne qui m'avait amenée à cet endroit m'eût abandonnée. Mais la seconde d'après, je la sentis qui tirait sur ma jupe. Je me penchai pour la prendre dans mes bras et la serrai avec emportement.

– Oui… ta volonté est très forte, reconnut la Dame d'un air pensif. Et si je te disais qu'en retournant à Avalon, tu vas effectuer les premiers pas sur la voie qui te conduira loin d'ici et, ce faisant, mettre en route des événements qui finiront par séparer à jamais ton île du monde des hommes ?

– Je ne ferais jamais cela ! criai-je avec colère.

– Le déplacement d'air né d'un battement d'ailes de papillon peut provoquer une tempête à l'autre bout du monde… Dans le Pays Caché, nous ne pensons pas au temps qui passe, car pour nous, il s'écoule lentement ou pas du tout. Mais quand je regarde le monde des hommes, j'observe les conséquences des actions que vous, mortels à la courte vie, ne verrez jamais. Écoute les leçons de ma sagesse, enfant, et reste ici !

Je fis non de la tête.

– J'appartiens à Avalon !

– Qu'il en soit ainsi, dit alors la Reine des Fées. Je t'accorderai ce grand réconfort : si loin que tu puisses errer, à condition que tu aies des chiens, tu retrouveras le chemin de chez toi… Pars, alors, avec la bénédiction du Vieux Peuple, et peut-être, de temps à autre, te souviendras-tu de moi…

– Je me souviendrai de vous…, dis-je, les yeux picotant de larmes.

Je reposai, une fois de plus, Surette par terre, et la chienne, après avoir regardé derrière elle pour s'assurer que je la suivais, trotta vers la porte.

Nous pénétrâmes dans la lumière, filtrée par le feuillage du bois féerique, puis, d'un pas à l'autre, nous plongeâmes dans une obscurité où la blanche silhouette de la chienne devant moi fut la seule chose que je pus distinguer. Ensuite, je sentis la froide caresse de la brume sur ma peau et ralentis, frissonnante, éprouvant le sol à chaque pas avant de lui confier mon poids, pour être sûre que je restais bien sur le sentier.

Je ne sais pas avec certitude combien de temps je continuai ainsi, mais, peu à peu, je m'aperçus que le brouillard s'éclaircissait, puis se diluait et je traversai enfin ses dernières volutes pour me retrouver sur l'herbe du Tor. La lune était encore haute dans le ciel – aussi haute, presque, que lorsque j'étais partie. Je la regardai, stupéfaite, car au Pays des Fées, le festin et la danse avaient duré des heures. Mais ici, on était au même instant de la nuit qu'à mon départ. Était-ce la même nuit ? me demandai-je, soudain effrayée. Ou le même mois, la même année ? Aelia m'attendait-elle encore ?

Je me mis en route, regardant avec inquiétude autour de moi pour voir si quelque chose avait changé, et soupirai de soulagement en apercevant devant moi la haie de coudriers à demi taillée, telle que je l'avais laissée. Une forme pâle remua dans son ombre… C'était Surette, assise à côté d'un tas de vêtements qui, de plus près, s'avéra être une enfant endormie.

Je tombai à genoux à côté d'elle, le cœur battant la chamade.

– Sois bénie, Déesse ! murmurai-je. Plus jamais je ne douterai de Toi !

Lorsque mon pouls fut redevenu à peu près normal, je serrai l'enfant dans mes bras.

– Dierna, réveille-toi, petite ! Tu es une grande fille, maintenant, je ne peux plus te porter !

L'enfant se blottit contre mon sein.

– Je ne veux pas retourner là-bas… J'ai peur, dit-elle d'un ton endormi.

– Je resterai avec toi, et Surette aussi.

– Mais elle est si petite, gloussa Dierna en tendant la main pour ébouriffer les poils frisés.

– Ne la sous-estime pas. C'est une chienne magique.

Dans l'ombre, il me semblait qu'un peu de splendeur féerique était restée accrochée à sa fourrure.

– Viens…

Je me relevai et, après un moment d'hésitation, Dierna me suivit.

Je me dis que je pourrais me faufiler dans la Maison des Vierges avant qu'on s'aperçoive, au matin, de mon absence, mais même si Ganeda apprenait que j'avais désobéi, je m'en moquais. Il y avait assez de paille dans la réserve pour faire un lit et, quand j'eus persuadé Dierna de s'y étendre, je lui racontai ce qui m'était arrivé au Pays des Fées jusqu'à ce qu'elle s'endorme.

Alors seulement la fatigue de ma nuit d'aventures m'engloutit, si bien que lorsque Suona vint libérer l'enfant, à l'aube, elle nous trouva toutes deux couchées en chien de fusil, tandis que Surette, à côté de nous, montait fidèlement la garde à la porte.

IV

268-270 après J.-C.

L'année de mes dix-huit ans, je quittai la Maison des Vierges pour aller résider dans une annexe, avec Heron, Aelia et Roud, car l'heure de notre initiation approchait, et l'enseignement qui nous préparait à recevoir les Mystères exigeait la solitude. Mais même si les prêtresses novices devaient rester à l'écart du reste de la communauté, nous ne pouvions être totalement isolées des rumeurs qui parcouraient l'île.

C'était un temps de mort et de présages, à Avalon comme ailleurs. Un réseau de relations informait la Grande Prêtresse de ce qui se passait dans l'Empire et, de temps à autre, l'un des mariniers du village lacustre apportait un tube de cuir contenant un message, ou faisait traverser le messager en personne, qui était conduit, les yeux bandés, à la maison de la Dame afin de lui délivrer les nouvelles. J'ai toujours soupçonné la Grande Prêtresse d'avoir appris des choses qu'elle ne nous transmit jamais.

Cependant, elle estima essentiel de nous faire savoir que Postumus, l'empereur sorti du rang, avait été assassiné par ses propres soldats pour avoir refusé de leur livrer le butin d'une ville qu'ils venaient de prendre, car c'était lui qui avait séparé l'Occident, y compris l'Angleterre, du reste de l'Empire. Un homme appelé Victorinus avait repris son titre, mais le bruit courait qu'il s'agissait d'un guerrier en chambre dont les adultères réduisaient déjà le nombre de partisans. En fait, c'était sa mère, Victoria, qui gouvernait en son nom l'Imperium Galliarum, disait la rumeur.

Mais pour nous qui résidions sur l'île sainte, ces histoires ne signifiaient pas grand-chose ; à la fin de l'hiver, Sian, la fille de Ganeda et son héritière probable, perdit la bataille qu'elle menait contre la maladie depuis la naissance de son second enfant, et la communauté d'Avalon fut plongée dans le deuil.

L'année qui suivit semblait promettre peu d'amélioration. Nous apprîmes que les peuples de la Méditerranée, décimés par la peste et la famine, accusaient l'empereur de leurs malheurs et Gallien, comme son prédécesseur, tomba sous le couteau d'un assassin. De son successeur, Claude, on savait peu de choses, sauf qu'il venait des bords du Danube, et l'on disait que c'était un bon général [1]. Nous nous préoccupions plus des incursions des Saxons qui, en nombre toujours croissant, s'en prenaient aux côtes méridionales de l'Angleterre.

Pourtant, le rivage saxon était très loin. Tandis que tournait la roue de l'année pour ramener les moissons, le temps de mes épreuves approchait à grands pas, ce qui me donnait une raison plus immédiate d'avoir peur. Nos dernières leçons incombaient à la Grande Prêtresse et, Ganeda étant une fois de plus forcée de reconnaître mon existence, je vis clairement qu'elle n'avait pas appris à m'aimer plus qu'avant.

Parfois, il me semblait qu'elle m'en voulait d'être vivante et en bonne santé alors que sa propre enfant reposait, glacée, dans la terre. Elle espérait que j'échouerais aux épreuves qui allaient déterminer si j'étais digne d'être appelée prêtresse d'Avalon, cela je le savais. Mais trahirait-elle ses vœux en usant de ses pouvoirs pour y parvenir ?

Je me réveillais chaque matin l'estomac noué et partais comme pour le champ de bataille rejoindre le jardin avoisinant la maison de la Grande Prêtresse où nous recevions nos leçons.

— Bientôt, nous vous enverrons au-delà des brumes dans le monde extérieur, et là, vous devrez tordre le temps et l'espace afin de retourner à Avalon, si vous en êtes capables.

C'était une belle journée, juste après le solstice d'été, et entre les feuilles de la haie d'aubépine, j'apercevais le scintillement bleu du Lac. Aujourd'hui, les brumes n'étaient qu'un mince voile à l'horizon.

---

1. Claude II le Gothique, officier remarquable, proclamé empereur par ses soldats en 268, lutta sans relâche contre les Goths, mais échoua en Gaule et mourut de la peste en 270. *(NdT)*

Il était difficile de croire que, sur l'autre rive, se déployait un monde différent.

J'avais l'impression que les yeux de la Grande Prêtresse se posaient un peu plus longtemps sur moi que sur les autres. Je lui rendis son regard noir, mais je gardais un vif souvenir de ce que j'avais éprouvé en traversant les brumes pour la première fois, lorsque Suona avait ouvert le passage entre l'île des prêtresses et le monde des hommes. À cet instant, sans formation d'aucune sorte, il m'avait semblé comprendre ce qui se passait. Si l'épreuve était équitable, avec tout l'entraînement que j'avais reçu, je n'échouerais pas.

– Mais il faut comprendre, poursuivit Ganeda, que nous ne vous donnons pas seulement un défi à relever, nous vous laissons aussi le choix. Vous partirez vêtue comme une femme de ce monde, avec suffisamment d'or pour vous rendre où vous le souhaiterez et vous fournir une dot quand vous y serez. Aucun vœu ne vous liera, sauf le *geas* qui vous interdit de révéler les secrets d'Avalon. Vous êtes encore jeune, malgré tout votre savoir, et vous avez à peine commencé à goûter aux joies de la vie. Discipliner l'esprit et le corps, marcher sans nourriture ou sans sommeil, coucher avec un homme uniquement pour accomplir les desseins de la Dame et jamais les vôtres, c'est renoncer à ce que la Déesse offre à toute femme qui naît. Vous devez réfléchir pour savoir si vous voulez vraiment revenir.

Il y eut un long silence. Puis Aelia s'éclaircit la voix.

– Ici, c'est mon foyer et je n'en veux pas d'autre, mais pourquoi cela doit-il être si dur ? Si ces gens, à l'extérieur, ne savent rien d'Avalon, que croient-ils que nous faisons et pourquoi ?

– Les familles princières sont au courant, m'aventurai-je à répondre. Quand les récoltes de leurs terres sont insuffisantes, ils envoient chercher l'une d'entre nous pour accomplir le grand rite… C'est ainsi que je suis née. Et ils nous confient leurs filles pour que nous leur apprenions les anciennes mœurs de notre peuple.

– Mais les Romains possèdent des temples et ils écrasent les gens d'impôts pour les entretenir. Laissons-les gagner les faveurs des dieux par leurs offrandes. Pourquoi devons-nous donner autant quand nous recevons si peu en retour ?

La Grande Prêtresse nous regardait avec un sourire acide, mais ne semblait pas en colère, aussi j'osai répondre une fois encore.

– Parce que les Romains ont oublié la signification des rituels, s'ils l'ont jamais sue ! Mon père disait souvent que, selon ces gens, si la cérémonie se déroulait à la perfection dans ses moindres détails, le dieu ou la déesse *accomplirait* leur volonté, mais qu'aucune foi sincère ne comptait plus si une seule syllabe était prononcée de travers.

Mon tuteur Corinthius, cet homme doux et gentil, pensait que les rites n'étaient qu'un moyen d'assurer la cohésion de la société et que les dieux étaient une espèce d'idéal philosophique.

– Les gens de mon village avaient plus de bon sens ! s'exclama Heron. Nos fêtes nous mettaient en harmonie avec les cycles et les saisons du monde.

– Et les rites d'Avalon peuvent les modifier, intervint enfin Ganeda. Nous sommes déjà à mi-chemin de l'Autre Monde et ce que nous faisons ici se répercute sur tous les plans de l'existence. Il y eut des temps où nous agissions plus ouvertement dans le monde, et d'autres où nous avons dû rester invisibles derrière nos brumes, mais nous œuvrons avec les énergies du cosmos, selon les enseignements qui nous viennent de la terre d'Atlantis, qui désormais repose sous les vagues. C'est un véritable pouvoir qui peut détruire l'esprit et le corps de tout être qui tenterait de le canaliser sans y avoir été préparé et entraîné…

Aelia baissa les paupières devant la ferveur de son regard, puis Heron et elle détournèrent les yeux. Ce regard vint se poser sur moi et je compris que je ne voyais pas ma tante, qui me détestait, mais la Dame d'Avalon. Je courbai la tête pour lui rendre hommage.

– Et c'est pourquoi nous nous offrons à la Déesse afin d'accomplir Son œuvre dans le monde, non par orgueil, mais parce qu'Elle nous a appelées d'une voix qui nous oblige à répondre, dit-elle à voix basse. Nos vies sont le sacrifice.

Après ce jour, la tension entre Ganeda et moi parut diminuer un peu, ou peut-être était-ce seulement parce que je commençais à la comprendre. De fait, chaque jour semblait nous apporter un peu plus de discernement, à mesure que nous affinions des talents que nous pensions avoir déjà maîtrisés.

La vision s'effaçait. À contrecœur, j'abandonnai l'image du Tor resplendissant de lumière et fis l'effort de rebrousser chemin, de revenir au jardin. La Voix de mon Guide continua à me diriger régulièrement, m'empêchant de vagabonder jusqu'à ce que l'éclatant souvenir de mon voyage intérieur devienne la scène familière que je voyais chaque jour.

J'ouvris les yeux, clignant des paupières dans la lumière du soleil, et posai les mains sur la terre pour m'enraciner une fois de plus dans son pouvoir. La haie d'aubépine et les herbes médicinales soigneusement entretenues étaient encore belles, bien qu'elles eussent perdu les liserés rayonnants que j'avais vus dans l'Autre Monde. Heron et Roud étaient à mes côtés. Je respirai à fond l'air odorant et bénis la Déesse de m'avoir ramenée de nouveau, saine et sauve.

— Est-ce que la Vision ne vient qu'à ceux à qui l'on a appris l'ancienne sagesse, celle que vous enseignez ici ? demanda Roud.

La Grande Prêtresse fit non de la tête. Depuis la mort de sa fille, elle avait pris de l'âge et la lumière matinale qui filtrait entre les feuilles du pommier révélait chaque ride, chaque sillon de son visage avec une précision impitoyable. Si Ganeda n'avait pas si clairement manifesté qu'elle me comptait au nombre de ses élèves uniquement parce qu'elle y était obligée, j'aurais eu pitié d'elle.

— Il y a beaucoup de membres de notre peuple chez lesquels le Don agit fortement, répondit-elle, mais il leur fait peu de bien, car il se manifeste sans y avoir été invité, sans direction ni contrôle. N'étant pas formés, ils ne savent pas comment empêcher telle vision de survenir quand ils ne la désirent pas, ni comment concentrer et maîtriser son pouvoir ; aussi pour eux la Vision est-elle plus une malédiction qu'une bénédiction.

Heron fronça les sourcils, l'air pensif.

— C'est pour cela que tu es si prudente quant au moment et au lieu où tu nous permets d'en faire usage ?

Ganeda hocha la tête. Je me demandai si elle veillait à la sécurité de la voyante, ou bien craignait que la vision n'échappe à son contrôle. Il me parut présomptueux de penser qu'on pouvait fixer des limites de ce genre à la parole des dieux.

Cela faisait une semaine que la Grande Prêtresse nous instruisait des différentes façons de prédire l'avenir. Les druides connaissaient l'art de lire les présages, et la transe du barde, et la vision-rêve qui vient quand le prêtre dort enveloppé dans la peau du taureau sacrifié.

Ces savoirs étaient aussi pratiqués par les druides d'Irlande. Les habitants du village lacustre se servaient de petits champignons qui pouvaient procurer des visions même à ceux qui étaient dépourvus du don, et nous les donnaient en échange de nos remèdes.

Mais il y avait d'autres moyens, pratiqués uniquement par les prêtresses. L'un d'eux était l'art de lire dans la mare sacrée, et un autre, le rite au cours duquel on droguait une prêtresse pour obtenir des visions, au moment des grandes fêtes. J'avais entendu parler de ce dernier, mais si le rite avait été accompli depuis mon arrivée à Avalon, seules les prêtresses arrivées au plus haut niveau le savaient.

– Allez vous reposer, maintenant, dit alors Ganeda. Vous vous prenez déjà pour des voyantes parce que vous pouvez voyager en esprit, alors que c'est seulement la première étape. Roud a son sang-de-lune et doit attendre une autre occasion, mais ce soir, nous autres tenterons de pratiquer la divination par le feu et par l'eau. Nous verrons si l'une d'entre vous a le Don qui fera d'elle un oracle.

Sa voix était devenue dure et aucune de nous n'osa croiser son regard. Sa fille Sian avait été particulièrement douée et, depuis sa mort, Avalon n'avait plus de voyante. Cela devait faire souffrir ma tante de devoir se rappeler ainsi sa perte, même s'il était de son devoir de chercher une remplaçante. Le travail intérieur m'avait toujours été facile et je me demandais si je possédais aussi une aptitude à la divination. On disait que ce genre de don se transmettait dans certaines familles, aussi la chose était-elle possible. Mais, pensai-je, Ganeda ne serait certainement pas contente de me voir prendre la place de sa fille.

Cet après-midi passa à frotter les dalles du Chemin de Procession, car Ganeda pensait que les tâches matérielles étaient un moyen de fatiguer le corps et d'occuper superficiellement l'esprit. Je suppose, aussi, que les corvées devaient nous empêcher de prendre de grands airs, maintenant que l'on nous apprenait la voyance.

Mais, malgré ce dérivatif, je sentais mon estomac se nouer tandis que les ombres s'allongeaient. Quand la cloche convoqua le reste de la communauté au dîner, nous nous rendîmes toutes les quatre au Lac pour nous y baigner, car pour ce travail il valait mieux se purifier et jeûner.

Le temps qu'on nous amène au sanctuaire qui surplombait le puits sacré, la nuit était tombée. Nous étions toutes habillées de manière identique – une simple tunique blanche sans ceinture qui tombait de nos épaules à nos pieds nus et une cape de laine brute. Nos chevelures dansaient librement sur nos épaules. Des torches avaient été installées le long du sentier ; leur lumière vacillante miroitait sur les sombres boucles de Heron et mettait du feu dans les cheveux d'Aelia. Les miens, fins, rendus indisciplinés par leur récent lavage, volaient devant mon visage, auréolés de lumière.

Vu à travers ce voile d'or, le chemin familier semblait étrange et mystérieux. Ou peut-être était-ce seulement cette journée de jeûne et l'espérance de la transe qui commençaient à m'influencer. Il me semblait que ce serait très facile d'abandonner la conscience ordinaire et de voyager entre les mondes. Je me demandais si la règle qui voulait qu'on recherche les visions à jeun était toujours sage. C'était garder la maîtrise de celles-ci qui allait probablement poser problème.

On avait posé un trépied sur la terrasse en pierre. Devant lui, des charbons rougeoyaient dans un brasero. Une petite table sculptée portait un pichet en argent et un morceau de tissu plié. Nous prîmes place sans rien dire sur le banc placé derrière et nous attendîmes, les mains sur les genoux, respirant profondément l'air froid de la nuit.

Ce fut un autre sens que l'ouïe qui me fit retourner. Deux prêtresses approchaient à pas glissés et silencieux, façon de marcher que j'avais eu tant de mal à apprendre. Je reconnus les épaules raides de Ganeda avant même qu'elle pénètre dans le cercle de lumière. Suona la suivait, portant dans ses mains quelque chose enveloppé dans un linge blanc.

– Est-ce le Graal ? chuchota Aelia assise à côté de moi.

– Impossible… la seule novice qui a le droit de le voir, c'est la Vierge qui est sa gardienne, lui murmurai-je tandis que Suona posait son fardeau sur la table. Ce doit être autre chose, visiblement de très ancien.

Ancien et sacré, pensai-je, car j'avais l'impression de sentir son pouvoir.

Suona ôta le linge et leva l'objet pour l'exposer à la lumière. C'était une coupe en argent, un peu bosselée, mais frottée avec amour ; un dessin ciselé entourait le bord.

– Il est dit que l'on utilisait cette coupe pour la divination à Vernemeton, la Maison de la Forêt d'où sont venues les premières prêtresses qui habitèrent notre île sainte. Peut-être Dame Caillean a-t-elle, autrefois, lu dedans. Priez la Déesse de vous envoyer un peu de son esprit…

Suona posa la coupe à côté du pichet, sur la petite table.

Je clignai des yeux, car une autre image se superposa à ma vision de la coupe, celle du même récipient, brillant, neuf. Était-ce un effet de mon imagination, ou bien une *reconnaissance* ?

Mais je n'eus pas beaucoup de temps pour me le demander. La Grande Prêtresse vint se poster devant nous et attira sur sa propre personne le charme de son invocation : d'une seconde à l'autre, cette petite femme courbée, toujours renfrognée, devint grande, majestueuse et belle. J'avais assisté de nombreuses fois à cette transformation, mais elle ne cessait de me stupéfier, ou de me rappeler qu'il ne faudrait jamais minimiser les pouvoirs de cette femme, quelle que fût sa façon de me traiter.

— Ne pensez pas, dit-elle, que ce que vous allez faire soit moins réel parce que vous n'avez pas terminé votre formation de prêtresse. Le visage du Destin est toujours à la fois merveilleux et terrible – veillez à la manière dont vous levez Son voile. Une certaine connaissance de ce qui va advenir est donnée à quelques-unes. Chez la plupart, même chez une voyante sacrée, la prescience ne vient qu'en brèves visions déformées par la connaissance de celle qui voit et de ceux qui entendent la prophétie.

Elle s'arrêta, fixant chacune d'entre nous à tour de rôle d'un regard qui nous transperça jusqu'à l'âme.

Quand elle parla de nouveau, sa voix avait la sonorité de la transe.

— Restez immobiles et purifiez vos cœurs. Faites taire votre esprit industrieux. Il faut devenir un récipient vide qui attend d'être rempli, un passage ouvert par lequel l'illumination peut s'écouler.

La fumée monta du brasero en tourbillonnant lorsque Suona saupoudra les charbons d'herbes saintes. Je fermai les yeux, consciente que le monde extérieur commençait déjà à s'éloigner furtivement.

— Heron, fille d'Ouzel, dit la prêtresse, liras-tu dans les eaux sacrées pour y chercher la sagesse ?

— Oui.

J'entendis un bruissement d'étoffe tandis qu'on l'aidait à prendre place sur le trépied.

Je n'eus pas besoin de mes yeux pour savoir à quel moment elle plongea son regard dans l'eau, et pas besoin d'entendre le murmure des instructions de la Dame qui l'entraînaient plus profondément dans la transe. Lorsque Heron prit la parole, j'entrevis aussi des images, morcelées et chaotiques… des tempêtes et des armées, et des danseurs entre les pierres sacrées.

Peu de temps après, elles disparurent. Je fus vaguement consciente que l'on avait ramené Heron et que c'était maintenant au tour d'Aelia de lire dans la coupe. Une fois de plus, je partageai leurs visions. La voix de la Dame, devenue plus perçante, lui ordonna de chercher un temps plus proche du présent, et des événements d'importance pour Avalon. Un moment, ce ne fut qu'une ombre tournoyante, puis j'aperçus vaguement les marais qui bordaient le Lac. Des silhouettes portant des torches longeaient le rivage en appelant. Puis l'image disparut. Il y eut un bruit d'eau versée, comme si l'on vidait la coupe, et Aelia vint se rasseoir près de moi. Je sentis qu'elle tremblait et me demandai ce que son esprit avait refusé de voir.

Maintenant, je sentis que la Grande Prêtresse se tenait devant moi, telle une flamme.

– Eilan, fille de Rian, es-tu disposée à chercher des visions ? dit la voix sortie des ténèbres.

Je murmurai un acquiescement et fus conduite à mon tour sur le trépied. Ma conscience se modifia une fois de plus et j'ouvris les yeux. Suona versa de l'eau dans la coupe et la posa devant moi.

– Penche-toi et regarde dedans, dit la voix, à côté de moi. Inspire… expire… attends que l'eau se calme. Laisse ta vue plonger au fond et dis ce que tu vois.

Suona jeta encore des simples sur les charbons. Comme je humais l'épaisse fumée odorante, la tête me tourna et je clignai des yeux, essayant de les fixer sur la coupe. Maintenant je pouvais la voir… un bord argenté entouré d'une obscurité mouvante où dardaient les lueurs vacillantes et luisantes des torches.

– Si tu ne vois rien, peu importe, poursuivit la prêtresse. Ne t'inquiète pas…

Si, cela importe, pensai-je, contrariée. *Voudrait-elle que j'échoue ?*

Peut-être eût-ce été plus facile si je n'avais été distraite par une vision extérieure. Je n'osai fermer les yeux tout à fait, mais je laissai mon regard se perdre dans le vague, si bien que je ne vis plus qu'une tache floue qu'entourait un cercle de lumière. *Cherche les marécages*, me dis-je ; qu'est-ce qu'Aelia avait essayé de voir ?

Et, à cette pensée, la vision commença à émerger devant moi, d'abord en lueurs éparpillées, puis nette et complète. Le crépuscule faisait place au soir. Le Lac miroitait faiblement dans la lumière mourante. Cependant l'entrelacs de marais et d'îlots qui s'étendait au sud et à l'est était plongé dans l'obscurité. Des torches se déplaçaient sur les terres plus élevées, mais ma vision fut attirée par une mare sombre, à l'ombre d'un saule tordu.

Quelque chose bougeait là. Avec un hoquet de surprise, je reconnus la tête rutilante de Dierna. Elle s'accrochait d'un bras à un rondin. L'autre était plongé dans l'eau comme si elle tenait fermement quelque chose qui se trouvait sous la surface. Je m'efforçai de voir plus nettement et la scène changea.

Ceux qui la cherchaient l'avaient trouvée. À la lumière des torches, je vis que Dierna sanglotait, bien que je n'entendis aucun son. Deux des druides étaient entrés dans l'eau. L'un déposa la fillette dans les bras de Cigfolla. L'autre attacha une corde autour de ce qui se trouvait sous l'eau. Les hommes tirèrent, une forme pâle apparut…

– Becca ! Noyée !

Les mots me déchirèrent la gorge.

– Je vous en prie, ne me laissez pas voir ça… Faites que ce ne soit pas vrai !

Je m'éloignai de la table dans un mouvement convulsif, la coupe et le pichet s'envolèrent. Je tombai sur le sol, effondrée de douleur, frottant mes paumes contre mes yeux comme pour effacer ce que j'avais vu.

Aussitôt, Suona me prit par les poignets et me serra contre elle ; mes sanglots étouffaient son murmure apaisant.

– Bien entendu qu'elle va se remettre, jaillit la voix de Ganeda derrière moi. Ces hystériques essaient seulement d'attirer l'attention.

Je me redressai en sursaut, bien que ce mouvement me fît tourner la tête.

– Mais je l'ai vue ! Je l'ai vue ! Il faut veiller sur Becca ou elle se noiera !

– Cela t'arrangerait, hein ? lança Ganeda d'une voix hargneuse.

Une de moins de mon sang pour te disputer ma place lorsque je serai morte !

L'injustice manifeste de cette remarque m'ôta la parole, et je sentis Suona se raidir, choquée.

Plonger dans la transe avait été facile. M'en remettre, surtout après en être sortie si brutalement, fut plus dur. Durant plusieurs semaines, je demeurai désorientée et sujette à des crises de larmes. Dans les jours qui suivirent la séance de divination, mon sens de l'équilibre demeura perturbé au point que je pouvais à peine marcher et, à chaque pas, une douleur me poignardait la tête. Quand il devint évident qu'une simple nuit de sommeil ne suffirait pas à me rétablir, on m'envoya à la Maison de Guérison. La raison qu'on en donna fut que les autres jeunes filles me fatigueraient, mais je pense maintenant qu'en fait, Ganeda ne souhaitait pas que je parle aux autres, et surtout à Dierna, de ce que j'avais vu.

Si bien que j'y étais encore, câlinée par Cigfolla quand j'émergeais de mes rêves troublés, lorsque j'entendis crier dehors et, me dressant sur mon séant, vis par la porte entrouverte la lueur tremblotante des torches dans l'obscurité.

– Qu'est-ce qu'il y a ? criai-je. Que se passe-t-il ?

Une peur familière avait commencé à se délover dans mon ventre. J'essayai de me lever, mais la douleur qui me poignarda la tête me rejeta sur ma couche, gémissante.

J'étais encore allongée, à tenter de maîtriser l'atroce souffrance en respirant soigneusement, lorsque la porte s'ouvrit à toute volée ; Heron entra comme une flèche.

– Eilan… on ne retrouve ni Dierna ni Becca ! chuchota-t-elle en regardant par-dessus son épaule pour s'assurer qu'on ne l'avait pas vue entrer – et à ce geste je compris que personne n'était venu me voir parce que Ganeda leur avait défendu de venir.

– Dans ta vision, où était-elle ? poursuivit Heron. Dis-moi vite !

Je m'agrippai à son bras en lui décrivant, aussi bien que je le pus, l'endroit où se trouvait, par rapport au sentier, la mare aux saules que j'avais aperçue. Puis elle partit et je me rallongeai, les larmes coulant de mes yeux clos.

Après une éternité de détresse, j'entendis revenir celles qui étaient parties, leurs voix assourdies par le chagrin ou rauques d'avoir pleuré. Je me retournai vers le mur. Cela ne m'aidait pas de savoir que, sans ma vision, Dierna serait peut-être morte avec sa sœur. J'avais désespérément voulu prouver à Ganeda que ma vision était vraie, mais maintenant j'aurais donné n'importe quoi pour que ses accusations s'avèrent justes et que la petite Becca revienne saine et sauve parmi nous.

Peu à peu, ma santé s'améliora et l'on me permit de retourner à la Maison des Vierges. Heron me dit que Dierna était partie chercher des herbes médicinales dans les marais en laissant sa sœur derrière elle. Mais Becca, qui, depuis la mort de leur mère, semblait être devenue l'ombre de son aînée, l'avait suivie, était tombée et, le temps que Dierna essaie de la rattraper, avait été engloutie par la tourbière. Même si personne ne l'en blâmait, les remords tourmentaient Dierna.

Je ne fus pas surprise d'apprendre que le froid qu'elle avait pris dans l'eau tournait à la fièvre pulmonaire. Ce fut à son tour d'être soignée à la Maison de Guérison. Je demandai à lui rendre visite, mais Ganeda me le défendit. Je me souvins d'une histoire que mon précepteur Corinthius m'avait racontée un jour, sur un roi oriental qui réagissait aux mauvaises nouvelles en faisant exécuter le messager. C'était invraisemblable de me tenir pour responsable de ce qui s'était passé, d'autant que la Grande Prêtresse ne m'avait pas crue, mais je savais depuis longtemps qu'en ce qui me concernait, ses décisions étaient rarement logiques.

Notre formation se poursuivit, mais on ne nous donna plus de leçon de divination, et j'en fus bien contente. J'avais appris le premier paradoxe du don de prophétie : avoir un aperçu du futur ne signifie pas nécessairement que l'on puisse comprendre, et encore moins changer ce que l'on voit.

À la longue, Dierna aussi se remit assez bien pour aller et venir telle une ombre, les yeux semblables à des trous dans une couverture, le visage aussi blanc que du petit lait sous le feu de ses cheveux, comme si elle était morte avec Becca, et que seul son fantôme fût resté parmi nous à Avalon.

Et cet effroyable été tira à sa fin. Dans les marais, les massettes devinrent renflées et brunes, hochant la tête dans le vent qui se jouait du feuillage jaunissant des saules ; les brumes qui entouraient Avalon semblaient imprégnées d'or. Un soir, comme la nouvelle lune se levait, je rentrais des toilettes lorsque j'aperçus une forme pâle qui descendait le sentier vers le Lac et, alarmée, je reconnus Dierna. Mon pouls s'accéléra aussitôt, mais j'étouffai le cri qui me montait à la gorge et préférai siffler Surette pour la suivre.

Lorsque je les rattrapai, Dierna, assise sous un buisson de sureau, étreignait ma chienne et pleurait, la figure enfouie dans sa fourrure soyeuse. Au bruit de mes pas, elle leva les yeux en fronçant les sourcils.

— Je vais bien. Tu n'as pas besoin d'envoyer Surette à mes trousses ! dit-elle d'un air maussade, mais je remarquai qu'elle ne lâchait pas la chienne. Peut-être penses-tu que je devrais entrer dans le Lac et m'y enfoncer, pour me punir d'avoir laissé ma sœur se noyer !

Je déglutis. Cela dépassait ce que j'avais imaginé. Je m'assis, me gardant bien d'essayer de la toucher.

— Elles disent toutes que ce n'était pas de ma faute, mais je sais ce qu'elles pensent…, fit-elle en reniflant et elle s'essuya le nez sur sa manche.

— J'ai vu ce qui est arrivé, tu sais, dans la coupe de divination, dis-je pour finir. Mais personne ne m'a crue. Je continue à penser que si j'avais mis plus d'ardeur à les convaincre…

— C'est stupide ! Tu ne pouvais pas savoir, s'exclama Dierna, puis elle s'interrompit, me regardant d'un air soupçonneux.

— Nous nous sentons toutes les deux coupables. Peut-être cela nous hantera-t-il à jamais. Mais j'essaierai de vivre avec, si toi, tu y arrives. Peut-être pouvons-nous nous pardonner mutuellement, même si nous ne pouvons pas nous pardonner à nous-même…

Elle continua un moment à fixer sur moi ses yeux bleus pleins de larmes. Puis, avec un sanglot, elle se jeta dans mes bras.

Nous restâmes ainsi à pleurer tandis que le blanc croissant de la lune traversait imperturbablement le ciel. Il fallut que Surette grogne et se dégage de nos bras pour que je m'aperçoive du temps qui s'était écoulé et que nous n'étions plus seules. Durant un instant, je m'étais sentie en paix avec cette enfant dans mes bras, mais maintenant mon estomac se nouait de nouveau. La silhouette enveloppée dans une cape qui nous faisait face était celle de la Dame d'Avalon.

— Dierna, dis-je à voix basse. Il est tard et tu devrais être au lit.

La fillette se raidit en apercevant sa grand-mère, mais je la forçai se relever.

— Cours, maintenant, et puisse la Déesse bénir tes rêves.

Un moment, je crus qu'elle allait insister pour rester afin de me défendre. Mais peut-être Dierna comprit-elle qu'ainsi elle ne ferait qu'accroître le courroux de Ganeda, car bien qu'elle jetât plusieurs coups d'œil en arrière, elle nous quitta sans discuter. J'avoue que le silence lourd de menaces de la Dame faillit me pousser à la rappeler, mais cette confrontation couvait depuis longtemps et je savais qu'il me fallait l'affronter seule.

Je me relevai.

— Si tu as quelque chose à me dire, marchons le long du rivage, là où nos voix ne troubleront personne.

Je fus surprise d'entendre la mienne résonner aussi fermement car, sous mon châle, je tremblais. J'empruntai la première le sentier qui bordait le Lac, Surette trottant sur mes talons.

— Pourquoi es-tu en colère ? demandai-je quand le silence fut devenu insupportable, tel le calme avant la tempête. Veux-tu refuser à ta petite fille un peu de réconfort juste parce qu'il vient de moi ?

— Tu as tué ma sœur quand tu es venue au monde, siffla Ganeda entre ses dents, tu voulais du mal à Becca et maintenant tu essaies de me voler la dernière enfant de mon sang.

Je la regardai fixement, non plus effrayée mais furieuse.

— Vieille femme, tu es folle ! J'aimais cette petite fille et, certes, la mort de ma mère m'a causé une plus grande douleur qu'à toi. Mais nos choix ne prennent-ils donc aucune part à notre destin ? L'enseignement d'Avalon ne serait-il que mensonge ? Ma mère a décidé d'agir en prêtresse durant le grand rite et, quand elle a compris qu'elle avait conçu, elle a choisi de garder l'enfant, sachant le risque qu'elle courait. On avait dit à Becca de ne pas suivre sa sœur et elle en a décidé autrement.

— Elle était trop jeune pour comprendre…

— Et toi, tu as *décidé* de me garder à l'écart de ces deux fillettes ! Ne savais-tu pas que j'aurais veillé sur elles comme une ourse sur ses petits pour empêcher ce que j'avais vu arriver ? Dès l'instant où j'ai posé le pied en Avalon, tu m'as détestée ! Qu'ai-je fait pour mériter cela ? Peux-tu me le dire ?

Ganeda m'empoigna par le bras et, lorsqu'elle me fit tourner brutalement face à elle, je sentis son énergie se déployer ; devant le courroux de la Dame d'Avalon, ma colère ne paraissait plus que mauvaise humeur enfantine.

– Tu oses me parler ainsi, à *moi* ? D'un seul Mot, je pourrais te faire disparaître sur place !

Son bras se leva en un tourbillon d'étoffes noires semblables à l'aile de la Dame des Corbeaux, et je me recroquevillai. Durant un instant, on n'entendit plus que le clapotement des vaguelettes contre le rivage.

Puis, sortie de la forte odeur de terre mouillée et du chuchotement des eaux, une autre sorte de pouvoir m'envahit, une force sûre, durable, capable d'absorber les éclairs que la majestueuse fureur de Ganeda pouvait faire descendre sur moi. Un moment, j'entrai en contact avec quelque chose de fondamental en moi, dont je ne pourrais dire si c'était la Déesse ou mon âme éternelle. Lentement, je me redressai et, comme elle croisait mon regard, le pouvoir s'écoula du corps de Ganeda qui, bientôt, ne fut plus qu'une vieille femme courbée, plus petite que moi.

– Vous êtes la Dame d'Avalon, dis-je avec un soupir, mais nous sommes toutes deux filles de la Dame qui règne sur tous les mondes. En tout ce qui concerne le bien d'Avalon, je vous obéirai, mais seulement parce que je choisirai de le faire.

Elle leva les yeux vers moi ; la lune sculptait d'ombre et de lumière ses traits couturés.

– Tu es jeune, répondit-elle lentement, jeune et orgueilleuse. Refuse de me craindre si tu le veux, la vie t'apprendra à avoir peur – oh oui ! – et à transiger.

Elle repartit dans l'autre sens, le long le rivage.

– Dierna est aussi ma parente, lui criai-je, et je ne vous laisserai pas me séparer d'elle !

À ces mots, Ganeda se retourna.

– Fais comme tu veux, répondit-elle d'un ton las, mais quand j'étais plus jeune, moi aussi j'ai eu des visions. J'ai lu dans le Puits sacré et vu que Dierna serait mon héritière. Tu fais bien de te gagner son amitié car, je te le dis, c'est *elle*, et pas toi, qui sera la prochaine Dame d'Avalon !

Lentement, le terrible été de la mort de Becca devint un souvenir. Je savais ce que cette tragédie avait fait à sa sœur, mais, le temps passant, il devint évident que Ganeda aussi avait été marquée, plus profondément que nous, ou plus qu'elle ne le savait peut-être. De corps, elle restait vigoureuse – je ne crois pas, en vérité, que quelqu'un aurait pu accomplir le travail requis d'une Dame d'Avalon sans une endurance exceptionnelle. Mais le tranchant qui pouvait écharper tant une amie qu'une ennemie avait disparu.

J'avais du mal à le déplorer et, en raison de mon jeune âge, j'ignorais que les vicissitudes de la vie pouvaient épuiser autant l'esprit. Du reste, cela ne m'importait pas assez pour que j'essaie de le comprendre. Vigoureuse de corps et ravie de voir mes pouvoirs mûrir rapidement, j'affrontai avec empressement l'épreuve et, sûre de ma décision, j'octroyai la bourse d'or à la famille du garçon qui m'avait donné Surette dix ans auparavant.

Je pénétrai dans le brouillard et tirai des profondeurs de mon être la Parole du Pouvoir qui m'ouvrit la voie, riant parce que, pour finir, c'était si facile, comme si je me souvenais simplement d'une chose apprise longtemps auparavant. Heron et Aelia firent de même lorsque leur tour arriva et tout le monde se réjouit de leur retour. Mais Roud ne revint jamais parmi nous.

Durant l'année de silence qui nous fut ensuite imposée, je dus regarder en moi d'une manière que les innombrables exigences de ma formation ne m'avaient jamais permise. Je pense maintenant que ce fut cela la véritable initiation, car ce ne sont pas les adversaires extérieurs, que l'on peut affronter et défier, qui sont les plus dangereux, mais les antagonismes plus subtils qui habitent en nous.

En ce qui concerne le serment qui mit fin à cette année-là, je dois aussi garder le silence, sauf pour dire qu'il fut, comme Ganeda l'avait promis, un acte de sacralisation, un *sacrifice*. Mais bien que je m'offris à la Dame pour qu'elle m'utilise comme Elle le voudrait, je ne compris pas sur le moment pourquoi l'on nous avait averties de ne pas prédire ou contrôler ce que la Déesse ferait de nous une fois l'engagement pris. Néanmoins, quand j'eus prêté serment, je subis le Mystère du Chaudron et l'on traça sur mon front le croissant bleu de la Déesse.

L'attention fixée sur mes propres luttes, je ne m'aperçus pas tout de suite que les choses n'allaient pas si bien que cela à Avalon. Durant notre année de silence, Aelia et moi étions devenues très intimes. Je fus surprise de découvrir que, sans échanger un mot, je comprenais mieux ce qu'il y avait dans son cœur que je ne l'avais fait quand nous dissimulions nos pensées derrière notre conversation, et sus qu'il en était de même pour elle vis-à-vis de moi. Comme nous n'utilisions nos voix que pour chanter les offices de la Déesse, les mots eux-mêmes prirent une nouvelle signification sacrée.

Les délibérations qui eurent lieu lors de la première réunion des prêtres et prêtresses consacrés, et auxquelles je fus admise au bout de mon année de silence, parurent chargées d'une importance inha-bituelle. De fait, les sujets abordés étaient assez graves. Depuis plu-sieurs années aucune nouvelle recrue d'un sexe ou d'un autre n'était venue à Avalon pour y recevoir notre enseignement, et Roud n'était pas la seule à n'être pas revenue. De plus, les princes dont les contri-butions permettaient à notre communauté de rester sur l'île rechi-gnaient de plus en plus à payer leur dû.

— Ce n'est pas que nous manquions d'argent, dit Arganax, qui était devenu le chef des druides l'année précédente. L'Angleterre n'a jamais été plus prospère. Mais à Rome, l'empereur Claude semble nous avoir oubliés et, depuis la mort de Victorinus, l'Imperium Gallia-rum a des soucis plus pressants que de venir ici collecter les impôts [1].

Cigfolla rit.

— C'est toujours sa mère, Victoria, qui règne, en dépit des mem-bres de sa famille qu'elle a installés sur le trône, et elle a deux fois plus de poigne qu'il n'en avait, d'après ce que j'ai entendu dire. Peut-être nous ferait-elle bon accueil si nous lui proposions notre aide !

— Les princes nous ont volontiers soutenus lorsque le pied de Rome reposait sur leurs nuques, dit Suona. Ils donnent l'impression de ne plus avoir besoin de nous — comme s'ils pouvaient abandonner l'ancienne sagesse de l'Angleterre maintenant qu'ils sont libérés du joug romain.

---

1. C'est Victorinus, associé à l'Empire par Postumus qui, depuis l'assassinat de ce dernier (269), règne seul sur les Gaules, mais pour un an seulement car il est, lui aussi, tué en 270 par ses soldats. *(NdT)*

Un moment, nous la regardâmes fixement, plongés dans un silence stupéfait. Puis Ganeda s'éclaircit la voix.

— Proposez-vous que nous mettions la magie en œuvre pour ramener les empereurs de Rome ici ?

Suona rougit et se tut, mais les autres se mirent à débiter des suppositions.

— Nous ne pouvons rien décider sans savoir à quoi nous devons faire face, finit par déclarer Ganeda, et nous avons épuisé la connaissance acquise par des moyens ordinaires…

— Que proposez-vous ? demanda Arganax.

Ganeda parcourut le cercle des yeux avec ce froncement de sourcils exaspéré qui me rappelait mes années d'études.

— Sommes-nous des Grecs, pour gaspiller notre vie à débattre des limites de notre philosophie ? Si nos talents valent d'être préservés, utilisons-les ! Le Tournant du Printemps est presque arrivé – servons-nous de ce moment d'équilibre entre les deux moitiés de l'année pour invoquer l'Oracle !

V

270 après J.-C.

« Vous qui cherchez les anciennes voies,
Vous qui cherchez le Chemin de Lumière,
La Nuit fait maintenant place au Jour,
Maintenant le Jour a égalé la Nuit... »

La file des prêtresses en robes noires faisait, à pas glissés et en chantant, le tour du cercle, et celle des druides en vêtements blancs marquait le pas en sens contraire. L'ombre et la lumière, en parfait équilibre, fermèrent le cercle et s'arrêtèrent. Arganax s'avança, mains levées pour la bénédiction. Derrière lui, près du gong, un autre prêtre attendait.

L'Archidruide était un homme vigoureux en pleine maturité, mais Ganeda, sortie du rang pour lui faire face, semblait sans âge, rendue plus forte par le rituel. Sa robe, d'un bleu si foncé qu'elle paraissait presque noire à la lumière de la lampe, tombait en plis droits jusqu'aux dalles polies du sol, et les pierres de lune incrustées dans les ornements d'argent de la Grande Prêtresse luisaient sans clignoter sur sa poitrine et sur son front.

– Regardez, le Soleil règne dans la Maison du Bélier et la Lune repose dans les bras des Gémeaux, proclama le druide. L'hiver est passé et les herbes se fraient un chemin vers la lumière du soleil, les oiseaux reviennent et se proclament prêts à s'accoupler, les bêtes émergent de leur long sommeil. Partout la vie se réveille et nous-mêmes avec elle, mus par les mêmes marées, poussés à l'action par les mêmes grandes énergies... Gardez le silence, contemplez la

103

renaissance du monde et, comme nous sommes tous Un, contemplez la même grande transformation intérieure...

Je fermai les yeux en même temps que les autres, le corps tremblant des vibrations du gong que nous renvoyaient les piliers du Grand Manoir des Druides. Il semblait résonner dans chaque atome de mon être. Perdue dans la beauté de l'instant, j'en oubliai d'éprouver de l'envie, que ce fût Heron et non moi qu'on allait asseoir sur le trépied et descendre jusqu'au Puits de Prophétie.

– Éveillez-vous ! Éveillez-vous ! Éveillez-vous ! scanda une autre voix, haute et claire.

> « Compagnons de la Lumière Cosmique,
> Elle va se révéler, la secrète splendeur !
> Accueillez-la au ciel et dans vos cœurs,
> Revenez à la vie, rejetez toute peur ! »

J'ouvris les yeux. Quatre jeunes gens portant des torches se tenaient maintenant aux coins de la grande salle. Quelqu'un avait jeté la première poignée d'herbes aromatiques sur le brasero et, dans cette lumière, la fumée odorante luisait comme si elle avait embrasé l'air. Maintenant, je pouvais voir les images peintes sur le plâtre des murs – une île enserrant un port intérieur, de grands temples, une montagne pyramidale qui crachait des flammes et d'autres scènes de la terre légendaire qui, un jour funeste, s'était abîmée sous les vagues. Tout comme le rituel, ces contes appartenaient à une sagesse dont les druides étaient les seuls héritiers.

Le rituel se déroulait en questions et réponses, délimitant l'instant sacré où, la Nuit et le Jour étant d'égale longueur, une porte s'ouvrait entre le Passé et le Futur ; alors celui ou celle qui avait été convenablement préparé et guidé pouvait voir entre les mondes.

Le cercle s'ouvrit pour révéler une silhouette voilée, soutenue par Wren et Aelia. Avec précaution, elles la guidèrent jusqu'au trépied, jusqu'à ce qu'elle retrouve son équilibre. *La boisson sacrée a vite agi sur elle,* pensai-je. *Plaise à la Déesse qu'elle ne l'emporte pas trop loin...*

Au temps jadis, je le savais, on priait la Déesse de parler Elle-Même par les lèvres de Sa Grande Prêtresse. À présent, bien que les dieux puissent descendre parfois pour danser avec nous lors de leurs fêtes, on estimait plus utile à la Voyante de se vider et de s'ouvrir à toute personnalité, même la sienne, sans aucune volonté propre sauf celle de décrire les images qu'elle voyait.

La Grande Prêtresse s'avança pour se poster à ses côtés. La petite table et la coupe en argent avaient déjà été placées devant elle. Des boules de gui flottaient sur l'eau en compagnie d'autres plantes médicinales. De l'endroit où je me tenais, je pouvais voir l'eau sombre brasiller sous la lumière des torches. Je me sentis vaciller et clignai rapidement des yeux pour rompre le sortilège, puis détournai le regard en espérant que personne n'avait remarqué ma perte d'orientation momentanée. J'étais une vraie prêtresse désormais, et je devrais faire preuve d'un meilleur contrôle.

— Enfonce-toi, enfonce-toi… Pénètre plus profondément et coule au fond…

Le murmure de Ganeda guidait la Voyante dans son voyage intérieur, vers les profondeurs de son être, jusqu'à ce que la coupe d'eau miroitante ne fasse plus qu'un avec le puits sacré, à côté du cyprès blanc.

— Que se passe-t-il chez les Romains ? Que fait l'empereur Claude en ce moment ? demanda Arganax.

Le silence dura un long moment.

— Dis-nous, Prophétesse, que vois-tu ? insista Ganeda.

Un frisson secoua les plis satinés du voile.

— Je vois… des cyprès qui se découpent sur le ciel du couchant… Non, c'est la lumière d'un feu. Il y a des corps qui brûlent… Un des spectateurs chancelle et tombe…

Heron parlait doucement, d'une voix calme, comme si elle regardait les choses de haut, hors du monde.

— La scène change… Un vieillard est couché dans une pièce somptueuse. Des étoffes pourpres recouvrent son lit, mais il est seul… il est mort… Veux-tu en savoir plus ?

— La peste, chuchota quelqu'un. Puissent les dieux nous en protéger…

— Alors, la puissance romaine aurait pris fin ? Reviendront-ils en Grande-Bretagne ? demanda le druide — et cette fois, la réponse de Heron jaillit sans qu'on l'y incite.

— Je vois des armées et des navires… Les Bretons combattent des Bretons… Du sang, du sang et des flammes…

Elle secoua la tête, pleine de désarroi, comme si les images l'atterraient.

— Reviens à cet endroit où il n'y a que l'eau miroitante, dit Ganeda à voix basse. Dis-moi, qui viendra à notre aide ?

Heron se raidit.

— Le soleil ! Le soleil flamboie dans toute sa splendeur ! Il m'aveugle !

Un moment, elle resta pétrifiée, puis poussa un long soupir.

— Ah ! Il arrive… Son armure est romaine, mais ses yeux sont ceux d'un homme qui connaît les Mystères. Une ville… je pense que c'est Londinium. Dans les rues, les gens poussent des vivats : « *Redditor lucis… redditor !* »

Elle trébuche sur le latin, qu'elle ne connaît pas, mais je peux traduire : « Restaurateur de la Lumière ! »

Arganax le pouvait également. Il échangea un regard avec Ganeda.

— Si cet homme est un initié, il pourrait nous aider grandement, dit-il à voix basse.

Puis il se pencha de nouveau en avant.

— Qui est-ce… non, *où* est-il ?

Une fois de plus, Heron vacilla au-dessus de la coupe de divination.

— Je le vois… mais plus jeune. Des cheveux comme le pissenlit, ajouta-t-elle pour répondre à de nouvelles questions. Il chevauche une mule alezane sur une route romaine… mais c'est en Angleterre… la route qui mène aux mines, dans les collines…

— Ici ! s'exclama Arganax. Il était destiné par les dieux à venir nous secourir !

La voyante marmonnait encore tout bas, mais aux paroles du druide, elle se redressa, frissonnant comme une arc tendu.

— La destinée ! répéta-t-elle, puis elle cria soudain avec une voix forte qui ne ressemblait pas du tout à la sienne : Le fils du Soleil, plus grand que son père ! Une croix de lumière brûle dans le ciel ! C'est le changement de toutes choses ! Le destin est suspendu, en équilibre, le soleil va flamboyer sur le monde !

Après un dernier cri sonore, la Prophétesse tendit les bras, envoyant la coupe de divination tournoyer d'un bout à l'autre du plancher. Je vis qu'elle allait s'effondrer, et Aelia et moi arrivâmes juste à temps pour la rattraper avant qu'elle tombe.

Après la noble maçonnerie d'Avalon, les cabanes rondes des moines, en clayonnage enduit de torchis, sur Inis Witrin, semblaient rudimentaires et misérables. Je tirai mon voile sur mon front pour dissimuler le croissant tandis que nous gravissions la côte, et Conec, le jeune druide que l'on avait chargé de m'escorter, s'avança pour me prendre par le bras. Presque six semaines s'étaient écoulées depuis le rite de l'Oracle et Beltane approchait. Après l'habituel débat concernant le sens des déclarations de l'Oracle, Arganax avait envoyé certains de ses jeunes gens dans les Mendip Hills pour voir si l'on pouvait trouver un Romain correspondant à la description de Heron, et nous avions dû attendre leur rapport.

– Vous me laisserez leur parler, dit-il à voix basse. Ces saints n'ont pas le droit de s'entretenir avec une femme.

Les moines nous laissaient mettre dans leurs pâtures les quelques chevaux appartenant à Avalon et, en échange, nous leur donnions des herbes médicinales et des remèdes. Je me demandais d'où ils croyaient que nous venions.

– Quoi, ils pensent que je les entraînerais à commettre le péché d'impureté ? dis-je avec un petit rire moqueur. Il faudra que je me déguise en vieille femme laide lorsque nous rencontrerons le Romain. Je peux aussi bien commencer à m'exercer dès maintenant.

Mon père avait voulu que ses enfants apprennent à bien parler latin – c'était l'une des raisons qui avaient décidé Arganax à me charger de ramener le Romain à Avalon.

Lorsque le sentier tourna, je vis l'église ronde et, plus bas, le déambulatoire qui soutenait une tour centrale dont le chaume brillait d'un éclat doré sous le soleil. Conec me montra un banc, près du sanctuaire, où je pourrais attendre pendant qu'il partait s'occuper des chevaux. C'était un endroit étonnamment paisible d'où je percevais la douce psalmodie des chants en suivant des yeux le vol sinueux d'un papillon au-dessus de l'herbe.

Dans l'église, le chant s'enfla soudain et je me retournai pour écouter. Quand je revins à mon papillon, il s'était posé sur la main tendue d'un vieillard. Je clignai des yeux, me demandant comment il était arrivé là sans que je le voie, car les environs de l'église étaient dégagés. Les autres frères que j'avais aperçus portaient de grossières tuniques de laine brute, mais le vêtement du vieil homme brillait d'une blancheur neigeuse et la barbe qui lui recouvrait la poitrine était aussi blanche que l'étoffe.

— Que le Tout-Puissant te bénisse, ma sœur, dit-il d'une voix douce. Je Le remercie de m'avoir laissé parler avec toi une fois encore.

— Que veux-tu dire ? bégayai-je. Je ne t'ai jamais vu !

— Ah, soupira-t-il. Tu ne te souviens pas…

— Me souvenir de quoi ?

En un geste de défi, je rejetai mon voile.

— Tu es un disciple de Christos et moi, une prêtresse d'Avalon !

Il hocha la tête.

— C'est vrai… aujourd'hui. Mais au temps jadis, nous appartenions tous deux au même ordre, dans l'île qui s'est engloutie sous les vagues. Les vies et les pays s'éteignent, mais la Lumière de l'Esprit brille toujours.

Je restai bouche bée. Comment ce moine pouvait-il connaître les Mystères ?

— Que…, balbutiai-je, en tentant de me concentrer. Qui es-tu ?

— Mon nom, en ce lieu, est Joseph. Mais ce n'est pas mon nom que tu devrais demander, c'est le tien.

— Je m'appelle Eilan, m'empressai-je de répondre, et Helena…

— Ou Domaris, ajouta-t-il — et je clignai des yeux car ce nom m'était étrangement familier. Si tu ne sais pas qui tu es, comment peux-tu trouver ta voie ?

— Je sais où je vais…

Je dus faire un effort pour me taire avant de lâcher étourdiment quelle était ma mission, mais il me vint à l'esprit que le vieillard la connaissait déjà.

Il secoua la tête et soupira.

— Ton esprit sait, mais je crains que la chair que tu portes doive aujourd'hui suivre un chemin épuisant avant que tu comprennes. Souviens-toi : le symbole n'est rien. C'est la réalité qui se trouve derrière qui est tout.

Je n'étais pas plus près de saisir qui pouvait être ce vieil homme, mais j'étais assez instruite pour savoir que ce qu'il disait était vrai.

— Bon Père, que dois-je faire ?

— Toujours chercher la Lumière, répondit-il, et sur ces mots, celle du soleil sur sa robe blanche devint éblouissante.

Je clignai des yeux ; lorsque je les rouvris, Conec était devant moi, disant quelque chose au sujet des chevaux, et le vieillard avait disparu.

— Nos montures attendent près du portail, répéta le jeune druide, et le jour s'avance.

Toujours étonnée, je le laissai m'aider à me relever. Je me gardai bien de lui parler de ce que j'avais vu, mais je savais que j'y penserais pendant longtemps...

Le crépuscule étendait son manteau sur le Val d'Avalon, recouvrant les marais et les prés du même gris pourpré terne. De l'endroit où je m'étais postée, près de la route de Mendip, je pouvais embrasser du regard depuis les terres plus élevées de l'est jusqu'à l'estuaire de la Sabrina où le soleil plongeait dans la mer. À présent, tout le Tor reposait dans l'ombre avec, à ses pieds, un miroitement d'eau. Depuis dix ans, je disais adieu au soleil dans ce décor ; c'était fascinant de l'observer de l'extérieur. De fait, c'était à la fois étrange, effrayant et curieusement excitant d'être revenue dans le monde de l'humanité, même pour peu de temps.

Conec me toucha le coude.

— Il fait presque nuit. Le Romain devrait bientôt arriver.

— Merci.

Je hochai la tête en jetant un coup d'œil sur les nuages qui s'amoncelaient, menaçants, au nord. Même le peuple d'Avalon ne pouvait pas appeler la pluie si le ciel était vide, et nous avions dû attendre un temps favorable à mon dessein. J'avais tenu les nuages à distance tout l'après-midi. Maintenant, je libérai les énergies qui les liaient et sentis sur ma joue le souffle humide et glacé de la tempête.

Apprendre que la vision de Heron, celle de la mort de l'empereur, avait été une vraie Double Vue était encourageant. Les hommes qui buvaient dans les tavernes, près des mines de plomb, débordaient de potins. On disait que Claude avait légué l'Empire à un autre général appelé Aurélien, dépouillant ainsi son propre frère, Quintillus, qui, après une tentative avortée de coup d'État, s'était suicidé.

– Il viendra, ne crains rien, dit le druide qui nous avait attendus. Ces Romains sont des créatures d'habitude, et chaque soir depuis une semaine, il passe par ici.

– Est-il blond ? redemandai-je.

– Aussi blond que du lin blanchi, avec la marque de Mithra [1] entre les sourcils.

Je levai la main, sous le voile, pour toucher le croissant bleu tatoué sur mon front. *C'est un initié*, me rappelai-je, *et il peut voir plus de choses qu'un homme ordinaire. Il faudra que je fasse attention.*

Au-delà du tournant de la route retentit l'appel flûté d'un courlis, peu vraisemblable dans la lande, mais le Romain dont il signalait l'arrivée ne le saurait pas. Je respirai à fond, levai les bras vers le ciel et libérai les nuages.

En quelques secondes, je fus éclaboussée par les premières gouttes. Le temps que la silhouette chevauchant une mule rousse apparaisse, elles tombaient à seaux, les nombreux fronts de l'orage, qui auraient dû se succéder, relâchant simultanément toute la pluie emmagasinée.

Notre gibier s'était réfugié sous l'abri précaire d'un fourré de sureau ; il tentait de protéger sa tête, mais son sagum, qu'il avait relevé, ne le couvrait qu'à moitié. Je l'étudiai encore un peu.

– Restez cachés, dis-je aux deux druides en m'enveloppant plus étroitement dans ma mante. Mais quand je me mettrai en mouvement, suivez-moi.

Je donnai un coup de talons à ma monture et lui fis, à coups de rênes, dévaler la pente en contrebas de la route.

– Au secours... oh, par pitié, aidez-moi ! criai-je en latin, forçant ma voix pour qu'elle lui parvienne malgré la tempête, et je tirai sur les rênes du poney qui avait commencé à plonger, comme pour rendre réelle ma situation critique.

Un moment, rien ne se produisit et je laissai la bête continuer en m'accrochant à sa crinière.

– Est-ce que quelqu'un m'entend ? criai-je de nouveau, et j'aperçus la mule rousse sur la crête.

Je portais une mante blanche afin que le Romain puisse me voir,

---

1. Dieu indien adopté par les Perses, Mithra était le dieu de la lumière. Son culte, surtout répandu parmi les soldats, était réservé aux hommes. *(NdT)*

même sous l'averse. Je criai et donnai un bon coup de pied au poney, me cramponnant désespérément tandis qu'il descendait la colline au galop. J'entendis un juron romain et le craquement des broussailles, signe que la mule me suivait tant bien que mal, mais nous étions arrivés au pied de la colline et avions pénétré dans l'enchevêtrement de chênes et d'aulnes bien avant que le Romain ne m'eût rattrapée.

– Dame, es-tu blessée ?

Sa voix était grave et, autant que je pouvais le voir sous son sagum, son corps semblait vigoureux, bien qu'il fût grand. Il saisit les rênes que j'avais laissées tomber avec art à son arrivée.

Mon poney cessa de se débattre en reconnaissant la main d'un maître et, libérée de la nécessité de diviser mes forces entre ma monture et l'orage, j'attirai sur nous une autre rafale de pluie.

– Merci ! Oh, merci ! Le poney s'est emballé, j'ai cru que j'allais tomber !

Il rapprocha sa monture de la mienne et mit le bras autour de mes épaules. Je m'appuyai sur lui avec reconnaissance, prenant seulement conscience maintenant que je n'étais pas montée à cheval depuis longtemps. Le Romain me transmit sa chaleur bien plus vite que je ne m'y attendais. *Peut-être Heron avait-elle raison*, pensai-je vaguement. *Cet homme était-il vraiment le soleil ?*

– Il faut que je te trouve un abri, murmura-t-il, la bouche contre ma chevelure – et un frisson me parcourut au contact de son souffle chaud.

L'orage avait épuisé sa première furie, mais la pluie nous fouettait toujours.

– Par ici, dis-je en désignant le sud. Il y a une vieille cabane de tuiliers.

Ceux-ci n'avaient pas encore commencé leur travail estival. Nous y avions dormi en venant ici.

Le temps que nous atteignîmes la cabane, mon épuisement n'avait plus rien de feint. Mes genoux fléchirent lorsque je me laissai glisser de ma selle et seule la réaction rapide du Romain m'empêcha de tomber. Un moment, il me tint contre lui et je m'aperçus que nous avions la même taille. Qu'aurions-nous d'autre en commun ? me demandai-je alors, sentant la force de ses bras.

Je ne le découvrirais sans doute pas. Le Conseil, dans sa sagesse, avait décidé de lier le Romain à notre cause en lui offrant l'une de nous lors du Grand Rituel des feux de Beltane, et la prêtresse que le sort avait désignée n'était pas moi, mais Aelia.

Toute frissonnante, je le regardai allumer un feu avec célérité. Les tuiliers avaient laissé suffisamment de bois. La petite flamme jaillit, révélant un bras nerveux, de fortes pommettes, des cheveux courts collés à son crâne par la pluie et transformés en vieil or. Comme le feu commençait à gagner les branches plus grosses, il se releva pour dégrafer son sagum et l'étaler, dégoulinant, sur l'une des poutres basses. Il portait une tunique de bonne laine grise bordée de rouge. Un glaive, dans un fourreau de cuir, était accroché à sa ceinture.

— Puis-je te débarrasser de ta mante, dame ? dit-il en se retournant. L'air va bientôt se réchauffer et peut-être séchera-t-elle…

Le feu s'embrasant soudain le montra tout entier pour la première fois, et mon univers se figea. Je vis des yeux gris intelligents qui animaient un visage plutôt ordinaire, rougi en permanence par le soleil et le vent, et plus rose que jamais à cause du froid. Fatigué et trempé, il ne paraissait pas sous son jour le plus favorable, mais il n'avait jamais dû être célèbre pour sa beauté. La couleur de ses cheveux et de sa peau proclamait qu'il était romain plus par sa culture que par ses ancêtres ; il ne semblait pas avoir l'étoffe d'un prophète.

Cependant, je le reconnus.

Au cours de la cérémonie qui avait fait de moi une femme, la Déesse me l'avait montré. C'était l'amant qui me solliciterait aux feux de Beltane et je porterais son enfant…

Les druides se sont trompés d'homme, pensai-je avec désespoir. *Ce n'est pas le héros qu'a vu Heron, mais l'homme de ma vision…*

Et si justement c'était le même ?

J'ignore ce que mon visage laissa paraître à cet instant, mais le Romain recula en levant les mains, avec un air de modestie excessive.

— Je t'en prie, *domina*, n'aie pas peur. Je suis Flavius Constantius Chlorus [1], à ton service.

---

1. Constance Chlore, adopté par l'empereur Galère, en 293, devient César et co-empereur de la tétrarchie, responsable de la Gaule et de l'Angleterre, puis Auguste sous Dioclétien en 305 et meurt à York l'année suivante. Il était adepte du culte de Sol Invictus. *(NdT)*

Je me sentis rougir en m'apercevant que moi non plus, je n'étais guère à mon avantage. Mais cela devait se passer ainsi. Il fallait qu'il me voie laide, vieille même, jusqu'à ce que je sache... jusqu'à ce que je sois certaine qu'il était bien *ma* destinée.

– Julia Helena te remercie, murmurai-je, en lui donnant mon nom romain.

Il semblait aussi étrange sur ma langue que le latin. La jeune fille qui avait porté ce nom menait une autre vie, dix ans auparavant. Et soudain, je me demandai si elle devait revivre.

Une gourde en cuir était attachée à sa ceinture. Il fit passer la courroie par-dessus sa tête et me la tendit.

– Ce n'est que du vin, mais il te réchauffera peut-être.

Je réussis à lui sourire et me retournai pour fouiller dans mes fontes.

– J'ai du pain, du fromage et des fruits séchés que mes sœurs ont préparés pour moi.

– Alors, nous allons festoyer.

Constance s'assit de l'autre côté du feu et me sourit.

La lueur éclaira son visage et une chaleur monta soudain en moi, qui me brûla comme des flammes. Sans un mot, je lui tendis la miche de pain et il la prit d'une main. J'avais entendu dire un jour que dans les collines, partager un repas, un feu et un lit, cela suffisait à faire un mariage. Nous avions déjà les deux premiers et, pour la première fois de ma vie, j'eus la tentation de renier mes vœux.

Lorsque mes doigts avaient effleuré les siens, il avait tremblé. Mes sens affinés savaient qu'à un niveau plus profond que la pensée, il réagissait à ma proximité. Mon escorte de druides était dehors, quelque part. Ils ne nous dérangeraient pas à moins que je ne crie. Il suffirait de peu, d'un pas dans la direction du Romain, d'un frisson, comme si j'avais froid et besoin que ses bras me réchauffent. Un homme et une femme, seuls ensemble – nos corps feraient le reste.

Mais qu'adviendrait-il de nos âmes ?

M'offrir à lui sans honneur pourrait détruire cette autre chose, plus douce encore que le désir, qui enflammait mon corps : les possibilités que je sentais entre nous. Aussi, bien que je fusse une femme mourant de faim qui repoussait la nourriture, je reculai, m'enveloppant dans la laideur comme dans un manteau en loques, l'inverse de la séduction qu'une prêtresse sait comment exercer.

Constance secoua un peu la tête, me jeta un regard sombre et détourna les yeux.

— Tu vis dans le voisinage ? me demanda-t-il poliment.

— J'habite avec mes sœurs au bord des marais, répondis-je, près de l'île où les moines chrétiens ont établi leur sanctuaire.

— L'île d'Inis Witrin ? J'en ai entendu parler...

— Nous pourrions être chez moi demain, avant que le soleil soit haut. Je te serais reconnaissante de m'y accompagner...

— Bien sûr. Les hommes qui veillent sur les propriétés de ma famille préféreraient que je ne sois jamais venu ici ; cela leur sera égal si je m'absente un jour ou deux de plus, ajouta-t-il d'un ton amer.

— Pourquoi es-tu venu parcourir les petites routes de campagne de l'Angleterre ? demandai-je avec une réelle curiosité. Tu sembles être un homme capable.

— Et de bonne famille.

Il y avait maintenant de l'amertume dans sa voix.

— Ma grand-mère était la sœur de l'empereur Claude, poursuivit-il. Je voulais m'en tirer seul grâce à mes talents, et non par népotisme. Mais depuis que mon grand-oncle a tenté de s'emparer de l'Imperium et a échoué, je me contente de rester en vie. Le nouvel empereur a de bonnes raisons de se méfier des hommes de ma famille.

Il haussa les épaules et prit une lampée de vin à la gourde.

— Celle de ma mère a investi de l'argent ici, en Angleterre, dans un commerce d'importation établi à Eburacum, ainsi que dans les mines de plomb, et il était temps, semble-t-il, d'envoyer quelqu'un vérifier leurs affaires. En ce moment, l'Empire des Gaules est plus sûr pour moi que Rome.

— Mais est-ce que Tetricus [1] et... quel est son nom, Marius, ne te considèrent pas comme un danger ?

Constance fit non de la tête et rit.

---

1. Après une série d'empereurs issus de l'armée et tous assassinés par leurs soldats, on plaça à la tête de l'Empire Tetricus, un membre de l'aristocratie sénatoriale, notable de Bordeaux, gouverneur de la province d'Aquitaine, qui régna de 271 à 274, puis se laissa capturer par Aurélien et devint sénateur de Lucanie. (NdT)

— En fait, c'est Victoria Augusta qui gouverne. On l'appelle la Mère des Camps, mais elle n'a guère le temps de s'occuper de l'Angleterre. Aussi longtemps qu'elle touchera sa part de nos bénéfices, elle nous laissera tranquille. Les empereurs peuvent se succéder, ce sont les affaires qui font tourner le monde !

— Cela n'a pas l'air de te rendre très heureux, fis-je observer. Je ne t'aurais jamais pris pour un commerçant.

Un moment, son regard gris soutint le mien.

— Qu'est-ce que tu pensais que j'étais ?

— Un soldat, répondis-je, car c'est ainsi que tu m'es apparu dans ma vision.

— Jusqu'à ces derniers mois, oui, répondit-il, la mine rembrunie. Je suis né dans une garnison, en Dacie. C'est tout ce que je sais faire, tout ce que j'ai toujours voulu être.

— Es-tu si passionné de batailles ? demandai-je, intriguée.

Il ne semblait pas assoiffé de sang, mais comment savoir ?

— Disons plutôt que je désire ce que la bataille peut apporter au monde. La justice. L'ordre. La sécurité pour les gens qui vivent au-delà de la frontière afin que la paix puisse s'étendre…

Il se tut, sa peau colorée rougissant encore plus, et j'estimai que ce n'était pas un homme à laisser souvent ses sentiments transparaître.

— Ta fortune va changer.

Il me regarda d'un air incertain et je renforçai l'illusion qui me déguisait.

— Mais maintenant, il faut que nous dormions, ajoutai-je. Le trajet de demain sera éprouvant, après un tel orage.

À vrai dire, ce n'était pas la chevauchée qui m'avait épuisée, mais l'effort que je faisais pour dissimuler mon essence alors qu'en fait, je désirais lui offrir mon corps et mon âme.

Au matin, la pluie s'était arrêtée, mais, comme je l'avais prévu, plus le temps se réchauffa, plus le sol saturé exhala son excès d'humidité en traînées de brouillard. Tandis que nous chevauchions, celui-ci s'épaissit jusqu'à faire disparaître arbres et prairies, ne laissant que le chemin de visible.

— *Domina*, dit Constantius, il faut nous arrêter avant que nous nous égarions hors de la route et que nous nous enlisions dans quelque tourbière.

– Ne crains rien. Je connais le chemin, lui répondis-je, et, en vérité, je sentais le pouvoir d'Avalon me tirer en avant.

Nous avions fait un détour par les terres plus élevées en direction du nord et de l'est, où un isthme étroit se déployait jusqu'à l'île.

– Je n'ai pas peur, mais je ne suis pas idiot ! me répliqua-t-il d'un ton brusque. Nous allons retourner à la cabane et attendre que le temps s'éclaircisse.

Il tendit la main pour saisir ma bride.

Je lançai mon poney en avant à coups de talons, puis le fis pivoter.

– Flavius Constantius Chlorus, regarde-moi !

Je laissai s'effacer l'illusion de laideur et invoquai le pouvoir de la prêtresse. Je vis que j'avais réussi lorsque son expression changea.

– Dame… maintenant je te vois telle que je t'ai vue avant…

Je me demandai ce qu'il voulait dire, car c'était la première fois que j'utilisai le charme, mais le pouvoir continuait à s'amonceler autour de moi.

– J'ai été envoyée pour t'amener à l'île sainte d'Avalon. Viendras-tu avec moi librement et de ton propre gré ?

– Que vais-je y trouver ?

Il me regardait toujours avec de grands yeux.

– Ta destinée…

Et Aelia, pensai-je. Un moment, j'eus envie de lui crier de faire demi-tour, de s'enfuir.

– Reviendrai-je un jour dans le monde des hommes ?

– C'est là que ton destin s'accomplira.

Dix années de discipline avaient parlé par ma bouche.

– Tu m'accompagneras ? Jure-le ! me demanda-t-il.

– Oui. Je le jure par mon âme éternelle, répondis-je.

Plus tard, je me dirai : j'ai cru qu'il me demandait si je l'accompagnerais à Avalon ; mais je pense maintenant qu'une sagesse plus profonde me fit prononcer ce vœu.

– Alors, je viens avec toi.

Je me retournai, levant les bras pour attirer sur nous le pouvoir ; tandis que je formulais l'invocation, le monde changea autour de nous ; au pas suivant que nous fîmes, la brume s'écarta de chaque côté et nous pénétrâmes en Avalon.

Depuis l'aube, la terre de l'île sainte vibrait du bruit des tambours, battement de cœur d'Avalon, pleine de l'excitation de la fête. Les fleurs blanches de l'aubépine faisaient ployer les haies, les primevères jaune crème et les campanules se multipliaient sous les arbres. C'était la veille de Beltane et tout le monde tremblait d'espérance. Sauf Aelia, qui, elle, tremblait de peur.

– Pourquoi la Déesse m'impose-t-elle cela ? chuchota-t-elle, roulée en boule dans le lit qui avait été le sien pendant que nous attendions l'initiation.

Pour le moment, il n'y avait pas de prêtresse novice et on nous avait donné la maison afin d'y préparer l'Épousée de Beltane.

– Je l'ignore, lui répondis-je. Mais on nous a appris que souvent les raisons qu'Elle a de nous engager sur une voie ne nous apparaissent que lorsque nous touchons au but…

Je parlai pour moi autant que pour elle. Trois jours s'étaient écoulés depuis que j'avais amené Constance dans l'île et je ne l'avais pas revu ; mais il hantait toujours mes rêves.

Aelia secoua la tête.

– Je n'ai jamais eu l'intention d'aller aux feux de Beltane. J'aurais été heureuse de rester vierge jusqu'à la fin de ma vie !

Je la pris dans mes bras et la berçai doucement. Nos chevelures dénouées se mêlaient sur l'oreiller, or sombre et lumière.

– Constance ne te fera pas de mal, chérie. J'ai chevauché avec lui durant deux jours – c'est un homme gentil…

– C'est un *homme* !

– Pourquoi ne leur as-tu pas parlé de ta peur lorsqu'elles t'ont choisie ?

Je lui caressai les cheveux. *Et pourquoi*, me demandai-je, *le sort ne m'a-t-il pas désignée, moi ?*

– Nous avons juré d'obéir au Conseil lors de notre initiation. Je pensais qu'elles seraient meilleurs juges…

Je soupirai, comprenant ce qui avait dû se passer. De nous toutes, Aelia avait toujours été la plus docile. Pour la première fois, je me demandai si le sort était tombé sur elle tout à fait par hasard.

– Elles ont dit que la Déesse me donnerait la force de le faire, mais j'ai peur… Viens à mon secours, Eilan ! Aide-moi à m'y soustraire, ou je me noierai dans la mare sacrée !

Je me tus, comprenant en une seconde comment je pouvais, à la fois, combler son désir et le mien. Ou peut-être avais-je déjà projeté cela dans le secret de mon âme et que maintenant seulement, comme un insecte qui a mué dans le sol, l'idée avait émergé à la lumière du jour. Les justifications me vinrent aisément – Aelia avait été choisie non par la Déesse, mais par Ganeda. Tout ce qu'il fallait, c'était une prêtresse vierge. Qui elle était importait peu, du moment qu'elle venait au feu de son plein gré. Et la substitution serait tellement facile. Bien que plus pâle de teint que moi, et plus mince aussi, Aelia et moi nous ressemblions suffisamment pour que des nouveaux venus nous confondent. Les filles plus jeunes nous surnommaient le soleil et la lune.

La seule raison que je ne me formulai pas était la vraie – Constance Chlore était à moi, et j'aurais l'impression de mourir en le voyant conduire une autre femme à la charmille nuptiale.

– Chut… Calme-toi, dis-je en baisant ses doux cheveux. L'Épousée et celles qui l'accompagnent arrivent voilées à la cérémonie. Nous échangerons nos vêtements et je prendrai ta place dans le rituel.

Aelia se redressa en me regardant, les yeux écarquillés.

– Mais si tu désobéis, Ganeda te punira !

– Cela m'est égal, répondis-je.

Du moment que je passe la nuit dans les bras de Constance !

La lumière du feu, vue au travers du lin très fin de mon voile et de l'écran de branchages, remplissait le cercle d'une brume dorée. Ou peut-être était-ce l'aura du pouvoir que les danseuses suscitaient, car chaque fois qu'elles faisaient le tour du feu de joie, celle-ci devenait plus brillante. Tout le peuple d'Avalon était là, dans la prairie, au pied du Tor, et la plupart des habitants du village lacustre également. Mon corps entier vibrait des secousses que leurs pas imprimaient à la terre, ou peut-être était-ce le battement de mon cœur. Je sentais que la danse arrivait à son crescendo. *Bientôt*, pensai-je en passant la langue sur mes lèvres. *C'est pour bientôt.*

Les autres vierges s'agitaient nerveusement sur le banc, à côté de moi, Heron, Aelia et Wren ; nous étions toutes vêtues de vert, robes et voiles, et ornées de guirlandes de fleurs printanières. Mais moi seule portais la couronne d'aubépine. L'eau de la mare sacrée me picotait encore la peau car nous avions aidé Aelia à se baigner et, ce faisant, nous nous étions purifiées nous-mêmes. J'avais partagé son jeûne et sa vigile ; tout ce qu'exigeait le rituel avait été accompli. Cette substitution était peut-être de la désobéissance, mais elle ne serait pas entachée de sacrilège.

— Le Romain a également été baigné et préparé, dit Ganeda, qui attendait avec nous. Quand il arrivera, nous te conduirons à lui. Ensemble, vous partagerez la nourriture sacrée et, ensemble, vous pénétrerez dans le berceau de verdure, du côté le plus éloigné de la danse. Tu es un champ vierge dans lequel il plantera la graine qui va engendrer l'Enfant de la Prophétie.

— Et que lui donnerai-je ? chuchotai-je.

— Dans le monde extérieur, la femelle est passive, c'est le mâle qui prend l'initiative en amour. Mais au niveau intérieur, c'est le contraire. J'ai parlé avec ce jeune homme et, pour le moment, la fortune ne semble pas lui sourire. C'est à toi de réveiller son esprit, de l'élever et d'activer en lui l'âme la plus élevée, afin qu'il puisse accomplir sa propre destinée et devienne, pour l'Angleterre, le Restaurateur de la Lumière.

Je n'osai pas en demander plus, de peur que l'on reconnaisse ma voix, puis j'entendis un changement dans le rythme du tambour et la tension me serra si douloureusement la gorge que, même si je l'avais tenté, je n'aurais pu parler.

Les druides arrivaient, couronnés de feuilles de chêne, leurs robes blanches baignées d'or par la lumière du feu. J'entrevis, parmi eux, un or plus étincelant encore. Tout le monde poussait des vivats, l'air vibrait de la succession des vagues sonores. Prise de vertige, je fermai les yeux et, lorsque je les rouvris, je clignai des paupières, éblouie par la silhouette dorée qui se tenait devant le feu.

Lorsque ma vue se fut adaptée, je m'aperçus que c'était seulement une tunique safran à laquelle la lumière prêtait une dorure plus prononcée, mais la guirlande qui couronnait Constance était en métal, comme celle d'un empereur. Je compris que, lorsque je l'avais vu, taché de boue, épuisé par notre bataille avec l'orage, il n'apparaissait pas sous son jour le plus favorable. À présent, sa peau rayonnait et ses cheveux blonds brillaient tout autant que la couronne d'or.

— C'est Lug [1] venu parmi nous, murmura Heron.

— Et Apollon, chuchota Aelia.

— Et Mithra, le dieu des soldats, ajouta Wren.

Il se tenait, tel le dieu Soleil, au milieu des chênes des druides. Si je ne l'avais déjà aimé, en cet instant je l'aurais adoré, car le corps de cet homme était devenu un vase transparent, laissant passer la lumière du dieu qui l'habitait.

L'aurais-je regardé plus longtemps, je pense que j'aurais pu plonger dans une extase qui excluait toute possibilité de mouvement, mais maintenant le tambour avait fait place à la musique des cloches et des harpes. Les vierges qui m'entouraient m'aidèrent à me relever tandis qu'on ôtait l'écran de branchages. Le brouhaha de la foule se changea en un silence plein de respect mêlé de crainte, et l'on n'entendit plus que la musique.

Constance se retourna lorsque nous avançâmes et son regard exalté se concentra soudain, comme s'il pouvait apercevoir, au travers du voile, la femme, ou la déesse. Wren éparpilla des fleurs devant moi, Aelia et Heron, qui m'encadraient, reculèrent, et je continuai seule. Nous nous fîmes face, Constance et moi, prêtre et prêtresse, de chaque côté d'une petite table qui portait une miche de pain, une assiette de sel, une coupe et une grosse cruche pleine d'eau puisée à la source sacrée.

— Mon seigneur, je t'offre les dons de la terre. Mange et sois fortifié.

Je rompis un morceau du pain, le trempai dans le sel et le lui offris.

— Tu es la terre féconde. J'accepte ton don, répondit Constance.

Il mangea le morceau de pain, en rompit un autre et me le tendit.

— Je dépenserai ma force à aimer le sol sacré.

Lorsque j'eus mangé, il prit la cruche, versa de l'eau dans la coupe et me la tendit.

— Je me déverse pour toi comme de l'eau. Bois et sois renouvelée.

— Tu es la pluie qui tombe des cieux. Je reçois ta bénédiction.

Je bus une gorgée à la coupe, puis la lui rendis.

---

1. Le dieu Lug, le lumineux « au long bras », possède toutes les capacités et assume toutes les fonctions des autres dieux celtiques – druide, guerrier et artisan. *(NdT)*

— Mais à la fin, toutes les eaux renaissent de la mer, ajoutai-je.

Il prit la coupe et but.

Le tambour recommença à battre. Je reculai d'un pas et lui fis signe ; il me suivit. La musique s'accéléra et je commençai à danser.

J'avais l'impression que mes pieds ne m'appartenaient plus ; mon corps était devenu un instrument au service de la musique tandis que j'oscillais et ployais en traçant les spirales sinueuses de la danse sacrée. Mon vêtement de lin, presque aussi fin que le voile qui dissimulait mon visage, collait à moi puis s'évasait lorsque je tournoyais. Mais toujours, tandis que je parcourais le cercle, Constance demeurait mon centre, vers lequel je me tournais comme une fleur vers le soleil.

D'abord il se balança sur place puis, la musique brisant ce qui lui restait de conditionnement romain, il se mit en branle et frappa le sol des pieds, exécutant une sorte de danse vigoureuse, comme s'il marchait en mesure avec la musique. Nous nous rapprochâmes de plus en plus, imitant mutuellement nos gestes, jusqu'à ce qu'il me prenne dans ses bras. Un moment, nous restâmes poitrine contre poitrine. Je sentais son cœur battre comme si c'était le mien.

Puis il me souleva, aussi aisément que si je ne pesais pas plus que Heron, et m'emporta vers la charmille.

C'était une hutte ronde à l'ancienne mode, faite de branches grossièrement entrelacées. On avait glissé des fleurs dans les interstices, par lesquelles la lumière du feu pénétrait, pommelant la somptueuse étoffe qui recouvrait le lit, et les murs, et nos corps, d'une lueur dorée. Constance me remit sur mes pieds et nous nous fîmes face, en silence, jusqu'à ce que les feuilles d'or de sa couronne ne frémissent plus de la rapidité de son souffle.

— Je suis tout ce qui est, a été, et sera, dis-je doucement, et aucun homme n'a jamais levé mon voile. Purifie ton cœur, ô toi qui voudrais regarder le Mystère.

— J'ai été purifié selon la Loi, répondit-il. J'ai mangé au rythme du tambour ; j'ai bu au son des cymbales. J'ai vu la lumière qui brille dans l'obscurité. Je vais lever ton voile.

Ces paroles n'étaient pas celles que les prêtres lui avaient enseignées. Visiblement, il n'était pas seulement un initié du Dieu des Soldats, mais de la Mère et de la Fille, telles qu'elles sont connues dans les terres du sud. D'un geste ferme, il ôta de mon front la couronne d'aubépine, puis écarta mon voile. Un instant, il contempla fixement mon visage. Puis, il s'agenouilla devant moi.

– C'est *toi* ! Même sous l'orage, je t'avais reconnue. Tu es la Déesse ! T'es-tu montrée à moi d'abord déguisée en vieille femme pour m'éprouver, et ceci est-il ma récompense ?

Je déglutis, regardant sa tête courbée, puis, me penchant, j'ôtai la couronne d'or et la posai à côté de ma guirlande de fleurs.

– Avec cette couronne ou sans, tu es pour moi le Dieu…, réussis-je à dire. Oui, c'était moi et, à ce moment-là, je t'aimais déjà.

Il leva vers moi des yeux encore agrandis au regard vague, mit les mains sur mes hanches et m'attira à lui jusqu'à ce que sa tête vienne reposer à la fourche de mes cuisses. Je sentis un doux feu s'y embraser et, soudain, mes genoux fléchirent et je glissai, de plus en plus bas, entre ses mains, jusqu'à ce que nous soyons tous deux à genoux, poitrine contre poitrine, front contre front.

Constance exhala alors un petit soupir et ses lèvres se posèrent sur les miennes. Comme si cela avait complété un cercle de pouvoir, je m'embrasai d'un coup tout entière. Je m'accrochai à ses épaules, ses bras m'étreignirent et nous tombâmes sur le lit préparé pour nous.

Nos vêtements avaient été conçus pour que, en ôtant quelques épingles, ils nous abandonnent, et bientôt il n'y eut plus d'obstacle entre nos corps. Ses muscles étaient durs, mais sa peau glissait, douce, contre la mienne, et ses mains fortes se firent délicates pour m'enseigner des extases dont on ne m'avait jamais parlé. Puis nous atteignîmes ensemble la jouissance. Je le serrai dans mes bras tandis que le pouvoir du Dieu descendait en lui et, au degré suprême, Celui-ci le secoua jusqu'à ce qu'il crie. Tandis que, dans mon étreinte, il me livrait son âme, le pouvoir de la Déesse emporta la mienne à sa rencontre, et il n'y eut plus que la lumière.

Lorsque le temps fut revenu, une fois de plus, de l'éternité, comme nous reposions silencieux dans les bras l'un de l'autre, je m'aperçus qu'au-dehors les gens poussaient des vivats. Constance, apaisé, écoutait.

– Est-ce nous qu'ils acclament ?

– Ils ont allumé le feu de joie au sommet du Tor, répondis-je à voix basse. Cette nuit, il n'y a plus de séparation entre ton monde et Avalon. Les prêtres chrétiens vont se recroqueviller dans leurs cellules par peur du pouvoir des ténèbres. Mais le feu qui est allumé ici sera visible dans tout le Val. Sur les autres collines, les gens attendent de le voir. Alors, ils allumeront leurs propres brasiers et ainsi, de colline en colline, la lumière s'étendra d'un bout à l'autre de l'Angleterre.

– Et ce feu-là ? dit-il en me caressant encore, et la flamme qui monta en moi comme une vague me fit haleter.

– Ah, mon bien-aimé, celui que nous avons allumé entre nous éclairera le monde entier !

VI

270 après J.-C.

Lorsque je m'éveillai, la pâle lumière des premières heures du jour filtrait entre les feuilles de la charmille. L'air était humide et froid sur ma peau nue. Je me réfugiai sous les couvertures et l'homme qui était à côté de moi grogna, se retourna et, d'un bras possessif, m'attira contre son flanc. Un instant, je me raidis, sans comprendre, puis mes sens en s'éveillant m'inondèrent de souvenirs. Je me retournai à mon tour, pour me coller plus étroitement contre lui, étonnée, en dépit de mon corps étrangement endolori, de sentir à quel point les choses étaient comme elles *devaient* être.

Je n'entendais pas de bruits humains, mais les oiseaux célébraient par des chants triomphants cette nouvelle journée. Je me soulevai sur un coude pour contempler le visage endormi de mon... *amant* ? Ce mot semblait trop frivole pour qualifier notre union, et cependant ce qui s'était passé entre nous avait sûrement été plus personnel que les accouplements transcendants entre un prêtre et une prêtresse par lesquels le pouvoir du Divin est censé se manifester dans le monde.

Bien sûr, cette union y avait certainement participé. Un tremblement, vestige de l'énergie nocturne, faisait vibrer mon plexus solaire tandis que je me remémorais la fièvre de ces instants. Lorsque nous avions atteint ensemble l'orgasme, le pouvoir rayonnant du soleil avait rempli la terre en éveil. Si je sondais mentalement le sol, je sentais encore les effets de cette conjonction, telles des rides se propageant sur l'onde tranquille d'un étang.

Et qu'avait accompli d'autre le rituel ? Je me concentrai sur mon propre corps, mes lèvres que les baisers avaient gonflées, mes seins s'éveillant à une sensibilité exquise, les muscles de l'intérieur de mes cuisses endoloris par une extension inaccoutumée et l'endroit secret, entre ces dernières, qui commençait à s'émouvoir, une fois encore, tandis que le souvenir stimulait mon nouveau désir. Je forçai ma conscience à s'enfoncer jusque dans la matrice qui avait reçu la semence de Constance. Étais-je enceinte ? Même mes sens de prêtresse initiée ne pouvaient le dire. Je m'aperçus que je souriais. Si l'amour de la nuit dernière n'avait pas implanté d'enfant dans mes entrailles, nous allions essayer de nouveau…

Endormi et détendu, Constance affichait une sérénité dont je ne l'aurais pas cru capable. Son corps était comme de l'ivoire, là où le soleil ne l'avait pas touché. Je contemplais son visage avec un plaisir croissant, gravant dans ma mémoire les lignes vigoureuses de ses joues et de ses mâchoires, la forte arête de son nez, la noble courbure de son front. Dans la faible lumière, la marque de Mithra était à peine visible, mais pour mes sens intérieurs, elle rutilait, concentrant le rayonnement de l'âme qui se trouvait à l'intérieur.

Comme si cet examen avait été un attouchement physique, il commença à se réveiller, d'abord avec un soupir, puis un battement de paupières et, lorsqu'il ouvrit enfin les yeux, les traits de son visage reprirent leur expression habituelle. Constance faisait, semblait-il, partie de ces gens qui ont la chance de passer en une seconde du plus profond sommeil à la pleine conscience.

— *Sanctissima Dea*…, chuchota-t-il.

Je souris et secouai la tête, sans savoir s'il s'agissait d'un titre ou d'une exclamation.

— Pas maintenant, répondis-je. Le matin est venu et je ne suis plus qu'Hélène.

— Si… maintenant, me reprit-il. Et aussi lorsque tu es venue à moi, hier soir, et lorsque tu t'es assise comme une vieille femme auprès de mon feu, et lorsque tu m'as convoqué à Avalon. Les Grecs disent qu'Anchise trembla de peur parce qu'il avait couché avec une déesse sans le savoir. Mais moi, je le savais…

Il leva une main et repoussa très doucement de mon front une mèche de cheveux.

— Et si les dieux m'avaient foudroyé à cause de ma présomption, j'aurais estimé que cela en valait la peine.

Les dieux ne nous avaient pas foudroyés, bien qu'à un certain moment nous aurions pu succomber à nos transports. C'était Ganeda, pensai-je soudain, qui allait me foudroyer si elle s'apercevait que j'avais pris la place d'Aelia dans le rituel.

— Qu'y a-t-il ? Qu'est-ce que tu as ?

— Rien… rien qui t'incombe, répondis-je et je me penchai pour l'embrasser.

Visiblement, la vénération ne diminuait en rien sa virilité, car sa réaction fut instantanée. Il m'étendit à côté de lui et, tandis que nous faisions l'amour, le flot de sensations qui m'envahit bannit pour un temps toute réflexion.

Quand je redevins capable de penser d'une façon cohérente, la lumière qui filtrait entre les feuilles de la charmille était brillante et dorée, et j'entendais, au-dehors, un bruit de voix.

— Nous devrions nous habiller, chuchotai-je contre sa joue. Les prêtresses vont bientôt arriver.

Son étreinte se resserra.

— Te reverrai-je ?

— Je… je l'ignore.

Hier, je n'avais pas pensé plus loin que le rituel. J'avais su que je désirais Constance, mais je n'avais pas envisagé combien, après avoir couché avec lui, il me serait difficile de le laisser partir.

— Viens avec moi…

Je secouai la tête, non en signe de dénégation, mais à cause de la confusion qui régnait dans mon esprit. Je croyais avoir bien agi en prenant la place de l'Épousée de Beltane parce que Constance était l'amant que ma vision m'avait promis. Mais s'il en était ainsi, alors que dire des images de ces terres étrangères ? J'avais beau l'aimer, je ne désirais pas quitter Avalon.

— Qu'est-ce que cela signifie pour toi ? demandai-je en effleurant la marque de Mithra sur son front.

Un instant, il parut décontenancé. J'attendis tandis qu'il s'efforçait de formuler une réponse, comprenant combien était profonde son inhibition à parler des Mystères.

— C'est un signe… de ma dévotion au Dieu de Lumière, finit-il par répondre.

— Comme ce signe-là signifie ma propre consécration à la Déesse…, dis-je en montrant le croissant bleu entre mes sourcils. Je suis une prêtresse d'Avalon, liée par ses vœux.

— Était-ce uniquement l'obéissance à tes vœux qui t'a amenée à moi, hier soir ? demanda-t-il en se renfrognant.

— Peux-tu vraiment penser cela, après ce que nous avons partagé ce matin ?

Je tentai de sourire.

— Hélène… je t'en supplie, qu'il y ait toujours la vérité entre nous !

Son visage était devenu menaçant.

Un long moment, je croisai son regard, me demandant si j'oserais tout lui dire. Mais sûrement allait-il l'apprendre dès que j'émergerais de la charmille et qu'elles verraient que ce n'était pas Aelia.

— J'ai pris la place de la prêtresse qu'elles t'avaient choisie pour épouse. J'ai le don de Double Vue, et il m'a montré ton visage, il y a longtemps. Alors, on m'a envoyée te chercher et… je suis tombée amoureuse de toi.

— Tu as désobéi ? s'écria-t-il, partagé entre l'inquiétude et la satis-faction. Vont-elles te punir ?

— Même la Dame d'Avalon ne peut changer ce qui s'est passé entre nous.

Je réussis à sourire. Mais nous savions tous deux que je n'avais pas vraiment répondu à sa question.

Un bruit se fit entendre dehors et je me raidis. Quelqu'un frappa doucement au montant de la porte.

— Eilan, m'entends-tu ? Le Romain dort-il ?

C'était la voix d'Aelia, et je me souvins brusquement de ce qu'elle m'avait dit : après avoir couché avec lui, elle devrait faire boire à Constance le contenu du flacon en argent, afin qu'il dorme pendant qu'elle s'en irait sans bruit.

— Eilan, viens vite et personne ne…

Elle s'interrompit, le souffle coupé. J'entendis plusieurs personnes approcher et ma gorge se serra. Je sus que c'était Ganeda avant même d'entendre les paroles qui suivirent.

— Dort-elle toujours ? On dirait qu'elle n'avait pas si peur que cela qu'un homme la touche. Entrez et réveillez-la…

Son rire s'interrompit.

127

— Aelia !

Il y eut un brusque et pesant silence. Comme je me drapais dans le dessus de lit, Constance me saisit par le bras.

— Tu ne seras pas seule pour les affronter…

Après une seconde d'hésitation, je hochai la tête et attendis pendant qu'il enroulait mon voile autour de ses reins, me rappelant les statues que j'avais vues à Londinium. Il passa le bras autour de mes épaules, d'un geste protecteur. De l'autre, il repoussa le rideau tissé qui fermait la porte et nous émergeâmes ensemble dans la clarté implacable du jour nouveau.

Ce fut pire que ce que j'avais imaginé. Non seulement Ganeda et les prêtresses, mais Arganax et les druides se tenaient là. Aelia, accroupie à la porte, pleurait en silence. Je lui touchai l'épaule et elle s'accrocha à moi.

— Je… comprends, dit la Grande Prêtresse d'une voix tel un crissement de pierres.

Elle regarda l'aire de danse, autour d'elle. Les gens qui s'étaient endormis là, par couples ou seuls, commençaient à se réveiller et jetaient des regards curieux sur la scène qui se déroulait près de la charmille. Avec un effort bien visible, elle contrôla les paroles qui tremblaient sur ses lèvres.

— Aelia… et Eilan… venez avec moi.

Elle proféra nos noms comme des jurons. Puis son regard se porta sur Constance.

— Seigneur, les druides vont s'occuper de toi.

Sa main se resserra sur moi.

— Vous ne lui ferez pas de mal !

Le visage de Ganeda s'assombrit lorsqu'elle comprit que j'avais dû lui en dire long.

— Nous prends-tu pour des barbares ? rétorqua-t-elle d'un ton brusque.

Il réagit au ton de commandement et me lâcha, bien qu'en vérité il n'eût pas reçu de réponse.

— Tout ira bien, dis-je à voix basse, malgré l'appréhension qui me nouait l'estomac.

— Je ne veux pas te perdre ! répondit Constance, et il me vint à l'esprit que non seulement je n'avais pas prévu combien cette nuit me lierait à lui, mais que je n'avais pas imaginé à quel point elle pourrait influencer ses sentiments pour *moi*.

J'aidai Aelia à se relever et, la prenant par la taille, je partis vers mon jugement.

– Quelle importance cela peut-il avoir ? m'exclamai-je. Vos deux objectifs ont été atteints. Tu voulais, pour le grand rite, un homme voué à un destin, et tu voulais t'assurer son attachement pour Avalon.

Le soleil approchait de midi et nous discutions toujours. Ce n'était plus la peur qui me tordait le ventre, mais la faim.

– Tu oublies la troisième raison, et c'était la plus importante de toutes, dit Ganeda d'un ton sévère. Constance devait engendrer l'Enfant de la Prophétie !

– Et il l'a fait, avec moi ! Dans ma vision de puberté, je me suis vue avec son enfant !

– Mais pas l'enfant du grand rite…, dit sinistrement la Grande Prêtresse. Pourquoi crois-tu qu'Aelia a été choisie pour être son épouse dans le rituel ?

– Parce que vous pouviez la faire plier devant votre volonté !

– Petite sotte… Elle a été choisie, il est vrai, mais pas pour cette raison. Dans ton arrogance, tu as pensé que tu en savais plus que le Conseil d'Avalon, mais tu étais une vierge non initiée, ignorante des Mystères de la Mère. Hier soir, Aelia était en pleine période de fécondité. Si le Romain avait couché avec elle, elle en serait sortie enceinte et l'enfant serait né ici, à Avalon.

– Comment savez-vous que je ne le suis pas ?

– Ton temps de lune est passé il y a tout juste trois jours, me répondit-elle, et je t'ai examinée. Il n'y a aucune étincelle de vie nouvelle dans ta matrice.

– Il y en aura une. On ne peut rejeter la destinée…, répondis-je, mais le premier soupçon de doute ôta leur force à mes paroles. Constance m'a engagé sa foi… Une prêtresse portera son fils !

– Mais quand ? Même maintenant, tu ne comprends toujours pas ? Un enfant engendré cette nuit aurait maintenu les Mystères durant mille ans. Même si tes rêves étaient vrais, quelles étoiles gouverneront le destin du bébé que tu finiras par porter ?

— Il sera mon fils, murmurai-je. Je l'élèverai pour qu'il serve les dieux.

Ganeda secoua la tête, écœurée.

— J'aurais dû te renvoyer à ton père il y a longtemps. Tu n'as causé que des ennuis depuis le jour de ton arrivée !

— Tu as laissé passer ta chance ! persiflai-je en touchant le croissant, sur mon front. Il est mort et, désormais, je suis prêtresse.

— Mais *moi*, je suis la Dame d'Avalon ! répliqua-t-elle sèchement, et ta vie est entre mes mains !

— Tout ton courroux, Ganeda, ne peut changer ce qui s'est passé, répondis-je de guerre lasse. Au moins, j'ai gagné l'amitié de Constance pour Avalon.

— Et ce qui ne s'est pas passé ? Crois-tu que cet homme reviendra, tel un étalon, à chaque Beltane, pour nous procurer sa saillie jusqu'à ce que qu'il t'engrosse ?

Une tension se dénoua en moi. J'avais craint qu'elle ne me défende de le revoir. Il reviendra certainement, me dis-je, et je supporterai tout jusqu'à ce jour.

— Alors, quel est mon châtiment ?

— Un châtiment ? répliqua-t-elle en me lançant un sourire venimeux. N'ai-je pas promis au Romain de ne pas te faire de mal ? Tu as choisi ta propre sentence, *Hélène*. Quand Constance partira, tu iras avec lui…

— Quitter… Avalon ? chuchotai-je.

— C'est ce qu'il réclame… Sois reconnaissante de ne pas être obligée d'errer dans le monde comme une mendiante !

— Et mes vœux ?

— Tu aurais dû penser à tes vœux hier au soir, avant de les rompre ! Autrefois, on t'aurait brûlée vive pour ce crime.

Dans son visage ridé, une satisfaction amère remplaçait la colère.

Je la regardai fixement. J'avais désobéi à ses ordres, bien sûr, mais je m'étais donnée à Constance comme la Déesse le souhaitait.

— Tu as jusqu'au coucher du soleil pour te préparer. Quand l'astre descendra et que la fête se terminera, tu seras bannie d'Avalon.

Les chrétiens, ai-je entendu dire, ont une légende qui raconte que les premiers parents de l'humanité ont été exilés du paradis. Lorsque les brumes d'Avalon se refermèrent derrière moi, je compris ce qu'ils avaient dû ressentir. Est-ce que cela avait réconforté Ève de savoir qu'Adam était toujours avec elle ? Savoir que c'était mes propres choix qui m'avaient imposé cette destinée ne me réconfortait guère.

Je me disais que si Constance était parti seul en me laissant, j'aurais pleuré amèrement, mais le chagrin qui me tenait transie et silencieuse, tandis que la barge nous faisait traverser les brumes, était infiniment plus profond.

Lorsque nous abordâmes au rivage, au pied du village lacustre, je me sentis soudain désorientée, comme si l'un de mes sens avait disparu. Je chancelai et Constance me prit dans ses bras pour me porter sur la berge. Quand il me remit sur mes pieds, je m'accrochai à lui, essayant de comprendre ce qui m'arrivait.

— Tout va bien, chuchota-t-il en me tenant contre lui. Tout cela est désormais derrière nous.

Je me retournai pour regarder de l'autre côté du Lac et m'aperçus que le sens psychique qui m'avait toujours dit où se trouvait Avalon n'était plus. La vue physique me montrait le marécage et l'eau bleue, et les huttes en forme de ruches, sur l'île chrétienne. Mais les autres fois où j'étais partie, je n'avais eu qu'à fermer les yeux pour sentir, partant du monde mortel selon un angle bizarre, le chemin d'Avalon. J'avais cru que ce lien allait de soi. Par lui, la Grande Prêtresse pouvait vérifier comment se portaient ses filles absentes, car même quand les prêtresses étaient envoyées loin de l'île sacrée, un fil les gardait en liaison avec elle.

À présent, Ganeda l'avait rompu, et j'étais comme un arbuste que l'inondation déracine et emporte dans ses tourbillons. Le temps que mes pleurs se fussent taris, une aube froide et grise apparut de nouveau.

J'ignore si le fait que Constance me supporta pendant les semaines suivantes m'apporta la mesure de son honneur ou de son amour. Il dit au propriétaire de l'auberge où nous passâmes la nuit suivante que j'étais malade, et c'était la pure vérité, même si ce n'était pas mon corps, mais mon âme qui souffrait. Le jour, je trouvais mon réconfort dans l'affection que me portait Surette, et la nuit, dans la force des bras de Constance. Et quand il comprit que c'était pour moi une torture de vivre en un lieu où chaque journée sans nuage me montrait le

Val d'Avalon, il termina ce qu'il avait à faire dans les mines et nous partîmes pour Eburacum où les ateliers que possédait sa famille transformaient une partie du plomb en vaisselle d'étain.

Constance embaucha un commerçant itinérant pour qu'il nous guide à travers la campagne, par des sentes et des chemins détournés, jusqu'à la grande voie romaine qui allait vers le nord-est, de Lindinis à Lindum. Durant les premiers jours, je chevauchai en silence, trop plongée dans mon chagrin pour remarquer ce qui m'environnait. Pourtant, si un temps de l'année pouvait me faire accepter la perte d'Avalon, c'était bien, je suppose, l'aimable saison qui suit Beltane.

Si glacial que puisse être parfois le vent, le froid pénétrant de l'hiver était passé. Le soleil triomphant dispensait sa bénédiction dorée sur le paysage et la terre l'accueillait dans un joyeux abandon. Le vert brillant des feuilles nouvelles résonnait de chants d'oiseaux, enfin de retour, et chaque haie, chaque layon était paré de fleurs. Comme les jours se succédaient, radieux, mon corps réagit, telle la terre, à la somptueuse lumière.

Pendant si longtemps – trop longtemps – je n'avais récolté des plantes que pour leur utilité. Maintenant, je cueillais les primevères d'un jaune crémeux et les campanules qui dodelinaient de la tête, les chélidoines lumineuses et les timides violettes, et les myosotis tels des morceaux de ciel tombés sur terre, pour la simple raison que ces fleurs étaient belles. L'enseignement d'Avalon avait pour but de développer l'âme, et toutes les ressources de l'esprit et du corps étaient mises à son service, sous la direction d'une volonté disciplinée. Les besoins de la chair n'étaient reconnus, à contrecœur, qu'au moment des grandes fêtes, et ceux du cœur n'étaient pas honorés du tout. Mais Constance avait conquis mes sens qui s'éveillaient, et mon cœur participait à leur triomphe en prisonnier volontaire. Je ne fis aucune tentative de résistance : étant bannie du royaume de l'esprit, il ne me restait plus que le monde et ses plaisirs.

Nous voyagions lentement, nous arrêtant parfois dans des villas et des fermes, et parfois dormant sous les étoiles dans quelque hallier forestier ou dans un champ, au bord de la route. La première ville importante située sur notre route fut Aquae Sulis, nichée dans les collines, au creux du méandre que trace l'Abona en se dirigeant vers l'estuaire de la Sabrina. Je sais maintenant que ce n'était qu'une bourgade, mais son élégance m'impressionna. Depuis les temps anciens, on considérait comme sacrées les sources aux propriétés médicinales, mais les Romains, pour qui les bains étaient une nécessité sociale, avaient fait de cet endroit une station thermale capable de rivaliser avec toutes celles de l'Empire.

En y entrant, je m'émerveillai des bâtiments en pierre dorée. Les gens qui se pressaient dans les rues étaient bien vêtus et je pris soudain conscience de l'état de mon unique robe après une semaine de pérégrinations. De celui de mes cheveux, aussi – j'ajustai mon voile et rapprochai mon poney de la mule de Constance.

– Mon seigneur...

Il se tourna avec un sourire, et je fus surprise de constater combien il s'intégrait naturellement à cette scène civilisée.

– Constance, nous ne pouvons pas rester ici. Je n'ai rien à *me mettre*.

– C'est justement pour cela que je veux m'y arrêter, mon amour, répondit-il avec un grand sourire. J'ai peu à t'offrir en échange de tout ce que tu as abandonné pour moi, mais Aquae Sulis renferme, en miniature, le meilleur de l'Empire. J'ai assez d'argent pour que nous demeurions plusieurs jours dans une auberge convenable, afin de profiter des bains et d'acheter des vêtements qui rendront justice à ta beauté.

Je commençai par protester, mais il secoua la tête.

– Quand nous arriverons à Eburacum, je te présenterai à mes associés et tu dois me faire honneur. Considère ces achats comme une chose que tu peux faire pour moi.

Je me calai de nouveau sur ma selle, le visage empourpré. C'était toujours un émerveillement pour moi de me rappeler qu'il me trouvait belle. J'ignorais si c'était vrai – il n'y avait pas de miroirs à Avalon – mais cela importait peu tant que je lisais de l'amour dans ses yeux.

Faire des emplettes à Aquae Sulis fut une expérience extrêmement réjouissante pour quelqu'un qui avait grandi avec une robe pour tous les jours et une pour le rituel, même si Constance ouvrit de grands yeux en voyant les prix. Je partis avec une tunique d'ocre brun, ornée au bas d'un galon vert et or, et une *palla* de laine verte à porter avec, ainsi qu'un autre ensemble dans les teintes rosées de l'aube. J'acceptai de bon cœur tout ce que Constance voulait me voir porter, du moment que ce n'était pas du bleu prêtresse.

Laissant Surette à l'auberge pour garder notre équipement, nous dînâmes dans le jardin d'une taverne donnant sur la rue principale, puis nous nous rendîmes à l'enclos du temple où se trouvaient les bains. Je compris qu'Aquae Sulis n'était pas une ville romaine ordinaire. Dominée par les bâtiments religieux qui avaient poussé autour de la source sacrée, elle était, à sa manière, aussi consacrée qu'Avalon. J'étais accoutumée aux belles maçonneries, bien que les sculptures qui ornaient les bâtiments me parussent surchargées après l'austère simplicité de l'île. Et même si mon peuple avait gravé des images de ses divinités, les druides d'Avalon enseignaient qu'il était plus juste d'adorer les dieux au grand air.

Aussi, je pouvais me dire que la représentation de Sulis Minerva qui trônait dans le *thalos* rond de la place, devant l'enceinte des bains, n'était qu'une statue, mais quand je passai devant en toute hâte, j'évitai de croiser le calme regard de la figure de bronze, sous le casque doré. Je montrai peu d'enthousiasme lorsque Constance acheta un sac d'encens à jeter dans le feu qui brûlait sur l'autel installé dans la cour, contrariée par sa piété naturelle qu'en même temps j'admirais. Mais qu'avais-je à faire de telles pratiques, moi qui avais connu les Mystères d'Avalon ? *Connu, et perdu*, me rappela un moi plus profond. *Très bien*, me dis-je, *j'apprendrai à vivre sans dieux*.

Un visage, aussi terrible que celui de la Gorgone, dont les cheveux et la barbe se tordaient en rayons tourmentés, me lançait des regards féroces depuis le portique du temple. Une autre déité solaire régnait sous l'arche menant à la piscine. Pour l'amour de Constantin, je pouvais faire une exception en faveur de celui-là.

Mon compagnon régla nos droits d'entrée et nous franchîmes le portail ; une soudaine bouffée d'air chaud et humide me fit tousser. Il flottait une légère odeur d'œuf pourri, pas assez forte pour être déplaisante, mais nettement médicinale. Devant nous, miroitant faiblement à la lumière qui pénétrait par la haute fenêtre cintrée, s'étendait la piscine sacrée.

— L'eau jaillit de terre ici, et on la canalise jusqu'aux autres bassins, m'expliqua Constance. C'était un lieu vénéré bien avant que le divin Julius n'envoie ses légions dans cette île[1]. Il est d'usage de faire une offrande…

Il ouvrit sa bourse et en tira deux deniers d'argent. D'autres pièces scintillaient au fond de l'eau ainsi que des tablettes votives en plomb et d'autres dons. Il ramena sur sa tête la capuche de son manteau tandis que les lèvres remuaient en silence, et il jeta les deniers. Je suivis son exemple, bien que je n'eusse aucune prière à formuler, seulement un besoin muet.

— Tu as de la chance : le gardien m'a dit qu'à cette heure les bassins d'eau chaude sont réservés aux femmes. Je vais me rendre au *caldarium* prendre un bain de vapeur et je te rejoindrai au coucher du soleil, à l'extérieur, près de l'autel.

Constance me pressa tendrement la main et s'en alla.

J'eus envie de le rappeler. Mais après une semaine sur la route, toute autre considération s'effaçait devant mon désir d'être vraiment propre. Je me détournai et passai de la première salle à la colonnade longeant le grand bassin. D'après les conversations entendues à la taverne, la saison où les visiteurs se pressaient en nombre aux bains construits pour les recevoir ne faisait que commencer. La piscine chaude était presque vide ; le soleil pénétrait obliquement dans son eau verte, la colonnade ombrageait mystérieusement ses bords. Je la contournai, cherchant les plus petits bassins qui, m'avait-on dit, se trouvaient plus loin.

La piscine que je choisis était chauffée par une source qui jaillissait sous une dalle de pierre, et le fond, recouvert de dépôts minéraux, paraissait flou. Elle me rappela le Puits sacré d'Avalon, mais son eau était aussi chaude que le sang. En s'enfonçant dans son étreinte, on croyait retourner à la matrice.

Je m'allongeai sur le dos, la tête reposant sur la douce courbure du bord, laissant l'eau porter mon corps ; des muscles qui avaient été tendus sans que je m'en rende compte commencèrent enfin à se dénouer. Les deux femmes qui se baignaient à mon arrivée sortirent de la piscine et s'en allèrent en bavardant à propos d'une nouvelle

---

1. Jules César se rendit en Angleterre à deux reprises, en 55 trois semaines seulement, en 54 quelques mois, et il se contenta d'imposer aux Bretons un léger tribut annuel. *(NdT)*

cuisinière. Une esclave entra, les bras chargés de serviettes, vit que je n'avais pas besoin d'aide et repartit. L'eau devint calme. J'étais seule.

Durant un temps indéfini, je flottai, sans besoin ni désir. Libérée des exigences de l'esprit ou du corps, je ne m'aperçus pas que les défenses que j'avais édifiées autour de mon âme s'évanouissaient. Le doux clapotis des vaguelettes contre la pierre s'affaiblit jusqu'à que le seul bruit ne fût plus que le murmure de l'eau coulant dans la piscine.

Au bout de quelque temps, ce chuchotement subtil se transforma en un chant :

> « *Toujours coulant, et grossissant,*
> *De la terre à la mer,*
> *Toujours tombant, et appelant*
> *Éternellement renaissant... »*

Je me relaxai au son de la musique et, sans le vouloir, mon âme s'éveilla et se tendit vers l'esprit des eaux. Le chant continuait. Je me surpris à sourire, sans bien savoir si ma propre imagination chargeait la musique de mots ou si j'entendais vraiment la voix de la source. Maintenant, de nouvelles paroles chuchotaient, étouffant la filtrée d'eau :

> « *Toujours vivants, sans cesse donnant,*
> *Ils sont libres, tous mes enfants ;*
> *Ils se tournent, toujours désirant,*
> *Vers moi toujours s'en revenant... »*

Mais je m'étais coupée de cette source éternelle, et l'on m'avait interdit d'y retourner. À cette pensée, un grand chagrin monta en moi et les larmes coulèrent sur mes joues et se mêlèrent aux eaux de la Déesse, dans la piscine.

J'eus l'impression qu'une éternité s'écoula avant que l'esclave revienne dans la salle. Je me sentais vidée et, lorsque je sortis de l'eau et vis le sang couler le long de mes cuisses, je compris que je l'étais, en vérité. Ganeda ne s'était pas trompée dans ses calculs et, en dépit des transports de notre union, Constance ne m'avait pas fécondée.

Lorsque la jeune fille m'eut pourvue de chiffons et de bourre, je restai longtemps dans l'ombre moite, à regarder les eaux tourbillonner, attendant que viennent d'autres larmes. Mais je n'éprouvais plus aucune émotion. Ma vie s'étendait devant moi, dénuée de magie. Mais pas d'amour, me rappelai-je. À présent, Constance devait m'attendre. Ce n'était pas lui qui m'avait brisé le cœur… tout venait de moi.

Trompé, attiré de son monde ordinaire en Avalon, puis, à son départ, chargé d'une prêtresse déshonorée et en pleurs, Constance ne s'était pas plaint. Il méritait, du moins, une joyeuse compagne. Mes cheveux ayant séché, les mèches courtes bouclant en vrilles humides autour de mon front, j'appelai une fois encore l'esclave pour qu'elle les coiffe en hauteur avec des épingles et m'aide à masquer la bouffissure de mes yeux avec du khôl et la pâleur de mes joues avec du rouge. Lorsque je me regardai dans le miroir de bronze, je vis une étrangère à la mode.

Quand je sortis des bains, le soleil était sur le point de s'abîmer derrière les collines qui abritaient la ville. Je me détournai de sa lumière éblouissante et m'arrêtai court, face au fronton jumeau de celui qui menait à la source sacrée. Mais ici, la figure dominante était une déesse dont la chevelure s'enroulait de chaque côté et se relevait au milieu, enserrée par un anneau. Un croissant de lune l'auréolait.

Un instant, je demeurai simplement immobile, à la regarder comme un voyageur qui, apercevant soudain quelqu'un de chez lui, s'arrête. Puis je me souvins comment j'étais venue ici.

– Cela ne t'apportera pas grand-chose, Dame, de rester à m'attendre, dis-je à voix basse. C'est toi qui m'as chassée – je ne te dois plus fidélité !

En partant d'Aquae Sulis, la route militaire tournait à angle droit vers le nord-est. Lorsque nous quittâmes Corinium, elle s'éleva peu à peu, traversant les terres vallonnées et sauvages aux abords de Ratae. Néanmoins, nous continuâmes à trouver des manoirs et des auberges tous les soirs et, de temps à autre, j'apercevais entre les arbres le toit de tuiles rouges d'une villa. Constance m'assura que c'était une terre douce comparée aux montagnes des environs d'Eburacum, mais moi, habituée aux marécages du Pays d'Été, je contemplais les lointains bleutés et restais songeuse.

Comme nous approchions de Lindum, nous traversâmes une région verte et plate qui ressemblait au pays des Trinovantes[1] où j'avais passé mon enfance. Je me réfugiai dans mon passé et commençai à parler de mon père et de mes frères à Constance, assemblant, telle une mosaïque romaine, mes souvenirs de la vie d'un prince anglais qui avait adopté, en grande partie, les mœurs de Rome.

– Ma famille n'est pas très différente, dit Constance. Mon peuple vient de Dacie[2], une terre lointaine, au nord de la Grèce, où les monts des Carpathes décrivent une courbe autour d'une grande plaine. Je suis né dans une villa sur les bords du Danube, à l'endroit où le fleuve traverse les prairies. La Dacie est une province frontalière – nous sommes devenus romains encore plus tard que vous, les Anglais – et les Goths tentent sans cesse de nous ramener à la barbarie…

– Nous avons entendu dire que l'empereur Claude les a vaincus à Naissus, dis-je lorsque le silence se fut prolongé.

Il y avait déjà quelque temps que nous étions passés devant une villa et, bien que la route fût surélevée, un bois dense se pressait de chaque côté. Le claquement des sabots de nos chevaux résonnait fortement dans ce paysage inhabité.

– Oui… j'y étais, répondit Constance en frottant sur sa cuisse un endroit où je me souvins avoir vu une cicatrice. Mais ce fut de justesse. Ils arrivèrent de l'est, par le Pont-Euxin. Notre garnison de Marcianopolis les repoussa, mais ils firent voile vers le sud et réussirent à traverser la mer de Marmara et à déboucher dans la mer Égée où ils se divisèrent en trois armées. Gallien écrasa les Hérules[3] en Thrace, mais les Goths saccageaient toujours la Macédoine. Nous avons fini par les rattraper à Naissus. Il est difficile de se défendre contre les bandes errantes qui attaquent un village et s'enfuient aussitôt, mais des troupes barbares ne peuvent pas tenir longtemps contre notre

---

1. Ou Trinobantes, puissante tribu vivant au nord et au nord-est du Londres actuel, qui commença par s'allier aux Romains en 54 avant J.-C., puis se joignit à la révolte de la reine Boudicca. *(NdT)*

2. Pays situé sur la rive gauche du Danube qui correspond à peu près au territoire de la Roumanie actuelle. *(NdT)*

3. Peuplade germanique présente de la Scandinavie à la mer Noire, dont certaines tribus pratiquèrent la piraterie en mer du Nord et pillèrent diverses régions de l'Europe aux Ve et VIe siècles, et d'autres devinrent mercenaires des empereurs d'Orient. *(NdT)*

puissante cavalerie… (Ces souvenirs assombrissaient ses yeux.) Ce fut un massacre. Après tout, il s'agissait surtout d'une opération de nettoyage. La faim et le mauvais temps tuèrent autant de traînards que nous. Cela, et la peste.

Il se tut, et je me souvins que la peste avait aussi décimé les Romains, y compris le grand-oncle de l'empereur.

— Ton pays ne courait aucun danger ? demandai-je, essayant de détourner son esprit de la bataille.

— Aucun ; les Goths recherchaient des villes plus anciennes et plus riches. À l'époque, vivre à la frontière jouait en notre faveur. Mon peuple était là depuis que Trajan avait conquis le pays.

— La famille de mon père gouvernait déjà les terres au nord de la Tamise avant même que les Romains arrivent, fis-je observer d'un ton un peu suffisant.

Le soleil était sur le point de percer les nuages ; je décrochai de la selle mon large chapeau et m'en coiffai.

— Mais mon ancêtre a conclu une alliance avec le divin Julius et adopté son patronyme, poursuivis-je.

— Ah, répondit Constance, mon ascendance est moins illustre. L'un de mes ancêtres était un *client* [1], un protégé de Flavius Vespasianus, le grand empereur, d'où le nom de la famille. Cependant le premier de ma lignée à s'établir en Dacie était un centurion qui épousa une jeune fille du coin. Mais il n'y a pas de raison d'en avoir honte. Certains racontent que Vespasianus descendait de l'un des fondateurs de Rome, mais on m'a dit que cela faisait rire l'empereur qui reconnaissait que son grand-père était un officier sorti du rang. Cela n'a aucune importance. Nous sommes tous romains maintenant…

— Sans doute, répliquai-je. Je sais que Coelius célébrait les fêtes romaines. Je me souviens de l'avoir accompagné au grand temple de Claude à Camulodunum pour brûler de l'encens devant la statue de l'empereur. En ce qui concernait le gouvernement du pays, mon père était romain, mais il respectait les anciennes coutumes sur ses terres. C'est ainsi que j'ai été conçue, ajoutai-je à contrecœur. L'année de la grande inondation, il fit appel à Avalon, et ma mère, qui était alors

---

1. À Rome, plébéiens qui se placent sous la protection d'un patricien, appelé patron. *(NdT)*

Grande Prêtresse, se rendit à Camulodunum pour accomplir avec lui le grand rite.

– Alors, tu es fidèle aux deux partis.

Constance me sourit, puis devint pensif.

– Est-ce que ton père t'a adoptée ? demanda-t-il.

Je fis non de la tête.

– À quoi bon ? répliquai-je amèrement. J'étais destinée à Avalon… Est-ce que cela t'ennuie ? ajoutai-je en le voyant froncer les sourcils.

– Pas moi, se hâta-t-il de répondre. Cela peut avoir des conséquences juridiques… pour notre mariage.

– Tu veux m'épouser ?

En vérité, je n'y avais pas pensé, ayant grandi à Avalon où les prêtresses ne se lient à aucun homme.

– Bien sûr ! Ou du moins, ajouta-t-il, pour prendre des dispositions juridiques qui te protègeront… La cérémonie qui a eu lieu lors de ta fête n'était-elle pas un mariage ?

Je le regardai avec de grands yeux.

– C'était l'union de la Terre et du Soleil, effectuée pour apporter la vie à la Terre… Le dieu et la déesse se sont épousés, mais non le prêtre et la prêtresse qui ont accompli le rite. Comme ce fut le cas pour mes parents.

Il tira brusquement sur les rênes, barrant le chemin à mon poney, et me fit face. Un couple de pouillots s'éleva en criant d'une haie d'aubépine.

– Si tu ne te considères pas comme mon épouse, pourquoi es-tu venue avec moi ?

Mes yeux se remplirent de larmes.

– Parce que je t'aime…

– Je suis un initié, mais pas un adepte des Mystères, dit Constance après qu'un long moment se fut écoulé. C'était seulement au nom de ma virilité que je pouvais prêter ces vœux. Et tu étais ma dame… La première fois que je t'ai vue, j'ai su que tu étais la femme dont l'âme serait liée à la mienne.

Il me vint soudain à l'esprit que le plan de Ganeda n'aurait jamais fonctionné, même si je n'étais pas intervenue. Si Aelia avait été la prêtresse, Constance aurait refusé d'accomplir le rituel. Il tendit la main pour s'emparer de la mienne.

— Tu es à moi, Hélène, et je ne t'abandonnerai jamais. Je te le jure par Junon et par tous les dieux. Tu seras mon épouse de fait, que tu puisses ou non porter mon nom. Comprends-tu ?

— *Volo*… « Oui, je le veux », chuchotai-je malgré la boule qui m'obstruait la gorge.

Du moins, moi, j'avais eu une vision. Seul l'honneur – et son noble cœur – gardait cet homme à mes côtés.

Je pense que c'est à cet instant, sur la route, quelque part au centre de l'Angleterre, que mon mariage avec Constance commença vraiment.

VII

271 après J.-C.

Le dossier en osier de mon fauteuil cylindrique crissa lorsque je m'y appuyai. Ma pose était faussement désinvolte : de là, je pouvais voir, par-delà la fresque de fleurs et de fruits ornant le chambranle de la porte, la cuisine où Drusilla devait être en train de préparer le plat suivant. Nos invités, deux des commerçants les plus prospères d'Eburacum, venaient juste de terminer les œufs confits au vinaigre et les huîtres crues servies dans leur coquille, accompagnées d'une sauce piquante. C'était l'un des nombreux petits soupers que Constance avait donnés depuis un an que nous séjournions ici, afin d'établir un réseau de marchands dont la bienveillance nous serait assurée.

Cela paraissait fonctionner. Le commerce de l'étain prospérait. Je savais que Constance aurait préféré être avec les hommes de la Sixième Victrix, dans la grande forteresse, de l'autre côté de la rivière, même si dans les faits, les tribus sauvages vivant au-delà du Mur se montrant paisibles depuis un certain temps, la légion n'était plus très nombreuse et il n'y avait guère d'activité là-bas. Le véritable pouvoir résidait maintenant dans la ville animée qui, depuis l'époque de Sévère, était la capitale de la *Britannia Inferior*, et Constance semblait être un de ces hommes qui peuvent accomplir à la perfection toute tâche à laquelle ils décident de se consacrer.

Je vis que Philip, un jeune Grec que nous avions récemment ajouté à notre domesticité, errait dans le couloir, et je lui fis signe de desservir. Constance, en train d'écouter attentivement le plus vieux des marchands, membre du grand clan Sylvanus qui faisait le commerce de la

142

toile d'Eburacum et de la poterie de Treveri, m'adressa un sourire d'encouragement.

Je le lui rendis, même si jouer le rôle d'une dame romaine me semblait toujours un peu irréel. Avalon m'avait appris beaucoup de choses, mais pas à établir le menu d'un banquet officiel ou à échanger des banalités sur le vin. J'aurais été mieux préparée à cela si j'avais grandi avec les autres jeunes filles qui minaudaient dans le manoir de mon père. Pourtant, Constance avait besoin d'une hôtesse et je faisais de mon mieux pour paraître à l'aise dans ces fonctions.

J'avais appris à me maquiller et à coiffer mes cheveux en un nœud complexe retenu par un bandeau grec qui dissimulait le croissant de lune tatoué sur mon front. Les affaires de Constance prospéraient et il était ravi de me faire des cadeaux. Je possédais maintenant un coffre plein de robes et de tuniques en laine teinte finement tissée, des boucles d'oreilles et un pendentif en jais fabriqué dans la région, sur lequel étaient gravés nos deux profils.

Le tissage était une occupation féminine traditionnelle chez les Romains et c'était un art que je connaissais bien. Mais à notre arrivée à Eburacum, je ne savais pas plus diriger une maisonnée que mener une bataille. Je n'eus pas le temps de me languir d'Avalon – il y avait trop de choses à apprendre. Heureusement, nous avions, en Drusilla, une excellente cuisinière. Constance était visiblement devenu plus robuste depuis un an. Elle aurait mal pris toute tentative de ma part pour la diriger, même si j'avais eu quelque notion de cuisine. Cependant, elle me demandait de mémoriser ses ingrédients, afin que, si l'un des invités s'informait, je puisse rendre justice à son talent.

Philip apporta le plat suivant, de minuscules choux appelés coliculis, cuits avec des poivrons verts et des pousses de moutarde. Ils étaient parfumés au thym et servis sur une purée de lièvre en gelée. Avec la gravité d'un serviteur accomplissant un rite sacré, Philip disposa les portions sur les assiettes, une belle vaisselle rouge arétine probablement achetée à Lucius Viducius, dont la couche était proche de mon fauteuil. Sa famille était à la tête du commerce de la faïence entre Eburacum et Rothomagus, ville de Gaule, depuis aussi longtemps que celle de Constance détenait le monopole de la fabrication des articles en étain.

Je pris un morceau et reposai la cuillère. Cela avait assez bon goût, mais mon estomac se rebellait. Je n'avais même pas tenté de goûter une huître.

— Tu ne manges rien, *domina*, serais-tu souffrante ? s'enquit Viducius.

Cet homme grand et fort, dont les cheveux blonds commençaient à grisonner, ressemblait plus à un Germain qu'à un Gaulois.

— Un malaise momentané, répondis-je. Ne t'inquiète pas... Je t'en prie, mange, ou ma cuisinière ne te le pardonnera pas. Constance m'a dit que tu te rends en Gaule deux fois par an. Vas-tu bientôt retraverser la mer ?

— Très bientôt. Ton époux espère nous persuader de transporter ses marchandises en Germanie sur le navire qui emportera nos poteries. Nehalennia puisse-t-elle nous protéger des tempêtes !

— Nehalennia ? répétai-je poliment.

C'était une déesse dont je n'avais jamais entendu parler.

— Elle est très aimée des marchands. Ils lui ont construit un sanctuaire sur une île, à l'endroit où le Rhin se jette dans la mer. Mon père Placidus lui a dressé un autel en ce lieu, quand j'étais enfant.

— Alors, c'est une déesse germanique ?

Je jetai un rapide coup d'œil alentour. Constance conversait avec le second invité, un armateur. Il y avait maintenant d'autres mets sur la table : des mulets grillés, braisés dans de l'huile d'olive avec du poivre et du vin, et des lentilles accompagnées de panais cuits dans une sauce aux herbes aromatiques. Je me servis de chacun, sans essayer d'en manger, et me tournai vers Viducius avec un sourire.

— Peut-être, reprit-il. Mon père était originaire de Treveri. Mais je pense que la déesse préfère les plaines tournées vers la mer du Nord. C'est là que les voies de la mer et les routes de la terre se rencontrent ; de là, elle peut veiller sur tous les chemins...

Mon visage dut exprimer quelque chose car, alors, il s'arrêta pour demander ce qui n'allait pas.

— Rien. Je me rappelais seulement une déesse anglaise que nous appelons Elen des Voies. Je me demande si toutes deux ne pourraient pas être une seule et même déesse...

— Notre Nehalennia est représentée assise, avec un chien à ses pieds et une corbeille de pommes dans les bras, répliqua le marchand.

Je souris et me penchai pour tapoter la tête de Surette couchée, comme d'habitude, à mes pieds, dans l'espoir qu'un morceau viendrait à tomber. Elle se redressa, la truffe frémissante, et je m'aperçus que Philip apportait le sanglier rôti. Je le vis venir avec des sentiments mitigés – la riche odeur me retourna encore plus l'estomac, mais son arrivée signifiait que le repas était presque terminé. Je bus, avec précaution, une gorgée de vin.

– On dit aussi qu'Elen aime les chiens car ils nous montrent le chemin, dis-je poliment. Est-ce que ton père a également consacré, à Eburacum, un lieu à la déesse ?

– Non, seulement à Jupiter Dolichenus, souverain du soleil, et au génie de ce lieu... Si on le peut, il est recommandé de se concilier les esprits d'un pays.

J'acquiesçai d'un signe de tête, ayant appris que les Romains se sentaient obligés d'honorer non seulement le *genius loci*, mais tout concept ou toute abstraction philosophique qui se signalait à leur attention. Chaque carrefour, chaque puits public avait son petit autel, avec le nom du donateur bien visible, comme si, sans cette mention, le dieu pouvait ignorer son identité. Même Constance, qui avait étudié les philosophies grecques si proches de la théologie d'Avalon, insistait pour que les *lares* de ses ancêtres et les *pénates* qui gardaient la réserve de cette maison reçoivent les offrandes qui leur étaient dues.

– Ton homme a un don pour les affaires, mais il n'est pas destiné à rester commerçant toute sa vie, poursuivit Viducius. Un jour, l'empereur le rappellera à son service. Peut-être alors traverseras-tu la mer, toi aussi, et présenteras-tu tes respects à Nehalennia.

Je tentai de répondre quelque chose de poli, mais mon estomac rebelle ne supportait plus cette odeur de viande rôtie. Je m'excusai, me précipitai comme une flèche dans l'atrium et vomis dans le pot en terre cuite du rosier.

Le temps que mes spasmes s'apaisent, j'entendis monter le murmure des conversations, ce qui signifiait que nos invités partaient. Je m'assis sur l'un des bancs de pierre, respirant à grandes goulées l'air frais qui sentait l'herbe. Nous étions presque à la fin du mois de Maia et c'était une soirée agréable. Il restait assez de lumière pour que je goûte les lignes gracieuses des ailes, hautes d'un étage, qui formaient le long atrium à ciel ouvert, agrémenté d'un péristyle. La demeure avait été construite par l'architecte qui avait conçu le palais voisin de l'empereur Sévère et, bien qu'elle ne disposât sur la rue que d'une façade étroite, comme la plupart des maisons de ce quartier de la ville, elle était d'une élégance toute classique.

Je me sentais beaucoup mieux maintenant que mon estomac était vide. J'espérais, pour le bien de nos invités, que ce malaise n'était pas dû à quelque chose que j'avais mangé. Je me rinçai la bouche avec l'eau de la fontaine et m'appuyai contre une colonne, les yeux levés vers le ciel où la nouvelle lune était déjà haute.

Tandis que je la contemplais, je me rendis soudain compte qu'en cette période j'aurais dû avoir mes règles. Mes seins étaient, aussi, curieusement douloureux. Je les tâtai, très consciente de leur nouveau poids et de leur sensibilité, et je me mis à sourire, comprenant enfin la cause de mes nausées.

Une ombre se déplaçait entre les arbustes en pots. Je reconnus Constance et me levai pour l'accueillir.

– Hélène... tu vas bien ?

– Oh, oui, répondis-je avec un grand sourire. As-tu réussi dans tes négociations, mon amour ?

Je mis les bras autour de son cou et il murmura quelques mots dans mes cheveux en m'étreignant. Un moment, nous restâmes ainsi enlacés. Il sentait la bonne chère et le vin et l'huile épicée dont l'esclave imprégnait sa peau, aux bains.

– Toi aussi, tu peux me féliciter, lui chuchotai-je à l'oreille. Je suis sur le point de t'apporter un bénéfice bien plus grand que ne le pourrait n'importe quel marchand. Constance, je vais mettre ton enfant au monde !

Tandis que le printemps cédait la place à l'été et que ma grossesse transformait mon corps, pour la première fois de ma vie je goûtais un véritable bonheur. Ce don, je le savais, n'était pas toujours accordé aux mortels. J'avais défié, sinon les dieux, du moins les prêtresses d'Avalon, et à présent je portais l'enfant que l'oracle m'avait prédit ! Ce ne fut que bien des années après que je mis en doute cette prophétie, ou réalisai qu'afin d'obtenir la bonne réponse il aurait fallu d'abord poser la bonne question.

Ce fut une saison plaisante, et Eburacum était la reine du Nord, où les commerçants venus de tout l'Empire apportaient leurs marchandises. Ici, ils prospéraient et partageaient leur bonne fortune avec leurs dieux, d'Hercule à Serapis. La place, devant la *basilica* [1], était parsemée d'autels votifs. Je m'y arrêtais parfois pour rendre hommage aux *matronae*, les triples mères détentrices de la fécondité, mais sinon j'avais peu de choses à dire aux dieux.

Tous les jours, je franchissais la porte de la ville, passais le pont et, Surette trottant sur mes talons, descendais le sentier longeant l'Abus jusqu'à sa confluence avec la Fossa, où les bateaux qui remontaient de la côte jusqu'aux quais se disputaient le droit de passage avec les cygnes. Le soir, les murs blancs de la forteresse se reflétaient dans l'eau et le soleil couchant peignait leur surface brillante d'opale et de nacre. L'an passé, la petite chienne avait ralenti le train, comme si l'âge lui était soudain tombé dessus, mais ces expéditions, où elle avait une chance de flairer tous les fascinants détritus laissés par l'eau sur ses bords, étaient le meilleur moment de sa journée. J'espérais que cela la consolait un peu d'avoir perdu la liberté d'Avalon.

Cependant ces navires apportaient plus encore que des marchandises à vendre, et bien que les empires d'Orient et d'Occident fussent politiquement divisés, les nouvelles voyageaient librement entre eux. Juste après le milieu de l'été survinrent deux arrivants qui allaient changer nos vies : un messager porteur d'une lettre de l'empereur et le premier cas de peste.

Nous étions assis dans l'atrium où j'avais demandé à Drusilla de nous servir le repas du soir. Je commençais juste à reprendre goût à la nourriture et notre cuisinière se plaisait à chercher des moyens d'exciter mon appétit. Je ne sais si c'était mon propre manque d'assurance ou le mépris d'une vieille servante de la famille pour une concubine indigène qui avait, dès le début, créé une distance entre nous. Mais mon début de maternité avait nettement relevé mon statut à ses yeux.

---

1. Grand édifice à trois nefs et une abside qui servait sous l'administration romaine à la fois de bourse de commerce, de tribunal et de lieu de promenade. *(NdT)*

J'avais déjà picoré plusieurs sortes de hors-d'œuvre lorsque je remarquai que Constance ne mangeait pas. Après un an passé en sa compagnie, je pouvais deviner l'homme en lui aussi bien que le héros. Je savais, par exemple, qu'il se sentait en pleine forme le matin et devenait de plus en plus irritable après le coucher du soleil ; qu'il pouvait se montrer franc jusqu'à manquer de tact ; et que, sauf lorsqu'il était au lit avec moi, il vivait plus dans sa tête que dans son corps. Ce que certaines personnes prenaient pour de la froideur, je l'appelais de la concentration. Il ne pouvait souffrir les crustacés, et quand son intérêt était tout entier absorbé par un projet, on devait lui rappeler qu'il fallait manger.

— Tu n'as touché à rien, lui dis-je. C'est très bon et Drusilla sera vexée si tu n'apprécies pas son talent.

Il sourit et piqua de son couteau un bout de saucisse avec du poireau, mais le garda à la main sans le manger.

— Ce matin, j'ai reçu une lettre.

Brusquement, je me sentis glacée.

— De Rome ? demandai-je en m'efforçant de garder ma voix calme.

— Pas vraiment. Quand il l'a écrite, il était à Nicomédie, mais sans doute s'est-il rendu ailleurs depuis.

Je le regardai en réfléchissant. Pas besoin de demander de qui il parlait. Mais si l'empereur voulait la tête de Constance, il aurait sûrement envoyé un officier avec son message pour le mettre en détention.

— Ce n'était pas, je suppose, un mandat d'arrêt contre toi ?

— Au contraire. Hélène, il m'offre un poste dans son état-major ! Maintenant, je peux vous assurer une vie convenable, à toi et à notre enfant !

Je le regardai, les yeux écarquillés, réprimant la panique que m'avait inspirée ma première supposition – qu'il avait l'intention de me quitter. Constance avait, jusqu'à ce jour, fait de son mieux pour avoir l'air heureux, mais je savais combien sa carrière militaire lui manquait.

— Peux-tu lui faire confiance ?

— Je le pense, répondit-il gravement. Aurélien a toujours été réputé pour sa franchise – il est même un peu *trop* carré. C'était parce qu'il ne cachait pas sa colère que j'ai préféré partir en exil. Il est débarrassé

148

de moi – me faire revenir par ruse afin de pouvoir me supprimer serait d'une subtilité inutile.

Trop carré ? Je réprimai un sourire, comprenant pourquoi Constance avait été exilé et pourquoi l'empereur pouvait désirer qu'il revienne.

Son regard se perdit dans le vide tandis qu'il calculait, qu'il faisait des projets, et je compris, avec un serrement de cœur, que s'il accomplissait la destinée que j'avais prévue pour lui, son attention se détournerait inévitablement de moi. En cet instant, je souhaitai passionnément que lui et moi ne soyons que des gens ordinaires, satisfaits de mener ensemble une vie ordinaire ici, aux frontières de l'Empire. Mais même dans la lumière mourante, il y avait en lui quelque chose de brillant qui attirait l'œil. Si Constance avait été un homme ordinaire, il ne serait jamais venu en Avalon.

– Tetricus étant toujours au pouvoir en Occident, je ne vais pas pouvoir utiliser les relais de la poste, finit-il par dire. C'est aussi bien, avec toute une maisonnée à transporter. Nous pourrons faire une grande partie du voyage en bateau – traverser la mer d'Angleterre, puis prendre une barge pour remonter le Rhin. Ce sera plus facile pour toi…

Il leva soudain les yeux sur moi.

– Tu vas venir avec moi, n'est-ce pas ?

L'avantage de n'être pas mariée selon les formes, me dis-je avec ironie, c'était que Constance n'avait aucun droit légal de m'y contraindre. Mais l'enfant qui était dans mon ventre me liait à lui – l'enfant, et le souvenir d'une prophétie.

Constance aurait pu partir sur le champ s'il avait été célibataire, mais à présent il avait toute une maisonnée à sa charge et son entreprise à remettre entre des mains compétentes. La fabrication des étains s'était développée depuis un an qu'il s'en occupait. Les esclaves qui faisaient le travail étaient tous très expérimentés, mais le volume de la production dépassait la capacité de l'agent qui la gérait auparavant. Il fallut du temps pour trouver un administrateur qui ferait l'affaire, et le mettre au courant.

Dans l'intervalle, la peste se répandit. Il me vint à l'esprit que si la maladie avait décimé l'état-major de l'empereur comme elle le faisait des habitants d'Eburacum, l'invitation d'Aurélien aurait été moins une marque de grandeur d'âme qu'un signe de désespoir.

Philip, le jeune esclave, tomba malade, et, en dépit des protestations de Drusilla, je le soignai. Cette maladie se caractérisait par une toux déchirante et une fièvre prolongée. Mais en l'enveloppant dans des linges mouillés d'eau froide et en lui donnant des infusions d'écorce de saule blanc et de bouleau que j'avais appris à utiliser à Avalon, je réussis à le garder vivant jusqu'à ce que la fièvre tombe enfin.

Personne d'autre n'attrapa la maladie chez nous, mais les longues heures d'inquiétude m'avaient épuisée. Je me mis à saigner et, après quelques heures de violentes crampes, je perdis mon enfant.

Nos préparatifs de départ tiraient à leur fin lorsque Philip entra dans ma chambre pour m'annoncer un visiteur. J'étais étendue, enveloppée dans un châle, sur l'un des divans, Surette à mes pieds. C'était encore l'été, mais des nuages étaient venus de la mer la veille au soir et un froid humide imprégnait l'atmosphère. Constance était parti assister à une réunion au Mithraeum – non un rituel comme ceux qui se pratiquaient de nuit, mais une affaire concernant le temple. J'ignorais quel grade il avait atteint dans les Mystères, mais ses responsabilités administratives laissaient supposer qu'il devait être élevé.

J'avais fait semblant de parcourir un roman de Longus que Constance avait rapporté à la maison afin que je puisse rafraîchir mes notions de grec. Il s'intitulait *Daphnis et Chloé* et ses aventures exotiques auraient dû me distraire. Mais, en fait, je m'étais endormie. Je dormais beaucoup – cela me permettait d'oublier que le brillant esprit qui, durant un moment, avait résidé dans ma matrice s'était éteint. Lorsque Philip me parla, je laissai le parchemin s'enrouler.

– Je vais lui dire de s'en aller, dit Philip d'un air protecteur.

Depuis sa guérison et ma propre maladie, il ne me quittait plus, comme si nos souffrances nous avaient liés.

– Non… qui est-ce ? demandai-je en regardant vite autour de moi pour m'assurer que la pièce était présentable.

Les murs étaient peints dans un chaud ton doré, avec des festons de feuilles d'acanthe, et de petits tapis rayés que tissaient les gens du coin permettaient d'échapper à la froidure des dalles. On avait laissé sur l'une des tables un panier contenant de la laine et un fuseau, et plusieurs rouleaux de parchemin reposaient sur une autre, mais la salle était propre. Si l'épouse d'un des associés de Constance venait me voir, je devais me montrer polie avec elle.

– Je crois que c'est une marchande d'herbes médicinales. Elle a un panier couvert… Elle dit qu'elle apporte un remède pour ce dont tu souffres, ajouta-t-il d'un air malheureux. Je ne lui ai rien dit, maîtresse, je te le jure…

– Ne t'inquiète pas, Philip. Les gens parlent entre eux… Elle a sans doute appris mes ennuis par une habitante de la ville. Elle aura peut-être quelque chose d'utile, soupirai-je, tu peux aussi bien la faire rentrer.

En fait, j'avais peu d'espoir ; mais il était déjà assez pénible pour Constance de devoir parcourir la moitié de l'Empire en traînant une femme avec lui, sans qu'en plus il ait affaire à une invalide. Cependant, au tréfonds de moi, je savais que, quel que fût le remède empirique que les gens bien intentionnés me pressaient d'utiliser, il fallait surtout que je *désire* vraiment aller mieux.

En quelques instants, Philip revint et s'écarta tandis qu'une vieille femme entrait dans la pièce. Avant même que je voie son visage, des sens inutilisés depuis longtemps transmirent un picotement de saisissement à toute ma peau. Lorsqu'elle commença à sortir le contenu de son panier, je compris que c'était parce que je l'avais *reconnue*.

Cette vieille femme courbée, dans un châle en loques, semblable à des centaines d'autres qui venaient vendre leurs marchandises dans la ville, avait, en une seconde, rassemblé l'enchantement autour d'elle, et se dressait devant moi dans toute sa majesté, l'air presque aussi grand que la salle. Philip écarquilla les yeux.

– Dame…

Sans y penser, je me levai et inclinai la tête pour la saluer. Puis la colère m'enflamma des pieds à la tête et je me redressai.

– *Que fais-tu ici ?*

Philip, béni soit-il, fit un pas en avant pour me protéger. Je ravalai le reste de mes paroles.

– Je pourrais te poser la même question, à rester ainsi enfermée entre ces murs ! répliqua Ganeda. Il faut que nous parlions. Viens, sors à la lumière et en plein air.

– J'ai été malade…, commençai-je, automatiquement sur la défensive.

– Ne dis pas n'importe quoi… tu n'iras jamais mieux si tu te pelotonnes comme un petit chien d'appartement ! Viens !

Sûre de mon obéissance, elle sortit.

Surette sauta du divan en grognant un peu, et mes lèvres se tordirent en une esquisse de sourire. Au moins, dans l'atrium, nous aurions moins de chance d'être entendues. Faisant signe à Philip de rester à l'intérieur, je pris mon châle et la suivis.

– Qu'ai-je fait pour mériter cet honneur ? demandai-je sèchement en m'asseyant sur le banc de pierre et en invitant d'un geste Ganeda à faire de même.

– Tu es encore vivante…, répondit âprement la Grande Prêtresse. La peste a atteint Avalon.

Je la regardai, horrifiée. Comment était-ce possible ? L'île sacrée était séparée du monde.

– On nous a envoyé une jeune fille de Londinium. Elle est tombée malade en arrivant. Nous n'avons pas reconnu le mal et le temps que le mot « peste » soit prononcé, il était trop tard pour arrêter la contagion. Quatre vierges et six prêtresses sont mortes.

Je passai la langue sur mes lèvres sèches.

– Pas Dierna ?

L'expression de Ganeda s'éclaira un tout petit peu.

– Non. Ma petite-fille va bien.

Elle m'énuméra les noms de celles qui avaient succombé, des femmes avec lesquelles j'avais partagé l'intimité unique du rituel ; certaines s'étaient occupées de moi et m'avaient prodigué leur enseignement, et j'avais fait de même pour d'autres… et puis il y avait Aelia.

Je fermai les yeux pour refouler les larmes que je sentis filtrer sous mes paupières, laissant de chaudes traces sur mes joues. Si je n'avais pas quitté Avalon, j'aurais pu la soigner, pensai-je, hébétée. J'avais sauvé Philip, pour lequel je n'avais que de la bienveillance ; sûrement mon amour aurait retenu Aelia dans le monde. Ou peut-être la peste m'aurait-elle emportée aussi. Ces deux destins me parurent, sur le moment, aussi désirables l'un que l'autre.

– Je te remercie d'être venue me l'apprendre, finis-je par dire.

– Oui, je sais que tu l'aimais, répondit la prêtresse avec brusquerie, mais ce n'est pas pour cela que je suis venue. On a besoin de toi à Avalon.

En entendant cela, mes yeux se rouvrirent.

— Comme c'est… généreux à toi, sifflai-je entre mes lèvres raidies. Tu es désespérée, aussi m'accueillerais-tu de bonne grâce, maintenant !

Je me levai, ce qui fit tomber le châle de mes épaules, et je me mis à marcher de long en large dans l'allée.

— Non, lançai-je en me retournant pour l'affronter. Tu as rompu mon lien avec Avalon. Durant cette première lune, quand la blessure saignait encore, tu aurais peut-être pu me rappeler. Maintenant, ce n'est plus qu'une cicatrice.

Ganeda haussa les épaules d'impatience.

— Le lien peut être restauré. Il est de ton devoir de revenir.

— Mon devoir ! m'exclamai-je. Et mon devoir envers Constance ?

— Il n'a aucune autorité légale sur toi, et tu n'es pas liée à lui par la chair puisque tu as perdu l'enfant…

— C'est tout ce que tu es capable de comprendre ? criai-je, les mains croisées en un geste protecteur sur mon ventre vide. Et les liens du cœur et de l'âme ? *Et la prophétie ?*

— Tu penses que cela justifie ta rébellion ? dit Ganeda qui renifla d'un air dédaigneux. Un simple emportement sexuel aurait été plus pardonnable, ma chère…

— Je n'ai que faire de ton pardon ! Je n'en *veux* pas !

J'entendis ma voix monter et luttai pour retrouver mon sang-froid.

— Tu as le droit de me bannir, mais pas de me faire aller et venir, sur l'effet d'un simple caprice, comme un jouet d'enfant sur un fil. C'est toi, et non moi, qui as annulé les serments que j'avais prêtés à Avalon. Je ne romprai pas les vœux que j'ai échangés avec Constance. J'ai perdu cet enfant, oui, mais il y en aura un autre. J'ai *vu* le bébé dans mes bras !

Ganeda me considéra d'un air revêche.

— Lorsque nous avons planifié ce rituel, Arganax a calculé les positions des étoiles. Nous savions quel destin elles avaient prévu pour l'enfant qui aurait dû être conçu lors du rituel de Beltane. Mais qui sait quel sera celui que tu auras de Constance ? Je te préviens, un jour viendra peut-être où tu souhaiteras qu'il ne soit jamais né !

Je sourcillai et la regardai de mon haut.

— Oh… je vois. J'ai tort de faire passer ma volonté avant la tienne, mais toi, tu as parfaitement le droit de faire passer la tienne avant celle des dieux ! Ne nous as-tu pas enseigné que les Sœurs filandières tissent nos vies à leur gré, non comme toi ou moi le voudrions ? Mon fils ne sera pas l'instrument d'Avalon !

– Alors, tu ferais mieux de prier pour qu'au moins il sache servir les dieux !

– Peux-tu en douter ? m'exclamai-je avec orgueil. Il sera le fils du Restaurateur de la Lumière et d'une prêtresse d'Avalon !

– Je ne doute pas des dieux, répondit très calmement Ganeda, mais une longue vie m'a appris à ne pas faire confiance aux hommes. Je te souhaite bonne chance, fille de ma sœur.

S'appuyant lourdement sur son bâton, elle se releva. À présent, elle paraissait vraiment âgée.

– Attends, dis-je malgré moi. Tu as parcouru une longue route et je ne t'ai offert aucun rafraîchissement...

Mais Ganeda se contenta de secouer la tête.

– Tu ne seras plus dérangée, ni par moi, ni par Avalon.

Je compris ses paroles, mais tandis que je la regardais partir, il me sembla que le souvenir de cette conversation me hanterait longtemps.

Que ce fût parce que ma guérison était totale, ou parce que le défi de Ganeda l'avait stimulée, je l'ignore, mais à partir de ce jour, je commençai à retrouver mon énergie. Je pris une part plus active aux préparatifs du départ et quand, quelques jours avant la date où nous devions nous embarquer pour le continent, Constance me dit qu'il devait se rendre à la campagne pour faire ses adieux à l'un des cousins de son père, je lui demandai si je pouvais l'accompagner.

La date de notre départ approchant, je m'aperçus que je regardais Eburacum d'un autre œil. Je n'étais pas restée là assez longtemps pour considérer ce lieu comme mon foyer, mais il faisait néanmoins partie de l'Angleterre que j'allais bientôt quitter. Pourtant, la ville était romaine, pas anglaise, et je ne pouvais sentir les esprits du pays qu'au bord de la rivière. Dans la campagne, je les percevrai sûrement plus facilement, et je pourrai leur faire mes adieux.

Constance avait loué une carriole à deux roues, tirée par la fidèle mule baie. Les basses terres vallonnées s'élevaient peu à peu vers l'ouest, où les montagnes se dressaient à l'horizon, se distinguant à peine dans l'air envahi par la brume. Le deuxième jour du voyage, nous arrivâmes à Isurium, l'ancienne capitale tribale des Brigantes [1], qui était maintenant une florissante ville marchande. Isurium reposait dans un méandre de l'Abus, juste avant que la route traverse une fois de plus la rivière.

Flavius Pollio s'était retiré ici après une carrière réussie à Eburacum et il était devenu magistrat. Il fut visiblement ravi de nous montrer sa résidence urbaine récemment bâtie, en particulier la mosaïque de Romus, Rémulus et la louve qui ornait le sol de sa salle à manger.

— Je vois que ton petit chien apprécie une belle œuvre d'art, dit Pollio en lançant d'une chiquenaude un morceau de mouton rôti à Surette, qui s'était affalée près de l'image de la louve comme pour se joindre aux jumeaux qui tétaient ses mamelles.

— Excuse-moi, dis-je, rougissante. Elle s'assoit toujours à mes pieds quand nous dînons à la maison. Il faut la mettre dehors…

— Non, non… laisse-la. Nous ne faisons pas de cérémonie ici, répliqua Pollio en me souriant. C'est un pays de déesses et de reines, et les dames ont leurs privilèges… Cartimandua [2], tu sais…, ajouta-t-il quand je pris un air interrogateur. Elle a conservé à Rome les terres des Brigantes, même quand son époux s'est rebellé.

Il agita l'index en un geste d'exhortation destiné à Constance.

— Prends cela comme un avertissement, mon garçon. Un homme n'est fort que lorsque sa femme le soutient !

Ce fut son tour à lui de s'empourprer, ce qui était toujours remarquable à cause de sa peau claire.

— Alors, je dois être Hercule, répondit-il.

— Non, répliquai-je, tu es Apollon.

Il rougit de plus belle, et je ris.

Après le repas, les deux hommes se retirèrent dans le bureau de Pollio pour examiner les papiers que Constance était venu voir, et j'emmenai Surette faire un tour dans la ville. Après un jour et demi dans

---

1. Peuple celtique soumis par Petilius Cerealis en 74 après J.-C., qui occupait l'actuel comté d'York. Il tenait son nom de la déesse Brigantia. *(NdT)*

2. Cette reine, qui conclut une alliance avec Rome dès 43 après J.-C., dut faire face à une série de révoltes de ses sujets, et même de son consort Venutius, contre lesquelles elle fit trois fois appel aux légions. *(NdT)*

une charrette cahotante, et un repas lourd, j'avais besoin d'exercice et je franchis bientôt à grands pas la porte donnant sur la campagne.

Ici, au nord, le soir durait plus longtemps que je n'en avais l'habitude. Le brouillard qui s'élevait des champs semblait, en réfléchissant le soleil couchant, parsemer la terre d'écheveaux de lin doré. Peu après la traversée du pont, je découvris une sente à bestiaux qui, partant de la route, menait vers l'ouest. Avec Surette pour guide, je ne craignais pas de m'égarer, même si la brume devait s'épaissir avec la tombée de la nuit.

Je ralentis peu à peu le pas, car j'avais enfin trouvé la solitude que je cherchais. Le silence spécifique dont on ne jouit qu'à l'aube et au crépuscule n'était rompu que par le croassement de trois corbeaux volant vers leur perchoir nocturne et les meuglements lointains d'un troupeau regagnant la laiterie et l'étable.

Je m'arrêtai, les mains levées en un geste instinctif d'adoration.

– Brigantia la Glorifiée, sainteté jaillissante ! Dame de cette terre, je vais bientôt traverser la mer. Accorde-moi ta bénédiction, déesse, où que mes pérégrinations puissent me mener…

Le silence s'approfondit, comme si la terre elle-même écoutait. Bien que l'air se refroidît rapidement, je sentais sur mes joues un souffle tiède, comme si la terre exhalait la dernière chaleur de la journée. Surette remontait le chemin en gambadant, plus dynamique que je ne l'avais vue dernièrement. La touffe blanche de sa queue s'agitait comme lorsqu'elle humait une odeur intéressante, et je hâtai le pas pour la suivre.

J'arrivai en haut de la côte juste à temps pour voir sa forme blanche disparaître dans le bosquet d'aulnes qui bordait le sentier.

– Surette ! Reviens ici !

La chienne ne fit pas demi-tour et je me mis à courir en l'appelant de nouveau. Je voyais maintenant que le chemin traversait le fourré et semblait à peine assez large pour que je puisse m'y engager.

Au-delà, la prairie était embrumée d'or. Dans le miroitement du brouillard, j'entrevis Surette trottant vers un pilier de pierre sombre. Je m'arrêtai soudain, les yeux écarquillés. Il y en avait trois, répartis dans le pré en rang irrégulier, espacés d'environ la largeur d'un forum. J'avais déjà vu des mégalithes, mais jamais aussi grands que ceux-ci, presque aussi hauts que les colonnes du portique du Temple de Serapis.

– Surette, fais attention, chuchotai-je, mais j'aurais dû me souvenir que c'était une chienne fée, accoutumée aux merveilles, car elle s'assit, pantelante, devant le plus proche, et attendit que je la rejoigne.

– Eh bien, chérie, qu'as-tu trouvé ?

La chienne pencha la tête sur le côté, puis se retourna vers la colonne, la regardant, l'air d'attendre quelque chose. Lentement j'en fis le tour, dans le sens du soleil, par habitude. La pierre était très sombre, plus polie que ne le sont généralement les œuvres des anciens, et s'étrécissait vers le sommet marqué de plusieurs rainures. Des lichens orange et blanc étendaient des andains fins comme de la dentelle sur la surface noirâtre. Je comprenais la raison d'être de cercles semblables à celui surmontant le Tor, mais je n'arrivais pas à imaginer pourquoi l'on avait dressé ces trois piliers ici.

Très doucement, je m'approchai et posai mes paumes contre la pierre. Elle était froide, mais je laissai ma conscience traverser mes mains et pénétrer dans la roche, cherchant le flot d'énergie qui l'enracinait à la terre.

Il n'était pas là. Au lieu de cela, j'eus l'impression de flotter au-dessus d'un objet solide, sauf que la chose que je tenais flottait aussi, comme si j'avais pris un bateau jusqu'au centre du Lac pour aller m'y baigner. La sensation était plutôt agréable, comme la délocalisation que provoque la transe – et pour moi, qui avait été privée de telles sensations depuis plus d'un an, bien trop séduisante. Je relâchai mon souffle et laissai mon esprit s'enfoncer encore plus profondément dans la pierre.

Pendant un temps indéterminé, je ne fus que sensation. Puis, je pris conscience que l'impression de vertige était passée. La colonne était une fois de plus solide sous mes mains, mais lorsque je me redressai et regardai autour de moi, le monde avait changé.

Les piliers se dressaient dans une plaine sans bornes. La lumière dorée du couchant s'était transmuée en un rayonnement argenté sans source ni direction, mais suffisait à illuminer les silhouettes radieuses qui dansaient en traçant une double hélice autour des pierres. Surette courait avec eux, pénétrant et sortant comme une flèche de leur cercle, tel un chiot, avec des aboiements de joie.

Je m'éloignai de la pierre pour la suivre et me retrouvai entraînée dans la danse. De fortes mains me firent tournoyer, de beaux visages m'invitèrent à me joindre à leur rire. Soudain, mes pieds se firent légers, l'épuisement qui s'éternisait depuis ma fausse couche disparut. Je me sentis joyeuse et libre comme je ne l'avais plus été depuis… mon bref séjour au Pays des Fées.

À cet instant, je compris comment, arrivant auprès des pierres au moment du couchant, j'avais ouvert une porte entre les mondes. Ou peut-être était-ce Surette qui m'avait amenée ici. En tout cas, elle s'ébattait, comme dépouillée de toutes ses années, follement heureuse, telle une exilée qui rentre enfin chez elle.

Elle alla se reposer au pied d'une des fées qui se tenaient debout près du pilier central et la danse m'envoya au même endroit. Le sang courant toujours dans mes veines après tant d'ébats, je m'arrêtai, comprenant que celle qui attendait là était la Reine des Fées.

Cette fois, elle portait les couleurs de la moisson, une couronne d'épis entrelacés et une robe d'or pâle. Surette était nichée dans ses bras.

— Dame, comment es-tu arrivée ici ? balbutiai-je après l'avoir saluée bien bas.

— En quel autre lieu devrais-je être ?

L'amusement adoucissait sa voix grave.

— Mais nous sommes loin d'Avalon !

— Et lorsque tu as rêvé de l'île, l'autre nuit, en étais-tu très loin ?

— J'y étais… mais ce n'était qu'un rêve.

— Certains rêves sont plus réels que ce que les hommes appellent réalité, dit amèrement la Dame. Les portails du Pays des Fées sont moins nombreux que les Portes du Rêve, et cependant, il y en a plus que la plupart des hommes ne le croient. Il suffit de connaître les heures et les saisons pour trouver le chemin.

— Serai-je capable de le faire quand je vivrai dans les pays situés de l'autre côté de la mer ? demandai-je alors.

— Même là-bas, si tu en as besoin, tu pourras nous voir sous d'autres apparences, dans ces régions où les hommes nous connaissent sous d'autres noms. En vérité, si tu n'apprends pas à honorer les esprits qui résident dans ces autres pays, tu n'y prospéreras pas.

Et elle commença à me parler des êtres que je rencontrerai ; les noms et les descriptions se fondirent dans ma conscience, et je ne m'en souviendrais pas avant que de nombreux mois, et même des années, se fussent écoulés. Dans le temps éternel du Pays des Fées, je n'éprouvai ni faim ni fatigue, mais la Dame mit fin à ses instructions, et il me vint à l'esprit que je devais retourner dans le monde des hommes.

— Merci à vous, Dame. Je m'efforcerai de faire comme vous dites. Maintenant, laissez-moi prendre la chienne, afin qu'elle puisse me montrer le chemin de la maison.

— Non. Surette doit rester. Elle est vieille et son esprit est lié à cette terre. Elle ne survivrait pas à ton voyage. Laisse-la demeurer ici... elle sera heureuse avec moi.

Dans ce pays où personne ne pleure, des larmes me vinrent néanmoins aux yeux. Mais le regard de la Reine des Fées était implacable, et Surette, il est vrai, semblait tellement heureuse, blottie dans ses bras. Pour la dernière fois, je la grattai derrière ses oreilles soyeuses. Puis je laissai ma main retomber.

— Comment vais-je rentrer, alors ? demandai-je.

— Tu n'as qu'à faire le tour de la pierre de droite à gauche.

Je me mis en marche et, à chaque pas, la lumière faiblit jusqu'à ce que je me retrouve dans la prairie, seule, au sein d'une obscurité qui s'épaississait.

Lorsque j'atteignis le pont, je vis des torches danser sur la route et m'aperçus que Constance était venu à ma rencontre. Je lui dis seulement que Surette s'était enfuie et que je l'avais cherchée. Il savait combien j'aimais cette chienne, aussi n'eus-je pas besoin de lui expliquer mon chagrin. Et cette nuit-là, je trouvai mon réconfort dans ses bras.

Une semaine plus tard, nous étions à bord d'un des vaisseaux de Viducius, en route pour l'embouchure du Rhin et la Germanie.

La voie du pouvoir

VIII

271-272 après J.-C.

Voyager en mer, c'est se déplacer hors du temps. On reste assis, sans tâche ni devoir, à contempler le ruban gris et imprécis du rivage à l'horizon, et la mer qui ondule et change sans cesse. Dans le sillage du bateau, la scène se transforme aussi rapidement que la vue à partir de la proue, si bien qu'on ne peut reconnaître où l'on est passé et, au bout d'un moment, la succession des crêtes et des creux venant à se répéter, on se demande si l'on a vraiment progressé.

Pourtant, après une semaine de voyage, je sentis que l'air se réchauffait et le vent de terre m'apporta une odeur que je reconnus pour l'avoir humée dans mon enfance. Depuis que nous avions quitté Eburacum, le temps était au beau, et nous jouissions d'un vent arrière. Le gros bateau de commerce, ballotté par les vagues, avançait avec obstination vers le sud sans même avoir besoin de jeter l'ancre lorsque la nuit tombait. Mais à présent, nous obliquions vers le rivage. J'enlaçai l'avant recourbé pour me pencher sur l'eau.

– Tu ressembles aux figures de proue que j'ai vues sur certains vaisseaux grecs, dit Constance derrière moi.

Il semblait plus jeune et plus dynamique, et je compris, pour la première fois, ce que signifiait pour lui retrouver sa véritable vie. Pensive, je le laissai me ramener sur le pont.

– Qu'est-ce que c'est ?

Je montrai le promontoire où les eaux gris vert d'un grand fleuve coulaient régulièrement pour se fondre dans la mer bleue.

– C'est la Tamise, répondit Constance, à mes côtés.

163

Je me retournai pour considérer avec un intérêt nouveau les basses terres vallonnées, au-dessus de la ligne des sablonnières.

– Je jouais sur la plage quand j'étais petite, pendant que mon père inspectait la tour de guet. Je me demandais d'où venaient les navires qui passaient au large.

– Et maintenant, tu t'en vas avec eux, répliqua Constance en souriant.

J'acquiesçai en m'appuyant contre son corps vigoureux. Pas besoin de l'accabler avec ma nostalgie pour la maison de mon père. C'était de toute façon sans espoir. On m'avait prévenue que celui-ci était mort, et l'un de mes frères aussi. L'autre servait le faux empereur Tetricus, en Gaule. C'était un lointain cousin qui régnait désormais dans le palais de Camulodunum. Le foyer de mon enfance avait disparu aussi sûrement que la petite fille qui, autrefois, ramassait des coquillages sur ce rivage sablonneux.

Je m'accrochai au bastingage lorsque le navire se pencha dans le vent qui soufflait de la rivière, courant des bordées pour traverser son embouchure vers l'étroit canal séparant l'île de Tanatus et Cantium. Nous passâmes deux nuits dans une auberge pendant que Viducius surveillait le chargement d'un supplément de cargaison, mais avant que j'aie pu me familiariser avec la terre, nous étions de nouveau en mer.

À présent, nous n'avions plus même le littoral – que jusqu'ici nous distinguions – pour nous repérer ; il ne nous restait que le soleil et les étoiles, quand les nuages s'écartaient et que nous pouvions les voir. Mais je commençais à me demander si les sens dont Ganeda m'avait dépouillée ne me revenaient pas : je m'aperçus en effet que, lorsque le brouillard nous environnait, je sentais l'Angleterre derrière nous et, les heures s'écoulant, je commençais à percevoir une nouvelle énergie devant nous. Le troisième jour, tandis que la brume marine se dissipait sous le soleil matinal, je vis, par-delà un horizon maculé d'îlots, les multiples bras du delta du Rhin qui gardaient la voie de la Germanie Inférieure.

Notre destination était Ganuenta, où le Scaldis se jetait dans le delta du Rhin, lieu de transit important pour ceux qui se rendaient, en bateau, du continent vers l'Angleterre. Pendant que Constance organisait notre remontée du Rhin, je me retrouvai libre de visiter la place du marché qui jouxtait le port, accompagnée par le fidèle Philip. Comme toutes les frontières, c'était un amalgame de cultures où les langues gutturales germaniques se mêlaient à la sonorité du latin. Depuis le jour où Arminius [1] avait anéanti Varus et sa légion, le Rhin constituait la ligne de démarcation entre la Germanie libre et l'Empire. Durant plus d'un siècle, cet endroit était resté paisible et les gens qui traversaient le fleuve pour apporter au marché leurs fourrures, leurs bestiaux et leurs fromages ne semblaient guère différents des tribus qui habitaient du côté romain.

J'examinais des sculptures en bois sur l'un des étals, lorsqu'on m'appela par mon nom. Me retournant, je reconnus Viducius, affublé d'une toge, un panier de pommes au bras.

— Tu vas à une réception ? demandai-je en montrant les fruits.

— Non, mais je vais voir une noble dame… Je me rends au temple de Nehalennia afin de la remercier pour cette traversée dont nous nous sommes tirés sains et saufs. J'aimerais bien que tu m'accompagnes.

— Avec plaisir. Philip, trouve Constance et dis-lui où je suis partie. Viducius me reconduira à la maison.

Philip regarda le marchand d'un air un peu soupçonneux, mais après tout, nous venions de faire un voyage en mer avec lui. Tandis que le jeune garçon s'éloignait au petit trot, Viducius m'offrit son bras.

Le temple était situé sur une élévation, à l'extrémité nord de l'île ; il se composait d'un cloître carré entourant l'autel central, et surmonté par une tour. Entre les autels votifs qui bordaient le chemin, les vendeurs avaient dressé des éventaires offrant des médailles en cuivre qui représentaient des chiens ou la figure de la déesse, des pommes pour les offrandes, ainsi que du vin, des pains et des saucisses frites pour les fidèles affamés. Les fruits que portaient Viducius étaient bien plus beaux que ceux en vente ici, et nous passâmes dédaigneusement devant les marchands avant de franchir l'entrée de la cour pavée.

---

1. Chef d'une grande nation germanique, il servit d'abord dans une légion romaine, puis se retourna contre Rome et vainquit le général Varus en 9 après J.-C. Sept ans plus tard, battu par Germanicus, il mourut empoisonné par ses soldats. Il est aujourd'hui un héros populaire en Allemagne, plus connu sous le nom d'Hermann. *(NdT)*

J'avais vu de plus beaux temples, mais celui-là offrait une agréable impression d'intimité, avec son toit de tuiles rouges et ses murs couleur crème. Il y avait là d'autres autels – Viducius s'arrêta pour me montrer celui que son père Placidus avait offert autrefois. Puis il tendit un *aureus* d'or à la prêtresse et, relevant le bas de sa toge, s'en recouvrit la tête lorsque nous pénétrâmes dans le sanctuaire éclairé par les hautes fenêtres cintrées de la tour. Sur un socle, au centre de la salle, se dressait la statue de la déesse, taillée dans une pierre d'un rouge chaud. Elle tenait dans ses mains un vaisseau, mais un panier de pommes était sculpté à ses pieds, ainsi qu'un chien qui ressemblait tellement à Surette que les larmes me montèrent aux yeux.

Quand je pus voir de nouveau, le marchand déposait ses pommes au pied du socle. Les yeux de la Déesse, aux cheveux tirés en arrière en un simple nœud, et dont les vêtements drapés tombaient en plis gracieux, regardaient sereinement au loin. Croisant ce regard sculpté, je frissonnai en le reconnaissant, et rejetai mon voile en arrière pour dénuder le croissant de lune sur mon front.

Nehalennia… Elen… Elen des Voies… Dame, je te retrouve en pays étranger ! Garde-moi, guide-moi sur la route que je dois maintenant parcourir…

Alors, pour un instant, mon silence intérieur engloutit tous les sons. Dans ce calme, j'entendis non une voix, mais le bruit de l'eau s'écoulant d'une mare. Cela ressemblait à la Source du Sang d'Avalon, et il me vint à l'esprit que toutes les eaux du monde étaient reliées et que, partout où il y avait de l'eau, circulait le pouvoir de la Déesse.

Quelqu'un me toucha le bras. Je clignai des paupières ; c'était Viducius qui avait terminé son oraison. La prêtresse du sanctuaire nous attendait pour nous reconduire dehors. Malgré moi, des mots jaillirent de ma bouche.

– Où est la source ?

Elle parut surprise, puis son regard se porta sur le croissant de lune et elle me salua avec le respect dû à une collègue.

Faisant signe à Viducius de rester où il était, elle me fit contourner la statue et m'amena à une ouverture creusée dans le sol. Je la suivis avec précaution sur des marches qui descendaient jusque sous le sanctuaire, dans une crypte aux murs de pierre brute, sentant l'humidité.

La lumière vacillante des lampes à huile faisait briller les plaques et les images fixées aux murs, et miroitait en lentes spirales sur la surface noire de la mare.

– L'eau du Rhin devient saumâtre en se mêlant à la mer, dit-elle d'une voix douce, mais cette source est toujours pure et potable. Quelle déesse sers-tu ?

– Elen des Voies, qui est peut-être le visage que votre dame porte en Angleterre. Elle m'a conduite ici. Je n'ai pas d'or, mais j'offre ce bracelet en jais anglais, si je le peux.

J'ôtai le psellion et le laissai tomber dans les profondeurs invisibles de la source. Les reflets se dispersèrent en une explosion de paillettes lorsqu'il frappa l'eau, puis se rassemblèrent de nouveau pour former un tourbillon éclatant.

– Nehalennia accepte ton offrande, dit la prêtresse d'une voix douce. Que ton voyage soit béni.

L'embarcation que Constance nous avait trouvée était un chaland, chargé de poisson salé et de peaux, remontant péniblement le fleuve grâce aux efforts des vingt esclaves qui suaient sang et eau à ramer. Il s'arrêtait souvent pour charger des cargaisons supplémentaires, mais les arrêts me permettaient d'acquérir graduellement une certaine connaissance de ce nouveau pays dans lequel je voyageais. À Ulpia Traiana, située aux abords du fleuve qui, à cet endroit, serpentait dans un paysage de douces collines, nous fûmes invités à dîner par le commandant de la forteresse [1]. En théorie, il servait Tetricus, mais les informations sur l'Empire d'Orient descendaient aussi la rivière et Constance était avide de nouvelles.

Nous entendîmes donc parler de l'amère victoire du mont Gessax, en Thrace, où les Romains avaient encerclé les derniers Goths en fuite. Mais l'incompétence du commandant, qui n'avait pas eu le bon sens d'utiliser sa lourde cavalerie afin d'assurer son succès, avait coûté un lourd tribut en vies humaines. Aurélien poursuivait actuellement ses opérations contre les Vandales en Dacie. Au moins, il semblait que la menace barbare fût réglée pour un temps.

Lorsque nous nous rembarquâmes, un nouveau passager se joignit

---

1. Forteresse sans doute construite sur les ordres d'Ulpius Trajan. (*NdT*)

à nous. Le père Clemens, petit prêtre rondelet du culte chrétien, était envoyé par l'évêque de Rome pour visiter les congrégations des terres d'Occident. Je l'observai avec un peu de curiosité car, à l'exception des moines d'Inis Witrin, c'était le premier prêtre de sa confession que je voyais.

– Oh, oui, il y a des chrétiens à Eburacum, nous confirma-t-il lorsque Constance mentionna notre point de départ. Une petite congrégation, bien sûr, qui se réunit dans une maison appartenant à une veuve vertueuse, mais leur foi est forte.

Le père Clémens, qui nous regardait avec des yeux remplis d'espoir, me rappela douloureusement Surette lorsqu'elle attendait que nous lui jetions un reste de nourriture.

– Non, dit Constance en souriant, moi, je sers le Dieu des Soldats et l'Éternelle Lumière du Soleil, mais l'on peut trouver beaucoup de bonnes choses dans votre croyance. J'ai entendu dire que vos églises s'occupaient des malheureux et des nécessiteux.

– Dieu nous l'a ordonné, répondit-il simplement. Et vous, Dame ?

– Il y avait une communauté de chrétiens près de l'endroit où j'ai grandi, dis-je prudemment. Mais je sers Elen des Voies.

– C'est Christos qui est la Vérité, la Voie et la Vie, affirma-t-il gentiment. Tous les autres chemins mènent à la damnation. Je prierai pour vous.

Je me raidis, mais Constance sourit.

– Les prières d'un homme de bonne volonté sont toujours les bienvenues.

Il me prit par le bras pour m'entraîner.

– Je suis prêtresse de la Déesse ! sifflai-je entre mes dents lorsque nous arrivâmes à la proue. Pourquoi prierait-il pour moi ?

– Cela part d'un bon sentiment. Certains de ses coreligionnaires nous condamneraient volontiers tous deux, sans même attendre que leur dieu s'en mêle.

Je secouai la tête. Le moine qui m'était apparu à Inis Witrin, quel qu'il fût, avait parlé autrement. Pourtant, à Eburacum, j'avais rencontré beaucoup de païens qui ne s'intéressaient qu'aux formalités et aux cérémonies de leur religion. Je me demandai si, parmi les chrétiens, il y avait aussi une différence entre le peuple et ceux qui comprenaient les Mystères.

Constance me prit par la taille et je m'appuyai contre lui, regardant les étendues de plaines et de forêts bordées de marais, de vasières ou de plages de sable qui défilaient devant nos yeux. Une rive était romaine, l'autre germanique, mais je ne voyais guère de différence entre elles. J'avais regardé les cartes que dessinaient les Romains pour essayer de délimiter leur territoire, mais la terre ne connaît pas de telles divisions. Je restai suspendue un instant, sur le point de comprendre une chose cruciale. Puis Constance tourna la tête et m'embrassa, et dans le flot de sensations qui s'ensuivit, le moment se perdit.

Nous fîmes de nouveau escale, cette fois à Colonia Agrippinensis, cité florissante édifiée sur une butte, au-dessus du Rhin. D'autres nouvelles nous y attendaient : l'empereur avait pourchassé les Goths de l'autre côté du Danube et les avait anéantis au cours d'une autre grande bataille, tuant leur roi, Cannabaudes, et cinq mille de ses guerriers. Le Sénat lui avait décerné le titre de Gothicus Maximus et lui faisait un triomphe. Mais en dépit de sa victoire, Aurélien avait apparemment décidé que la Dacie du Nord était indéfendable et il avait repoussé les frontières de l'Empire au Danube.

— Et je ne peux pas dire qu'il ait tort, affirma le centurion auquel nous parlions, tout comme quand il a abandonné les *agri decumates* [1] situés au sud d'ici, et retiré toutes les troupes jusqu'au Rhin. Les fleuves font de belles frontières bien nettes. Peut-être Aurelien pense-t-il que les barbares seront trop occupés à se battre entre eux pour nous causer des ennuis. Mais c'est tout de même exaspérant, quand on pense à tout le sang versé pour garder ce pays.

Constance était devenu très silencieux.

— Je suis né en Dacia Ripensis [2], dit-il enfin. C'est étrange de penser que ce sera la frontière. Je suppose que les Goths vont combattre ce qui reste maintenant de Bastarnes [3] et de Vandales [4].

---

1. Territoires soumis à la redevance de la dîme. *(NdT)*
2. Partie de la Dacie longeant la rive gauche du Danube. *(NdT)*
3. Peuple germanique qui, à cette époque, s'étend de la haute Vistule au bas Danube. *(NdT)*
4. Peuple germanique venu de la Scandinavie, qui s'installe au IIe siècle en Poméranie puis en Silésie. Au Ve siècle, les Vandales se répandent dans

– Pas les Vandales, le reprit le centurion. Aurélien en a fait des fédérés et les a enrôlés comme auxiliaires.

– Cela peut marcher, dit Constance en fronçant les sourcils d'un air pensif, car les Germains engendrent de bons guerriers.

La péniche nous emmena jusqu'à Borbetomagus. Là, nous nous joignîmes à une caravane de marchands qui emmenaient leurs mules le long du Nicer et par les collines jusqu'au Danube. Plus nous nous éloignions, plus je sentais augmenter la densité de terres qui nous entouraient. De toute ma vie, je ne m'étais jamais trouvée à plus d'une journée de marche de la mer, mais à présent la terre ferme me cernait et même les fleuves puissants n'étaient guère plus que le sang coulant dans mes veines.

Ces régions avaient été abandonnées par les légions, mais n'étaient pas encore revenues aux coutumes barbares. Les villas et les fermes que les Romains avaient gagnées sur la forêt prospéraient encore et nous étions bien contents de leur hospitalité. Ce voyage tranquille en Germanie me valait le bénéfice inespéré d'une attention sans partage de la part de mon époux. Lorsqu'il était entré dans l'armée, Constance avait été envoyé dans les *limes* [1] germaniques et il les connaissait bien. Écouter ses histoires de garnison et de champ de bataille me donnait une image de l'homme qu'il était vraiment, et cela devait me rendre grand service par la suite.

Mais à chaque lieue parcourue, mon propre passé s'éloignait de moi. Je devins totalement et uniquement Julia Helena, ou tout simplement Hélène, et les souvenirs de cette Eilan qui avait été prêtresse d'Avalon s'amenuisèrent et finirent par n'avoir pas plus de substance qu'un rêve.

---

tout l'Empire d'Occident et pillent la Gaule romaine (d'où le sens qu'a pris leur nom dans notre langue), puis s'embarquent pour l'Afrique et se font donner la Numédie orientale par l'empereur (en récompense de la part qu'ils ont prise dans la guerre contre Carthage). Leur arianisme provoquera leur destruction par Byzance et leur exil en Afrique et en Asie, où ils se fonderont dans les populations indigènes. *(NdT)*

1. Lignes de démarcation. *(NdT)*

Une lune de plus nous amena en amont du Danube où nous trouvâmes un autre bateau qui nous fit descendre le fleuve. Ici, il coulait vers l'est, entre les collines des Suèves[1] et les basses terres de la Rhaetia[2]. Quand la brume automnale se fut dissipée, nous pûmes voir les Alpes recouvertes de neige scintiller à l'horizon sud, devenant peu à peu plus proches et moins hautes jusqu'à ce que la rivière franchisse une brèche dans les collines et effectue, un peu plus tard, un brusque tournant en direction du sud dans la vaste plaine de Pannonie[3].

Ce fleuve était, en fait, bien plus long que le Rhin, mais comme nous descendions le courant, nous allions plus vite. Peu de temps après, il tourna de nouveau vers l'est pour nous emmener, comme Constance me le dit, vers le Pont-Euxin. Au sud s'étendait la Grèce, sur laquelle Corinthius m'avait raconté tant d'histoires ; au nord, c'était la Scythie[4] et l'inconnu. La terre elle-même m'apprenait que nous avions voyagé fort loin. L'hiver approchant, les vents froids soufflèrent des montagnes, mais les jours ne parurent pas raccourcir d'une façon appréciable ; quant aux arbres et aux plantes, ils étaient différents de ceux que je connaissais.

J'avais cru que nous resterions à bord jusqu'au Pont-Euxin, mais lorsque nous nous arrêtâmes à Singidunum, Constance alla se présenter au commandant de la forteresse et découvrit que des ordres l'y attendaient au cas où il passerait pas là. L'empereur, ayant réglé leur compte aux barbares, se préparait à marcher sur Palmyre[5], où

---

1. Peuplade germanique venue des rives supérieures de l'Elbe pour se fixer entre le Rhin, la Saale et le Danube. Ils en partirent au début du Ve siècle, traversèrent la Gaule et s'installèrent en Espagne – Galice. *(NdT)*

2. Région formée par les Alpes centrales qui encerclent les vallées supérieures du Rhin, de l'Inn et de l'Adige, la Rhaetia ou Rhétie fut conquise sous Auguste, devint une province procuratorienne, puis tomba aux mains des Bavarois au Ve siècle pour devenir un duché ostrogoth. *(NdT)*

3. Cette région (correspondant à peu près à la Hongrie, au nord de la Yougoslavie et à l'ouest de la Roumanie), fortement romanisée et militarisée, dut supporter de multiples invasions barbares, dont celles des Goths, puis des Huns. *(NdT)*

4. Pays s'étendant au nord de la mer Noire, du Danube au Don, comprenant entre autres la Crimée actuelle, et qui fut ravagé par les Goths au IIIe siècle. *(NdT)*

5. Ville principale de la Palmyrène, groupe d'oasis du désert de Syrie,

Zénobie avait tenté de libérer de la loi romaine son royaume du désert.

Aurélien voulait Constance, et tout de suite. L'autorisation d'utiliser des chevaux de poste et de loger, en cours de route, dans les résidences des administrateurs romains était donc incluse dans ces ordres. Laissant Philip et Drusilla suivre avec nos biens, Constance et moi partîmes à cheval sur la bonne route militaire qui nous mena à Byzance par la Mésie [1] et la Thrace. De là, un bac nous fit traverser les détroits de la mer de Marmara jusqu'à la Bithynie [2] et la ville de Nicomédie, où l'empereur et sa cour résidaient à l'époque.

— Attends l'été… Ce peut être alors un beau pays, dit Constance.

Son ton se voulait réconfortant, comme si j'étais une recrue souffrant du mal du pays. *Ce n'est pas si loin de la vérité*, pensai-je en m'enveloppant plus étroitement dans mon châle épais. Nous étions ici depuis plus de quatre mois, dont Constance avait passé la plus grande partie à faire des allers et retours à cheval entre Depranum et Nicomédie où l'empereur se préparait à la campagne de Palmyre. Zénobie, qui s'attribuait le titre de Reine de l'Orient, avait des prétentions non seulement sur sa Syrie natale, mais aussi sur l'Égypte et d'autres parties de la province d'Asie mineure. L'armée envoyée pour la punir partirait à la prochaine lune.

— On est en février, lui rappelai-je.

Bien que nous soyons trop près du Pont-Euxin pour avoir de la neige, le froid me pénétrait jusqu'à la moelle. La villa qu'il avait louée pour moi était humide et pleine de courants d'air, maison

---

dont la reine Zénobie voulut faire la capitale de l'Orient. Elle s'empara d'Antioche et d'une grande partie de l'Asie mineure, puis aida l'Égypte à se libérer de l'autorité romaine. Craignant qu'elle ne fasse alliance avec les Perses, Aurélien occupa Palmyre en 272 et la fit prisonnière. La reine figurera dans son triomphe, à Rome. *(NdT)*

1. Région des Balkans correspondant en partie à la Bulgarie, qui avait alors été ravagée par les barbares. *(NdT)*

2. Ce royaume grec, qui borde le Pont-Euxin et la Propontide (les deux détroits de la mer de Marmara), devenu province romaine, joua par ses villes (Nicomédie et Nicée, entre autres) un rôle important dans l'histoire de Byzance. *(NdT)*

construite par des gens qui refusaient de croire qu'il ferait jamais froid. Pas étonnant, pensai-je, abattue, puisque la cour, fuyant Rome, venait passer l'été au bord de la mer, à Drepanum, ville située un peu plus au sud que Nicomédie et faisant face à Byzance, de l'autre côté du détroit. En hiver, seule la station thermale et ses sources chaudes étaient à recommander.

– L'Angleterre est plus froide…, commença-t-il, les plaques de sa cuirasse grinçant tandis qu'il se retournait.

Je ne m'étais pas encore habituée à le voir en uniforme, mais visiblement, le négociant qu'il avait joué à Eburacum n'était que la moitié de l'homme que Constance voulait être.

– En Angleterre, rétorquai-je, on bâtit les maisons pour qu'elles protègent du froid !

– C'est vrai que lorsque je suis venu ici, auparavant, c'était l'été, capitula-t-il en regardant par les volets à claire-voie la pluie qui ridait l'eau de la mare aux nénuphars, dans l'atrium.

Depuis deux mois, il pleuvait presque sans discontinuer. Il se tourna vers moi, soudain sérieux.

– Hélène, ai-je eu tort de t'arracher à ton pays natal et de te traîner jusqu'ici ? J'étais tellement habitué à l'armée, tu comprends, et à toutes les femmes d'officiers qui voyagent avec eux de poste en poste dans tout l'Empire, je n'ai jamais pensé que tu n'avais pas été destinée à ce genre de vie et que tu pouvais… ne pas…

Il haussa les épaules, sans pouvoir s'exprimer, les yeux fixés sur mon visage. Je déglutis, cherchant mes mots.

– Mon amour, ne fais pas attention à mes plaintes. Ne comprends-tu pas ? C'est toi mon foyer, maintenant.

Son regard morne s'éclaira, comme le soleil perçant entre les nuages. Je disposai d'une seconde pour l'admirer, puis il me prit dans ses bras – avec prudence, car nous avions déjà appris que sa cuirasse pouvait me meurtrir – et je n'eus plus froid du tout.

– Il faut que je m'en aille, murmura-t-il, la bouche dans mes cheveux.

– Je sais…

À contrecœur, je m'éloignai de sa chaleur en essayant de ne pas me rappeler qu'il partirait bientôt pour participer à la campagne de Palmyre. Les plaques superposées de sa cuirasse grincèrent un peu tandis qu'il se penchait pour ramasser son épais manteau. Je remarquai, avec une aigre satisfaction, que c'était un *byrrus*, le genre à poils longs et à capuche que nous fabriquions en Angleterre.

— Le temps que tu arrives à la cité, il sera trempé, lui dis-je sans exprimer toute la compassion qui s'imposait.

— J'en ai l'habitude, répliqua-t-il avec un grand sourire, et je compris que non seulement c'était vrai, mais encore qu'il *aimait* réellement affronter le mauvais temps.

Je l'accompagnai jusqu'à l'entrée et lui ouvris la porte. Notre maison, à mi-colline, surplombait le quartier principal de la ville. Les toits de tuile et les colonnes de marbre du forum luisaient au travers des rideaux ondoyants de la pluie. Philip, une vieille cape de laine sur la tête, tenait le cheval de Constance.

— Excuse-moi, mon garçon, je n'avais pas l'intention de te faire attendre aussi longtemps !

Constance rassembla les rênes. Comme il s'apprêtait à monter en selle, un petit cri aigu retentit ; le cheval, un hongre alezan ombrageux, secoua la tête et fit un écart. Constance le maîtrisa et Philip croisa les mains afin que son maître puisse s'élancer sur le dos de l'animal et s'installe entre les arçons de la selle militaire.

Mais je ne le regardais plus. J'avais entendu de nouveau ce drôle de petit cri, ou peut-être était-ce un gémissement. Mon regard se fixa sur une pile de débris accumulés contre le coin du mur par le débordement du caniveau. Avait-il bougé ou était-ce seulement le vent ? Je ramassai une brindille apportée par la tempête et me penchai pour farfouiller. Le tas frémit et, soudain, je vis une paire d'yeux noirs brillants.

— Hélène, prends garde ! C'est peut-être dangereux !

Constance amena son cheval plus près. Des détritus sortit un grognement faible, mais caractéristique. En me penchant, je découvris un enchevêtrement de poils trempés, comme si quelqu'un avait perdu un bonnet de fourrure sous la pluie.

— C'est un chiot ! m'exclamai-je lorsqu'une minuscule truffe noire apparut sous les yeux. Pauvre petit !

— Je trouve plutôt que ça ressemble à un rat noyé, murmura Philip qui, déjà, se dépouillait de sa cape de laine et me la jetait pour m'empêcher d'utiliser mon propre châle.

Je ramassai toutes les feuilles et la boue dans lesquelles le chiot était enfoui. Il n'y avait pas le moindre soupçon de chaleur dans ma main ; je l'aurais cru mort sans le regard désespéré de ces yeux brillants. Murmurant tout bas, je le serrai contre ma poitrine et, imperceptiblement, un vide qui avait été là depuis la perte de Surette commença de se combler.

– Fais attention, dit Constance. Il est peut-être malade et a certainement des puces.

– Oh, oui, répondis-je – en vérité, je me demandai si même une puce s'intéresserait à la peau et aux os que je tenais dans mes mains, mais je perçus un faible battement de cœur. Je vais soigner comme il faut ce pauvre petit.

– Je pars, alors, dit Constance dont le cheval avançait de biais, nerveusement.

– Oui, bien sûr.

Je levai les yeux vers lui et une certaine tension disparut de son visage. Le sourire qu'il me fit était comme une caresse. Puis il coiffa la capuche de son *byrrus*, fit pivoter sa monture et la lança au trot sur la route, soulevant de grandes éclaboussures.

Quand il fut parti, j'installai le chiot bien serré contre ma poitrine et l'emportai à l'intérieur. Un bain et un bon repas amélioreraient son apparence, bien que sa race fût d'un sang aussi mêlé que la population de l'Empire. Ses oreilles étaient tombantes, son pelage, un mélange de bruns, et sa queue arborait un soupçon de plumet. La taille de ses pattes suggérait que si des privations prématurées n'avaient pas arrêté sa croissance, il aurait pu devenir un grand chien.

L'avidité avec laquelle il lapa le bol de bouillon que Drusilla prépara pour lui montrait un louable désir de vivre.

– Comment vas-tu l'appeler ? demanda Philip, moins méfiant à présent que le chien était propre.

– Je pensais à « Hylas », l'amant d'Héraclès que les nymphes ont noyé dans un point d'eau. Dans ce pays, c'est une histoire bien connue.

En fait, c'était à Chios, située à quelques jours de marche d'ici sur la côte, qu'Hylas avait disparu quand les Argonautes s'y étaient arrêtés durant leur quête de la Toison d'Or [1].

---

1. Hylas était parti chercher de l'eau et les nymphes, jalouses de sa beauté (ou de l'amour d'Hercule pour lui), le noyèrent dans la source.

– On a tout à fait l'impression que quelqu'un a essayé de le noyer, acquiesça le jeune garçon, et c'est donc ainsi que le chiot fut nommé.

Cette nuit-là, Hylas dormit dans ma chambre et, bien que mon lit fût vide, il réconforta un peu mon cœur ; durant les mois solitaires où Constance suivit l'empereur en Syrie, j'entendais à nouveau un bruit de pattes sur mes talons.

Constance avait eu raison à propos du temps. Avec l'arrivée de l'été, le soleil brilla, triomphant, dans un ciel sans nuage et dora l'herbe des collines. Les fenêtres qui, fermées, avaient laissé entrer tant de courants d'air, étaient maintenant grandes ouvertes à la brise marine le matin, et au vent du lac l'après-midi. Les gens du pays disaient que cette chaleur était tout à fait normale pour la saison, mais après les brumes de l'Angleterre, je la trouvais vraiment oppressante.

Le jour, je ne portais que la plus légère des gazes et je restais couchée à l'ombre d'un auvent, près de la fontaine de l'atrium. Hylas haletait près de moi. La nuit, je me promenais parfois au bord du lac, le chien gambadant devant moi et Philip, un peu en arrière, armé d'un gourdin, jetait des regards soupçonneux autour de lui. De temps à autre, je recevais une lettre de Constance qui traversait, en cuirasse, un pays auprès duquel Drepanum paraissait aussi froide que l'Angleterre. Quand nous apprîmes la victoire d'Ancyre [1], les magistrats ordonnèrent qu'on allume un grand feu de joie sur le forum, et d'autres bonnes nouvelles nous parvinrent ensuite d'Antioche.

Avec l'été, un certain nombre de familles nobles de Nicomédie étaient venues s'installer à Drepanum avec leur domesticité. Les époux de plusieurs de ces femmes étaient aussi partis avec l'empereur, mais nous avions peu de choses en commun. Drusilla, qui ramenait toutes sortes de potins du marché, me dit que la rumeur courait que je n'étais pas la femme de Constance, mais une fille qu'il avait

---

Hercule partit à sa recherche et les Argonautes s'en allèrent sans l'attendre – peut-être, selon certains récits, de crainte que le héros ne dévore à lui seul toutes leurs provisions. *(NdT)*

1. Cette ville du plateau d'Anatolie, située depuis la plus haute Antiquité sur la route des caravanes, avait une grande importance stratégique à l'époque romaine, qu'elle garda jusqu'au XVe siècle. *(NdT)*

trouvée dans une auberge et prise pour concubine ; je compris donc pourquoi les dames se montraient aussi distantes. Notre cuisinière était folle d'indignation, mais je ne pouvais guère éprouver de ressentiment puisque la chose était vraie du point de vue légal. Il n'y avait pas eu de contrat de mariage, pas d'échange de cadeaux ni d'alliances entre les parents pour solenniser notre union, uniquement la bénédiction des dieux.

Et, en vérité, j'étais contente d'échapper à des obligations sociales, car avec les nobles étaient arrivés certains philosophes de l'empereur, dont un jeune élève maigre, appelé Sopater, qui, en échange de ce que je pouvais épargner sur l'argent du ménage et un peu de la cuisine de Drusilla, voulut bien me donner des leçons particulières.

J'avais oublié la plus grande partie du grec appris lorsque j'étais enfant et, dans ce pays, j'avais besoin du langage courant pour parler avec les commerçants, et de la langue plus subtile des philosophes afin de lire les œuvres de Porphyre [1] et d'autres, qui faisaient grand bruit.

Sopater était à la fois jeune et grave, mais lorsqu'il se fut suffisamment détendu pour me regarder en face durant nos cours, nous nous entendîmes bien et si, durant ces longs jours d'été, il faisait trop chaud pour bouger, du moins mon esprit restait actif. J'avais besoin de distraction, car depuis la grande bataille d'Emesus, je n'avais reçu aucune lettre de Constance, ni aucune nouvelle de lui.

Mais un soir, juste avant le crépuscule, peu après le milieu de l'été, alors que j'avais pris mon bain et envisageais de faire une promenade au bord du lac, j'entendis du bruit dehors ; par-dessus les aboiements furieux d'Hylas, une voix qui me coupa le souffle. J'enfilai le vêtement qui me tomba sous la main et, les cheveux emmêlés, la tunique sans ceinture, je courus dans l'entrée.

À la lumière de la lampe qui y était suspendue, je vis Constance, embelli par la campagne, tout en os et en muscles, la peau rouge

---

1. Néoplatonicien, disciple et ami de Plotin auquel il consacra la partie la plus importante de son œuvre, ainsi qu'une biographie, il apporta le premier commentaire néoplatonicien de la pensée d'Aristote, s'attaqua violemment au christianisme (quinze livres brûlés au Vᵉ siècle) et inspira de nombreux penseurs hellénistes antichrétiens. *(NdT)*

brique et les cheveux blondis jusqu'à l'or pâle à cause de l'exposition au soleil. Il était vivant ! Je m'avouai alors combien j'avais craint qu'il fût mort dans ces sables désertiques. À l'expression de son visage, je compris qu'ainsi, à contre-jour, j'aurais aussi bien pu être nue. Mais ce que je vis dans son regard, c'était plus que du désir, une admiration mêlée de respect.

— *Domina et dea*, chuchota-t-il, titre que même l'impératrice ne revendiquait pas, pourtant je compris sa réaction, car à cet instant je le vis tel que je l'avais vu à Beltane, en Avalon – tel le Dieu.

Je fis signe aux domestiques de nous laisser, puis je tendis la main et l'attirai à ma suite dans notre chambre. Hylas, après la première crise d'aboiements, était devenu silencieux ; peut-être avait-il reconnu que l'odeur de Constance faisait partie de cette pièce. Tandis que nous nous dirigions vers le lit, je l'entendis s'affaler sur le seuil de la porte.

Après cela, je cessai de penser au chien, ou à tout ce qui n'était pas le désir que j'éprouvais pour cet homme que je serrais dans mes bras.

Nous nous jetâmes ensemble dans ces retrouvailles frénétiques, comme des vagabonds dans le désert qui, découvrant une oasis, sont prêts à tout pour assouvir leur soif. Luttant mutuellement avec nos vêtements, nous tombâmes sur le lit. Plus tard, je retrouvai ma tunique dans un coin, déchirée en deux. Quand nous eûmes partagé le grand frisson, je tins Constance dans mes bras, attendant que son cœur galopant ralentisse.

— Le combat a-t-il été très rude ? demandai-je en l'aidant à ôter le reste de son habillement.

Constance soupira.

— Les Arabes nous ont harcelés pendant toute notre traversée de la Syrie, abattant nos hommes de leurs flèches, tentant de piller le train des équipages. Quand nous avons atteint Palmyre, Zénobie était prête à nous accueillir. Nous n'avons pas pu prendre la place d'assaut – l'empereur lui-même a été blessé –, aussi avons-nous dû en faire le siège. Aurélien a offert à Zénobie des conditions honorables de reddition, mais elle croyait que les Perses viendraient la sauver. Seulement leur roi, Sapor, était mort et ils étaient bien trop occupés à se battre entre eux pour s'en prendre à Rome. Alors Probus a fini par traiter avec l'Égypte pour venir nous renforcer. Dès lors, tout était fini, et Zénobie l'a compris. Elle a tenté de s'enfuir, mais nous l'avons rattrapée et ramenée dans les fers.

— Alors vous avez gagné… Vous deviez être triomphants, commentai-je, me souvenant de Boudicca et tentant de réprimer la sympathie instinctive que je ressentais pour cette femme.

Il fit signe que non, s'étira et mit son bras sous ma tête, en guise d'oreiller.

— Zénobie avait juré de se tuer si elle était capturée, mais elle a paniqué, rejetant tout le blâme sur Longinus et les hommes qui étaient à son service. Aurélien les a exécutés. Alors, après tout, elle paraîtra à son Triomphe… Je comprends pourquoi ils devaient mourir, ajouta-t-il après un moment, mais cela m'a tout de même laissé un arrière-goût amer. Du moins, l'empereur n'a pas eu l'air d'y prendre… plaisir.

Oh, mon pauvre amour, pensai-je en me retournant pour serrer sa tête contre ma poitrine, *tu es trop sensible pour t'habituer à cette boucherie.*

— Lorsque nous avons gagné la cité… les autres officiers ont pris des femmes, chuchota-t-il. Je ne pouvais pas le faire, pas avec tous ces morts autour de nous.

Je resserrai mon étreinte, exagérément contente, quelle qu'en fût la raison, qu'il m'eût été fidèle. C'était quelque chose que je n'avais pas le droit de demander, mais cela expliquait bien, pensai-je avec un amusement secret, l'intensité de son besoin.

— Tu es la vie, murmura Constance.

Ses lèvres caressèrent un de mes mamelons. Je sentis les deux se durcir et le feu se rallumer entre mes cuisses.

— J'ai vu beaucoup trop de tueries… Laisse-moi mettre la vie en toi.

Ses mains se déplacèrent délibérément sur mon corps, avec un besoin plus incontestable que son premier désir compulsif, et je m'ouvris plus profondément que jamais auparavant à ses caresses. Au moment ultime, il se souleva au-dessus de moi et je vis l'extase se peindre sur ses traits, à la lueur du feu.

— Le soleil ! dit-il d'une voix entrecoupée. Le soleil brille à minuit !

À cet instant, j'eus mon propre orgasme et je ne pus lui dire que c'était seulement la lumière du feu de joie qu'on avait allumé pour célébrer la victoire de l'empereur.

Dans l'heure silencieuse qui précède l'aube – le seul moment vraiment frais en cette saison –, je me levai pour me soulager. Lorsque je revins, je restai debout devant la fenêtre à jouir de l'air froid sur ma peau nue. Le feu, sur le forum, s'était consumé, et le sommeil, qui avec la mort est le plus grand des conquérants, avait écrasé les fêtards. Même Hylas, qui s'était levé en même temps que moi, gisait de nouveau sur le seuil.

Un bruit venant du lit me fit retourner. Constance s'accrochait aux draps en gémissant. Des larmes filtrèrent de ses paupières closes et coulèrent sur ses joues. Je revins en toute hâte me coucher à côté de lui et l'enlaçai. Autrefois, pensai-je, c'était moi qui avait des cauchemars, mais depuis que j'avais quitté Avalon, je ne rêvais plus.

— Tout va bien, murmurai-je, sachant que c'était le ton, et non les paroles, qui l'atteindrait. Tu n'as plus à t'inquiéter maintenant... je suis là...

— Le soleil brille à minuit, gémit-il. Le temple brûle ! Apollon ! Apollon pleure !

Je l'apaisai, me demandant si c'était un événement qu'il avait vu durant la campagne. Le Dieu Soleil était la déité personnelle de l'empereur, aussi ne pouvais-je croire qu'il eût de son plein gré incendié un sanctuaire ; mais j'avais entendu dire que, dans la frénésie de la guerre, la destruction échappait parfois à tout contrôle.

— Chut, mon amour, ouvre les yeux... C'est le matin, ne vois-tu pas ? Apollon fait franchir à son char le bord du monde...

À grand renfort de caresses et de baisers, je le réveillai et fus bientôt récompensée lorsqu'il réagit de nouveau à mes caresses. Cette fois, nous fîmes l'amour lentement, tendrement. Lorsque ce fut fini, Constance était bien réveillé et souriait.

— Ah, ma reine, je t'ai rapporté des cadeaux !

Nu, il alla prendre, à pas de loup, le sac qu'un domestique avait apporté pendant que nous dormions et posé juste à l'intérieur de la porte.

— J'avais eu l'intention de t'en revêtir pour notre première nuit ensemble, mais tu es encore plus belle avec tes cheveux pour seule parure...

Il fouilla dans le sac et en sortit quelque chose enveloppé dans un linge écru. Lorsque l'étoffe grossière retomba, un flamboiement de couleur me frappa l'œil. Constance déplia un chiton de soie teinte en véritable pourpre impériale et me le tendit.

— Mon amour, c'est trop splendide ! m'écriai-je — mais je le pris, m'émerveillant du beau tissage de l'étoffe, et je l'enfilai. Je frissonnai lorsque la soie caressa ma peau et oscillai en sentant les doux plis modeler mon corps.

— Par les dieux, la pourpre te sied ! s'exclama-t-il et son regard s'alluma.

— Mais je ne peux pas porter cela, lui rappelai-je.

— Pas dehors, acquiesça-t-il, mais dans notre chambre, tu es mon impératrice et ma reine !

Et dans notre chambre, ainsi que dehors, toi, mon bien-aimé, tu es mon empereur, pensai-je, admirant les puissantes proportions de son corps nu, mais je n'osai pas prononcer ces paroles tout haut.

Constance me prit dans ses bras et m'attira à la fenêtre donnant à l'est. Je soupirai, repue d'amour, sentant dans mon corps une impression d'épanouissement que je n'avais encore jamais connue. Sûrement, pensai-je alors, une nuit telle que celle que je venais de vivre n'avait pu laisser mon ventre infécond.

Ensemble, nous restâmes à regarder le soleil se lever, tel un empereur victorieux, au-dessus de l'horizon, et bannir du monde les mystères de la nuit.

IX

272 après J.-C.

En Angleterre, septembre était un mois au soleil tempéré de brume, mais le forum de Naissus flamboyait de lumière sous un ciel d'un bleu éclatant. À l'ombre de l'auvent, dressé pour abriter les familles des officiers de l'Empire, je sentais les vagues de chaleur s'élever des pavés de la place. Lorsque Constance m'avait parlé de son nouveau poste, les plaines de la Dacie qui bordaient le Danube étant plus au nord, j'avais escompté qu'elles seraient plus fraîches que la Bithynie. Mais en été, cette cité continentale semblait encore plus chaude que Drepanum qui, au moins, jouissait parfois de la brise marine. Je sentais la sueur s'accumuler sous le bandeau qui dissimulait le croissant de lune tatoué sur mon front. Je respirai à fond, espérant ne pas m'évanouir. Enceinte de trois mois, j'étais encore prise de nausées le matin et, parfois, dans la journée.

Peut-être était-ce la faim qui me faisait tourner la tête, pensai-je alors, car je n'avais pas osé manger avant la cérémonie, ou peut-être était-ce l'odeur forte de l'encens. Deux prêtres balançaient des ostensoirs devant l'autel ; à chaque envolée, la fumée s'élevait en tourbillonnant. Les vapeurs dérivaient comme un rideau de gaze devant les colonnes qui fermaient le côté oriental de la place où le terrain descendait en pente vers le Navissus. Derrière les toits de tuiles, le scintillement de l'eau, les champs dorés de chaume et les douces collines bleues miroitaient dans l'air chaud, aussi dépourvus de substance qu'un rêve.

— Tu ne te sens pas bien ?

Je clignai des yeux et concentrai mon regard sur le visage brun, osseux, de la femme assise à côté de moi. En faisant un effort, je me souvins qu'elle s'appelait Vitellia et que c'était l'épouse de l'un des *Protectores* [1], compagnons de Constance.

— Cela va aller, répondis-je en rougissant. Je ne suis pas souffrante, seulement…

Je m'empourprai de plus belle.

— Oh, oui, bien sûr. J'ai porté quatre enfants et pour trois de ces grossesses, j'ai été malade comme un chien… Non que les chiennes aient des nausées matinales quand elles sont pleines, ajouta-t-elle en montrant ses grandes dents dans un sourire. Le premier est né lorsque nous étions à Argentorate, le deuxième et le troisième à Alexandrie, et mon dernier est né à Londinium.

Je la contemplai avec respect. Elle avait suivi les Aigles dans tout l'Empire.

— Je viens d'Angleterre, dis-je alors.

— Ce pays m'a bien plu.

Vitellia souligna ces mots d'un hochement de tête décidé qui mit en branle ses boucles d'oreilles. Un petit poisson en or scintillait sur sa gorge, suspendu à une fine chaîne.

— Nous avons encore une maison là-bas, reprit-elle, et peut-être y retournerons-nous lorsque mon mari se retirera de l'armée.

La procession était presque terminée. Les flûtistes s'étaient dispersées d'un côté de l'autel et les six vierges, ayant jonché le sol de leurs fleurs, prirent position de l'autre. La prêtresse qui les suivait s'arrêta devant l'autel et jeta dans le feu sacré une poignée d'orge, invoquant Vesta, qui vivait dans la flamme.

— On m'a dit que tu viens de l'Île, dit Vitellia. Ton homme, rentré d'exil, s'est si bien conduit durant la campagne de Syrie qu'on l'a nommé tribun.

Je hochai la tête, appréciant son acceptation neutre de ma situation maritale ambiguë. Depuis la promotion de Constance, certaines Romaines qui m'avaient jusque-là ostensiblement ignorée se montraient trop respectueuses, mais Vitellia me parut être le genre de femmes qui se comportent de la même manière avec une poissonnière et une impératrice. Cette pensée me fit tourner le regard vers le forum.

---

1. Gardes du corps de l'empereur. *(NdT)*

183

L'empereur présidait sous un dais ombragé, derrière l'autel, entouré de ses officiers supérieurs. Assis sur son trône, Aurélien ressemblait à la statue d'un dieu, mais quand Constance m'avait présentée à lui, j'avais été surprise de découvrir un petit homme aux yeux las qui perdait ses cheveux.

Automatiquement, mes yeux glissèrent vers le bout de la rangée où Constance se tenait debout, à la limite de l'ombre. Quand il bougeait, sa cuirasse reflétait le soleil. Je clignai des paupières – car un instant, j'avais cru le voir auréolé de lumière. *Bien sûr*, pensai-je en souriant, *pour moi, il ressemble toujours à un dieu*. La cuirasse étincela de nouveau tandis qu'il se redressait et je vis que les prêtres franchissaient le porche avec le taureau du sacrifice. L'animal était blanc, les cornes et l'encolure ornées de guirlandes de fleurs. Il marchait lentement ; sans doute l'avait-on drogué pour empêcher qu'une lutte de mauvais augure ne gâche la cérémonie. La procession fit halte devant l'autel et le prêtre entonna les prières. L'animal s'immobilisa, la tête inclinée comme si l'incantation monotone était un sortilège de sommeil.

Un second prêtre s'avança, les muscles d'acier de ses bras se nouèrent lorsqu'il leva son merlin. Il y eut un moment de silence, puis la masse s'abattit, rendue floue par la vitesse. Lorsqu'elle frappa le crâne de l'animal, le bruit se répercuta sur les colonnes. Mais déjà, le bœuf tombait à genoux. L'un des prêtres le retint par les cornes assez longtemps pour que son compagnon plonge le couteau dans la gorge de l'animal et la lui entaille en croix.

Le sang coula sur les pierres comme une marée rouge. Plusieurs hommes détournèrent le regard en se signant, pour conjurer le mal. *Il n'y a de mal que pour le taureau*, pensai-je avec regret. Les chrétiens, qui adoraient un dieu sacrifié, savaient certainement que la mort pouvait être sanctifiée. Ils devaient avoir un esprit bien étroit pour nier le caractère sacré de toutes les autres religions.

Sainte, la cérémonie l'était peut-être, mais lorsque l'odeur écœurante du sang l'emporta sur celle de l'encens, je sentis mon cœur se soulever. Je tirai mon voile sur mon visage et restai totalement immobile, retenant mon souffle. Ce serait impoli tout autant que néfaste de me déshonorer en public. Un puissant arôme d'herbes médicinales dissipa mon malaise et j'ouvris les yeux. Vitellia me tendait un bouquet de lavande et de romarin. Je respirai à fond et la remerciai.

— C'est ton premier enfant ?

— Le premier que je porte aussi longtemps, répondis-je.

— Puisse la Sainte Mère te bénir et t'amener saine et sauve jusqu'au terme, dit Vitellia en tournant de nouveau les yeux vers le forum avec un froncement de sourcils.

Ce n'était pas une scène agréable à voir, mais je ne comprenais pas sa désapprobation. Je tentai de me souvenir si son époux avait été l'un de ceux qui s'étaient signés au moment où l'on tuait le taureau.

La bête avait été saignée à blanc et les prêtres d'un rang inférieur balayaient le sang vers les caniveaux. Les autres avaient ouvert le corps et déposé le foie dans un bol en argent afin que l'haruspice puisse l'examiner. Même l'empereur se penchait en avant pour écouter son murmure.

Pour moi, initiée à la tradition orale d'Avalon, l'augure lu dans les entrailles m'avait toujours paru un moyen de divination rudimentaire. Quand l'esprit avait été convenablement préparé, le vol d'un oiseau ou la chute d'une feuille pouvait être le présage qui déclencherait la Double Vue. Au moins, le taureau avait été tué rapidement et avec respect. En festoyant de sa chair, ce soir, nous accepterions notre propre place dans le cycle de la vie et de la mort, tout comme nous partagions sa bénédiction. Je posai la main sur mon ventre, qui commençait juste à se tendre tandis l'enfant grandissait en moi.

L'haruspice s'essuya les mains avec une serviette en lin et se tourna vers le dais.

— Honneur à l'empereur, aimé des dieux, déclama-t-il. Les Brillants ont parlé. L'hiver qui vient sera doux. Si tu te mets en campagne, tu auras la victoire sur tes ennemis.

C'est seulement en entendant le murmure de contentement qui parcourut la foule que je m'aperçus combien elle s'était tendue. Plusieurs hommes vigoureux emportèrent le taureau aux cuisines en vue du festin. Les vierges s'avancèrent, levant les bras vers le ciel, et se mirent à chanter.

> « Salut à Toi, Soleil resplendissant et souverain,
> Nous vénérons Ta gloire, oh, Toi, le Très Saint !
> Veille sur nous jusqu'à ce qu'au ciel et alentour
> Tout soit beauté et tous reconnaissent Ton amour... »

Je sentis les larmes me monter aux yeux tandis que les voix pures s'entrelaçaient, me remémorant les jours où je chantais avec les autres vierges, en Avalon. Cela faisait bien longtemps que je n'avais pas invoqué la Déesse, mais le chant éveilla en moi un désir que j'avais presque oublié. L'hymne était destiné à Apollon – ou quel que fût le nom qu'au pays du Danube on donnait au Dieu Soleil. C'était la coutume, pour chaque empereur, d'exalter la déité qui était son patron, mais on disait qu'Aurélien souhaitait aller plus loin et proclamer que le soleil était l'emblème visible d'un seul être tout-puissant, le plus élevé des dieux.

À Avalon aussi, j'avais entendu cela, bien que ce fût la Grande Déesse en qui nous voyions la Mère de toutes choses. Mais on m'avait aussi enseigné que toute envie sincère d'adoration trouvait la Source derrière toutes les images, quel que soit le nom qu'elle porte, aussi je posai les mains sur mon ventre, fermai les yeux et la suppliai de m'accorder le droit de porter cet enfant jusqu'au bout, et qu'il naisse vivant et sain.

– Venez, dame Hélène, dit Vitellia. La cérémonie est terminée et vous n'avez sûrement pas envie de faire attendre votre seigneur. On dit que Constance est un homme promis à un bel avenir. Il faut que vous fassiez bonne impression à la fête.

J'avais espéré que Vitellia et moi serions assises côte à côte au banquet, mais Constance me conduisit à une couche sous le dais, alors que son mari et elle demeuraient au fond de la salle. Elle avait eu raison, pensai-je en le regardant parler avec l'empereur, tandis que je m'allongeais en dissimulant pudiquement mes chevilles. Il était clair que mon époux s'était gagné les faveurs d'Aurélien. J'essayai d'ignorer ce que se murmuraient les femmes assises non loin de nous. Constance ne m'aurait pas amenée ici sans la bénédiction d'Aurélien, et ce que l'empereur approuvait ne pouvait être réfuté par un commérage de femme, aussi élevé que fût son statut.

Sur la couche voisine était installé l'un des hommes les plus grands que j'aie jamais vus. Visiblement, c'était un Germain, les cheveux blond filasse, les culottes à bretelles croisées et la tunique à manches courtes qui montrait des bras musculeux. Mais autour du cou, il portait un torque d'or, et les psellions qui ornaient le haut de ses bras et ses poignets étaient aussi en or.

— Tu es dame Hélène ? demanda-t-il.

Je rougis en m'apercevant qu'il m'avait surprise en train de le regarder, mais cela ne semblait pas le déranger. Avec un tel physique, il devait avoir l'habitude d'attirer l'attention.

— Constance dit beaucoup de choses sur toi, ajouta-t-il.

Son accent était guttural, mais il parlait assez bien le latin, et j'en conclus qu'il avait longtemps servi dans la légion.

— Tu as participé à la campagne ?

— Dans le désert…, répondit-il avec une grimace en tendant un bras musclé dont la peau blanche était devenue rouge brique.

Je savais à quoi il faisait allusion. J'avais vite appris que ce n'était pas par pudeur, mais par nécessité que les femmes de ce pays devaient se voiler quand elles sortaient de chez elles.

— Je suis chef des forces auxiliaires… des lances alémaniques. Vous, les Romains, êtes incapables de prononcer mon nom, dit-il en souriant d'une oreille à l'autre. Aussi, je me fais appeler Crocus. Ton homme m'a sauvé la vie à Ancyra… et cela dépassait son devoir. Je lui ai prêté serment, moi et les miens.

Je hochai la tête, le comprenant mieux peut-être que n'aurait pu le faire une Romaine, et comprenant aussi que cette loyauté s'étendait à la famille de Constance.

— Merci. Mon père était prince d'une tribu anglaise, et je sais ce que cela signifie pour toi. J'accepte tes services… pour moi et mon enfant, ajoutai-je en posant la main sur mon ventre.

Crocus me salua avec un respect plus grand qu'auparavant.

— Je vois que c'est vrai, ce qu'il dit de toi.

Il s'arrêta en me voyant sourciller, puis poursuivit.

— Mon peuple sait que les femmes sont saintes, aussi quand il dit que tu es comme une déesse, je comprends que c'est vrai.

Que Constance pense cela ne me surprenait pas, mais ce genre de propos convenait à l'intimité d'une chambre à coucher. Je ne pus m'empêcher de me demander dans quel danger extrême cet homme et lui avaient dû se trouver pour que mon époux révèle ainsi son for intérieur. Mais j'avais déjà compris qu'il y avait des choses dont un soldat ne parlait pas à la maison, des choses que Constance s'efforçait d'oublier quand il était dans mes bras, et que je ne saurais sans doute jamais.

– Je fais le serment de te protéger et de te défendre contre tout ennemi, toi et ton enfant.

Le brouhaha des conversations s'était éloigné, nous laissant tous deux dans un grand silence. Je penchai la tête, les yeux voilés de larmes. Il y avait bien longtemps, semblait-il, que je ne m'étais servie des sens qui permettent à l'esprit de voir la vérité, mais bien qu'il n'y eût pas d'autel ici, ni de prêtre ni de sacrifice, je sus que les dieux avaient été témoins du serment de Crocus.

– Je m'aperçois que vous avez fait connaissance, tous les deux.

Constance était à côté de moi et je levai les yeux vers lui, en battant des paupières pour refouler mes larmes.

– Crocus m'a appris que tu lui as sauvé la vie, dis-je rapidement, pour qu'il ne se méprenne pas sur mon émotion – et je me poussai afin qu'il puisse s'allonger à côté de moi.

– T'a-t-il dit qu'il a aussi sauvé la mienne ?

Son sourire à Crocus l'avertissait de ne pas effrayer les femmes avec des histoires de soldats.

– Elle n'a pas besoin qu'on le lui dise.

Les sourcils de Constance se contractèrent, mais il préféra ne pas chercher plus loin. Il s'appuya sur un coude et montra du geste le dais.

– Aurélien honore tous les héros de la campagne… Je vois qu'il a fait mettre Maximien auprès de lui, en haut de table.

J'aperçus un costaud, à la toison brune grisonnante, aussi impressionnant qu'un taureau. Il avait l'air d'un cultivateur, ce que ses parents avaient été d'ailleurs, mais il était doué pour la guerre.

– Et Docles est à côté de lui, poursuivit Constance.

Le voisin de Maximien était un gros homme dont les cheveux roux s'éclaircissaient au-dessus d'un grand front. Une maîtrise rigide avait marqué de rides ses traits, en dépit, ou peut-être à cause de la couleur de ses cheveux.

– Il faut garder l'œil sur cet homme. Son père n'était que gardien de troupeau en Dalmatie, à moins qu'un dieu ne l'ait engendré. Il semble être né avec un talent pour la guerre, en tout cas, et c'est aussi un bon administrateur, don encore plus précieux chez un général.

– Et plus rare ? demandai-je.

Mais juste à ce moment, les esclaves vinrent nous servir le premier plat du banquet, et il s'abstint de répondre.

Constance reçut le commandement de la cohorte Prima Aurelia Dardanorum, qui tenait garnison à la confluence du Navissus et du Margus. J'avais espéré qu'il ferait la navette entre le fort et la maison qu'il avait louée pour moi à Naissus, mais au début de novembre, les Dardaniens [1] durent participer à la poursuite des Goths en retraite, et Constance, son bagage bourré de lainages contre le temps soudain glacial, partit pour le nord en me laissant.

Seule une mince ligne de collines protégeait Naissus des vents qui balayaient la plaine dénudée du Danube, des vents nés dans les steppes de la Scythie qui s'étaient seulement assez réchauffés pour ramasser un peu d'humidité en traversant la mer de Marmara. *Il va bientôt neiger*, pensai-je en m'enveloppant dans un châle. Toutefois, dans ce pays, on savait bâtir pour se protéger du froid et non seulement la maison disposait d'un hypocauste [2] qui faisait monter de l'air chaud des sols dallés, mais dans la grande salle que Constance avait choisie pour chambre à coucher, il y avait un vrai foyer. C'était pour cette raison qu'il l'avait louée, me dit-il, afin que la chaleur d'un feu de cheminée me rappelle mon pays natal.

Plus ma grossesse avançait, plus je passais de temps dans cette chambre. Il me semblait injuste que Constance, qui m'avait réconfortée durant les trois premiers mois, doive me laisser seule juste au moment où les malaises avaient disparu et où mon ventre commençait à s'arrondir. J'avais traversé la période où les femmes perdent le plus souvent leur enfant et j'étais maintenant certaine de porter ce bébé jusqu'au bout. De fait, je ne m'étais jamais sentie en si bonne forme. Quand le temps le permettait, je me rendais au marché avec Drusilla, au centre de la ville ; Philip, qui se montrait très protecteur, marchait derrière nous et Hylas nous précédait en gambadant.

---

1. Habitants de la Dardanie, région des Balkans qui correspondait à peu près à la Troade grecque (nord-ouest de l'Asie mineure) et dont Naissus était la capitale. *(NdT)*

2. Système de chauffage souterrain inventé au Iᵉʳ siècle par un Romain appelé Sergius Orata. *(NdT)*

Une nourriture copieuse et notre affection avaient transformé le petit chien : sa toison soyeuse était blanche et noire et la queue en panache qu'il agitait frénétiquement m'arrivait désormais presque au genou. Pour lui, le marché était un monde d'infinies possibilités, plein d'odeurs fascinantes et d'objets plus intéressants et plus odoriférants encore. C'était au pauvre Philip qu'incombait la tâche d'empêcher Hylas de les traîner jusque chez nous. Pour les membres humains de la maisonnée, le marché était une source de potins qui nous gardaient informés du progrès de la campagne.

Les Goths menés par le roi Cannabaudes semblaient être les derniers survivants de la grande invasion qui avait secoué l'Empire deux ans auparavant. Mais même à l'époque où Rome revendiquait encore la Dacie, ses montagnes septentrionales résistaient à la pénétration des légions. Les Goths s'étaient fondus dans les terres incultes comme neige au soleil. Cependant, avec l'arrivée de l'hiver, leur réserve de nourriture s'amenuisant, ils seraient désavantagés par rapport aux légions bien nourries.

Ou du moins, nous pouvions l'espérer. Penser à Constance en marche, mouillé et affamé, tandis que j'étais là, bien au chaud, devant un feu, me glaçait l'âme. Mais je ne pouvais rien pour l'aider. Seul mon esprit plein de tendresse se tendait pour traverser les lieues qui nous séparaient, comme si je pouvais ainsi lui apporter quelque réconfort.

Et plus l'hiver nous serrait la bride, plus il me semblait que je le touchais réellement en esprit. J'avais essayé de le faire, sans succès, lorsque Constance était en Syrie. Était-ce parce que je portais maintenant son enfant et que le lien entre nous s'était renforcé, ou bien ma grossesse réussie avait-elle restauré la confiance en moi que j'avais perdue en étant exilée d'Avalon ?

Je n'osais me poser trop de questions. Il me suffisait, dans les longues soirées d'hiver, de m'asseoir devant le foyer, de chantonner doucement en peignant mes cheveux et de laisser une vision de Constance prendre forme parmi les charbons de bois rougeoyants.

Par l'une de ces soirées, juste avant le solstice, alors que les soldats célébraient la naissance de Mithra, les visions que j'apercevais dans les braises devinrent d'une netteté inhabituelle. Un gros morceau de bois carbonisé se transforma en un versant de montagne et, en dessous, sur un affleurement, des brindilles incandescentes devinrent la palissade carrée d'un camp romain avec ses rangées de tentes. Je m'abandonnai, en souriant, à cette imagination. Constance était peut-être, en ce moment même, installé dans un camp comme celui-là. Je me penchai, souhaitant voir la tente dans laquelle il reposait...

Et soudain, je fus dans le camp, regardant les tentes tomber et des hommes courir, éclairés par les flammes de la palissade incendiée par les Goths qui l'envahissaient. Les pointes des lances dansaient comme des étincelles tandis que les Romains se ralliaient, et les épées dardaient comme des langues de feu. Je cherchai frénétiquement Constance et le trouvai dos à dos avec Crocus. Il se défendait avec son *pilum* [1], tandis que le grand Germain combattait avec une lance germanique plus longue, et leur vaillance avait fait le vide autour d'eux.

Mais à eux deux, ils ne pouvaient vaincre l'armée ennemie tout entière et le reste des Romains s'en tirait mal. Les Goths étaient si nombreux ! À présent, un autre contingent ennemi se dirigeait vers Constance. Instinctivement, je me précipitai au-devant d'eux avec un cri inarticulé. Je ne sais pas si les Goths me virent, mais ils reculèrent.

Soudain, je me souvins d'un fragment de l'enseignement d'Avalon, qui nous avait été présenté comme une curiosité historique, car nous n'en avions plus l'usage. Dans les temps anciens, les druidesses avaient dû enseigner la magie de la bataille, des invocations qui protégeaient les guerriers, et le cri de la Déesse Corbeau qui avait le pouvoir de faire perdre son courage à l'ennemi.

C'est ce cri que je sentis monter dans ma poitrine, un cri de rage, de désespoir, de refus absolu. J'étendis les bras, ils devinrent des ailes noires qui me soulevèrent tandis que la fureur me remplissait l'âme et le corps.

Les Goths levèrent les yeux, bouches bées, faisant le signe qui conjure le mal, lorsque je descendis en piqué sur eux. Ce n'étaient pas des Romains, capables de faire des divinités avec les abstractions, et de leurs déités des principes abstraits. Ils savaient que le monde des esprits est réel...

— *Waelcyrige ! Haliruna !* crièrent-ils tandis que je fondais sur eux.

---

1. Lourd javelot utilisé le plus souvent comme arme de jet. *(NdT)*

Alors, j'ouvris la bouche et le cri qui sortit de mes lèvres les priva de leurs sens, et moi de ma conscience.

Lorsque j'ouvris les yeux, Drusilla et Philip étaient penchés sur moi, le visage blême de peur.

– Ma dame, ma dame ! Que s'est-il passé ? Nous avons entendu un cri...

Je les regardai, pensant que je ne voulais pas que l'amour avec lequel ils me servaient se transforme en crainte.

– Un cauchemar, je pense, murmurai-je. J'ai dû tomber endormie devant le feu.

– Vous allez bien ? L'enfant est-il...

Brusquement alarmée, je posai la main sur mon ventre, mais tout allait bien.

– C'est le fils d'un soldat, réussis-je à articuler avec un sourire. Il lui faudra plus qu'un petit bruit pour l'effrayer.

Les Goths, eux, avaient été épouvantés, pensai-je avec satisfaction, si ce dont je me souvenais avait été une vraie vision et non un rêve.

Après cela, j'envoyai Philip au marché chaque matin pour y chercher des nouvelles, jusqu'à ce nous parvienne une lettre de Constance me disant qu'il allait bien, et qu'il ne fallait pas que je m'inquiète si j'avais entendu dire qu'il y avait eu une bataille. Il était indemne et le roi des Goths, Cannabaudes, avait été tué au cours du combat. À ce propos – et là, j'entendis presque le rire gêné des Romains lorsqu'ils pensaient que les pouvoirs qu'ils vénéraient pouvaient s'avérer réels – Crocus disait que l'ennemi avait été mis en déroute par une déesse qui me ressemblait...

La première fois que nous nous étions unis, lors du grand rite, Constance avait vu en moi la Déesse ; et cela s'était reproduit la nuit où j'avais conçu mon enfant. Pourquoi alors, me demandai-je, était-il surpris ?

Les Romains, pensai-je en m'enveloppant dans mon châle, avaient tendance à tomber dans une erreur ou son contraire – soit tenir que le monde visible n'était qu'un reflet imparfait de l'Idéal que le philosophe cherchait à transcender, soit vivre dans un monde de forces imprévisibles qu'ils devaient constamment se concilier. L'un méprisait le monde tandis que l'autre le craignait, et les chrétiens, avais-je entendu dire, faisaient les deux, invoquant leur dieu pour être sauvé de son propre jugement.

Mais tout le monde croyait aux présages. Si Constance n'avait pas subvenu à mes besoins, j'aurais pu grassement gagner ma vie comme voyante, en utilisant le savoir-faire acquis à Avalon. Et quel augure, me demandai-je alors, devais-je tirer de ma vision de la bataille ? Je posai la main sur mon ventre et souris lorsque je sentis l'enfant bouger.

Est-ce ton esprit valeureux qui m'a inspirée, mon tout-petit ? Tu seras sûrement un grand général, si tu aides à gagner des batailles avant même d'être né !

Devais-je le croire ? Je n'avais pas peur du monde, mais je ne le rejetais pas non plus. Nous avions appris une troisième voie, à Avalon. Ma formation là-bas m'avait enseigné à sentir l'esprit en toute chose, et à reconnaître que la plus grande partie du monde poursuivait son chemin sans s'intéresser à l'humanité. Le corbeau qui croassait sur le toit ne savait pas que l'homme qui l'écoutait entendait un message – c'était l'esprit de l'homme qui devait être modifié afin d'y découvrir une signification, pas celui de l'oiseau. L'esprit agissait par l'intermédiaire de toutes les choses ; apprendre à vivre en harmonie avec cette action, c'était la Voie du Sage.

Le bébé s'agita une fois encore dans mon ventre, et je ris, comprenant de nouveau pourquoi nous voyions une Déesse lorsque nous cherchions à donner un visage au Pouvoir Tout-Puissant. À présent que mes premiers mois d'adaptation à la grossesse étaient passés, je ne m'étais jamais sentie si bien de toute ma vie. Rassasiée et comblée, j'étais en même temps pleinement consciente de mon corps et de la force de vie qui coulait en toutes choses.

Tandis que l'hiver progressait et que mon ventre grossissait, mon euphorie se calma quelque peu car je compris pourquoi la Déesse avait parfois envie de laisser sa création se débrouiller seule. Bien que je fusse très fière de mon rôle de corne d'abondance humaine, cela m'aurait parfois bien soulagée de pouvoir, de temps à autre, déposer mon ventre fertile. Lorsque Constance et les Dardaniens revinrent de leur campagne, au début du deuxième mois de l'année, il me sembla que j'aurais pu poser pour la statue de Thouéris, la déesse hippopotame égyptienne qui veillait sur la gestation [1].

Apprenant mon état, les épouses des compagnons officiers de Constance s'étaient empressées de m'apprendre toutes les histoires de parturitions dramatiques que l'on pouvait trouver dans ce qui, visiblement, était un florilège abondant, tout en m'offrant de bon cœur les services de médecins égyptiens et de sages-femmes grecques. Lorsque j'étais encore à Avalon, ce sujet ne faisait pas partie de mes spécialités, mais heureusement, il était abordé lors de notre formation de guérisseuse. Quand je m'éveillais avant l'aube, encore tremblante de quelque cauchemar d'accouchement saboté, j'en savais assez pour calmer mes pires effrois.

La sage-femme que je choisis, appelée Marcia, qui jouissait d'une bonne réputation parmi les épouses de la ville, me fut recommandée par Drusilla. Cette femme robuste, prosaïque, pourvue d'une ample poitrine et de frisettes auburn, insistait pour que les futures mères viennent la consulter avant l'accouchement, et ne consentait à travailler qu'avec celles qui acceptaient de suivre ses directives concernant le régime alimentaire, l'exercice et le repos.

Quand elle eut mesuré mon tour de hanches et calculé la date de la délivrance, Marcia me recommanda l'activité physique. L'enfant était déjà grand, me dit-elle, et la naissance serait plus facile si je pouvais accoucher tôt. Je compris ce qu'elle ne disait pas. Quand un enfant était trop gros, on avait le choix entre aller le chercher en ouvrant le ventre de la mère, comme pour la naissance du grand César, dit-on, ou démembrer l'enfant pour l'extraire de la matrice. C'est alors que je commençai à faire des offrandes à Eilythia pour qu'elle m'accorde un bon accouchement. J'étais prête à mourir pour le bien de l'Enfant de la Prophétie, mais s'il fallait choisir entre nous deux, je savais que Constance souhaiterait me sauver.

Alors, février avançant, je me rendais au marché avec Drusilla tous les matins, descendais le cours de la rivière et revenais par la colline chaque après-midi, sans tenir compte des froncements de sourcils inquiets de Constance. En dépit de petits élancements, signes que ma

---

1. On lui prêtait un corps d'hippopotame, une tête de crocodile, des pieds de lion et des bras humains. *(NdT)*

matrice se préparait à sa tâche, je marchais par les rares jours de pâle soleil, même sous la pluie, et même lorsque celle-ci se transformait en neige fondue ou en vrais flocons.

– Tu n'entraînes pas tes soldats en les gardant oisifs au camp, disais-je à Constance. C'est ma bataille et j'ai l'intention d'y arriver en aussi bonne forme que possible.

Le vingt-septième jour de ce mois, comme je revenais de la colline à notre maison, je glissai sur un pavé mouillé et tombai rudement sur le sol, assise. Comme Drusilla m'aidait à me relever, je sentis les eaux chaudes jaillir de la matrice pour se mêler à celle, froide, qui trempait ma robe, et la première douleur du travail se manifesta.

La maisonnée caqueta et s'agita autour de moi, prise de panique, alors que j'avais justement espéré ce genre d'incident. Tandis que l'une des servantes se précipitait pour aller quérir Marcia et que Philip prenait un cheval pour se rendre à la forteresse prévenir Constance, je m'allongeai sur le lit avec un sourire de triomphe, jusqu'à ce que la contraction suivante arrive.

Mon temps était venu tôt, mais ma matrice, une fois commencé le travail, ne parut pas pressée d'expulser son contenu. Pendant toute la journée et la nuit qui suivirent, les contractions continuèrent. L'amnésie clémente qui permet à une femme qui a mis un enfant au monde d'affronter une fois de plus cette perspective a estompé mes souvenirs de la plus grande partie de cette épreuve. En fait, parfois les pères s'en rappellent de façon si frappante qu'ils craignent de laisser leurs épouses la subir à nouveau.

Si je n'avais pas été en si bonne santé, je pense que je n'aurais pas survécu, et malgré cela, comme le deuxième jour s'écoulait et que mes douleurs, au lieu de se rapprocher, commençaient à ralentir, les femmes qui m'assistaient prirent un air grave. Je me souviens avoir dit à Marcia que si le choix venait à se poser, elle devait m'ouvrir et sauver l'enfant. La pluie s'était arrêtée et la lumière du soleil qui, passant à l'ouest, entrait par la fenêtre, enflamma ses cheveux.

– Non, dit-elle alors. Il est vrai qu'une fois que les eaux ont coulé, la naissance ne doit pas trop tarder, mais n'aie pas peur de laisser ton corps se reposer un peu. J'ai encore un ou deux tours dans mon sac, qui peuvent remettre les choses en route.

Dans l'état d'épuisement où je me trouvais, j'avais du mal à la croire. Je fermai les yeux, grimaçant lorsque l'enfant me donnait des coups de pied. Ce devait être dur pour lui aussi d'être piégé dans un sac qui se resserrait et l'introduisait de force dans un passage trop étroit pour ses épaules. Mais il n'avait plus le choix, à présent, ni moi non plus.

— *Déesse, est-ce que cela a été aussi terrible pour Toi lorsque Tu as donné naissance au monde ?* criai-je en silence. *J'ai constaté la passion qui pousse Tes créatures à se reproduire. Aide-moi à accoucher de cet enfant ! Je te donnerai tout ce que tu me demanderas !*

Et il me sembla alors que, des tréfonds de ma douleur, venait une réponse.

— *Tout ce que je te demanderai ? Même si cela signifie que tu dois le perdre ?*

— *Du moment qu'il reste en vie !* répliquai-je.

— *Tu le garderas, et tu le perdras. Il piétinera ton cœur en poursuivant sa destinée. Les changements qu'il apportera, tu ne peux ni les prédire ni les contrôler. Mais tu ne dois pas désespérer. Même lorsqu'ils apportent la douleur, la croissance, le changement et les altérations font partie de Mon plan, et tout ce qui est perdu reviendra un jour...*

J'étais déjà en proie à la douleur et ne pouvais comprendre. Je ne connaissais plus que la nécessité de mettre mon enfant au monde. Je fis un signe d'assentiment et soudain je fus de retour dans mon corps. Marcia portait à mes lèvres une coupe de tisane dont l'amertume était perceptible, malgré le miel qu'elle y avait mêlé. J'essayai d'identifier les herbes, mais ne saisis que le goût astringent de l'achillée et du cèdre rouge.

Quoi que ce fût, dès que la potion arriva dans mon estomac vide, son action commença. Les contractions revinrent avec une violence déchirante qui engloutit mon intention de ne pas crier. Encore et encore, je fus tenaillée par la douleur, mais maintenant je discernais en elle une sorte de rythme. Marcia m'amena au tabouret de naissance et me donna un tampon d'étoffe à mordre. Drusilla se posta derrière moi, les jambes écartées, et les servantes me prirent chacune par un bras. J'appris plus tard que je m'étais agrippée si fort à leurs poignets qu'elles en gardèrent des meurtrissures, mais je n'en fus pas consciente, sur le moment.

Je sentais le sang chaud couler goutte à goutte et l'huile chaude avec laquelle Marcia me massait.

– Tu fais comme il faut, me dit-elle. Quand le moment va venir, pousse de toute tes forces !

Alors la main géante me serra une fois de plus et je poussai, sans plus m'occuper si quelqu'un m'entendait crier. Encore et encore, le cri vint, jusqu'à ce que je pense que j'allais me déchirer en deux.

– J'ai la tête, dit Marcia.

Une dernière convulsion me tordit et le reste de l'enfant glissa hors de moi, enfin libre. Un corps violacé, gigotant, indubitablement mâle, se balança devant mes yeux tandis que la sage-femme le soulevait, et alors la pièce résonna d'un rugissement de protestation aussi fort, sûrement, qu'aucun des miens.

Je sentis vaguement qu'on me ramenait au lit. Des femmes s'affairèrent autour de moi, me bourrant de linges pour arrêter le saignement, me lavant, changeant la literie. Je prêtai peu d'attention à leur bavardage. Que m'importait d'avoir été trop déchirée pour porter un autre enfant... celui-là vivait ! Je pouvais entendre ses cris vigoureux, même de la pièce voisine où on l'avait emporté.

Un visage apparut au-dessus de moi. C'était Sopater, avec un homme en robe de prêtre chaldéen, un astrologue, m'avait-on dit.

– Ton fils est né cinq heures après midi, dit Sopater. Nous avons déjà un horoscope préliminaire. Mars est dans la constellation du Taureau et Saturne dans celle du Lion. Cet enfant sera un guerrier, opiniâtre dans la défaite et inflexible dans la victoire. Mais Jupiter règne dans le signe du Cancer et là aussi se trouve sa Lune – ton fils prendra grand soin de sa famille. Mais par-dessus tout, le Verseau régnera, s'élevant avec sa Vénus et son Soleil.

Je hochai la tête et il s'en retourna. J'entendis tinter des coupes et compris que dans la pièce voisine, on buvait à la santé du bébé. Comme c'était injuste, pensai-je alors. C'était moi qui avais fait tout le travail ! Mais c'était la coutume, quand un homme reconnaissait son fils, et je devais m'en réjouir.

Pour les Romains, j'étais une enfant illégitime ; mon père m'avait reconnue à la manière anglaise, mais il n'avait jamais pris la peine de faire rédiger des papiers d'adoption, m'ayant toujours destinée à Avalon. Selon la loi romaine, j'étais la *concubina* de Constance, relation juridiquement reconnue quoique d'un statut inférieur à un mariage officiel. Mais même si nous avions été mariés *conferreatio*, dans le style patricien plus ancien et plus formaliste, il aurait tout de même fallu que mon mari proclame que ce bébé était le sien et qu'il décide s'il devait vivre.

Comme je reposais dans le lit, trop épuisée pour ouvrir les yeux, pourtant encore tendue, excitée, l'idée me vint qu'il était mauvais que l'homme eût ce pouvoir. Ce n'était pas lui qui fabriquait l'enfant de sa propre chair, ni lui qui le nourrissait. Un souvenir me revint d'Avalon, du temps où, avec les autres vierges, j'écoutais Cigfolla nous enseigner le savoir-faire d'une sage-femme.

La femme des anciens temps possédait une liberté à laquelle nous ne prétendions plus. Si elle avait eu trop d'enfants, ou pas assez de force pour en élever un autre, ou si le nourrir privait la tribu au mauvais moment de l'année, elle pouvait regarder l'enfant en face, avancer la main et renvoyer cet enfant dans le néant comme s'il n'était jamais né.

Couchée dans mon lit, à écouter le murmure des hommes dans la pièce voisine, je compris le sens de cet acte comme je ne l'avais pas fait étant plus jeune. Je pris conscience alors qu'une femme n'est jamais libre de porter un enfant à moins d'être également libre d'avorter. Un homme doit savoir qu'il respire parce que sa mère a regardé son visage et a vu que sa présence au monde était bonne et a décidé librement de le nourrir. Il ne faudrait pas que cet enfant, qui était là parce que j'avais abandonné tant de choses pour le concevoir et le mettre au monde, oublie qu'il me devait la vie.

Les hommes revinrent alors dans la chambre et on me mit mon petit garçon dans les bras. Constance nous considéra tous deux. Son visage portait les marques d'une angoisse qui, je suppose, avait dû être l'écho de ma propre douleur, mais ses yeux brillaient de joie.

— Je t'ai donné un fils, chuchotai-je.

— C'est un beau garçon, répondit Constance, mais il n'aurait su compenser ton absence, si j'avais dû te perdre ! Nous l'appellerons Constantin.

Je regardai le duvet doré de la tête du bébé dont la courbure reproduisait la rondeur du sein contre lequel il se blottissait, déjà affamé.

D'après la loi, il était peut-être l'enfant de son père, mais c'était moi qui, par mes soins ou ma négligence, déciderais de sa survie.

Et il survivrait ! Pour l'amour de cet enfant, j'avais souffert en le mettant au monde ; j'avais abandonné Avalon et tous ceux que j'aimais là-bas. Il devait être digne de vivre pour justifier tant de souffrance ! Néanmoins, tandis que je l'allaitais, me souvenir que chaque femme avait en elle-même l'immense pouvoir de donner la vie – ou de la refuser – m'apporta une satisfaction secrète.

X

282 après J.-C.

L'année où Constantin eut dix ans, nous élîmes domicile dans le vieux palais de Sirmium. Depuis sa naissance, nous nous étions déplacés à chaque changement d'affectation de Constance, qui parvint non seulement à survivre, mais encore à monter en grade au milieu des bouleversements qui avaient suivi l'assassinat d'Aurélien, quand Constantin avait deux ans. La mort de l'empereur me bouleversa, car j'en étais venue à respecter le petit homme dont l'ordre nous avait arrachés à l'Angleterre pour nous précipiter dans cette nouvelle vie. À Aurélien avait succédé Tacite [1], à Tacite, Florianus [2], et à ce dernier, Probus [3], et dorénavant nous avions tous appris à n'accorder au porteur actuel de la pourpre qu'une courtoisie lasse.

Probus s'avéra efficace dans ses nouvelles fonctions en mettant fin aux invasions barbares en Gaule, et en recrutant les Burgondes et les Vandales vaincus pour en faire des forces fédérées qu'il envoya en Angleterre afin de réprimer une révolte suscitée par le gouverneur même de ce pays. J'en comprenais la nécessité militaire, mais mon cœur s'affligeait à l'idée qu'un Romain avait lâché une horde barbare

---

1. Soi-disant descendant de l'historien, il fut désigné par le Sénat en 275 puis assassiné au bout de quelques mois par ses soldats. *(NdT)*

2. Ou Florien, frère utérin du précédent, qui ne tint que quelques semaines avant d'être également tué par ses soldats. *(NdT)*

3. Chef de l'armée d'Orient, valeureux général, proclamé empereur par ses soldats en 276, qui fut, malgré ses grandes qualités d'administrateur (mise en valeur du sol, culture de la vigne en Gaule et en Espagne), massacré à son tour par ses soldats en 282, puis divinisé quatre ans après. *(NdT)*

contre mon pays natal. Quand Probus fit de Constance l'un de ses tribuns et nous expédia à Sirmium, j'eus du mal à m'en réjouir.

Constantin avait été très excité en apprenant que nous allions vivre dans un palais. Mais à l'époque, j'avais acquis une certaine expérience de maîtresse de maison et aurais été bien plus heureuse dans une petite villa douillette des faubourgs d'une ville, de construction récente. Or le palais que Probus avait choisi pour quartier général avait été édifié par Marc Aurèle. On se demandait quand il avait été restauré pour la dernière fois. De sinistres taches d'humidité défiguraient les fresques murales et les souris avaient grignoté les tentures.

L'empereur décréta qu'il vivrait là avec son état-major. Et puisque Constance était l'officier le plus gradé accompagné d'une épouse, je fus chargée de rendre le palais habitable. J'essuyai mon front en sueur, car c'était l'un des jours les plus torrides d'un été caniculaire, et ordonnai aux servantes de changer l'eau avec laquelle elles récuraient le mur.

– Quand je serai grand, je bâtirai de *nouveaux* palais, avait décrété Constantin lors de notre arrivée ici.

Je le croyais. Quand il était petit, il construisait des forteresses avec notre mobilier. En ce moment, il contraignait, sous la menace, les enfants des autres officiers à édifier pour lui des bâtiments dans les jardins – des tentes et des cabanes de jeux protégées par des fortifications qu'il dressait avec une précision toute militaire.

J'entendais les éclats de rire de leurs jeunes voix, et les commandements beuglés de mon fils qui les surpassaient toutes. Atticus, l'esclave grec que nous avions acheté pour qu'il serve de précepteur à Constantin, leur avait accordé un après-midi de congé, disant qu'il faisait trop chaud pour leur imposer des cours. Jouer était apparemment une autre affaire. Les petits garçons semblaient travailler plus volontiers que les soldats que l'empereur avaient désignés pour creuser des fossés dans les marais, au pied de la ville.

– Peut-être sera-t-il ingénieur pour les légions, avait déclaré Constance en rentrant à la maison la veille au soir, après avoir évalué le projet d'un œil expérimenté.

Mais je doutais que notre enfant se satisfît de la construction de murailles aux normes militaires, ou du drainage des marécages. Quoi que Constantin créât, cela refléterait sa propre vision du monde.

On avait ouvert les portes de la salle à manger sur le jardin dans l'espoir d'y faire entrer un peu d'air. Au moins, ici, sur la partie la plus élevée de la limite méridionale de la cité, on pouvait s'attendre à un peu de brise. Derrière le mur du palais, le sol descendait en pente jusqu'au Savus. En bas, où plusieurs centaines de légionnaires suaient au soleil, on devait étouffer. Au moins, Constance n'était pas obligé de travailler dur avec une pelle, mais je savais qu'il serait brûlant et assoiffé lorsqu'il rentrerait.

Même les enfants seraient peut-être bien contents de cesser leur jeu pour avaler quelque chose de frais. Je dis aux servantes qu'elles pouvaient se reposer un peu et j'envoyai l'une d'elles chercher à la cuisine le pichet de sirop d'orgeat.

Près du mur, au fond du jardin, Constantin dirigeait deux autres enfants qui soulevaient une structure en osier tressé, destinée à servir de toit à la cabane qu'ils avaient édifiée. Comme toujours, la vue soudaine de mon fils me coupa le souffle, mais là, sous la forte lumière du soleil qui faisait resplendir ses cheveux blonds, il avait l'air d'un jeune dieu. Il serait grand, comme mon père, mais il avait la forte ossature de Constance – il était déjà plus grand que les garçons de son âge.

Ce sera un homme splendide, avait déclaré Drusilla pour me consoler quand il devint évident que je ne mettrais plus d'autre enfant au monde. Mais, voyant les femmes de mon âge vieillies par de constantes grossesses, j'avais compris qu'il valait mieux que je m'en réjouisse. Et avec un tel fils, à quoi bon souhaiter d'autres enfants ?

– Non, ça n'est pas tout à fait ça…, dit Constantin, les mains sur les hanches, la tête penchée sur le côté. Il faut tout démonter.

– Mais Cons…, protesta le plus jeune de ses aides, le fils d'un des centurions qu'on appelait Pollio, on vient juste de le monter !

Je souris en entendant le diminutif. Dans ma langue, *cons* voulait dire « chien de chasse ».

– Et il fait si chaud, ajouta l'autre garçon, Marinus, qui venait d'une famille de commerçants de la ville. On pourrait se reposer à l'ombre jusqu'au coucher du soleil et finir le toit après.

– Mais ça ne *va pas* ! insista Constantin, qui ne les comprenait pas. La pente doit avoir un certain angle, ou il sera mal équilibré…

J'étais désolée pour lui. Il voyait si clairement le résultat dans sa tête, et la réalité ne cessait de rogner les ailes de ses rêves. Eh bien, la vie lui apprendrait bien assez tôt qu'on ne peut pas toujours ordonner le monde à son gré, pensai-je, me souvenant de ma propre enfance. Laissons-lui ses illusions tant que ce sera possible.

Mais il faisait *vraiment* chaud. Même Hylas, qui généralement gambadait comme un chiot sur mes talons quand nous allions dehors, s'était affalé de tout son long à l'ombre du treillis en osier incriminé, et haletait.

– Je vous ai apporté du sirop d'orgeat pour vous rafraîchir, les interrompis-je, prenant les deux plus jeunes en pitié. Quand vous l'aurez bu, peut-être la tâche semblera-t-elle plus facile.

Je remplis les coupes des garçons au pichet suintant et emportai la mienne jusqu'au mur, m'arrêtant pour verser quelques gouttes devant la statue de la nymphe du jardin dressée sur son autel. Il m'avait fallu un certain temps pour m'habituer à l'obsession des images qu'avaient les Romains, comme s'il leur fallait un repère pour savoir si quelque chose était sacré. Mais l'autel servait aussi à évoquer mes souvenirs et parfois, le soir, je sortais passer une heure dans sa compagnie.

Derrière le mur, le terrain descendait en pente dans un fouillis de verdure. Entre la côte et le coude scintillant de la rivière, les marais miroitaient de brume de chaleur, déformant les silhouettes des hommes qui travaillaient aux fossés et la grande colonne de la tour que l'empereur avait fait dresser pour s'y asseoir et observer leurs progrès. Par ce temps, la tour renforcée de métal ne devait pas être confortable.

J'imaginai Probus, sec et nerveux, aussi obsédé par son projet dans les marais que mon fils par son travail dans le jardin. Encore un idéaliste – tout le monde avait entendu parler du projet de l'empereur : recruter des auxiliaires étrangers pour garder les frontières. Si Probus arrivait à ses fins, l'Empire n'aurait plus besoin de taxer ses citoyens pour entretenir une armée permanente. Alors, peut-être pourrais-je persuader Constance de se retirer en Angleterre où mon amie Vitellia et son époux étaient partis.

À l'ombre du tilleul, les tuiles qui couvraient le haut du mur étaient assez fraîches pour que je m'appuie dessus, mais la lumière du soleil qui filtrait entre les feuilles me faisait transpirer sous ma robe mince. *Même les esclaves n'auraient pas dû travailler par une chaleur pareille*, pensai-je en mettant ma main en visière au-dessus de mes yeux. Je me demandai comment Probus avait fait pour persuader ses hommes.

Toutefois, ceux qui étaient dans les marais bougeaient avec une énergie étonnante et, même s'il était difficile d'y voir clairement, une certaine agitation semblait régner au pied de la tour. Mon cœur s'accéléra, bien que rien de particulier ne m'apparût. Tandis que j'observais, le balancement de la tour s'accentua : pendant un instant, elle pencha, puis des tourbillons de poussière s'élevèrent en un nuage brun grisâtre quand elle s'effondra.

— Qu'est-ce qui se passe ? demanda Constantin, à mes côtés, comme si ce sens qui nous reliait depuis bien avant sa naissance lui communiquait mon malaise.

— Écoute…

Le fracas métallique des plaques de fer qui avaient recouvert la tour résonnait encore dans l'air lourd. À présent, un autre bruit grandissait, un rugissement sorti de nombreuses gorges que j'avais entendu la fois où j'étais allée avec Constance assister aux jeux des gladiateurs dans l'amphithéâtre de Naissus. Le bruit que fait une foule lorsqu'un homme tombe.

J'eus l'impression que la foule tourbillonnait en direction de la route. Soudain, je me retournai.

— Pollio, Marinus, il se passe quelque chose de grave dans les marais. Je veux que vous retourniez chez vous *tout de suite* !

Sans le vouloir, j'avais utilisé la voix de commandement acquise à Avalon. Mon fils me regarda fixement lorsque les petits garçons, les yeux écarquillés, posèrent leurs coupes et s'en allèrent en courant.

— On ne peut pas rester ici, dis-je à Constantin. Ils sauront où l'empereur garde le coffre de la solde. Va… prépare un sac de vêtements de rechange, et les livres que tu peux emporter dans un seul balluchon.

J'appelai déjà Drusilla et les servantes.

— Mais pourquoi devons-nous fuir ? protesta Constantin tandis que je conduisais mes gens sur la route.

Les servantes pleuraient, serrant leurs paquets dans leurs bras, et Drusilla avait un air funeste.

— L'empereur va sûrement mettre fin à l'émeute avant qu'elle aille trop loin, dit-elle.

— Je suppose que l'empereur est mort, et que c'est pour cela que les soldats se révoltent, répliquai-je.

Philip fit le signe de croix et je me souvins qu'il fréquentait l'église chrétienne de la ville.

Constantin s'arrêta soudain, les yeux fixes, et je tendis le bras pour l'entraîner. Il savait, en théorie, que la plupart des empereurs ne régnaient pas longtemps, mais Probus était le seul dont il pouvait vraiment se souvenir, un homme qui, dans ses rares moments de loisir, avait joué aux dames avec lui.

— Mais, et Père ? dit-il.

À présent, c'était lui qui me poussait à avancer. Bien que mon fils fût aussi proche de moi que mon propre battement de cœur, c'était Constance qu'il idolâtrait.

Je réussis à sourire, bien que sa question me nouât le ventre depuis que j'avais compris ce qui se passait.

— Ce n'est pas lui qui leur a ordonné de travailler dans cette chaleur. Je suis certaine qu'ils ne lui feront pas de mal, dis-je vaillamment. Viens. La *basilica* a des murs solides, et rien qui vaille d'être pillé. Nous y serons en sécurité.

Nous faillîmes arriver à temps. L'émeute explosa avec une célérité volcanique et, le temps que nous arrivions au Forum, les premières bandes de soldats exaspérés se livraient déjà à des actes de violence dans toute la ville. Certains d'entre eux avaient peut-être été sous les ordres de mon époux – des hommes que j'avais soignés quand la dysenterie avait envahi le camp, l'hiver précédent. Mais ils s'étaient déjà arrêtés dans les tavernes et le vin non coupé d'eau des outres qu'ils portaient noyait rapidement le peu de raison que la soif de sang leur avait laissée.

Lorsque mon petit groupe émergea du péristyle qui entourait la place, une bande d'une vingtaine d'hommes descendait la rue principale, leurs sandales cloutées claquant sur les pavés. En une seconde, nous fûmes encerclés. Hylas se mit à aboyer furieusement, luttant pour se dégager des bras de Drusilla.

Nous aurions dû rester au palais ! pensai-je, désespérée. *Nous aurions pu nous cacher dans les écuries…* Puis je vis Constantin chercher à tâtons la dague de Parthie que son père lui avait donnée pour son dernier anniversaire et se mettre devant moi.

– Ne fais pas un geste ! sifflai-je entre mes dents lorsque l'un des soldats porta la main sur moi, arrachant de ma tunique la fibule qui la tenait à l'épaule si bien qu'elle tomba, laissant l'un de mes seins nu.

Brusquement, les hommes s'immobilisèrent, le désir les clouant sur place comme l'éclair. Dans une seconde, ils allaient tuer mon fils et me jeter à terre, jambes écartées. Le viol, je pouvais l'endurer, mais pas la perte de l'enfant pour lequel j'avais renoncé à Avalon !

– Déesse ! criai-je en anglais. Sauve Ton Élue !

Et tandis que mes bras se levaient pour l'invocation, il me sembla qu'un grand vent nous balayait et emportait ma conscience dans un tourbillon.

Comme de très loin, j'entendis une voix trop sonore pour être humaine lancer des malédictions ; elle provenait d'une silhouette qui semblait plus grande d'une bonne tête que les êtres minuscules qui l'entouraient, une silhouette qui irradiait de la lumière. Un grand chien de chasse se tenait à côté d'elle, grognant comme le tonnerre. Elle tendit les mains vers ses assaillants piteux qui reculèrent, tombant les uns sur les autres dans leur hâte à s'éloigner. La déesse fit signe de la suivre à ceux qu'elle défendait et les mena vers la *basilica*. Quand elle en atteignit la porte, elle se retourna, dessinant un cercle dans l'air comme pour revendiquer tout cet endroit pour sien.

Dans la seconde qui suivit, je me sentis tomber, toute force abandonnant mes membres tandis que je retournais dans mon corps et m'effondrais sur le sol.

Moitié me tirant, moitié me portant, mes serviteurs m'emportèrent à l'intérieur au milieu de toutes sortes d'exclamations. Il me fallut un certain temps pour retrouver mon souffle et les calmer suffisamment pour pouvoir parler avec Constantin.

– Ils auraient tué ma mère ! dit-il d'une voix rauque, s'accrochant à moi comme il ne l'avait pas fait depuis qu'il était petit.

Ce n'était pas le moment de lui faire remarquer qu'en ce qui me concernait, les émeutiers ne pensaient pas au meurtre mais à autre chose.

– Tout va bien, dis-je pour l'apaiser. Nous sommes en sécurité maintenant...

– Personne n'est en sécurité si l'empereur a perdu tout pouvoir, murmura-t-il. Cela n'aurait pas dû arriver. Je suis jeune, et ils étaient trop forts pour moi, mais je te le jure, mère, je ne permettrai pas que de telles choses se produisent lorsque je serai grand !

Je secouai la tête, pensant combien il avait encore beaucoup à apprendre. Puis je l'étreignis, le serrant contre moi.

– Quand tu seras grand, tu y mettras bon ordre ! murmurai-je pour le réconforter, et ce n'est qu'après l'avoir dit qu'il me vint à l'esprit que même cela serait possible à l'Enfant de la Prophétie.

La nuit vint, et avec elle le reste des légionnaires qui cherchaient à noyer dans le vin et la violence le souvenir de leurs forfaits. Si des officiers avaient survécu, comme nous, ils avaient trouvé un refuge dans lequel se cacher. Je croyais que Constance était parmi eux. Je l'aurais certainement su si la mort avait brisé le lien qui nous unissait. Au sud, là où les riches avaient construit leurs demeures autour du palais, on pouvait voir des flammes, et j'avais sans doute eu raison de conduire mes gens ici. Certains boutiquiers et les scribes qui travaillaient à la *basilica* étaient là lorsque nous arrivâmes, aussi étions-nous une trentaine en tout.

Quand, pour un temps, les bruits de destruction et les cris de joie se calmèrent, j'entendis chanter dans l'église chrétienne.

– *Kyrie eleison, Christe eleison…*

– Seigneur, prends pitié, chuchota Philip derrière moi.

Ils n'avaient pas plus de moyens de défense que les moutons dont ils parlaient si souvent dans leurs chants, mais même des soldats ivres savaient qu'il n'y avait là rien d'intéressant à piller. Je pris en pitié toutes les pauvres âmes qui n'avaient aucun refuge, car le légionnaire romain, qui pouvait combattre comme un héros lorsqu'il était tenu par la discipline, était, une fois lâché, plus proche de la bête que n'importe quel barbare.

Pendant toute la nuit, nous nous blottîmes les uns contre les autres dans la *basilica*, assis le dos contre le mur, et, bien que ce fût la saison où la nuit était la plus courte, à nous elle parut interminable. Mais pour finir, je dus sommeiller, les larges épaules de Constantin sur mes genoux, comme si, dans cette situation extrême, il était redevenu un petit enfant. En rouvrant les yeux, je vis une pâle lueur traverser les hautes fenêtres. La ville, au-dehors, avait retrouvé le calme.

Constantin remua dans mes bras et se redressa, en se frottant les yeux.

– J'ai soif, dit-il.

Il regarda, en clignant des paupières, nos compagnons qui commençaient aussi à se réveiller.

– Je vais y aller, dit Philip – et quand j'ouvris la bouche pour l'en empêcher, il secoua la tête. La plupart des soldats ont dû finir par tomber endormis et cuver leur vin, et les autres le feront bientôt. Pourquoi me voudraient-ils du mal ?

Je soupirai et acquiesçai d'un signe de tête. Philip n'était plus aussi maigre, mais la sous-alimentation de sa petite enfance avait arrêté sa croissance et, avec son nez tordu et sa tignasse rousse et frisée, il ne craignait pas d'être attaqué.

– As-tu toujours peur des soldats, mère ? demanda Constantin. J'ai réfléchi, et je suis certain que maintenant nous sommes en sécurité. Une déesse vous protège, comme je l'ai vu, et je sais que je ne suis pas destiné à mourir ici, car ne m'as-tu pas dit de nombreuses fois que je suis l'Enfant de la Prophétie ?

Je regardai fixement mon fils, me demandant si cela avait été sage de ma part. Quand les émeutiers nous avaient entourés, la veille, je m'étais soudain souvenue que les visions montraient seulement comment les choses *pouvaient* se passer. C'était mon propre désespoir qui avait invoqué le pouvoir de la Dame, non la destinée. Je croyais toujours que Constantin était né avec un potentiel de grandeur, mais seuls ses propres actes détermineraient si, et comment, ce potentiel se réaliserait.

Lorsque Philip revint, la plupart des autres étaient réveillés. Il avait ramassé une amphore vide, l'avait remplie à la fontaine et complétée par une coupe. L'eau avait un arrière-goût de vin.

– Je suis surprise que tu aies trouvé quelque chose qui n'ait pas été brisé, dis-je en passant la coupe à Drusilla. Comment est-ce, dehors ?

– Comme au matin d'une bataille, sauf que la plus grande partie du rouge répandu partout n'est pas du sang, mais du vin. Un tribun en sa première campagne pourrait en reprendre le commandement, honteux comme ils le sont maintenant. J'ai entendu un homme dire en sanglotant combien Probus avait été un bon général et qu'on devrait lui édifier un monument.

Il secoua la tête d'un air dégoûté.

En milieu de matinée, les boutiquiers se sentirent assez braves pour commencer à nettoyer les décombres, et les propriétaires d'étals de nourriture, dont les marchandises ne se cassaient pas, recommencèrent à vendre. Beaucoup de légionnaires avaient terminé leur émeute sur le forum et se réveillaient à présent ; la matinée s'écoulant, d'autres les rejoignirent et se rassemblèrent en groupe pour discuter. Je n'étais cependant pas tout à fait prête à tenter de revenir chez moi, en supposant que le palais fût encore debout, aussi étions-nous assis sur les marches de la *basilica* en train de manger des saucisses dans du pain plat, quand un bruit de pas rythmés et des cliquetis d'armes de soldats en marche attira l'attention de tout le monde – des mutins comme des habitants de la ville.

Ce n'était pas un jeune officier qui les avait ralliés, mais le préfet du Prétoire, Carus. Lorsqu'il arriva à cheval sur le forum, mon cœur battit plus vite car, derrière lui, le visage comme taillé dans la pierre, chevauchait Constance. Je me levai, notre fils à côté de moi, et son regard, balayant la foule, se porta sur le porche de la *basilica* et nous découvrit. *Vous allez bien*, un instant ses traits se contorsionnèrent. *Je peux vivre, alors.* Je n'aurais pas dû être surprise – il s'était inquiété pour nous deux. Moi, du moins, j'avais su que notre fils était en sécurité. Constance reprit le contrôle de son visage, mais il ne semblait plus taillé dans la pierre.

Sans doute le mien avait-il subi une transformation similaire, si quelqu'un m'avait regardée, mais tous les yeux étaient fixés sur Carus qui chevauchait aussi calmement que s'il était en route pour le Sénat, où il avait siégé avant de reprendre sa carrière militaire. Il avait apparemment ramassé les traînards tandis qu'il traversait la cité, car d'autres soldats le suivaient, qui s'entassèrent sur la place. Au centre du forum, une fontaine s'élevait en haut de trois marches. Carus descendit de cheval et, tandis qu'on emmenait sa monture, les gravit jusqu'à la large margelle de pierre d'où il pouvait voir et être vu. Il était proche de la soixantaine, mais encore vigoureux et en pleine forme, sa tête chauve protégée par une coiffure informe, portant vêture simple dont le style rappelait l'ancienne République.

– Soldats de Rome, quel dieu vous a rendus fous ? Vous avez mis à mort l'empereur qui était pour vous un père aimant, vous vous êtes rendus orphelins, vous avez déshonoré les esprits de vos frères tombés au combat et les emblèmes que vous portez.

Il continua un moment dans cette veine, parlant avec une élégance mesurée qui montrait son excellente éducation. Bientôt les hommes, qui l'avaient d'abord écouté plongés dans un silence menaçant, se mirent à pleurer. Constantin avait quitté le refuge de mes bras et s'était avancé pour le regarder avec des yeux brillants.

– Centurions ! Avancez, et vous, les autres, ralliez-vous à vos commandants ! cria Carus, et la scène chaotique se transforma lentement en quelque chose qui ressemblait à une formation militaire. Vous allez retourner dans vos tentes, pour vous laver et nettoyer votre équipement, puis vous vous présenterez, en formation, sur le terrain de manœuvre à la deuxième heure de l'après-midi.

Je supposai que même se tenir debout, tout équipé, sous le soleil aveuglant, ce serait mieux que de creuser dans la boue, mais heureusement, une brise venue du nord était en train de faire baisser la température.

Peut-être que, dans leur état actuel, cette discipline était excessive pour les hommes car un murmure grandit dans les rangs. Constance tira sur les rênes de son cheval soudain rétif et Carus fronça les sourcils.

L'un des centurions s'avança et salua en portant la main à sa poitrine.

– Préfet ! Comme tu le dis, nous sommes orphelins, et nous avons besoin de la main forte d'un père. Qui sera notre commandant ?

– Le Sénat, à Rome…, commença Carus, car Probus n'avait pas nommé d'héritier, mais la voix avait perdu de son aplomb.

– Rien à foutre du Sénat ! dit quelqu'un dans les rangs et quelques rires s'en firent l'écho.

Constantin secoua la tête, et je me penchai pour entendre ce qu'il murmurait.

– Le Sénat n'a aucun pouvoir, seulement l'armée. Pourquoi ne le voit-il pas ?

Je pensais que peut-être Carus le voyait, car son corps resta tendu tandis qu'il attendait que le silence se rétablisse. Cette tension exprimait-elle l'espoir ou la résignation ? Je n'arrivais pas à le déterminer.

– Il nous faut un empereur !

Le centurion leva le bras et cria :

– Salut, César !

– Salut, César ! répondirent les hommes en criant de toute leur force. Carus doit être empereur !

Brusquement, ils s'avancèrent en répétant son nom jusqu'à faire trembler les colonnes du porche de la *basilica*. Je fus certaine que les émeutiers avaient pillé le palais lorsque j'aperçus l'éclat coloré d'une étoffe pourpre et qu'ils déposèrent sur les épaules du préfet l'une des toges de l'empereur mort. Comme l'un des soldats avait le bouclier impérial, la foule qui entourait Carus le fit monter dessus et le leva bien haut.

– Voulez-vous vraiment que je sois votre empereur ?

Carus était républicain de cœur, mais il devait savoir que s'il refusait cette proclamation, ils pouvaient le massacrer aussi vite qu'ils avaient tué Probus.

– *Ave ! Ave !* crièrent-ils.

– Je ne vous traiterai pas avec douceur… je punirai ceux qui ont tué Probus, puis je reprendrai l'ancienne guerre contre les Parthes qui a attendu si longtemps…

Les acclamations redoublèrent.

Pourquoi sont-ils si heureux, me demandai-je. *Il a juste promis de les mener à la bataille dans un pays où il fait encore bien plus chaud qu'ici.* Mais les terres de l'Est étaient habitées par des peuples riches et, si la canicule les tuait, ils ne mourraient pas en esclaves, mais en soldats.

Tandis qu'ils faisaient, en procession, le tour du Forum en portant Carus sur le bouclier, le vacarme était assourdissant aussi bien pour l'esprit que pour les oreilles. Les autres officiers s'étaient retirés à l'ombre du péristyle. Carus appartenait désormais aux légionnaires.

– *Ave Carus !*

Un autre cri retentit à côté de moi. Constantin, le bras tendu, regardait le nouvel empereur avec des yeux pleins de visions.

Après avoir envoyé au Sénat de Rome une brève annonce de son accession au trône, Carus travailla à établir son autorité. Les Romains protestèrent par une émeute, mais du moment que l'armée le soutenait, il n'y prêta aucune attention. Il accordait tant de valeur à ses propres capacités qu'il avait exigé du Sénat qu'il lui accorde un palais de marbre et une statue équestre. Maintenant, sauf le palais de Sirmium, qui n'était plus que ruines calcinées, il ne manquait pas de palais et sans doute lui érigeait-on déjà des statues, car des panégyriques arrivaient de tous les coins de l'Empire.

Carus n'eut pas le temps de les lire. Il avait promis à l'armée de glorieuses victoires contre les Parthes, mais avant que l'expédition puisse partir, il y avait encore beaucoup à faire. Tout reconnaissant qu'il fût aux légionnaires de Sirmium de l'avoir élevé à la pourpre, cela ne l'empêcha pas de faire exécuter les hommes qui avaient été les premiers à attaquer Probus, acte qui apparemment ne lui fit aucun tort aux yeux des survivants, car cet automne-là, ils le suivirent de leur plein gré dans une bataille contre une horde de Sarmates [1] qui s'était abattue sur l'Illyrie, et il remportèrent une victoire retentissante.

La succession était aussi pourvue. Carus avait deux fils maintenant adultes qu'il éleva au rang de Césars. Carin, l'aîné, fut chargé de mettre fin aux derniers raids barbares en Gaule, puis alla occuper sa charge à Rome, tandis que son frère Numérien devint le commandant en second de l'empereur dans la campagne contre les Parthes.

Je n'osai parler de ma peur que Carus n'entraîne Constance avec lui, mais la Déesse avait entendu mes prières car, peu avant le départ de l'armée, mon époux revint à Sirmium pour m'apprendre qu'il venait d'être nommé gouverneur de la Dalmatie.

Dans mon rêve, je suivais le Chemin de Procession, à Avalon. Je sus que c'était un rêve parce qu'il me semblait contempler la scène d'un point de vue situé à plusieurs pieds au-dessus du sol, et parce que, lorsque je parlai, personne ne me remarqua. Mais, à tous autres égards, j'étais totalement présente. Je pouvais sentir le froid humide de l'air nocturne et humer l'odeur de résine des roches. Je vibrais des réverbérations du grand gong utilisé pour convoquer les initiés aux cérémonies les plus importantes.

---

1. Ce peuple, venu d'Asie entre le VIe et IVe siècle avant J.-C. pour envahir le sud de la Russie, s'était établi en Sarmathie, au nord de la mer Noire et de la mer d'Azov, de part et d'autre du Don, dans l'idée d'acquérir la Dacie et toute la vallée du Danube. Ils seront submergés d'abord par les Goths, puis par les Huns. *(NdT)*

C'était lui qui m'avait fait venir de Sirmium. Ce n'était pas un rêve, mais un voyage de l'esprit. Quelle était donc cette cérémonie ?

Couverts de leur cape, capuche rabattue, les prêtresses en noir et les prêtres en blanc passèrent entre les derniers piliers et entamèrent l'ascension en spirale du Tor. Entraînée à leur suite, je ne pouvais ni rester en arrière ni accélérer.

Bientôt, je reconnus Cigfolla et quelques autres, et compris que j'étais à la place que j'aurais occupée si mon corps avait été là. Je sus alors que, dans les profondeurs de mon esprit, je n'avais jamais cessé d'être une prêtresse d'Avalon et que c'était pour cela que j'avais répondu à cet appel.

À présent, nous étions parvenus au sommet et, au milieu du cercle de pierres, je vis l'empilement de bois d'un bûcher funéraire. Le cadavre, enveloppé dans un linceul, semblait bien petit pour être le centre d'un tel cérémonial. Cependant, seule une Grande Prêtresse ou un Archidruide avaient droit à de telles funérailles.

J'aperçus Ceridachos une torche à la main à côté du bûcher, portant le torque d'or de l'Archidruide. Quand j'étais à Avalon, il enseignait la musique aux petits garçons. Ce n'était donc pas l'Archidruide qui était couché sur le bûcher, mais la Dame d'Avalon.

La stupéfaction me saisit en pensant que pour finir, Ganeda, dont la présence spirituelle avait été si imposante, nous dominant toutes, ait pu devenir si petite. À présent qu'elle était morte, je me demandais qui on avait choisi pour la remplacer.

J'avais de bonnes raisons ! Tu vois, j'ai donné naissance à un fils et mon homme m'aime toujours ! aurais-je voulu crier, comme si nous étions toujours en conflit, mais je n'aurais jamais plus la chance de le lui dire, à moins que son esprit puisse m'entendre.

Le gong avait cessé de résonner. Ceridachos se posta à quelques pas du bûcher, se tourna vers lui, et je vis une seconde torche de l'autre côté. Une prêtresse la tenait : non, c'était la nouvelle Dame d'Avalon, car sous la cape je vis scintiller les pierres de lune et les perles de rivière. Puis sa capuche retomba en arrière et je reconnus la chevelure flamboyante de Dierna.

Mais, ce n'est qu'une enfant ! Puis, réfléchissant et la regardant mieux, je m'aperçus que Dierna devait avoir vingt-cinq ans. La dernière fois que je l'avais vue, c'était bien une enfant, mais nous serions deux femmes si nous nous rencontrions maintenant. Elle leva les bras pour l'invocation.

— Je Te salue, Sombre Déesse, toi qui es la Maîtresse des Âmes ! Cette nuit, nous nous souvenons devant Toi de Ganeda qui est passée dans Ton Royaume. Son sang coule dans les eaux, son souffle ne fait qu'un avec le vent. Le saint Tor va recevoir ses cendres et l'étincelle de sa vie retournera au feu qui anime tout.

Les guerriers et les rois qui étaient les gardiens d'Avalon étaient enterrés sur la Colline du Guet, mais les grands prêtres et les grandes prêtresses, dont les esprits auraient pu être retenus dans leur ascension par beaucoup trop d'adulation, étaient envoyés aux dieux par le feu.

Ceridachos leva sa torche

— Que le feu sacré transforme ce qui était mortel et que l'esprit s'envole, libre !

Un ruban scintillant d'étincelles dessina une traînée derrière lui tandis qu'il faisait le tour du bûcher, touchant de sa flamme les rondins imbibés d'huiles aromatiques. Le feu prit rapidement et, en quelques instants, la forme et son linceul furent dissimulés par un rideau de flammes.

— Rien de son être ne sera gaspillé, rien n'en sera perdu, dit Dierna tandis qu'elle faisait, elle aussi, le tour du bûcher.

Sa voix était calme, comme si elle s'était mise en transe pour la cérémonie, afin qu'aucun chagrin ne puisse troubler sa sérénité.

— Même son esprit, instruit par les souffrances de la vie, se développe encore pour atteindre sa véritable identité.

D'un petit sac attaché à sa ceinture, elle sortit une poignée d'encens qu'elle jeta sur les bûches empilées.

Ceridachos se tourna vers les autres.

— Mais nous qui nous souvenons de cette fusion particulière du corps et de l'esprit dans laquelle elle parcourait le monde, nous Te prions de la guider et de la maintenir sur le chemin qu'elle suit maintenant.

Sa voix était enrouée comme s'il avait pleuré, et je compris combien, en tant qu'Archidruide, il avait dû être proche pendant des années de la Dame. Il s'éclaircit la voix et poursuivit :

— Nous n'avons pas oublié… Transmets-lui l'amour que nous lui portons et demande-lui de prier pour nous avec la sagesse dont elle dispose maintenant. Et quand il sera temps pour nous de venir à Toi, reçois-nous avec douceur, comme on berce un enfant pour l'endormir, oh, Toi, Mère Ténébreuse, et éveille-nous à la Lumière.

Tout autour du cercle, les têtes se courbèrent. Je baissai aussi la tête, bien que personne ne puisse me voir. Pendant tant d'années, j'avais craint ma tante et m'étais dressée contre elle, et pour finir, j'avais tenté de l'oublier. Cependant, elle avait guidé Avalon et l'avait bien fait. Ayant dirigé ma maison depuis douze ans, je pouvais maintenant apprécier en connaissance de cause ce qu'elle avait accompli. Il y avait donc encore des choses que Ganeda pouvait m'enseigner ?

Dierna tendit le petit sac d'encens à Ceridachos et il jeta une poignée sur le bûcher qui était maintenant en feu.

– La morte est libérée et possède les réponses à toutes les questions, dit-elle gravement. Ce sont ceux qui restent qui souffrent maintenant, de son absence, des souvenirs, du regret des choses non dites et non faites. Prions maintenant pour les vivants qu'elle a laissés derrière elle…

D'un geste large, elle engloba tout le cercle

Prie pour moi ! pensai-je tristement, stupéfaite de découvrir que même mon corps astral pouvait verser des larmes.

– Oh, Toi, Dame des Ténèbres, lève l'obscurité qui s'étend sur nos âmes. Comme Tu as coupé le fil de la vie, brise les liens qui limitent nos esprits, de peur que nos sentiments retiennent celle qui doit être libre.

Il me vint alors à l'esprit que je n'étais pas la seule qui devait avoir des sentiments mitigés envers la Dame d'Avalon, et l'esprit d'un adepte pouvait faire un fantôme dangereux. La communauté avait les meilleures raisons du monde de s'assurer que rien ne la retienne ici.

L'encens faisait maintenant le tour du cercle. Lorsque chacun jetait une pincée dans les flammes, j'entendais leurs paroles : « Par ce geste, je te libère », suivies parfois d'un adieu personnel murmuré. La fumée et les étincelles s'élevaient en tourbillons pour rejoindre les étoiles. Et bien que mes doigts ne puissent pas prendre de l'encens, je me rapprochais aussi du bûcher pour offrir, avec toute la sincérité que mon être pouvait témoigner à celle qui avait, de tant de manières, façonné ma vie, à la fois le pardon et l'adieu.

– La Dame lie la vie et la mort, et de la mort elle tire une vie nouvelle, dit Dierna lorsque tout fut fini. Nous sommes les enfants de la terre et du ciel étoilé. Par notre réaction à cette perte, transcendons-la. Je porte à présent les ornements de la Grande Prêtresse, poursuivit-elle après avoir respiré à fond. Je prie la Déesse de me donner la force et la sagesse de diriger Avalon !

Tandis que la nuit s'écoulait, les autres prononcèrent aussi leurs vœux, puis s'écartèrent pour regarder le bûcher devenir une structure de lignes rutilantes, et son centre, qui avait été fait de bois à combustion rapide, tomber en cendres. Juste au moment où, à l'est, le ciel commençait à pâlir à l'approche du soleil, je fis l'effort de m'approcher du tas de cendres et de braises qui subsistait.

– *Dame, c'est toi qui m'as exilée, mais c'est la Déesse qui m'a montré ma voie. Par l'exemple et par l'opposition, tu m'as beaucoup appris. Bien que je marche maintenant dans le monde qui se situe au-delà des brumes, je le ferai en prêtresse d'Avalon !*

Je reculai, car soudain le monde se remplit de lumière tandis que le soleil nouveau-né montait au-dessus des collines. À cet instant, le vent de l'aube, en se levant, souleva les cendres comme un tourbillon de fumée et les emporta pour les faire retomber, telles une bénédiction, sur l'herbe verte du Tor.

Cela m'avait fait frissonner, parfois, lorsque ayant appris cette coutume, je pensais que je marchais peut-être sur les restes de Caillean ou de Sianna ou d'une autre prêtresse légendaire qui les avait suivies. Mais en vérité, la terre du Tor était aussi sainte qu'elles. Leur poussière la sanctifiait comme elle-même les bénissait. Elles ne faisaient qu'une.

Les prêtres et les prêtresses sortirent de l'immobilité et du silence de leur veille comme s'ils étaient libérés d'un sortilège. Quand Dierna leva les yeux, ceux-ci s'élargirent et je compris qu'elle seule, de toute cette assemblée, pouvait voir ma présence.

– Cette place devrait être la tienne, chuchota-t-elle en touchant les ornements qu'elle portait. Reviendras-tu à présent ?

Mais je fis non de la tête, en souriant. Puis, avec toute la révérence que l'on doit à une impératrice, et que j'avais toujours accordée à la Dame d'Avalon, je la saluai.

Au petit déjeuner, je demeurai silencieuse, pensant toujours à mes visions nocturnes. Le palais, incendié lors de la rébellion, avait été reconstruit et, en général, nous prenions notre premier repas dans une pièce agréable donnant sur l'allée ombragée qui faisait le tour des jardins. Constance, qui terminait son gruau, me demanda si j'allais bien.

– Ce n'est rien... J'ai fait des rêves étranges.

– Bon, alors il y a quelque chose dont je dois discuter avec toi, et dont j'aurais dû te parler plus tôt.

Je m'efforçai d'écarter mes propres soucis, me demandant de quoi il pouvait bien s'agir. Depuis l'accession de Carus au trône, plus d'une année s'était écoulée. Les rapports venus de l'Orient avaient été glorieux : les cités de Séleucie et Ctésiphon s'étaient rendues presque sans résistance et l'ennemi, distrait par la guerre qui se déchaînait sur ses frontières orientales, semblait incapable de résister à l'avance romaine. Sans doute pourrait-on enfin vaincre les Parthes, qui constituaient une menace permanente depuis l'époque du premier Auguste. Mais qu'est-ce que cela avait à voir avec Constance et moi ?

– Est-ce que l'empereur pense que tu peux, par un moyen ou un autre, refréner Carin ?

Depuis quelque temps, le pouvoir impérial que le jeune homme exerçait dans la cité des Césars lui était monté à la tête. Il avait exécuté les conseillers que son père lui avait donnés et les avait remplacés par ses compagnons de beuverie. En quelques mois, il avait épousé et répudié neuf épouses, laissant la plupart d'entre elles enceintes, sans parler de ses autres plaisirs. Si Constance tentait de le conseiller, il subirait probablement le même sort que les autres. Aucune dévotion à son devoir, si grande fût-elle, ne pouvait sûrement exiger un sacrifice inutile.

– Non. L'empereur a toujours été un homme plus voué à la justice qu'à la miséricorde, et je crains qu'il ait cessé d'espérer que son fils aîné puisse s'améliorer. Aussi pense-t-il à le remplacer..., dit-il en ralentissant son débit et en faisant tourner sa cuillère dans son bol vide. Il veut m'adopter.

Je le regardai en écarquillant les yeux. C'était bien mon Constance que je voyais là ; il commençait à perdre ses cheveux et il était plus râblé que le jeune homme qui, treize ans auparavant, avait gagné mon cœur, mais ses yeux gris au regard franc n'avaient pas changé. Je contemplai les traits de l'homme qui était mon compagnon depuis douze années, revêtu de la magnificence qu'il portait lorsqu'il vint à moi, dans la lumière du feu de Beltane. S'il devenait César, tout changerait.

— Ce n'est pas un honneur qu'on peut aisément refuser.

Je hochai la tête, pensant que je savais, depuis le début, que Constance était promis à la grandeur. Était-ce la signification de ma promesse à l'esprit de Ganeda ? Je ne serais jamais la Dame d'Avalon, mais je pourrais être impératrice un jour.

— Pourquoi toi ? lâchai-je soudain. Personne n'en est plus digne, mais quand a-t-il pu te connaître si bien ?

— La nuit de la mutinerie, après que Probus eut été assassiné. Carus et moi, nous nous sommes cachés dans la cabane d'un pêcheur, au bord du marais, pendant que les soldats se révoltaient ; et comme le font des hommes plongés dans une situation désespérée, nous avons parlé cœur à cœur. Carus voulait restaurer les anciennes vertus de la République sans perdre la force de l'Empire. Et moi... je lui ai parlé de ce qui, à mon avis, n'allait pas en ce moment, et de ce que Rome pourrait être, avec un gouvernement honnête.

Je lui pris la main, cette chair chaude que je connaissais maintenant aussi bien que la mienne.

— Oh, mon chéri, je comprends !

Avec les pouvoirs d'un César, il pourrait faire de grandes choses... Une telle opportunité devait l'emporter sur toute autre considération personnelle, nous concernant lui et moi.

— Jusqu'à ce que l'empereur revienne de Parthie, je ne suis pas obligé de prendre ma décision, dit Constance, en réussissant à sourire.

Mais nous savions tous deux que lorsque le temps viendrait, il n'y en aurait qu'une seule de possible.

J'entendis claquer des sandales sur les dalles de l'allée, puis la porte s'ouvrit toute grande. Un instant, Constantin resta sur le seuil, haletant.

— Père, as-tu entendu la nouvelle ? cria-t-il quand il eut retrouvé son souffle. On dit que l'empereur est mort en Parthie... frappé par un éclair, lors d'un orage, et que Numérien est en train de ramener l'armée !

XI

284-285 après J.-C.

L'Empire pleurait Carus, et moi aussi, bien que mon chagrin trouvât plutôt sa source dans la possibilité de grandeur que venait de perdre Constance que dans le sort malheureux de l'empereur, ne l'ayant que fort peu connu. Si j'avais su les conséquences inévitables de l'élévation de mon époux, je m'en serais réjouie. C'est à cette disparition que je dois d'avoir gardé Constantin presque dix ans de plus.

L'empereur avait succombé à la dysenterie qui, en campagne, constituait un danger constant. Mais cette mort était survenue durant un orage et, lorsque la tente impériale prit feu, les soldats crurent qu'il avait été tué par l'éclair, le pire des mauvais présages. Nos forces étaient alors sur le point de conquérir enfin la Parthie, mais des prophéties disaient, paraissait-il, que le Tigre marquerait à jamais les limites de l'expansion romaine en Orient. De fait, il y eut assez de signes, d'augures et de prodiges pour faire jacasser les gens durant les semaines pénétrées d'horreur qui suivirent la nouvelle.

Les troupes proclamèrent Numérien co-empereur de son frère Carin, mais refusèrent de poursuivre la guerre. Alors, l'armée d'Orient reprit lentement la route du retour tandis que Carin se livrait à des actes séditieux à Rome. Savait-il que Carus avait eu l'intention de mettre Constance à sa place ? Soudain, la Dalmatie parut beaucoup trop proche de l'Italie et lorsque Maximien, qui commandait en Gaule, demanda à Constance de se joindre à son état-major, d'un commun accord nous trouvâmes plus prudent qu'il démissionne de son poste de gouverneur de Dalmatie et accepte l'invitation.

Notre nouvelle demeure fut une villa dans les collines au-dessus de Treveri. Ce n'était pas l'Angleterre, mais les gens de la campagne parlaient une langue proche de la mienne, et se souvenaient encore des druides, deux cents ans après que Jules César eut interdit leur ministère. Certains des domestiques que nous avions engagés pour aider nos esclaves avaient dû reconnaître le croissant bleu qui pâlissait sur mon front, car je m'aperçus bientôt qu'ils me traitaient avec un respect plus profond que celui qu'ils me devaient. Quand je me promenais dans la campagne, les gens s'inclinaient devant moi et, de temps à autre, des offrandes de fruits ou de fleurs étaient déposées sur le seuil de notre porte.

Constance trouvait cela amusant, mais cela gênait Constantin ; parfois, je le surprenais en train de me considérer, l'air soucieux sous sa tignasse de cheveux blonds. *Cela tient à son âge*, me disais-je, et je faisais semblant de ne pas m'en inquiéter. Il avait douze ans, était tout en jambes comme un jeune chien de chasse, avec des os d'une grosseur disproportionnée ; et la superbe coordination de mouvements qu'il avait montrée durant son enfance semblait parfois l'avoir abandonné. S'il avait pu rire de lui-même, les choses auraient été plus faciles, mais Constantin n'avait jamais eu beaucoup d'humour. À l'approche de l'adolescence, il devint solitaire, craignant sans doute de s'exposer au ridicule.

En revanche, il n'y avait rien à redire à son intelligence et Atticus se trouva soudain devant un élève plein de bonne volonté, avide de mordre à belles dents dans la philosophie et la littérature grecques. Aujourd'hui, ils étudiaient les œuvres de Lucien [1]. Tandis que je dirigeais les jeunes filles qui nettoyaient la mosaïque de la salle à manger, représentant Dionysos avec des dauphins, j'entendais le murmure de leurs voix provenant de la salle d'études, celle de ténor, hésitante, de Constantin, s'élevant et retombant tandis qu'il traduisait le passage assigné par son précepteur.

Demain verrait le commencement du mois auquel les Romains avaient donné le nom de la mère de Mercure, Maia. En Angleterre, pensai-je en souriant, on se préparait à la fête de Beltane. Si je lisais

---

1. Lucien de Samosate (IIe s.), dans une œuvre abondante comprenant des ouvrages de rhétorique, des recueils d'épigrammes, des dialogues satiriques et moraux, touche à tous les sujets, adopte les tons les plus divers et raille toujours les préjugés et les traditions. *(NdT)*

correctement les signes entrevus, on la célèbrerait également ici. Le temps, jusqu'à maintenant froid et pluvieux, était soudain devenu chaud et les fleurs sauvages émaillaient les vertes collines.

Je respirai à fond l'air suave, puis m'arrêtai pour écouter tandis que les servantes ouvraient la porte et que la voix de mon fils devenait soudain plus forte.

— Ils virent que… la chose dont ceux qui craignaient et ceux qui espéraient avaient besoin et, euh… voulaient le plus, c'était connaître l'avenir. C'est pourquoi Delphes et Délos et Claros et Didyme étaient devenues, il y a fort longtemps, riches et célèbres…

Je prêtai l'oreille, curieuse d'apprendre ce qu'ils étaient en train de lire et ce que mon fils en tirerait.

— Je ne comprends pas, dit Constantin. Lucien dit que cet Alexandre était un imposteur, mais on dirait qu'il pense que l'oracle de Delphes et les autres ne valaient pas mieux.

— Il faut replacer cela dans son contexte, dit Atticus d'un ton apaisant. Il est vrai que Lucien fut l'un des grands sophistes du siècle dernier et, naturellement, il préfère fonder ses conclusions sur la raison plutôt que sur la superstition, mais ce qui provoque sa colère, dans ce texte, c'est qu'Alexandre ait entrepris de tromper délibérément les gens en prétendant qu'il avait découvert le serpent dans l'œuf, alors qu'en fait il l'avait remplacé par un autre, un gros, dont la tête était dissimulée par un masque. Puis il dit à tout le monde que c'était Asclepios [1], né de nouveau, et prétendit que celui-ci lui transmettait des oracles, qu'en fait il écrivait lui-même. Il est vrai qu'il envoyait des clients aux grands sanctuaires pour empêcher qu'ils le dénoncent.

Je me souvins avoir entendu cette histoire. Cet Alexandre, surnommé le Prophète, était très célèbre à l'époque, et Lucien n'avait pas seulement écrit sur lui, mais s'était efforcé activement de le démasquer.

— Veux-tu me faire entendre par là qu'aucun de ces oracles ne disait la vérité ? insista Constantin d'un air méfiant.

— Non, non… mon idée, c'est que tu dois apprendre la pensée critique, afin d'être capable de juger par toi-même si quelque chose est

---

1. Dieu grec de la médecine (Aesculapius pour les Romains) dont le nom francisé, Esculape, est aussi celui d'une couleuvre. *(NdT)*

raisonnable, plutôt que d'accepter aveuglément tout ce que l'on te raconte, répondit Atticus.

Je hochai la tête : c'était plus ou moins ce que l'on enseignait à Avalon. Il était aussi stupide de nier que les oracles puissent être truqués que de croire aveuglément en eux.

— Cela n'a aucun sens, protesta Constantin. Ceux qui sont sages devraient décider de ce qui est vrai et qu'on n'en parle plus.

— Est-ce qu'on ne devrait pas permettre à chaque homme de faire cela par lui-même ? dit avec raison Atticus. Apprendre comment penser devrait faire partie de l'éducation de tous, comme chacun doit apprendre à s'occuper d'un cheval ou à compter.

— Pour les choses simples, oui, répliqua Constantin. Mais quand les chevaux tombent malades, il faut appeler un soigneur, et on emploie un mathématicien pour effectuer des calculs compliqués. Sûrement que dans le royaume du sacré, qui est beaucoup plus important, il doit en être de même.

— Très bien, Constantin, mais réfléchis… La chair est tangible, et on peut percevoir les maladies par les sens. Les nombres sont des symboles que l'on peut compter physiquement ; il sont toujours et partout les mêmes. Mais chaque être a une expérience différente du monde. Sa naissance est réglée par des étoiles particulières, et il a une histoire unique… Est-ce si déraisonnable de lui permettre d'avoir sa propre perception des dieux ? Ce monde est si riche et si varié… Nous avons certainement besoin d'une myriade de moyens pour le comprendre. Ainsi, il y a les sophistes, qui doutent de tout, et les disciples de Platon qui croient que seuls les archétypes sont vrais, les pythagoriciens mystiques et les aristotéliciens logiciens. Chaque philosophie nous donne un outil différent pour comprendre le monde.

— Mais le monde reste le même, objecta Constantin, et les dieux aussi !

— Vraiment ?

Atticus semblait amusé. Il avait été vendu comme esclave par son oncle, et je le soupçonnais de trouver plus satisfaisant de ne croire en aucun dieu.

— Que faire alors, reprit Atticus, pour réconcilier toutes les histoires que l'on raconte sur eux, ou les revendications des différents cultes, dont chacun déclare que sa déité règne sur toutes les autres ?

— On trouve lequel est le plus puissant et on enseigne à tous comment l'adorer, trancha Constantin.

Je secouai la tête. Comme cela semblait simple à un enfant. Quand j'avais son âge, il n'y avait de vérité que celle d'Avalon.

— Allons, répliqua Atticus, même les Juifs, dont le dieu ne leur permet pas d'autre culte que le sien, ne prétendent pas que les autres dieux n'existent pas.

— Mon père est aimé du plus grand des dieux dont le visage est le soleil, et s'Il m'en trouve digne, Il étendra à moi Sa bénédiction.

Je tiquai. Je savais que Constantin avait été impressionné par le culte solaire de Dalmatie, que pratiquaient la plupart des officiers de Constance, mais je n'avais pas réalisé qu'il tentait à ce point de se modeler sur son père. Il me fallait trouver un moyen de lui parler aussi de la Déesse.

— Il n'y a qu'un seul empereur sur terre et un seul soleil dans le ciel, poursuivit Constantin. Il me semble que l'Empire serait plus paisible si tout le monde adorait le même dieu.

— Eh bien, tu as certainement le droit d'avoir cette opinion, mais souviens-toi qu'Alexandre le Prophète rendait ses oracles au nom d'Apollon. Ce n'est pas parce qu'un homme parle au nom d'un dieu qu'il dit la vérité.

— Alors les autorités auraient dû y mettre fin, répliqua Constantin avec obstination.

— Mon cher garçon, dit Atticus, le gouverneur Rutilianus était l'un des disciples les plus fervents d'Alexandre. Il épousa la fille du prophète pour l'unique raison que celui-ci prétendait l'avoir engendrée avec la déesse Séléné !

— Je continue à penser que les gens devraient être protégés des faux oracles.

— Peut-être, mais comment peut-on le faire sans leur ôter le droit qu'ils ont de choisir leurs dieux ? Continuons cette version, Constantin, et peut-être les choses deviendront-elles plus claires…

Pour la première fois, je me demandai si nous avions eu raison de laisser notre fils étudier la philosophie. Il avait tendance à prendre les choses trop au pied de la lettre. Mais la souplesse d'esprit qui caractérisait la culture grecque ne pourrait que lui être bénéfique, me dis-je, secrètement soulagée que ce fut à Atticus et non à moi que revint la tâche de la lui communiquer. Pourtant, je me dis, tout en ouvrant la porte pour laisser le doux air printanier entrer, que le temps était venu où il me faudrait parler d'Avalon à mon fils.

Je lui avais chanté, pour l'endormir, les chants que j'avais appris en classe lorsque j'étais petite, et l'avait amusé avec des récits de prodiges. Il savait que les cygnes revenaient sur le Lac au début du printemps et que les oies sauvages trompetaient dans le ciel en automne. Mais je ne lui avais rien dit de la signification de ces contes et du grand schéma dont faisaient partie les cygnes et les oies. Ces sujets-là étaient enseignés à ceux que l'on initiait aux Mystères. Si Constantin était né à Avalon, comme Ganeda l'avait projeté, il aurait appris tout cela au cours de sa formation. Mais comme j'en avais décidé autrement, c'était donc à moi qu'incombait la responsabilité de les lui enseigner.

Constantin était un enfant, pensai-je en écoutant les deux voix. C'était normal qu'il reste à la surface des choses. La face extérieure du monde, pleine de contradictions, était la plus variée. Il y avait du vrai dans tous les cultes et toutes les philosophies. C'était à un niveau plus profond qu'on pouvait trouver l'unique vérité dissimulée derrière les choses.

– Tous les dieux sont un unique Dieu, et toutes les déesses une unique Déesse, et il y a un seul Initiateur.

J'avais entendu ce mot d'ordre d'innombrables fois quand j'étais à Avalon. Je devais, d'une manière ou d'une autre, faire comprendre cela à Constantin.

Les petites bouffées de brise qui entraient par les portes ouvertes étaient chargées de tous les parfums du printemps et, soudain, demeurer à l'intérieur me devint insupportable. Je sortis et longeai l'allée qui, entre deux rangées de hêtres, menait à la grand-route. Je devrais dire à Atticus de donner congé à son élève – cette journée était trop belle pour qu'on la passe enfermé, plongé dans un débat philosophique. C'était l'erreur de certains pythagoriciens qui, en dépit de leur compréhension des Mystères, fixaient leur esprit si fermement sur l'éternité qu'ils manquaient la Vérité proclamée par ce monde vert et beau.

De notre colline, je pouvais voir les champs et les vignes, et le scintillement de la Moselle. La ville, protégée par ses murailles, se blottissait au bord de la rivière. Treveri était un centre important de production de lainage et de poterie, pourvu de bons moyens de communication avec la Germanie et la Gaule. Postumus l'avait choisie pour capitale de son Empire des Gaules et Maximien en avait fait aussi sa base d'opérations. On réparait de nouveau le pont ; la pierre rougeâtre du pays luisait, rose sous le soleil brillant, mais plus haut sur le versant, le temple de Diane était un miroitement blanc sous les arbres qui l'ombrageaient.

Une bonne route gravissait la colline et passait devant notre villa. Un cavalier, qui la remontait au galop, doubla la charrette d'un fermier et poursuivit sa course. Mon intérêt augmenta lorsqu'il arriva assez près pour que je reconnaisse son uniforme et comprenne qu'il venait chez nous.

S'était-il produit quelque désastre ? Je ne voyais aucune agitation inhabituelle dans la cité. J'attendis, les sourcils froncés, que l'homme s'arrête en rattachant le foulard avec lequel il venait de s'essuyer le front. Je le reconnus, c'était le plus jeune membre de l'état-major de Constance, et je répondis à son salut.

— Qu'est-ce que mon mari avait à me dire pour t'envoyer ici en telle hâte ? S'est-il passé quelque chose de grave ?

— Pas du tout. Dioclès est arrivé, ma dame, et ton époux m'envoie te dire qu'ils dîneront avec lui ici ce soir.

— Quoi, tous ? Mais cela me met dans l'urgence.

Nous avions prévu de consacrer la journée au nettoyage de printemps et non de préparer un banquet.

— C'est vrai, dit le jeune homme avec un grand sourire. Maximien viendra aussi ! Mais j'ai entendu parler de tes dîners, dame, et je suis sûr que tu remporteras la victoire !

Je n'avais jamais imaginé un dîner sous la forme d'un engagement militaire, mais je ris en le renvoyant d'un signe de main. Puis je me précipitai à l'intérieur pour consulter Drusilla.

En dépit de mes paroles, un repas pour trois hommes accoutumés à la nourriture de l'armée n'imposait aucune charge exceptionnelle à ma cuisine. Ils n'étaient peut-être pas d'aussi fervents adeptes de l'austérité que l'avait été Carus, mais je savais d'expérience que tous trois prêteraient plus d'attention à ce qu'ils diraient qu'à ce qu'ils mangeraient.

C'était Drusilla qui voulait qu'à la fois le repas et le service soient, sinon recherchés, du moins exécutés avec une sobre perfection.

Heureusement, en cette saison, les produits frais abondaient. Le temps que Constance et nos invités remontent la colline à cheval, nous leur avions préparé une salade de légumes verts nouveaux à l'huile d'olive, des œufs durs et du pain fraîchement cuit, ainsi qu'un agneau rôti, garni d'herbes aromatiques et servi sur un lit d'orge.

La soirée était douce et nous ouvrîmes les grandes portes de la salle du dîner afin que nos hôtes puissent jouir des parterres et des fontaines de l'atrium. Tandis que j'allais et venais entre les dîneurs et la cuisine, supervisant le service, j'entendais les graves voix masculines s'adoucir au fur et à mesure que l'on servait le vin blanc piquant du pays.

Il était clair qu'il s'agissait de prises de décisions, et non d'une petite fête amicale, et je n'y participai pas. En fait, bien que de nombreuses années se soient écoulées depuis mes célébrations de la Vigile de Beltane, j'avais gardé l'ancienne habitude de jeûne ce soir-là. Les hommes parlaient de forces militaires et de cités loyales, mais la soirée s'écoulant, je sentis les énergies couler avec plus d'intensité dans la terre. Drusilla se plaignait parce que certaines filles de cuisine avaient disparu dès que l'on eut servi le premier plat. Je croyais savoir où elles étaient parties, car lorsque je pénétrai dans le calme du jardin, je sentis la terre vibrer du battement des tambours, et vis s'embraser, au sommet de la colline surplombant la ville, le feu de Beltane.

Mon sang s'échauffait au tambourinement. Je souris, pensant que si nos invités ne restaient pas trop tard, Constance et moi aurions peut-être le temps d'honorer nous-mêmes la fête à la manière traditionnelle. Dans la salle à manger, les rires devenaient plus graves. Peut-être les hommes ne reconnaissaient-ils pas l'énergie dont était empreinte la soirée, mais il me semblait qu'ils y réagissaient tout de même. Quant à moi, l'odeur de l'air nocturne m'avait déjà à demi enivrée. Quand j'entendis Constance m'appeler, je drapai une palla [1] sur mes épaules et allai les rejoindre.

Mon époux se déplaça sur sa couche afin que je puisse m'y asseoir et m'offrit de boire à sa coupe de vin.

---

1. Le pallium était le manteau des hommes, et la palla celui des femmes. *(NdT)*

— Alors, avez-vous décidé de l'avenir de l'Empire ? leur demandai-je.

Maximien sourit, mais les épais sourcils de Dioclès, toujours frappants sous ce haut front chauve, se froncèrent.

— Pour cela, dame, nous aurions besoin d'une voyante comme Veleda pour prédire nos destinées.

— Était-elle un oracle ?

— C'était une prêtresse des tribus qui habitaient l'embouchure du Rhin sous le règne de Claude, répondit Constance. Un prince batave appelé Civilis, qui avait été officier dans les forces auxiliaires, fomenta une rébellion. On dit que les tribus n'auraient pas bougé sans l'avis de cette femme.

— Qu'est-elle devenue ?

— Je pense qu'on en est venu à la redouter plus que Civilis, me répondit Constance en secouant la tête d'un air contrit. Lui, c'était le genre d'ennemi que nous pouvions comprendre, mais Veleda avait l'oreille des pouvoirs éternels. Finalement, on la captura et elle finit ses jours dans le Temple de Vesta, d'après ce que j'ai entendu dire.

Dans la pause qui suivit, la stridulation des cigales parut soudain très forte. Sous leur rythme audible, je sentais plus que j'entendais le battement de cœur des tambours.

— On m'a dit, intervint Dioclès dans le silence, que toi-même tu as été formée à l'art de la voyance.

Je jetai un coup d'œil sur Constance qui haussa les épaules, comme pour me faire comprendre que ce n'était pas lui qui avait fait courir ce bruit. Apprendre que Dioclès avait ses propres sources d'information n'avait rien pour me surprendre. Ses parents étaient des affranchis demeurés clients du sénateur Anulinus, leur ancien maître. Pour Dioclès, s'être élevé d'origines aussi humbles au titre de commandant de la garde personnelle du jeune empereur indiquait que c'était un homme doué de capacités peu communes.

— C'est vrai que j'ai été éduquée en Angleterre pour devenir prêtresse, répondis-je, me demandant s'il ne s'agissait que d'un propos futile ou s'il impliquait une signification plus grave.

Maximien se souleva sur un coude. Il était d'origine campagnarde et j'avais remarqué que ses doigts se contractaient au rythme du tambourinement, mais je pensais qu'il ne s'en apercevait même pas.

227

— Maîtresse, je sais bien quels pouvoirs se manifestent ce soir, dit-il solennellement. Cette nuit, les portes s'ouvrent entre les mondes. Laissez pas passer l'occasion, les gars, dit-il en faisant un geste d'homme un peu ivre avec sa coupe, et je compris qu'ils avaient cessé de couper leur vin. Laissez la *strega* utiliser ses pouvoirs pour nous. Qu'elle nous montre le chemin pour sortir de la confusion où on s'empêtre !

Interloquée par son langage, j'eus un mouvement de recul – dans mon pays, les gens ne parlaient pas ainsi à une prêtresse d'Avalon. Constance posa une main protectrice sur mon bras.

— Fais attention, Maximien... Ma femme n'est pas une sorcière de bas étage qui va te préparer un chaudron de sortilèges.

— J'ai jamais dit qu'elle était sorcière, répliqua-t-il en me saluant pour s'excuser. Alors, je dois l'appeler druidesse ?

Ils tressaillirent tous, se souvenant comment César avait traité les druides en Gaule. Mais je me ressaisis : après tout, ce n'était que vérité et mieux valait qu'ils voient dans mon art une survivance de la sagesse celtique perdue que de soupçonner l'existence d'Avalon. Constance me serra plus fort le bras, mais la crainte m'avait quittée. Peut-être était-ce le pouvoir de la Vigile de Beltane, tel un feu dans le sang. Je sentis la tête me tourner, comme si je humais déjà la fumée des herbes sacrées. Cela faisait si longtemps, tellement longtemps, que je ne m'étais pas adonnée à la transe... Comme une femme qui retrouve un vieil amant après beaucoup d'années, je tremblais de désirs réveillés.

— Dame, ajouta Dioclès avec sa dignité habituelle, ce serait pour nous un honneur et un privilège si tu consentais à nous prédire l'avenir.

Constance avait toujours l'air hésitant, et je compris qu'il s'était beaucoup trop accoutumé à ne voir en moi que sa compagne, la mère de son enfant, et avait oublié qu'autrefois j'avais été bien plus que cela. Au bout d'un moment, il soupira.

— C'est à ma dame de décider.

Je me redressai, les regardant l'un après l'autre.

— Je ne vous promets rien... Cela fait de nombreuses années que je n'ai plus pratiqué mon art. Je ne vous apprendrai pas à interpréter ce que je pourrais dire, ni à décider si ce que vous entendrez n'est que mon propre délire ou la voix d'un dieu. Je peux seulement promettre d'essayer.

Maintenant, les trois hommes me regardaient fixement, comme si, ayant obtenu ce qu'ils voulaient, ils se demandaient si, après tout, ils le désiraient vraiment. Mais, à chacune de mes respirations, les liens qui attachaient mon esprit au monde de la veille se desserraient. Je secouai la clochette qui fit venir Philip et lui demandai d'aller chercher le bol en argent que nous gardions dans le bureau de Constance, de le remplir d'eau et de nous l'apporter. Hylas, qui s'était échappé je ne sais comment de ma chambre à coucher, se coucha à mes pieds, comme s'il comprenait qu'il me faudrait une ancre lorsque je voyagerais entre les mondes.

Quand la jatte fut là, et les lampes posées de façon que leur lumière tourbillonne en un scintillement liquide à la surface de l'eau, j'ordonnai à Philip qu'il veille à ce que nous ne soyons pas dérangés. Il semblait désapprobateur, et je me souvins que les oracles païens étaient interdits aux chrétiens, même si, au cours de leurs réunions, on disait que parfois des jeunes gens et des jeunes femmes avaient des visions et émettaient des prophéties.

Quand il fut parti, je dénouai le bandeau qui cachait le croissant tatoué sur mon front et défis mon chignon afin que mes cheveux tombent librement sur mes épaules. Maximien déglutit, les yeux écarquillés. *Celui-là est resté proche de la terre*, pensai-je en baissant les yeux. *Son âme se souvient des anciennes voies.*

Les yeux de Dioclès étaient à demi cachés par ses paupières, ses traits indéchiffrables. J'admirai son contrôle. Mais Constance me regardait comme il l'avait fait quand j'étais venue à lui près du feu de Beltane. *Regarde bien*, dis-je silencieusement. *Durant près de quinze années, j'ai géré ta maison et partagé ton lit. As-tu oublié qui j'étais ?*

Confus, il détourna les yeux et je souris.

– Très bien, je suis prête. Quand j'aurai béni l'eau, je lirai dans ses profondeurs, et quand je commencerai à me balancer, vous pourrez me poser vos questions.

Je jetai un peu de sel dans l'eau, la consacrant dans l'ancienne langue des sorciers qui étaient venus à Avalon des terres englouties, de l'autre côté de la mer. Puis je me penchai en avant si bien que mes cheveux pendirent autour du bol comme un sombre rideau, et je laissai mon regard se perdre, tourné vers l'intérieur.

La lumière frémissait sur la sombre surface que ma respiration agitait. Avec un effort de volonté, je contrôlai mon souffle, inspiration, expiration, et encore plus lentement, sombrant dans le rythme de la transe. À présent la lumière vacillait sur l'eau au rythme de ma respiration. Ma conscience se limita à ce cercle dans l'ombre, à l'eau et au feu. Je suppose qu'à partir de ce moment, mon corps commença aussi à bouger, car de ce qui me parut une immense distance, j'entendis quelqu'un m'appeler.

— Dis-nous, prophétesse, que va devenir l'Empire dans le temps à venir. Est-ce que Numérien et Carin gouverneront bien ?

La lumière flamboya sur l'eau.

— Je vois des flammes…, dis-je lentement. Je vois des armées qui dévastent le pays. Frère contre frère, le bûcher funéraire d'un empereur… La mort et la destruction viendront de leur règne.

— Et ensuite, que se passera-t-il ? dit une nouvelle voix qu'une partie de mon esprit reconnut comme celle de Dioclès.

Mais déjà la scène changeait. Où j'avais vu un bain de sang s'étendaient maintenant de paisibles champs. Des paroles me vinrent aux lèvres.

— Salut à l'empereur béni par la Fortune. Un devient quatre, et pourtant le premier reste le plus grand. Pendant vingt ans, tu régneras dans la gloire, Jupiter et Hercule à tes côtés, Mars et Apollon à ton service. Le fils de Jupiter est ici, mais tu porteras un autre nom. Ta forte dextre en témoigne, ainsi qu'un autre, qui flamboie comme le soleil. Seul Mars est absent, mais quand tu auras besoin de lui, il apparaîtra. N'aie pas peur de saisir le moment quand il viendra. Tu régneras avec éclat, Auguste, et tu mourras riche d'années, ayant, à la fin, abandonné le sceptre à des mains plus jeunes…

— Et après ?

Cette voix-là, dorée, resplendissait dans mon esprit de sa propre lumière.

— Le fils du soleil règne avec éclat, mais se couche trop tôt. Et pourtant une aube plus brillante suivra, et un nouveau soleil se lèvera dont la lumière dardera ses rayons d'un bout à l'autre du monde.

Dans ma vision, la lumière s'épanouit, prenant la forme d'un visage que je connaissais. Constance, pensai-je, malgré une barbe blonde qui dessinait la forte ligne de sa mâchoire. Mais les traits semblaient plus massifs, le nez long et des yeux profondément enfoncés sous la courbe du front – un visage dont la force butée me fit un peu peur.

Puis cette vision aussi s'effaça. Je m'effondrai en avant et mes cheveux touchèrent l'eau. Alors Constance me prit dans ses bras, me retenant tandis que des frissons me parcouraient. J'ouvris les yeux et, comme j'essayais de fixer mon regard, l'image rémanente de ma vision se surimposa sur une forme qui émergeait de l'obscurité du seuil.

Je clignai des paupières et compris que c'était Constantin. Depuis combien de temps était-il là ? Et qu'avait-il entendu ? Je me redressai, soudain consciente de l'aspect que je devais présenter, les cheveux dénoués, les yeux hébétés par la transe. Il resta là encore un peu, avec sur le visage une expression mi-avide, mi-épouvantée. Pensait-il que je me comportais comme Alexandre le Prophète ? Mes yeux se remplirent de larmes lorsqu'il tourna le dos et disparut.

– Dame, dit Dioclès de sa voix grave, te sens-tu bien ? Tu nous as donné une grande bénédiction.

Son visage avait gardé son calme habituel, mais ses yeux brillaient. Sur les traits de Maximien, je lus quelque chose qui ressemblait à de la peur. Mes yeux allaient de l'un à l'autre, sachant que tous trois devaient porter la pourpre un jour.

– Seulement si tu la fais advenir, chuchotai-je, me souvenant comment les deux derniers empereurs étaient morts.

– Tu m'as dit ce que j'avais besoin de savoir, répliqua Dioclès. Constance, emmène ta dame dans sa chambre. Elle nous a rendu grand service cette nuit et doit se reposer.

– Et que vas-tu faire ? interrogea Maximien.

– Je vais retourner auprès de Numérien et attendre. Jupiter me sourit et m'éclaircira le chemin.

Dans les mois qui suivirent, tout parut confus. En novembre de cette année-là, Numérien mourut. Dioclès saisit l'opportunité en accusant le préfet du Prétoire, Arrius Aper, de l'avoir empoisonné, et le fit exécuter sur-le-champ [1]. Nous apprîmes ensuite que l'armée l'avait

---

1. L'histoire rapporte en effet que cet empereur, excellent poète, mais de santé maladive, fut assassiné par son beau-père, Arrius Aper, après neuf mois de règne. *(NdT)*

proclamé empereur. Mais il avait changé de nom et s'appelait maintenant Dioclétien.

Carin, qui était un bon commandant quand il le voulait, mit un frein à ses débauches pour défendre le trône, et les Romains combattirent une fois de plus d'autres Romains. Maximien et Constance se déclarèrent pour Dioclétien et se préparèrent à défendre l'Orient contre Carin. Toutefois, quand la saison des combats commença, au printemps suivant, les dieux, ou peut-être Némésis, prirent parti contre la guerre civile. Profitant de la confusion d'une bataille, un tribun dont Carin avait séduit l'épouse se vengea en massacrant son commandant.

Dioclétien était désormais le chef suprême. Son premier acte fut de nommer Maximien co-empereur. Et cet été-là, quand le nouveau César, qui avait fait de Constance le préfet de son prétoire, fut fort occupé par la dernière invasion germanique, Dioclétien envoya une lettre exigeant que mon fils Constantin rejoigne sa maison, à Nicomédie.

La chambre à coucher de Constantin était jonchée de vêtements et d'effets personnels. Je m'arrêtai sur le seuil, les bras chargés de linge de lin que je venais de décrocher de l'étendoir. Dans un tel désordre, il semblait impossible que tout cela fût empaqueté et prêt pour demain, à l'aube. La brève vision d'une descente à minuit pour voler les bagages me traversa l'imagination. Mais toute tentative pour retarder le départ de mon fils n'aurait fait qu'augmenter le désordre actuel ; de plus, Constantin était à l'âge où l'on se sent parfois honteux des réactions sentimentales de ses parents. Et même Constance, s'il avait été à la maison, n'aurait pu résister à un ordre impérial.

— Est-ce que ton valet a emballé tes caleçons de laine ? demandai-je en tendant les tuniques à la servante pour qu'elle les ajoute à la pile.

— Oh, mère, je n'ai pas besoin de ces vieux trucs. Seuls les habitants de la campagne en portent : j'aurais l'air d'un paysan s'affichant dans les salles de marbre de Dioclétien.

— Je me souviens très nettement du froid qu'il faisait en Bithynie, l'année que nous avons passée à Drepanum, et les salles impériales sont sûrement pleines de courants d'air. S'il fait assez froid pour que tu mettes des caleçons, je t'assure que tu porteras aussi assez de couches de vêtements pour les dissimuler aux regards.

Le jeune Gaulois que nous avions acheté pour qu'il soit le valet de Constantin, lorsque celui-ci eut treize ans, nous regarda l'un et l'autre, comparant nos sourcils froncés, puis se tourna vers le coffre qui contenait les choses que son maître avait eu l'intention de laisser.

– Viens avec moi, Constantin, laissons les esclaves à leur travail. En restant ici, nous ne faisons que les gêner.

En fait, j'aurais préféré faire ses bagages moi-même, en bénissant chaque vêtement que j'y aurais mis, mais c'était une chose que d'autres *pouvaient* faire. Personne d'autre ne pouvait lui dire ce qu'il y avait dans mon cœur.

Le gravier crissait doucement sous nos pieds tandis je l'emmenais au jardin pour nous asseoir sur un banc taillé dans la pierre rougeâtre du pays. L'été avait été beau, comme si les dieux bénissaient le règne de Dioclétien, et le jardin rutilait de fleurs.

Mais elles se faneraient rapidement. Et demain matin, mon fils s'en irait. J'avais pensé le garder encore cinq ans avant qu'il parte à l'armée, temps qui aurait suffi à Atticus pour lui former l'esprit et à moi pour éveiller son âme. Constantin était grand pour son âge, et l'exercice avait développé ses muscles. Il serait capable de répondre à toutes les demandes physiques qu'il pouvait rencontrer.

Mais en ce qui concernait le bien et le mal, il voyait encore le monde avec les convictions rigides d'un enfant. Dioclétien était peut-être l'empereur le plus vertueux depuis Marc Aurèle, mais sa cour serait un foyer d'intrigues. Comment armer mon fils contre elles sans compromettre son innocence ?

– Ne sois pas triste, ma mère…

Je ne m'étais pas aperçue que mon visage me trahissait. Je réussis à sourire.

– Comment ne pas l'être ? Tu sais combien je t'aime. Tu es un homme et je n'ignorais pas que tu devrais partir un jour, mais cela me semble prématuré.

Je choisissais soigneusement mes mots, car il ne fallait pas effrayer cet enfant, puisque la séparation était inévitable.

– Quand la première lettre est arrivée, moi aussi elle m'a fait peur, pourtant maintenant, je désire partir. Mais je ne t'oublierai pas, mère. Je t'écrirai toutes les semaines, aussi sûrement que le soleil brille au-dessus de nos têtes !

Il leva une main comme pour demander à Apollon d'être son témoin.

Je le regardai, surprise, car ce serment avait été prononcé avec une sincérité d'adulte.

— Ce ne sera pas facile, lui dis-je. Il y aura des choses et des personnes nouvelles, des choses excitantes à faire…

— Je sais.

Il s'arrêta, pour chercher ses mots.

— Mais la parenté, c'est important, et comme tu n'as pas d'autre enfant, je suis toute ta famille.

Mes yeux s'emplirent de larmes.

— Aurais-tu aimé avoir des frères et sœurs ?

— Oui. Quand je serai grand, j'aurai une grande famille.

— Je regrette de ne pas avoir pu le faire, répliquai-je avec peine. Mais j'ai toujours pensé que si les dieux m'ont mise au monde, c'était uniquement pour que je te donne le jour.

Ses yeux s'arrondirent, car je n'avais jamais parlé de cela si explicitement.

— Crois-tu que mes étoiles ont tracé une grande destinée ?

— Oui. C'est pour cela que je me suis donné autant de mal pour ton éducation.

— Peut-être que vivre à la cour de Dioclétien en fera partie, dit sobrement Constantin.

— Oh, je suis certaine que oui.

J'essayai d'ôter toute amertume de mon ton.

— Mais sera-ce ce dont tu as besoin ? repris-je. J'avais espéré t'enseigner une partie des Mystères auxquels j'ai été initiée quand j'étais jeune.

Constantin secoua la tête.

— Je ne pense pas être destiné à la prêtrise. Quand je serai grand, je serai dans l'armée et je commanderai des troupes, ou je gouvernerai peut-être une province, pour finir. Je crois que je le ferai bien, qu'en penses-tu ?

Je réprimai un sourire. Il ne manquait certes pas d'assurance. Je me demandai si lui aussi se voyait porter la pourpre un jour. Carin avait été un exemple effroyable des dangers que le pouvoir impérial constituait pour un homme qui n'était pas préparé. Mon fils avait peut-être raison de penser qu'il apprendrait beaucoup auprès de l'empereur, si tel était son destin.

— Si tu t'élèves à une haute position, Constantin, n'oublie jamais que les dieux seront toujours au-dessus toi, ainsi que le *Theos Hypsistos*, le Pouvoir qui est au-delà des dieux. Tu devras chercher à accomplir leur volonté pour le peuple que tu gouverneras.

— Je comprends cela, dit-il d'un ton assuré. L'empereur veille sur son peuple comme un père gouverne sa famille.

Je sourcillai. Apparemment, il y avait réfléchi et peut-être avait-il raison. Après tout, son père avait failli hériter de l'Empire. Constantin pouvait bien rêver du diadème impérial.

— Le soleil veille sur moi, comme il veille sur mon père.

Constantin me tapota l'épaule.

— N'aie pas peur pour moi.

Je lui pris la main et la pressai contre ma joue. Mon fils avait certainement la confiance en soi qu'il faut pour faire son chemin dans le monde. Plus tard seulement, il me vint à l'esprit qu'il aurait dû aussi posséder un peu plus d'humilité.

XII

293-296 après J.-C.

« La cour n'a jamais connu pareille splendeur… » La grosse écriture épaisse de Constantin s'étalait sur la page. Au cours des huit années écoulées depuis qu'il était attaché à la maison de l'empereur, il avait assurément appris beaucoup de choses, mais écrire d'un trait délié n'en faisait pas partie. Je déplaçai la page pour que la lumière vacillante de la lampe tombe en plein dessus. Quoique élégante, la demeure que Constance avait louée pour moi à Colonia Agrippinensis n'était pas bien isolée contre les vents du printemps germanique.

« Une simple salutation ne suffit plus pour approcher l'empereur. Notre *deus et dominus*, Dioclétien, exige à présent une prosternation complète, comme s'il était le Grand Roi de Parthie au lieu d'être l'Auguste de Rome. Mais je dois reconnaître que cela est fort impressionnant et que les ambassadeurs des cours étrangères semblent être remplis d'une juste crainte. »

Loués soient les dieux, Maximien demeurait le même, un vrai soldat, direct et jovial, bien qu'il fût devenu co-empereur avec Dioclétien. Mais nul ne pouvait ignorer lequel était l'associé principal. La monnaie de Dioclétien était frappée à l'image de Jupiter, alors que celle de Maximien s'ornait de la silhouette musclée d'Hercule.

Maximien eût-il eu le goût des cérémonies, le temps lui aurait manqué. L'année où il devint Auguste, Carausius, l'amiral issu de la tribu des Ménapiens auquel on avait confié la défense de l'Angleterre contre les maraudeurs saxons, fut accusé d'avoir détourné le butin. Préférant se rebeller plutôt que de se rendre à Rome pour y être jugé, il se proclama empereur de l'Ile de Bretagne. C'était un excellent navarque, qui avait défait sans fléchir non seulement les pirates saxons, mais aussi la flotte que Maximien avait diligentée contre lui. Par la suite, nos forces avaient dû se consacrer à contenir les incursions des Francs et des Alamans à l'est, et les rébellions des esclaves dans l'ouest de la Gaule, sans nous laisser le temps de nous occuper de l'Angleterre.

Mon jardin de Treveri me manquait, mais Colonia, située sur les rives du Rhin en Germanie inférieure, était suffisamment proche des combats pour que Constance me rende visite entre les campagnes. Notre maison était située à proximité du rempart de l'est, entre le camp du général et le temple de Mercurius Augustus, et elle avait abrité la famille de nombreux commandants avant la nôtre.

Pour le moment du moins, je n'avais pas à m'inquiéter de la sécurité de mon époux, car il avait été convoqué à Mediolanum, dont Maximien avait fait sa capitale, pour s'entretenir avec celui-ci et Dioclétien. Je me demandais parfois si, durant ces longs mois passés loin de moi, Constance me restait fidèle. En vérité, si j'avais une rivale, ce n'était pas une autre femme, mais l'Empire. Quand nous nous étions connus, je l'avais aimé pour ses rêves. J'aurais été malvenue de me plaindre alors qu'il avait à présent la chance d'en réaliser certains. Cependant, mon mari étant au combat et mon fils auprès de l'empereur, j'étais quelque peu désœuvrée et je me pris à regretter les responsabilités qui eussent été miennes à Avalon.

Pour l'heure, Dioclétien et Maximien avaient accepté Carausius comme co-empereur. Je me demandais combien de temps cela durerait. Quand j'entendis courir le bruit que Carausius avait épousé une princesse anglaise formée à Avalon, je fus étonnée. Ganeda avait toujours redouté et fui le moindre contact entre Avalon et le monde extérieur. C'était, entre autres, cette volonté d'isolement qui m'avait chassée de là-bas. Mais à présent, je ne pouvais m'empêcher de penser que si j'étais devenue Grande Prêtresse, je serais aujourd'hui celle qui déciderait du rôle d'Avalon dans ce monde changeant, et non Dierna. Je souhaitais parfois rentrer en Angleterre pour voir ce qui s'y passait, mais un tel voyage n'était guère envisageable tant que Carausius régnait sur la mer de Bretagne.

Par une claire journée de la mi-mars, où le vent, vif comme un loup affamé, pourchassait les petits nuages dans le ciel, Constance rentra d'Italie. Sur le moment, en voyant son visage figé tel que je ne l'avais observé qu'après une défaite, je crus que l'empereur lui avait administré une réprimande, même si je n'imaginais pas en quoi il avait pu déplaire à Dioclétien. Celui qui était en tort, c'était bien Maximien, pour ne pas s'être débarrassé de Carausius. Si Dioclétien était mécontent, me dis-je avec colère tandis que je faisais déballer les affaires de Constance, qu'il vienne en Gaule pour se frotter à la situation dans la région.

Cependant les Germains, dirigés par Crocus qui était devenu le garde du corps attitré de Constance, étaient pleins d'entrain et leurs rires sonores retentissaient dans la cour. Ils auraient été sûrement d'une humeur plus sombre s'il y avait eu un problème. La plupart étaient cantonnés à la caserne des prétoriens, bien sûr, mais il y en avait toujours une bonne douzaine sous notre toit quand Constance était là.

Je m'étais accoutumée à leur stature et à leur humour parfois macabre. Je fus certes un peu surprise que Crocus ne vînt pas en personne me saluer, puisqu'il me traitait avec la déférence due à l'une de ses propres voyantes depuis notre première rencontre. Lui était-il advenu quelque chose ? Cela expliquerait l'humeur de mon époux.

J'étais dans notre chambre à coucher, occupée à trier les tuniques sorties des bagages de Constance pour voir celles qui demandaient à être recousues, quand celui-ci apparut sur le seuil de la porte. Je levai les yeux en souriant et le vis tressaillir. Son visage se fit plus sévère tandis que son regard faisait le tour de la pièce.

– Constance, demandai-je doucement, qu'est-ce qui ne va pas ?

– Viens faire un tour avec moi, dit-il d'un ton brusque. Nous avons besoin de parler et je ne puis le faire… ici.

J'aurais pu lui jurer qu'aucun de nos serviteurs n'écoutait aux portes, mais il paraissait préférable d'échanger sans discuter mes sandales contre des chaussures plus robustes et d'attraper une fine étole de laine. À vrai dire, je ne demandais pas mieux que de sortir de la maison par une journée aussi belle et aussi agitée.

Depuis la rébellion de Claudius Civilis [1], à l'époque d'Agrippine la

_____

1. Julius ou Claudius Civilis, chef batave (Ier s.), suscita une révolte contre Rome des tribus germaniques et d'une partie de la Gaule. Vaincu, il se rallia aux Romains. *(NdT)*

Jeune qui avait donné son nom à la cité, Colonia était devenue une ville frontière. Si d'autres cités pouvaient négliger leurs défenses, les remparts de Colonia avaient été renforcés à maintes reprises jusqu'à obtenir de hautes et solides murailles, ponctuées de tours de guet à intervalles réguliers. En période de paix, ses habitants gravissaient les marches situées au portail nord et marchaient à l'est jusqu'au portail proche du Prétoire. Ici, les berges du fleuve étaient déjà hautes et les fortifications offraient une vue spectaculaire du pont sur le Rhin et, au-delà, de la Germania Libera.

Je suivis Constance en haut des gradins de pierre en cherchant à me rassurer : ce ne pouvait être sa santé qui était en cause car il grimpait sans s'arrêter pour reprendre son souffle et je voyais les muscles solides de ses mollets se durcir à chaque pas. Pour ma part, je regrettais de n'avoir pas fait plus d'exercice car, lorsque nous parvînmes sur le terre-plein, j'étais hors d'haleine et dus m'arrêter pour reprendre mon souffle. Constance me tendit la main pour m'aider, puis il s'approcha du mur, où, les bras posés sur les créneaux, le regard tourné au nord vers les barges qui descendaient paisiblement le fleuve, il attendit que je le rejoigne.

À présent, mon ventre était noué d'appréhension. Après tant d'années, je connaissais les dispositions d'esprit de Constance aussi bien que les miennes et il émanait de lui une obscure fureur, de sorte qu'il paraissait enveloppé d'ombre alors même qu'il se tenait en plein soleil. Comme je m'apprêtais à reprendre la parole, il repartit et je le suivis, comprenant qu'il me faudrait le laisser mener cela à sa convenance, sans hâte et sans intervention de ma part.

Les murailles de la forteresse, de l'autre côté du pont, scintillaient et les feux du soleil ricochaient sur les eaux bleues du fleuve, très large à cet endroit, et qui coulait avec force vers la mer. À la veille des fêtes, je versais un peu de vin dans ses flots en demandant aux divinités de l'eau de le transporter jusqu'à l'île de Bretagne. Quand nous passâmes la tour d'angle et prîmes en direction du Prétoire, le vent du fleuve nous parvint de plein fouet et je resserrai mon châle autour de mes épaules.

Constance ralentit le pas et je me rendis compte qu'en ce point, situé à mi-chemin entre la tour et le portail, là où la voie pavée allant du mur à l'enceinte prétoriale était la plus large, devait se trouver le meilleur endroit de Colonia pour parler sans être entendu.

– Allons donc, dis-je à voix haute. Tu ne m'as sûrement pas conduite ici pour me parler de trahir l'empereur !

Surprise d'entendre ma voix déformée par l'angoisse, je m'interrompis aussitôt.

– N'en sois pas si sûre ! répliqua Constance d'un ton dur. Il m'a mis dans une telle position que je suis contraint de trahir quelqu'un. Mon seul choix, c'est qui…

– Que veux-tu dire ?

Je lui touchai le bras et son autre main se posa sur la mienne en la serrant si fort que je grimaçai de douleur.

– Que t'a-t-il dit ?

– Dioclétien a eu une idée… une façon à la fois d'étendre le pouvoir impérial à travers l'Empire et d'assurer une succession pacifique. Il jure que lorsque lui et Maximien auront régné vingt ans, ils se retireront en faveur de leurs Césars, qui prendront alors le titre d'Auguste et nommeront à leur tour deux autres Césars.

Je le regardai fixement, ébahie à l'idée qu'un homme puisse renoncer au pouvoir suprême de son plein gré.

Mais ce plan pouvait marcher si les quatre empereurs restaient loyaux les uns envers les autres. L'idée qu'un empire puisse échapper aux guerres de succession si meurtrières semblait être une véritable utopie.

– Il compte donc désigner deux Césars, commentai-je quand le silence me parut s'éterniser.

Constance approuva en silence.

– Pour l'Orient, ce sera Galère, reprit-il. Il est originaire de Dalmatie, lui aussi, et c'est un bon soldat. On l'appelle le berger, parce que son père gardait les vaches…

Se rendant compte qu'il s'égarait, il s'interrompit.

– Pour l'Occident… c'est moi qu'il veut.

Il me sembla que je le savais avant qu'il me le dise. Ce cadeau de l'empereur, c'était le rêve de sa vie. Mais l'était-ce vraiment ? Car, dans ce cas, pourquoi Constance avait-il l'air si malheureux ? Je levai les yeux vers son cher visage, tanné par les éléments, ses cheveux pâles auxquels se mêlaient à présent des mèches argentées et qui se dégarnissaient sur son large front. À mes yeux, il demeurait pourtant le beau jeune homme que j'avais rencontré en Angleterre.

– Mais il y a un prix à cela, répondit-il à la question que je ne pouvais formuler. Il exige que Galère et moi prenions épouse dans des familles impériales.

Je sentis le sang quitter mon visage et tendis la main vers la pierre pour ne pas tomber. Constance avait les yeux rivés sur l'horizon comme s'il avait peur de me regarder. J'avais entendu dire que, lorsqu'un homme est grièvement blessé, il ressent d'abord le choc et, seulement après, la douleur. Dans l'intervalle entre le coup et la souffrance qui m'engloutit, je trouvai un instant pour avoir pitié de lui, qui avait dû faire le voyage depuis Mediolanum, sachant cela. Et je comprenais à présent pourquoi Crocus n'était pas venu me saluer. Son visage reflétait ce qu'il pensait et j'aurais lu dans ses yeux l'annonce de ce désastre.

– Galère va épouser Valeria, la fille de Dioclétien, reprit-il d'une voix sans timbre. Ils veulent que j'épouse Theodora, la belle-fille de Maximien.

– Je ne savais même pas qu'il avait une belle-fille, soufflai-je. C'est ce qu'ils veulent, *eux* ? Tu veux dire que tu n'as pas encore donné ton accord ?

Il secoua violemment la tête.

– Pas avant de t'en avoir parlé ! Même l'empereur ne peut exiger cela. Et Maximien se souvient de toi avec bienveillance… Il m'a accordé un délai suffisant pour que je puisse t'en informer moi-même, avant que tout soit arrangé.

Il reprit son souffle dans un sanglot.

– J'ai juré de sacrifier mon sang au service de Rome, mais pas mon cœur ! Pas toi !

Il se tourna enfin vers moi et me prit par les épaules avec tant de force que je vis, le lendemain, l'empreinte de ses doigts dans ma chair.

Je posai ma tête contre sa poitrine et, durant un long moment, nous restâmes ainsi, rivés l'un à l'autre. Pendant plus de vingt ans, ma vie avait tourné autour de cet homme. Je m'étais parfois demandé si c'était en raison de tous les sacrifices que j'avais faits pour lui que je n'osais éprouver d'autres sentiments à son égard. Et lui, de son côté, qui avait tant d'autres choses pour occuper son esprit, devait être moins dépendant de moi. Mais je voyais bien à présent qu'il n'en était rien. Peut-être parce que sa carrière avait fait de lui un être d'esprit et de volonté, son cœur était tout à moi.

— Au bout de ce fleuve, murmura-t-il dans mes cheveux, se trouve la mer, et de l'autre côté de la mer se trouve l'île de Bretagne. Je pourrais t'y reconduire, offrir mes services à Carausius et que le reste de l'Empire soit précipité chez Hadès ! J'ai pensé à cela pendant que j'essayais de trouver le sommeil dans les relais de poste sur le chemin du retour…

— Constance, chuchotai-je à mon tour. C'est la chance dont tu rêvais. Toute ta vie, tu t'es préparé à devenir empereur…

— Avec toi à mes côtés, Hélène. Pas seul !

Je resserrai mon étreinte puis, avec la précision d'une flèche en plein cœur, je compris qu'il n'y avait plus d'espoir.

— Tu vas devoir le faire, mon bien-aimé. Tu ne peux défier Dioclétien… Il a Constantin !

Ma voix céda en prononçant ces mots. Aussitôt, la glace qui m'avait enveloppée d'une carapace se brisa soudain et je sanglotai dans ses bras.

La nuit tombait quand nous prîmes le chemin du retour, les paupières gonflées d'avoir tant pleuré, mais les yeux vides de larmes pour le moment. Je ramenai la palla sur mon visage et détournai la tête pour demander à ma servante d'apporter un repas dans notre chambre. Drusilla aurait su immédiatement que quelque chose n'allait pas, mais Hrodlind, une jeune Germaine qui apprenait encore le latin, était nouvelle.

Constance et moi nous allongeâmes dans notre lit, laissant la nourriture intacte. Je n'avais pas même retiré ma palla, car j'étais transie jusqu'à l'âme. *Si je me tue*, me disais-je hébétée, *cela ne serait pas mieux pour Constance, mais au moins je n'aurais pas à endurer une pareille souffrance.* Je ne dis rien, mais Constance avait trop longtemps fait partie intégrante de mon âme pour ne pas éprouver ce que je ressentais — ou peut-être avait-il ressenti la même chose de son côté ?

— Hélène, tu dois vivre, dit-il à voix basse. Dans chaque campagne, quand le danger menace, c'est le fait de te savoir en sécurité chez nous qui m'a donné le courage de tenir. Je ne puis accomplir le devoir auquel je suis contraint que si je sais que tu es en vie quelque part.

– Tu es injuste. Tu seras entouré de gens, l'esprit sans cesse distrait par tes responsabilités. Qui donc aura besoin de moi quand tu seras parti ?

– Constantin…

Le nom resta suspendu dans l'obscurité entre nous, mon espérance et mon destin. Pour lui, j'avais quitté mon foyer pour suivre Constance et, pour lui, nous devions aujourd'hui nous séparer.

Nous restâmes longtemps allongés en silence tandis que Constance caressait mes cheveux. Je n'aurais pas cru que, dans l'état d'épuisement où étaient nos âmes, le corps pourrait avoir ses exigences. Mais, au bout d'un moment, malgré le désespoir, je commençai à me détendre au contact de sa chaleur. Je me retournai dans ses bras. Il écarta les cheveux de mon visage et, presque hésitant, m'embrassa.

Mes lèvres étaient encore raidies par le chagrin, mais sous la douceur de sa caresse, je les sentis fondre et, bientôt, tout mon corps s'embrasa et s'ouvrit, brûlant, une ultime fois, de l'accueillir.

Le matin, quand je m'éveillai, Constance était parti. Sur la table, il avait laissé une missive.

« Ma bien-aimée,

Traite-moi de lâche si tu veux, mais c'est ainsi seulement, quand tes beaux yeux sont clos par le sommeil, que je puis te quitter. J'informerai les domestiques du changement imminent de notre situation pour t'éviter d'avoir à leur expliquer ce qui paraît être, même pour moi, un mauvais rêve.

Je serai au Prétoire pour peu de temps, mais je crois préférable, pour ma paix et la tienne, de ne pas nous revoir. Je transfère cette propriété à ton nom avec tous ses esclaves. En outre, j'ai donné les instructions nécessaires pour que tu puisses continuer à mener le même train de vie et, si tu désires déménager, pour que les fonds soient transférés à ton nom.

Je serai en contact avec notre fils, bien sûr, mais j'espère que tu pourras toi aussi lui écrire. C'est pour toi que son cœur va souffrir, même si sa loyauté l'oblige à me féliciter. Quoi qu'il advienne, tant que mon cœur battra, sache qu'il sera à toi… »

Sa signature habituellement appliquée s'estompait, comme si, à la fin, sa détermination faiblissait. Je laissai tomber la feuille de papyrus, les yeux fixés sur la couche vide, la chambre vide et l'interminable suite des journées vides que je devrais apprendre à vivre seule.

Pendant une bonne partie de la semaine, je quittai à peine le lit, aussi anéantie par le chagrin que lorsque j'avais perdu mon premier enfant. Il n'y eut plus d'autre missive de Constance, bien qu'un mot plein de fautes me parvînt de la part de Crocus pour m'assurer de sa fidélité indéfectible. Je mangeais quand Drusilla me forçait à le faire, mais refusais obstinément de laisser Hrodlind s'occuper de mes cheveux ou changer ma couche qui me semblait porter encore l'empreinte du corps de Constance et l'odeur de sa peau.

L'affection muette d'Hylas fut le seul témoignage de compassion que je pus supporter et je crois à présent que c'est le corps chaud du chien contre le mien et ses petits coups de truffe quand il voulait être caressé qui m'ont empêchée de me couper totalement du monde extérieur et de sombrer. Son museau avait blanchi à présent et il marchait d'un pas raide quand le temps était froid, mais son cœur était toujours chaud. Sous le choc, il m'eût été si facile de perdre l'esprit. Mais tant qu'une seule créature avait besoin de moi, tant qu'Hylas m'offrait son amour inconditionnel, je n'étais pas complètement seule.

Bien que mon chagrin parût échapper à toute logique, lorsque Philip vint m'annoncer, un après-midi, que Constance avait quitté Colonia pour Mediolanum et les célébrations de son mariage, je compris que c'était là la nouvelle que j'attendais. Désormais, j'étais seule. En fin de compte, il fut relativement facile de briser notre union. Aucune négociation n'était nécessaire pour réclamer la restitution d'une dot, car je lui avais seulement apporté mes talents de prêtresse et mon amour, qui n'avait pas de prix. Notre fils unique était confié à la garde de l'empereur. Nous n'avions jamais été vraiment mariés aux yeux de Rome, seulement en Avalon.

Mon esprit semblait fonctionner au ralenti, mais je finis par autoriser Hrodlind à me donner un bain et m'habiller, et les serviteurs à faire le ménage dans la chambre. Cependant je ne quittai pas la maison. Comment aurais-je pu supporter de franchir la mer quand le premier venu pourrait montrer du doigt en riant la concubine déchu~ du nouveau César ?

— Dame, dit Drusilla en déposant le plateau garni de tendres légumes verts assaisonnés d'un filet d'huile d'olive, de galettes d'orge et de fromage. Tu ne peux vivre ainsi. Retournons en Angleterre. Tu seras mieux chez toi !

Je suis chez moi à Avalon, me dis-je, *et je ne puis y retourner car je devrais alors reconnaître devant tous que Constance m'a abandonnée.* Mais même si les relations avec l'île dont Carausius avait fait son empire étaient tendues, l'Angleterre et Rome n'étaient pas encore en guerre. Les bateaux traversaient encore la mer de Bretagne jusqu'à Londinium. Là, sûrement, une femme fortunée pouvait vivre seule dans un anonymat respectable.

Philip prit les dispositions nécessaires pour que nous embarquions à Ganuenta au lendemain du premier jour de l'été. Mon premier geste, quand j'émergeai enfin de ma chambre, avait été de l'affranchir ainsi que les autres esclaves que Constance m'avait donnés. La plupart de ceux que nous avions achetés pour s'occuper de la maison de Colonia acceptèrent leur affranchissement avec gratitude, mais je fus surprise de voir combien, parmi eux, choisirent de rester à mon service. C'est ainsi que Philip, Drusilla et Hrodlind, que son propre père avait vendue comme esclave, de même que Decius, le garçon qui s'occupait du jardin, et deux des servantes de l'office, devaient s'embarquer avec nous pour Londinium.

La veille de notre départ, je pris la route conduisant au vieux temple de Nehalennia. Hrodlind suivait, portant Hylas dans un panier, car il ne pouvait plus parcourir de pareilles distances, mais il gémissait lamentablement dès que je m'éloignais.

Peut-être que les lichens recouvraient plus les pierres et que les tuiles du toit avaient pris une légère patine, mais sinon l'endroit me parut inchangé. Et la Déesse, quand je me trouvai en sa présence à l'intérieur du temple, me transperça de son regard avec la même sérénité. Moi seule étais différente.

Où était la jeune femme qui, naguère, avait apporté ses offrandes à cet autel, parlant le latin avec l'accent chantant de son île natale, le regard porté avec appréhension sur cette terre nouvelle ? Après vingt-deux ans, ma prononciation s'était assagie même si ma parole était devenue plus éloquente. À présent, c'était l'Angleterre que je verrais avec les yeux d'une étrangère.

Quant à ce temple, comment pourrait-il m'impressionner maintenant que j'avais vu les hauts lieux de l'Empire ? Et comment la Déesse pourrait-elle me parler, à moi qui avais perdu mon âme ?

Cependant, j'avais apporté une guirlande de fleurs printanières à déposer à ses pieds. Puis je me tins debout, tête penchée, et malgré ma profonde tristesse, la quiétude des lieux pénétra mon âme.

Le temple était calme, mais le silence n'était pas absolu. Sous les avant-toits, des moineaux nichaient, les piaulements et les gazouillis venant rehausser de leurs fioritures un murmure plus grave, dans lequel je finis par reconnaître le bruissement de la fontaine. Brusquement, il me fut inutile de descendre jusqu'à elle, car je fus happée par son chant, le sentiment envahissant d'une Présence qui me disait que la Déesse était entrée dans son temple et que je me tenais sur une terre sacrée.

– Où étais-tu ? murmurai-je tandis que les larmes brûlaient mes paupières closes. Pourquoi m'as-tu abandonnée ?

Au bout d'un moment, comme j'attendais, je sentis une réponse. La Déesse était là, comme Elle l'avait toujours été, dans les eaux vives et sur les chemins du monde, pour ceux qui étaient prêts à rester immobiles et à écouter leur âme. Hylas avait pointé le nez par-dessus le rebord du panier et fixait un point près de la statue avec cet air qu'il me réservait habituellement quand je rentrais de voyage. L'endroit me semblait être juste au-dessus de la fontaine cachée.

Je me retournai et levai les mains en signe d'invocation.

– Elen des Voies, écoute mon vœu. Je ne suis plus épouse et j'ai été chassée d'Avalon, mais je serai Ta prêtresse si tu me montres ce que tu attends de moi…

Je fermai les yeux et le soleil peut-être, en descendant, choisit cet instant pour éclairer les hautes fenêtres, ou peut-être qu'une des servantes du temple apporta une lampe dans la salle. Mais j'eus soudain l'impression d'un torrent de lumière. Et bien que mes yeux fussent toujours clos, cet éclat illumina l'obscurité dans laquelle avait sombré mon esprit quand Constance m'avait quittée ; je sus alors que je vivrais.

Londinium était la plus grande ville d'Angleterre, plus grande que Sirmium ou Treveri, encore que moins grande que Rome. Je fus en mesure d'acheter une demeure confortable dans la partie nord-est de la cité, près de la grand-route qui conduisait à Camulodunum. Elle avait appartenu à un soyeux avant que son commerce soit mis à mal par les guerres de Carausius. Dans cette partie de la ville, il y avait encore suffisamment de terres inoccupées pour planter des jardins potagers et une pâture, de sorte qu'on eût pu se croire en pleine campagne.

Je menai le train de vie tranquille convenant à la veuve que j'étais aux yeux de mes voisins. Je ne pris pas la peine de les détromper, mais je me rendais régulièrement aux thermes, au théâtre et au marché. Peu à peu, mon tourment intérieur s'apaisa. Pareille à un légionnaire qui a perdu un membre au combat, j'appris à compenser sa perte et même, parfois, à profiter de ce que j'avais sans me souvenir immédiatement de ce que je n'aurais jamais plus.

De temps à autre, des nouvelles nous parvenaient de Rome. Aux ides de Maia, mois peu propice, dit-on, aux mariages, Constance avait pris Flavia Maximiana Theodora pour femme. Je ne pus m'empêcher d'espérer qu'en l'occurrence la tradition se trouverait confirmée. Toutefois, si Constance me pleurait encore, cela ne l'empêcha pas d'accomplir son devoir conjugal, car, à la fin de l'année, nous apprîmes que Theodora avait donné le jour à un fils, qui reçut le nom de Dalmatius.

Non seulement Theodora était plus jeune que moi, mais elle semblait être du genre à concevoir dès que son mari avait accroché son ceinturon à la colonne de lit, car après Dalmatius se succédèrent sans attendre un autre fils, Julius Constance, et deux filles, Constantia et Anastasia. Comme je n'ai jamais vu Theodora, j'ignore si elle était aussi belle que les thuriféraires se devaient forcément de le dire.

J'étais à présent coupée des potins de l'armée, mais ne pouvais éviter d'entendre les rumeurs sur le marché et la situation politique dégénérait. Après avoir engrossé Theodora, Constance était retourné à l'armée et, fort de sa nouvelle autorité de César, il lança une attaque contre Gesoriacum, port qui avait permis à Carausius de conserver un pied-à-terre dans le nord de la Gaule. La forteresse navale était imprenable, mais en construisant une digue à l'entrée du port, Constance fut capable de couper le port de toute aide venue de la mer. Peu après le milieu de l'été, la garnison se rendit.

Ensuite, il lança une attaque contre les Francs, qui étaient les alliés de Carausius à l'embouchure du Rhin. Le commerce souffrait déjà et, pour la première fois, des murmures s'élevèrent contre l'arrogant empereur. On disait que sa femme Teleri, celle qui avait suivi l'enseignement d'Avalon, était rentrée chez son père, le prince de Durnovaria. Avait-elle été amoureuse de son Romain de mari, me demandai-je, ou leur union avait-elle été un arrangement politique dont elle avait été heureuse de se défaire ? Dans ce cas, l'alliance avait-elle été imaginée par le prince de Durnovaria ou par la Grande Prêtresse d'Avalon ? Teleri était peut-être la seule femme d'Angleterre à pouvoir me comprendre. J'aurais aimé parler avec elle.

Et puis, juste avant les fêtes qui précèdent la moisson, des hommes parcoururent les rues en criant que Carausius était mort et que son ministre des Finances, Allectus, revendiquait le trône et récompensait richement les auxiliaires francs de son ancien maître qui prenaient son parti. Quand on annonça qu'il allait épouser Teleri, je hochai la tête. Allectus pouvait se proclamer empereur, il entendait bien devenir Haut Roi selon l'ancienne coutume, en s'unissant à la reine et, avec elle, à la terre.

Je me mêlai à la foule qui les regardait se rendre à la célébration de leur mariage. Allectus agitait la main avec une gaieté fébrile, mais à sa manière de tenir les rênes, on le sentait tendu. Quand le carrosse transportant Teleri et son père passa, j'entrevis un visage blanc sous un nuage de cheveux bruns et me dis qu'elle avait l'air d'une femme se rendant à son exécution – et non à son lit d'épousée.

Sûrement, Constance allait vite mettre fin aux prétentions d'Allectus. Mais une année passa, et puis une autre, sans que Rome relève le défi. Allectus se fit un point d'honneur de frapper monnaie à la hâte et de réduire les impôts. J'aurais pu lui dire qu'une popularité à court terme serait de peu de poids comparée à des fortifications en bon état quand les Pictes attaqueraient ou quand Rome déciderait de reprendre possession de sa province rétive.

Mais j'avais veillé à ce que nul n'apprît mon identité. Constantin écrivait régulièrement, des lettres pleines d'entrain mais dépourvues d'idées personnelles, car il soupçonnait qu'un proche de la maison de l'empereur lisait sa correspondance. Je doutais que quiconque déchiffrât la mienne. Après tout, il n'était pas rare d'avoir un fils en service à l'étranger. Le danger ne venait pas de mes liens avec Constantin.

Je n'avais pas eu de nouvelles de Constance depuis qu'il m'avait quittée, mais parfois je le voyais en rêve et je ne pensais pas qu'il m'eût oubliée. J'aurais fait un précieux otage si Allectus avait su qui vivait dans sa capitale.

Au début de l'automne de la troisième année qui suivit mon retour en Angleterre, je fus assaillie par une série de songes. Dans le premier, je vis un dragon qui émergeait des flots et se lovait contre les falaises blanches de Dubris dont il gardait la plage. Un renard vint et lui fit fête jusqu'à ce que dragon cessât de s'intéresser à lui. Alors le renard bondit pour mordre le dragon à la gorge et ainsi mourut cette créature. Le renard se mit alors à grossir, se para d'une cape de pourpre et d'une couronne d'or, puis il partit dans un char doré à travers le pays.

Ce rêve n'était pas difficile à interpréter, même si je me demandais pourquoi les dieux m'envoyaient la vision d'une chose révolue. Toutefois, peut-être un changement allait-il se produire et je diligentai Philip plus souvent au forum pour qu'il apprenne les nouvelles.

Mon rêve suivant me parut plus pressant. De l'autre côté de la mer, je vis venir deux formations d'aigles. Le premier groupe fut repoussé par le vent, mais le second profita du brouillard et des nuages pour cacher son approche et s'élancer vers la terre. Une nuée de corbeaux s'éleva pour les combattre et je vis qu'ils protégeaient le renard. Mais les oiseaux de proie les mirent en pièces et tuèrent le renard, et les corbeaux se replièrent sur Londinium en poussant des cris perçants. Alors le premier groupe d'aigles réapparut pour fondre juste à temps sur les corbeaux et les battre une bonne fois. Et quand cela fut fait, un lion apparut parmi eux et des gens sortirent de la ville pour l'acclamer avec allégresse.

Quand je m'éveillai, une tempête fouettait les toits. *Mauvais temps pour les marins*, me dis-je dans mon demi-sommeil. Brusquement, je me trouvai assise, raide, dans mon lit avec la conviction que Constance était pris dans la tourmente. Pourtant, si mon rêve disait vrai, il s'en sortirait. C'était Londinium qui courait un grand danger si les Francs, que j'avais vus sous forme de corbeaux, étaient battus et, pour se venger, attaquaient la ville.

Je dis à Drusilla de faire des provisions pour plusieurs jours. Au coucher du soleil, nous savions que les légions romaines étaient enfin en route. Certains dirent qu'elles allaient débarquer à Portus Adurni, où la flotte d'Allectus les attendait, alors que d'autres croyaient qu'elles iraient à Rutupiae et marcheraient sur Londinium. Mais si ma vision se révélait exacte, Constance scinderait ses forces en deux et il attaquerait l'un et l'autre. J'eus un sommeil agité, cette nuit-là, en attendant ce que le jour m'apporterait.

Le lendemain, des rumeurs de toutes sortes circulaient dans la ville. La tempête avait fait reculer les Romains, disaient certains, alors que d'autres parlaient d'une avancée au nord de Clausentum et de combats près de Calleva. L'obscurité était déjà tombée quand Philip rentra du forum pour nous dire qu'un cavalier était venu, porteur d'un message annonçant la mort d'Allectus et que ses barbares francs, qui avaient eu les plus grosses pertes, se repliaient sur Londinium, ayant juré de se venger sur la cité.

Philip, qui avait vécu la mise à sac d'une ville dans son enfance, souhaitait qu'on fuie, mais jusque-là tout s'était passé comme dans mes rêves et je ne doutais pas que Constance arrive à temps. Je n'avais pas encore décidé de ce que je ferais quand il serait là. Pourrais-je résister à la tentation de le revoir encore une fois et, dans ce cas, qu'adviendrait-il de ma sérénité chèrement conquise ? J'allai me coucher cette nuit-là comme à l'accoutumée, en partie pour rassurer mes gens et, à ma grande surprise, j'eus à nouveau un rêve.

Le renard était étendu, mort, sur le champ de bataille. Un cygne noir sortit de son flanc et battit désespérément des ailes dans la tourmente, poursuivi par les aigles et les corbeaux. Quand il se posa enfin près du palais du gouverneur, ce fut le lion qui le menaça. Alors, sortant d'une rue transversale, un lévrier apparut qui tint en respect le fauve jusqu'à ce que le cygne eût retrouvé la force de s'échapper.

Quand je m'éveillai, la première lueur de l'aube filtrait à travers les courtines. Des cris me parvenaient du dehors, mais on m'aurait alertée si j'avais été en danger. Je restai allongée, immobile, passant en revue les détails de mon rêve pour être sûre de ne pas les oublier.

Quand je me levai, je trouvai mes serviteurs rassemblés dans la cuisine.

— Maîtresse, s'exclama Drusilla, il y a eu une bataille aux portes de la cité. Asclepiodotus, le préfet du Prétoire, a battu Allectus à Calleva et voilà que la flotte du Maître arrive de Tanatus pour nous sauver des barbares francs !

Il est ici, me dis-je, *ou du moins le sera-t-il bientôt*. Mon cœur se mit à battre plus vite et le rempart qui me protégeait de mes souvenirs commença à s'effriter. Si nos pas venaient à se croiser, me trouverait-il toujours belle ? J'avais passé la quarantaine à présent, mon corps s'était alourdi avec le temps et j'avais des fils d'argent dans les cheveux.

— Il se dit qu'avant ce soir ses légions pénétreront dans la cité, m'informa Philip. La garnison qu'Allectus a laissée ici a déjà pris la fuite. Ses ministres, ses affidés et le reste de ses gens sont en pleine débandade ; ils rassemblent leurs biens et se préparent à fuir avant l'arrivée de Constance.

Il rit. Dans mon rêve, le cygne était incapable de prendre son envol. Je terminai mon gruau et reposai le bol.

— Philip, il me faut le char dans une heure, et je veux que toi et Decius m'escortiez. Apportez vos bâtons pour parer à tout problème avec la populace.

Je pus lire la stupéfaction sur son visage, mais il savait que les ordres donnés sur ce ton ne supportaient pas de discussion. Un peu avant midi, nous franchissions le portail pour accéder à la route. La carriole aurait été plus appropriée pour les routes de campagne, mais le haut du char possédait des rideaux de cuir qui se fermaient. Je pouvais voir, à travers l'interstice, que les rues étaient pleines de gens d'une humeur festive. Certains construisaient déjà un arc de verdure sur la grand-rue qui conduisait au forum et le décoraient de fleurs.

Je tiraillais nerveusement l'étoffe de ma robe. Je l'avais achetée des années auparavant parce qu'elle était d'un bleu qui rappelait celui d'Avalon et, pour la même raison, je la portais rarement. Ma fine cape de laine, d'un bleu plus sombre, ombrageait mon visage comme un voile. Philip n'avait pas osé me questionner. Si nous rentrions chez nous les mains vides, il me croirait folle, même s'il me croirait plus folle encore si nous devions réussir.

Personne ne gardait les portes du palais. J'indiquai au cocher une porte latérale qui m'était restée en mémoire d'une visite en Angleterre pour laquelle j'avais accompagné Constance. Je descendis et me faufilai à l'intérieur. Les corridors portaient les traces d'un départ précipité. J'avançai d'un pas vif vers les chambres qui étaient normalement occupées par le gouverneur et qu'Allectus avait dû s'octroyer.

Et là, seul dans le grand lit, à demi vêtu et le regard fixe, mon cygne noir m'attendait.

Comme je me l'étais imaginé, elle était ravissante, la peau blanche et des boucles noires tombant sur ses épaules. Et pas aussi jeune qu'il y paraissait au premier abord, car elle avait des rides d'amertume aux commissures de ses lèvres pulpeuses et des cernes sous ses yeux noirs.

– Teleri…

Il lui fallut un long moment, comme si son esprit divaguait, avant qu'elle bouge. Mais son regard vague s'anima quand elle vit la robe bleue.

– Qui es-tu ?

– Une amie… Tu dois venir avec moi, Teleri. Rassemble les effets que tu veux emporter.

– Les serviteurs ont pris mes bijoux, chuchota-t-elle. De toute façon, ce n'étaient pas les miens mais les siens. Je n'ai rien… Je ne suis rien par moi-même.

– Alors viens telle que tu es, mais hâte-toi. Même si César ne te fera pas de mal, je doute que tu désires être le trophée de sa victoire.

– Pourquoi m'en remettrais-je à toi ? Tout le monde m'a trahie, y compris Avalon.

J'étais heureuse de constater qu'elle conservait un instinct de conservation minimal, mais ce n'était pas le moment de faiblir. J'entendais dans le lointain un bruit qui rappelait le clapotis des vagues sur la grève et je savais que les habitants de Londinium se réjouissaient. Je repoussai ma cape pour qu'elle puisse voir la trace du croissant entre mes sourcils.

– Parce que j'ai été prêtresse, moi aussi. Au nom de notre Grande Mère à tous, je te supplie de venir.

Pendant un long moment, nous restâmes les yeux rivés l'une à l'autre. Je ne sais ce qu'elle lut dans les miens, mais quand je tendis la main et me retournai pour partir, Teleri attrapa une des couvertures pour s'y envelopper et me suivit.

Il était temps. Comme mon char franchissait le portail en grinçant et prenait la ruelle, le son des cors me parvint du forum ainsi que le claquement des sandales cloutées marquant le pas. Ma main serra si fort le siège en bois de la voiture que mes jointures blanchirent. Les gens criaient ; les paroles devenaient plus audibles à chaque pas :

Redditor Lucis, Redditor Lucis !

Restaurateur de la Lumière...

Mes paupières closes ne pouvaient empêcher la lumière de s'épanouir dans mon esprit. Constance arrivait, sa présence était un rayonnement dans mon âme. Sentait-il que j'étais à proximité ou les responsabilités de sa charge et le tumulte autour de lui suffisaient-ils à l'étourdir ?

Comme les habitants de Londinium criaient pour souhaiter la bienvenue à leur sauveur, mes joues se mouillèrent de larmes silencieuses.

XIII

296-305 après J.-C.

Pendant les semaines que Constance passa en Angleterre, je respectai mon serment et ne fis aucune tentative pour le voir, mais cette discipline que je m'imposais réclama son dû. Mon flux menstruel, qui n'avait jamais été régulier, se tarit pratiquement et divers symptômes – tels que battements de cœur et bouffées de chaleur qui me laissaient trempées comme si mon corps pleurait – s'ajoutaient à mes maux.

Entre-temps, la cité se réjouissait d'apprendre que Theodora avait donné un autre enfant à Constance. Certes, il avait été accablé par notre séparation, mais à présent, il devait apprécier les avantages d'une épouse qui était tout à la fois royale, jeune et fertile. La prudence, qui m'avait incitée jusque-là à rester dans l'ombre, céda la place au désespoir.

Les conseils de sagesse que j'avais compté prodiguer à Teleri restèrent lettre morte. Pour son bien, je ne l'avais pas même entrevue, ce que j'aurais fait sinon, même si à l'époque cela me parut risqué. Constantin m'écrivit pour m'annoncer qu'il accompagnait Dioclétien en Égypte afin de mater une rébellion fomentée par un certain Domitius. Aussi, à mes autres tourments, je pus ajouter mon inquiétude à l'idée des dangers qu'il courait.

Puis Constance quitta l'Angleterre et je connus le fond du désespoir. Allongée dans ma chambre, rideaux tirés, je refusai de me lever et de m'habiller, et ni les recettes les plus raffinées de Drusilla ni les supplications de Hrodlind ne purent me convaincre de manger. Pendant près d'une semaine, je restai couchée avec Hylas pour seule compagnie. Il était à présent si vieux qu'il passait le plus clair de son temps assoupi près du feu, mais quand j'étais à la maison, il ne renonçait toujours pas à me suivre de chambre en chambre. Ma faiblesse grandissante me réjouissait, car si j'avais promis à Constance de ne pas me supprimer, cette lente plongée vers l'oubli semblait mettre une fin à mes souffrances.

Et comme la faiblesse déliait les chaînes de mon esprit, j'eus une vision.

Il me semblait que j'errais dans un paysage brumeux qui rappelait les confins d'Avalon. J'étais venue affronter la Déesse, apprendre la prochaine étape qu'il me faudrait franchir, pour aller au-delà de la Mère à la rencontre de la Vieille. Auparavant, je n'arrivais pas à voir au-delà de la Mère, qui doit être la figure centrale de la Déesse, alors que ses deux faces de part et d'autre, la Nymphe et la Vieille, sont plus éphémères.

Mais je subissais à présent l'ultime enfantement, l'ultime épreuve de la force et du courage. Là, face à mon propre renoncement à la maternité, la tragédie universelle des mères s'imposa à moi. Même Jésus, d'après les chrétiens, avait une mère, et je le voyais sans cesse sous mes yeux, étendu dans les bras de sa mère ; quand la vie l'a quitté et l'a fui, lui aussi a crié vers elle. *Comme un homme*, me dis-je. *Puis il est mort courageusement et a laissé aux femmes le soin de recomposer son œuvre.* Je fus accablée par la peur pour mon propre fils et versai des larmes amères. *Une mère doit-elle laisser ses enfants la quitter pour qu'ils soient crucifiés ?*

Je demandai ce qu'il y avait au-delà. Pour toute réponse, j'eus une vision où j'étais simplement une figure de proue fendant les flots vers l'inconnu.

Je perçus la tragédie au cœur du destin de la femme. J'avais perdu ma propre mère avant de pouvoir la connaître et j'étais restée seule, perdue, désespérée, sans réconfort au milieu de mes larmes. C'est une situation dans laquelle les femmes se retrouvent tout au long de leur vie. Nous devons donner notre force aux hommes, porter et nourrir nos enfants. Les autres me croyaient forte, mais je n'étais qu'une enfant pleurant seule dans le noir ; ma mère n'était plus là et je ne la reverrais jamais.

Et puis, le fer dans la plaie. À peine avais-je l'âge de me tenir sur mes deux jambes, avant même que j'eusse le temps ou la force de savoir qui j'étais, une petite menotte se glissa dans la mienne et la Voix me dit : « Tiens, voici ta petite cousine. Veille sur elle. »

C'est là le défi de la Vie, la première fois que l'on a peut-être envie de crier : « Non » et de frapper la petite silhouette, de la battre jusqu'à ce qu'elle soit raide morte et ne réclame plus rien, pour courir libre, sans entraves, en criant : « Mère, attends-moi, je suis toute seule. »

Sinon, étant privée de mère, nous devons faire l'autre choix : devenir la mère, relever l'enfant quand elle tombe, sécher ses larmes, la bercer quand elle s'endort, la serrer contre soi dans le noir parce qu'elle a besoin de réconfort autant que vous et que vous êtes la plus forte, donc que c'est à vous de donner…

Comme les images éclatantes se dissipaient, je compris que c'était le choix que j'avais fait, d'abord avec Becca et Dierna et, plus tard, avec une succession d'esclaves, épouses de soldats et de sous-officiers sous les ordres de mon mari. Et avec Teleri, même si, dans son cas, j'avais failli.

Je me rendis compte alors que quelqu'un se trouvait avec moi dans la chambre. J'avais laissé des ordres stricts pour ne pas être dérangée, mais j'étais à présent trop affaiblie même pour la colère. J'ouvris les yeux.

Teleri était assise près de mon lit, un peu affalée dans le fauteuil comme si elle était là depuis un certain temps. Elle tenait sur ses genoux un bol de gruau. Il fumait encore et l'arôme évoquait des souvenirs de la Maison des Prêtresses par un matin glacial, quand nous étions toutes rassemblées pour prendre notre repas quotidien autour du foyer central. C'étaient ces effluves qui m'avaient ramenée sur terre, l'odeur du gruau mélangé au miel et aux pommes séchées tel qu'on le préparait à Avalon.

— Tes servantes n'osaient pas te déranger, dit-elle d'une voix douce. Mais je n'ajouterai pas aux péchés que je porte déjà celui de te laisser mourir quand je peux faire quelque chose.

Je voulus me blottir dans l'obscure sécurité du désespoir, mais mon estomac réclama. Apparemment, mon corps avait décidé de vivre et il ne servait à rien d'argumenter. Avec un soupir, je tendis la main vers le bol.

— Quand tu iras mieux, poursuivit Teleri, je te quitterai. Je retourne à Avalon. Je n'aurais jamais dû m'en éloigner et si Dierna me chasse, j'errerai jusqu'à ce que la mort me prenne dans la brume entre les mondes.

N'était-ce pas ce que j'avais fait moi-même, me dis-je sombrement, mais en m'épargnant la peine du voyage au Pays d'Été ? Il me semblait que j'avais perdu le droit de critiquer.

— Viens avec moi, Hélène. Je ne connais pas ton histoire, mais il est clair que tu es une prêtresse d'Avalon.

J'avalai une cuillerée de gruau, plongée dans mes pensées. M'avait-on déjà oubliée ? Ganeda pouvait avoir éprouvé suffisamment de rancœur pour effacer mon nom du nombre des prêtresses. Mais l'explication était peut-être plus simple.

— Quand je demeurais sur l'Ile sacrée, je m'appelais Eilan, dis-je lentement, et je vis ses yeux s'agrandir.

— Tu es celle qui s'est enfuie avec un officier romain ? Depuis l'époque de la première Eilan, qui était la Grande Prêtresse de Vernemeton, il n'y a pas eu pareil scandale ! Mais Dierna disait que tu avais été bonne pour elle quand elle était petite et elle a toujours dit du bien de toi. Ton Romain est-il mort, alors ? Tes serviteurs n'en parlent pas.

— Il n'est pas mort, sauf pour moi, articulai-je non sans mal. C'est Constance Chlore, le père de mon fils Constantin.

Les yeux de Teleri se remplirent de larmes.

— Moi, j'ai épousé Carausius, qui était un homme bon, bien que je ne l'aie jamais aimé, et Allectus, que j'ai aimé, bien qu'il ne fût bon ni pour moi, ni pour l'Angleterre.

— Était-ce la volonté de Dierna ?

En fin de compte, il semblait que Ganeda avait formé sa petite-fille à son image.

— Elle voulait lier le Défenseur de l'Angleterre à Avalon.

J'approuvai, comprenant que c'était le même espoir qui, à l'origine, m'avait envoyée à la recherche de Constance Chlore.

— Dierna est une grande prêtresse, même si les choses ont mal tourné pour moi, affirma Teleri avec conviction. Je suis sûre qu'elle t'accueillerait...

Dans l'espoir de se servir de moi, toujours dans l'intérêt d'Avalon, pensai-je, amère. J'étais jadis aussi bien placée qu'elle pour devenir la

Dame de l'Île sacrée, mais je m'étais absentée trop longtemps et, bien que Constance m'eût abandonnée, son fils, dont la dernière lettre se trouvait à présent sur la table près de mon lit, avait plus besoin de mes conseils que les prêtresses d'Avalon.

– À Dierna et à elle seule, tu peux dire que je suis toujours en vie et que je lui garde mon affection. Mais je crois que la Déesse me réserve encore une mission dans ce monde.

Une semaine plus tard, quand je descendis pour le petit déjeuner, on me dit que Teleri était partie. Il lui restait un peu de l'argent que je lui avais donné pour se vêtir et je ne pouvais plus rien pour elle à part demander à la Dame de bénir son voyage.

Le printemps était arrivé à Londinium. Les eaux de la Tamise étaient gonflées par les pluies et de nouvelles feuilles surgissaient à chaque branche pour accueillir le retour des oiseaux. La vie revenait dans mes membres et, brusquement, j'eus envie d'être dehors, de marcher dans les prés et auprès du cours d'eau qui coupait la cité en deux. À d'autres moments, j'allais par-delà le forum jusqu'aux bains et encore plus loin, au temple d'Isis qu'on avait édifié à la porte occidentale de la ville. Chaque jour qui passait me rendait plus forte et moins désireuse de rester chez moi à me terrer et à ruminer mon malheur. Je souffrais de ne plus entendre le tapotement des pattes sur mes talons, mais dès que j'avais commencé à me remettre, Hylas était mort comme s'il avait accompli son devoir. Il avait vécu longtemps pour un chien, et je ne pouvais me résoudre à le remplacer.

Entre le temple d'Isis et celui de Diane se trouvait l'atelier d'un graveur de pierre, et j'eus l'idée de lui passer commande d'un relief des *matronae*, le trio des mères ancestrales révérées dans tout l'Empire. Mais il m'était apparu que ma sculpture devait être différente, aussi ; outre les trois figures habituelles, dont deux portaient des corbeilles de fruits et la troisième un enfant, je demandai au sculpteur d'ajouter la gravure d'une quatrième mère, qui tenait un chien sur ses genoux.

Peut-être les Mères m'en furent-elles reconnaissantes car, dans l'intervalle d'une lune, je rencontrai trois personnes qui allaient profondément bouleverser ma vie pour les années que durerait encore mon séjour à Londinium.

Je rencontrai la première immédiatement après avoir passé commande de la sculpture. Je m'étais mise en quête d'une taverne où je pourrais manger un quignon de pain et du saucisson avant de regagner mon logis. Comme je tournai le coin de la rue, je faillis marcher sur une boule de poil et, baissant les yeux, je me vis entourée de chats. Si c'était un présage, je ne le compris pas. Il devait y avoir deux douzaines de félins, de toutes formes et de toutes couleurs, qui attendaient nerveusement devant un bâtiment délabré adossé à l'arrière du temple d'Isis.

En entendant une cascade de mots dans une langue étrangère, je me retournai et vis une petite femme ronde, drapée dans plusieurs tuniques et d'une palla de couleur vive, et appuyée sur une canne. Ses cheveux noirs étaient parcourus de boucles violettes et elle portait un panier qui empestait le poisson.

Elle leva les yeux et me vit.

– Excuse-moi, dit-elle en latin. Ils se montrent très pressants, ces minous avides, mais je suis la seule à les nourrir, vois-tu.

Comme elle découvrait son panier pour distribuer les têtes de poisson, je vis que ses yeux noirs étaient agrandis au khôl et que sa peau avait un éclat doré qui ne pouvait lui venir du soleil d'Angleterre. À son cou, elle portait un pendentif de style égyptien représentant un chat.

– Tu es prêtresse ? m'enquis-je.

– Je m'appelle Katiya et je sers la déesse Bastet...

Elle voulut lever la main pour toucher son front en signe de vénération, mais, se rendant compte qu'elle tenait un morceau de poisson, elle rit et le jeta à un gros matou orange qui attendait sur le côté.

– Vers l'orient, nous contemplons Bastet, la Reine Chat, chantonna-t-elle. À l'est, nous cherchons l'âme d'Isis, porteuse de lumière, Mère Lune, douce protectrice. Nous adressons nos prières au sanctuaire de Pi-Bastit... En revanche, ici, à Londres, je suis seule à le faire, ajouta-t-elle avec tristesse. En Égypte, tout le monde sait que le chat est consacré à la Déesse, mais les marchands apportent des chats en Angleterre pour les abandonner et personne ne s'en soucie. Les prêtres d'Isis m'autorisent à rester ici parce qu'ils savent que Bastet et Isis sont sœurs. Alors je fais ce que je peux.

– Ma déesse préfère les chiens, lui dis-je, pourtant j'imagine que Bastet est également sa sœur. Accepterais-tu un don ?

– Au nom de ma Dame, répondit-elle.

Et elle plongea la main entre ses draperies pour en sortir un sac en filet un peu moins malodorant que le panier, dans lequel je laissai tomber quelques pièces de monnaie.

– Je nourris mes petits et je compose des chants. Viens vers moi quand tu es triste, noble dame, je te réjouirai le cœur.

– Je n'en doute pas ! répondis-je, riant malgré moi.

Dès lors, et aussi longtemps que je vécus à Londinium, je rendis visite à Katiya chaque semaine ou presque et lui faisais mon offrande. Toutefois, pour garder un juste équilibre, j'accordai un don au temple de Diane pour les chiens errants de la ville. Même si, de temps à autre, j'emmenais un de ces vagabonds chez moi, car j'aimais entendre le tapotement des pattes dans la maison, avec aucun je ne retrouvai l'affection que j'avais eu pour Hylas ou Surette.

La deuxième rencontre eut lieu un jour où, remarquant le nom de Corinthius sur une plaque au-dessus d'une porte, je m'arrêtai, me rappelant le vieux Grec que j'avais eu pour tuteur quand j'étais enfant. J'entendais à l'intérieur de jeunes voix récitant les déclinaisons grecques. Corinthius m'avait confié qu'il voulait ouvrir une école. Je demandai à Philip, qui m'accompagnait, de toquer à la porte pour se renseigner et je me trouvai bientôt à boire du vin avec un jeune homme qui m'apprit qu'il était le fils de mon vieux tuteur. Celui-ci s'était marié après son arrivée à Londinium et il avait eu ce fils qui avait hérité de son école.

– Oui, ma dame, mon père m'a souvent parlé de vous, dit Corinthius le Jeune dont le sourire dévoilait des dents plantées de travers. Il disait que vous étiez plus brillante que tous les garçons qui lui avaient été confiés… surtout quand je n'avais pas bien appris mes leçons.

Je ne pus m'empêcher de sourire.

– C'était un bon professeur. Je regrette de n'avoir pu étudier plus longtemps avec lui, mais j'ai eu de la chance d'avoir un père qui croyait qu'une fille devait recevoir, elle aussi, une éducation.

Je ne lui dis pas que mes études avec le vieux Grec avaient été suivies d'une éducation infiniment plus vaste à Avalon.

– Certes, approuva Corinthius. Je suis parfois désolé, quand je vois mes garçons avec leurs sœurs, de ne pas pouvoir enseigner aux filles aussi. Certains parents seraient sans doute disposés à le faire, mais ils ne veulent pas envoyer leur fille chez un maître et, bien sûr, il n'y a pas beaucoup de femmes instruites ici, à Rome ou à Alexandrie…

Il remplit de nouveau nos gobelets.

– Sais-tu, dis-je finalement, que j'ai toujours voulu une fille, à laquelle j'aurais pu transmettre certaines choses que j'ai apprises. Tu pourrais proposer aux mères de certains de ces garçons qui ont une sœur qu'elles viennent me voir. Mon mari m'a quittée en me laissant suffisamment pourvue, mais je me sens un peu seule et j'aimerais bien avoir un… un cercle de… d'amies.

– Tu seras telle Sappho au milieu des prairies de Lesbos, s'exclama Corinthius. Chérie des dieux !

– Peut-être pas comme Sappho, le repris-je en souriant – car lorsque nous habitions Drepanum, j'avais lu certains de ses poèmes que mon tuteur ne m'avait jamais proposés. Mais dis-le aux femmes et nous verrons.

Corinthius tint parole et, avant que le relief des matrones fût achevé et placé dans un cadre, un groupe de mères accompagnées de leurs filles se rendaient chez moi à la nouvelle lune et à la pleine lune, et si ce que je leur apprenais était plus redevable à Avalon qu'à Athènes, cela ne regardait que nous. Mais pas même à elles, mes premières sœurs spirituelles depuis que j'avais quitté l'île sacrée, je ne confiai de qui j'avais été l'épouse.

La troisième rencontre eut lieu aux thermes, où l'on était assuré de rencontrer à peu près toutes les personnes notables de la cité, durant les heures réservées aux femmes. À travers les nuages de vapeur tourbillonnante, tout le monde paraît mystérieux. Mais il me semblait que la voix qui se plaignait bien haut du prix du blé m'était familière, de même que le long visage osseux au teint mat.

– Vitellia, est-ce toi ? demandai-je quand elle reprit enfin son souffle.

À travers la vapeur, je vis que le poisson en or pendait toujours à son cou.

– Dieu soit loué, Hélène ! Quand j'ai appris… pour ton mariage… je me suis demandé…

– Chut ! l'interrompis-je en levant la main. Je ne parle pas de cela ici. J'ai été bien pourvue et l'on me prend pour une riche veuve dont le fils est en service à l'étranger.

— Alors, soyons veuves ensemble ! Viens manger quelque chose et tu me diras tout ce qui est advenu depuis la naissance de ton fils !

Nous nous séchâmes, nous habillâmes et franchîmes le portique en marbre. Comme nous passions près de la statue de Vénus, je vis Vitellia lui jeter un coup d'œil ombrageux, mais il n'y avait rien qui pût expliquer le dégoût qui lui fit hâter le pas, si ce n'est une guirlande de fleurs que quelqu'un avait drapée autour du piédestal.

— Je suis sûre que les gens ne feraient pas cela s'ils savaient combien les choses sont difficiles pour nous, marmonna-t-elle comme nous arrivions sur la route. Je sais que tu n'appartiens pas à la vraie foi, mais au temps où nos maris servaient ensemble, tous les officiers rendaient honneur au Dieu suprême, aussi comprends-tu peut-être. Il nous est commandé de ne pas verser dans l'idolâtrie, vois-tu, et pourtant nous sommes entourés d'images et de sacrifices.

Elle indiqua la rue et je vis, comme je l'avais vue des centaines de fois sans y penser, que nous étions environnées de dieux. Une représentation de Neptune surgissait d'une fontaine, des nymphes et des faunes souriants ornaient les corbeaux des maisons et les carrefours étaient marqués par un sanctuaire dédié à quelque génie local qui avait reçu récemment en offrande un plat de nourriture et un bouquet de fleurs. Je me souvins d'avoir été frappée par la prodigalité de cet étalage en arrivant d'Avalon, où nous savions que la terre était sacrée sans éprouver le besoin de le souligner par toutes ces fioritures. Mais après plus de vingt ans, je m'y étais accoutumée.

— Personne ne te demande de les honorer, prononçai-je lentement, car cela faisait des années qu'aucun empereur n'avait cherché à nous imposer le culte romain.

— Les toucher, ou simplement les voir, est une profanation, soupira Vitellia. Ce n'est qu'à l'église que nous avons construite dans les bois que nous nous sentons vraiment libres.

Je levai un sourcil. À la fête de Beltane, j'avais pris la route conduisant vers le nord, car je me sentais à l'étroit dans les champs à l'intérieur de Londinium. Je croyais maintenant me souvenir de la bâtisse, un modeste édifice en clayonnage enduit de torchis avec une simple croix au-dessus de la porte. Mais les bois qui l'entouraient vibraient du pouvoir des esprits qui erraient sans entraves ce jour-là, et des touffes d'herbe froissées indiquaient que la veille, des jeunes couples avaient honoré le Seigneur et la Dame à leur manière. Comment les chrétiens pouvaient-ils s'imaginer qu'ils éviteraient les anciens dieux en quittant la ville ?

Pourtant, ce n'était pas à moi de leur ouvrir les yeux sur ce que, de toute évidence, ils ne souhaitaient pas voir. Vitellia poursuivait :

– Et l'un de nos membres les plus vieux a fait don d'une construction près des quais, que nous avons transformée en refuge pour les indigents. Notre Seigneur nous commande de protéger la veuve et l'orphelin, ce que nous faisons sans leur demander quelle foi ils pratiquent, tant qu'ils ne prononcent pas le nom du démon à l'intérieur de nos murs.

– Cela paraît être une œuvre louable, dis-je.

C'était incontestablement plus qu'aucun magistrat ferait jamais.

– Nous avons toujours besoin de bras pour traiter leurs maux et servir la nourriture, poursuivit-elle. Je me souviens d'avoir entendu dire que tu avais quelques connaissances concernant les plantes, quand nous étions en Dalmatie.

Je retins un sourire. L'enseignement était une bénédiction, mais ne remplissait pas mes journées. Il pourrait être intéressant, me dis-je, de travailler avec ces chrétiens pendant quelque temps.

Ce qui fut le cas et, durant les sept années qui suivirent, ma vie fut riche et pleine, et plus utile aussi, probablement, qu'elle ne l'avait été quand mes seules responsabilités consistaient à tenir la maison de Constance Chlore et à partager sa couche.

Ce fut à la fin de février de la troisième année du nouveau siècle que la nouvelle qui allait tout changer arriva. J'étais sur le chemin du retour après ma visite hebdomadaire à la prêtresse de Bastet quand j'entendis un grand tumulte provenant de la place du marché. Lorsque je me tournai dans cette direction, Philip, qui m'escortait ce jour-là, m'arrêta.

– S'il y a une émeute, Maîtresse, je ne pourrai peut-être pas te protéger. Reste ici…

Il fit une grimace quand il se rendit compte que nous nous trouvions juste devant le temple de Mithra.

– Ici, tu seras en sécurité. Je vais m'enquérir de ce qui provoque cette agitation.

Je souris comme il s'éloignait à grands pas en songeant au garçon famélique entré à notre service, bien des années plus tôt. Il était toujours élancé, mais il avait à présent une présence solide. J'essayai de me rappeler si ce changement était intervenu quand il était devenu chrétien, ou bien quand Constance l'avait affranchi. J'avais plutôt l'impression que cette conversion avait libéré son esprit avant même que son statut légal eût été modifié. Peut-être était-ce pourquoi, ayant reçu sa liberté, il avait choisi de rester avec moi.

Il parut mettre beaucoup de temps à revenir. Je m'assis sur un banc devant le temple et contemplai le bas-relief représentant le dieu égorgeant le taureau. Je me demandai si Constance était venu ici durant son séjour en Angleterre. Je savais qu'il s'était élevé dans la hiérarchie du culte de Mithra, car je me souvenais qu'il lui était arrivé de s'absenter pour des séances d'initiation. Mais comme ce culte était fermé aux femmes, il lui était interdit de m'en parler. Toutefois, assise ici, je me sentais presque sous sa protection. Je fus contente de constater que cette pensée, désormais, ne provoquait plus en moi d'insupportables souffrances.

J'entendis un pas rapide et vis revenir Philip, le visage blême de colère et d'effarement.

– Que se passe-t-il ? demandai-je en venant à sa rencontre.

– Un nouvel édit ! Dioclétien, que Dieu le maudisse, relance les persécutions !

Je fronçai les sourcils et accélérai le pas pour le rattraper comme il redescendait la rue, car le murmure houleux de la foule devenait inquiétant. Des rumeurs de persécution m'étaient parvenues quelques années plus tôt, quand on avait accusé les chrétiens d'avoir troublé le culte à l'empereur. Quelques officiers de l'armée qui avaient refusé de se joindre aux sacrifices avaient été exécutés et d'autres avaient été expulsés, mais on en était resté là. Dans la plupart des lieux, les chrétiens, s'ils passaient pour bizarres, vivaient en bonne intelligence avec leurs voisins.

Comment Dioclétien pouvait-il être aussi stupide ? J'avais fréquenté suffisamment de chrétiens pour savoir que loin de craindre le martyre, ils y voyaient le moyen d'effacer leurs péchés et de gagner la faveur de leur dieu austère. Le sang des martyrs, disaient-ils, était la nourriture de l'Église. Les tuer ne faisait que renforcer le sentiment de leur propre importance et les confortait dans leur foi.

– Quels sont les termes exacts de l'édit ? demandai-je à nouveau en rattrapant Philip.

– Le christianisme est proscrit. Tous les exemplaires des Écritures seront remis aux autorités et brûlés, les églises seront saisies et détruites.

Il crachait les mots avec fureur.

– Mais en ce qui concerne les gens ?

– Pour le moment, il n'est fait état que des prêtres et des évêques. On exige qu'ils offrent un sacrifice en présence d'un magistrat, sinon ils seront jetés en prison. Je dois te raccompagner, ma dame. La garnison arrive et les rues ne seront plus sûres.

– Et toi ? demandai-je, essoufflée.

– Après ton départ, j'irai à l'Église proposer mon aide. Peut-être pourra-t-on sauver quelque chose si nous arrivons à temps.

– Tu es un homme libre, Philip, dis-je. Et je ne prétends pas commander ta conscience. Mais je t'en supplie, au nom de ton dieu, prends garde à toi !

– Si tu en fais autant !

Il parvint à sourire quand nous fûmes près de ma porte.

– Conserve le reste de tes gens dans tes murs. Bien que tu sois encore une adoratrice des démons, le Dieu suprême t'aime bien !

– Merci ! Je le crois.

Je le regardai repartir en hâtant le pas. Pourtant, les bénédictions devaient être les bienvenues, d'où qu'elles viennent. En secouant la tête, je rentrai chez moi.

Pendant un jour et une nuit, le détachement de la forteresse arpenta les rues pour s'en prendre aux chefs et aux biens des chrétiens. Quand tout fut fini, l'évêque de l'église de Vitellia était emprisonné et la petite église dans les bois près de la route du nord avait brûlé jusqu'au sol. Toutefois, les livres saints avaient pu être mis à l'abri et une pile de livres de comptes livrée aux autorités fut détruite.

La fumée de l'autodafé fut emportée par le vent, mais la puanteur, au sens physique et métaphorique, subsista plus longtemps. Dioclétien avait régné en homme avisé pendant près de vingt ans, mais en voulant préserver notre société, l'empereur la divisait. Comme je l'avais prédit, les persécutions ne firent que renforcer l'opiniâtreté des chrétiens – et ils se révélèrent plus nombreux que la plupart d'entre nous l'avaient cru.

À cette époque, les chrétiens se rencontraient en secret dans leurs maisons. Philip me rapporta que des missives venues de la partie orientale de l'Empire faisaient état d'arrestations et d'exécutions. Mais, à mon grand soulagement, Constance se contenta d'appliquer à la lettre la nouvelle loi dans les régions de l'Empire placées sous son autorité. Et quand les esprits se furent calmés, la population montra peu d'enthousiasme pour persécuter ses voisins. L'opinion que ces voisins chrétiens avaient de nous n'était pas un sujet à l'ordre du jour.

Pourtant, il me semblait que dans des périodes comme celles-ci, je devrais offrir aux jeunes filles auxquelles j'enseignais des sujets plus appropriés qu'Homère et Virgile ; aussi, de temps à autre, nos discussions s'orientaient vers les questions qui divisaient les hommes aujourd'hui.

– Il est nécessaire qu'une personne cultivée comprenne non seulement ce qu'elle croit, dis-je un matin, mais aussi pourquoi elle le croit. Ainsi, je vous demande : qui est le Dieu suprême ?

Pendant un long moment, les filles se regardèrent comme si elles n'étaient pas sûres de comprendre ma question, mais surtout si elle s'adressait à elles. Finalement, Lucretia, dont la famille exportait de la laine, leva la main.

– Jupiter est le roi des dieux, c'est pourquoi l'empereur appose son image sur la monnaie.

– Mais les chrétiens disent que toutes les divinités à part le dieu des Juifs sont des démons, avança Tertia, la fille du savetier.

– C'est parfaitement vrai. Aussi, je vous demande : combien de dieux y a-t-il ?

Cela fit naître un babillage généralisé, jusqu'à ce que je lève la main pour imposer le silence.

– Vous avez toutes raison, selon notre mode de pensée. Chaque terre et chaque province a ses propres divinités et, à l'intérieur de l'Empire, nous avons pour usage de les honorer toutes. Mais notez ceci : nos plus grands philosophes et poètes parlent d'une divinité suprême. Certains appellent ce pouvoir « Nature », d'autres « Éther » et d'autres encore « Dieu suprême ». Le poète Virgile nous dit :

> *« Sache d'abord que le ciel, la terre, l'océan,*
> *Le globe pâle de la lune, la voûte étoilée,*
> *Sont nourris par une Âme,*
> *Un Esprit, dont la flamme céleste*
> *Scintille en chaque partie du cadre*
> *Et agite le grand tout. »*

— Mais qu'en est-il de la Déesse ? s'enquit la petite Portia en montrant l'autel dans le coin de la salle ensoleillée où je faisais la classe.

Une lampe y brûlait jour et nuit devant les Mères gravées dans la pierre. Parfois, quand il n'y avait personne, je caressais la tête du chien sur les genoux de la quatrième Mère et je la sentais, chaude et lisse, sous ma main comme si Hylas m'était revenu.

J'espérais bien que quelqu'un soulèverait la question.

— Sans doute, cela paraît plus sensé de considérer le Pouvoir suprême comme féminin si la Divinité doit être sexuée, car c'est la femme qui donne la vie. Même Jésus, dont les chrétiens disent qu'il était le fils de Dieu ou Dieu lui-même, a dû recevoir la vie de Marie pour pouvoir prendre forme humaine.

— Mais bien sûr ! répondit Portia. C'est ce qui se passe pour les héros et les demi-dieux : Hercule, Énée et tous les autres.

— Pourtant, les chrétiens affirment que ce Jésus a été le seul, fit observer Lucretia.

Les autres filles considérèrent ce manque de logique et hochèrent la tête.

— Revenons à la question originale, dis-je quand la discussion prit fin. Pythagore nous dit que la Puissance suprême est « une âme qui va et vient, qui se répand dans toutes les régions de l'univers et dans toute la nature, et dont toutes les créatures vivantes qui sont produites tiennent leur vie ». Cet enseignement est très proche de celui que j'ai reçu chez les druides, sauf que nous, nous pensons que cette Puissance est féminine quand nous lui prêtons un genre.

Je désignai une fois de plus le groupe des matrones.

– Cela étant, pourquoi nous sentons-nous poussés à faire des images de ce qui ne peut, en vérité, être représenté, et des distinctions en dieux et en déesses auxquels nous attribuons un nom et une histoire ? Même les chrétiens le font : ils disent que leur Jésus est le Dieu suprême ; et pourtant, les histoires qu'ils racontent sur lui ne sont guère différentes des légendes de nos propres héros !

Il y eut un long silence. En un sens, me dis-je, c'était injuste de demander à ces filles de répondre à une question que théologiens et philosophes préféraient éluder. Mais peut-être que, du fait même de leur sexe, elles trouveraient cela plus facile à comprendre.

– Vous avez des poupées chez vous, n'est-ce pas ? repris-je. Vous savez que ce ne sont pas de vrais bébés. Alors pourquoi les aimez-vous ?

– Parce que…, commença Lucretia, hésitante. Je peux me raccrocher à elles. Je me dis que ce sont les bébés que j'aurai quand je serai grande. Il est difficile d'aimer quelque chose qui n'a pas de visage ni de nom.

– Je trouve que c'est une très bonne réponse, pas vous ? demandai-je aux fillettes qui faisaient cercle autour de moi. En esprit, nous pouvons comprendre le Dieu suprême, mais tant que nous sommes dans nos corps humains, vivant dans ce monde riche et varié, nous avons besoin d'images que nous pouvons voir, toucher et aimer. Chacune d'entre elles nous montre une partie de cette Puissance suprême et toutes les parties ensemble nous donnent un aperçu du Tout. Ainsi ceux qui affirment qu'il n'y a qu'un seul Dieu et ceux qui en vénèrent plusieurs ont raison, mais d'une manière différente.

Elles approuvèrent, mais je pouvais voir une lueur d'incompréhension dans les yeux de certaines, tandis que d'autres se perdaient dans la contemplation du jardin comme si elles trouvaient plus de vérité dans le jeu de la lumière sur les feuilles. Pourtant, j'espérais qu'elles conserveraient le souvenir d'une parcelle de mes paroles, aussi infime fût-elle. En riant, je les congédiai et leur dis d'aller jouer.

Pendant deux ans encore, l'édit de Dioclétien demeura en vigueur dans notre pays. L'année qui suivit sa proclamation, quand chacun reçut l'ordre d'offrir un sacrifice, un soldat nommé Albanus fut condamné à mort à Verulamium et, un jour, je trouvai Vitellia en pleurs parce qu'elle avait appris que son neveu, Pancratus, âgé de quatorze ans, avait été tué à Rome. Mais à Londinium, il n'y eut aucune exécution, bien que l'évêque fût jeté en prison où il resta sous bonne garde.

Les chrétiens continuaient de se rassembler dans les maisons et quand cela même devint trop dangereux, je leur permis de célébrer leur culte sous mon toit. Ou plutôt, dans l'atrium, puisqu'en dépit des voiles jetés sur mes images et mes autels, il semblait que l'intérieur de ma maison aurait profané les objets sacrés de leur rituel. Toutefois, ils m'accueillaient de bon gré aux parties de leur service ouvertes aux non-initiés.

Nathaniel le cordier, qui, comme il n'était que diacre dans l'église, avait échappé à la prison contrairement aux autres, dirigeait ses fidèles, les hommes côté jardin, les femmes de l'autre, têtes couvertes et yeux baissés avec piété.

– *Dieu, ils sont venus, les païens, dans ton héritage*, entonna-t-il en suivant du doigt la ligne de son texte.

Vitellia était assise au premier rang, les yeux clos et remuant les lèvres. Pourquoi ne lui permettaient-ils pas de prendre la parole, me dis-je, puisqu'elle connaissait manifestement les Écritures saintes aussi bien que lui ?

– *Ils ont souillé ton temple sacré ; ils ont fait de Jérusalem un tas de ruines, ils ont livré le cadavre de tes serviteurs en pâture à l'oiseau des cieux.*

Comme il poursuivait, je songeais combien ces paroles, écrites, me dit-on, par l'un des anciens rois juifs, étaient de circonstance.

– *Tu fais de nous l'insulte de nos voisins, fable et risée de notre entourage...*

Apparemment, ceux qui servaient le dieu des Juifs avaient toujours eu des difficultés à s'entendre avec leurs voisins. Était-ce parce qu'ils étaient dans l'erreur ou parce que, comme ils le croyaient, ils étaient en avance sur leur temps ? J'avais suggéré que, puisque les chrétiens ne croyaient pas en nos dieux, il n'y avait aucun mal pour eux à effectuer un sacrifice, mais Vitellia s'était insurgée à cette idée. Je me rendis compte alors que les chrétiens croyaient effectivement aux dieux et qu'ils les considéraient comme mauvais. Je ne comprenais pas le raisonnement de mon amie, mais je ne pouvais qu'admirer son intégrité.

— … laisse ta compassion venir à nous car nous sommes tombés très bas. Aide-nous, Dieu de notre salut, pour la gloire de ton nom…

Depuis quelques minutes, je percevais un bruit lointain. Quand Nathaniel s'interrompit, cela ne fit plus de doute : le son d'une multitude de sandales et d'une foule de voix. Les chrétiens l'entendirent aussi.

Doucement, une des femmes entonna une hymne :

> « *Nous chantons les dons éternels du Christ Roi,*
> *Et le supplice glorieux des martyrs ;*
> *Et tous, dans l'allégresse, nous élevons vers toi*
> *Nos hymnes d'amour et nos louanges… »*

Je croisai le regard de Philip et hochai la tête. Il se leva et alla vers la porte d'entrée.

On frappa à la porte des coups retentissants et la voix de Nathaniel lui fit défaut. Certaines femmes pleuraient, mais d'autres étaient assises très droites, les yeux brûlants, comme si elles espéraient le martyre. Ils continuèrent à chanter :

> « *Ils bravèrent les terreurs de leur temps,*
> *Leur foi sublime résista aux tourments ;*
> *Et une mort bienheureuse leur fut accordée*
> *Dans la paix, le repos et la félicité. »*

Je quittai mon siège.

— N'ayez crainte. Je vais aller les trouver.

Quand je parvins à la porte, Philip l'avait ouverte et se tenait face à la foule. Je déambulai parmi eux et, quand le premier homme ouvrit la bouche pour parler, je le toisai.

— Je suis Julia Coelia Helena. Pendant vingt ans, j'ai été la femme de Constance Chlore, qui est à présent votre César. Je suis la mère de son premier-né. Et je vous le promets, vous connaîtrez son courroux si vous osez franchir le seuil de ma demeure !

Derrière moi, les chrétiens chantaient toujours.

> « *Rédempteur, entends notre amour pour toi,*
> *Qu'avec le martyr qui siège auprès de toi*

Tes serviteurs aussi trouvent place
Et règnent à jamais par ta grâce. »

— Dame ! s'exclama le chef en secouant la tête, et je vis qu'il riait.

M'apercevant alors que beaucoup dans la foule portaient des guirlandes dans les cheveux et des outres de vin à la main, je compris que les âmes ferventes qui chantaient dans l'atrium ne se verraient pas accorder le martyre ce jour-là.

— Telle n'était pas notre intention ! Au nom de Jupiter et d'Apollon, nous ne venons pas pour massacrer quelqu'un, mais pour célébrer ! N'avez-vous pas appris la nouvelle ? Dioclétien et Maximien ont abdiqué et Constance Chlore est notre nouvel Auguste.

XIV

305-306 après J.-C.

Dans mon rêve, je marchais avec Constance au bord d'un fleuve. Je ne pouvais dire si c'était le Rhin ou la Tamise, car le ciel était d'un gris indécis, sans relief. Cela importait peu puisque mon bien-aimé était à mes côtés. Ses traits étaient dans l'ombre, mais mon corps connaissait sa poigne robuste. Il y avait une douceur inattendue à être en sa compagnie après tant d'années où je m'étais refusé jusqu'aux souvenirs.

— Où me conduis-tu ? m'enquis-je.

— Me dire adieu avant que je parte en voyage…

— Encore ! l'interrompis-je – et je m'arrêtai en essayant de le retenir, mais son pas régulier m'obligea à le suivre. Je t'en supplie, ne me quitte pas encore une fois !

— Cette fois, me dit-il, c'est seulement en te quittant que je puis être avec toi une dernière fois.

— La nuit tombe-t-elle ? demandai-je au milieu de mes larmes.

— Non, ma bien-aimée, regarde : c'est le matin !

Je clignai des yeux car son visage rayonnait de plus en plus à mesure que le soleil s'élevait à l'horizon. Puis il fut lumière et glissa entre mes doigts quand je tendis les bras pour étreindre l'aurore…

La lumière flamboyait entre mes paupières et quelqu'un frappait à ma porte. Je me dégageai des couvertures, me frottai les paupières tandis que la réalité quotidienne de ma chambre à coucher, peinte à fresque de scènes de nymphes des bois autour d'une fontaine, remplaçait la brume radieuse de mon rêve. Il ne pouvait y avoir de danger,

272

même si Vitellia vivait encore chez moi dans une nouvelle aile que nous avions adjointe à la maison et où nul n'avait jamais honoré de dieux. Depuis que Constance était devenu Auguste, tout semblant de persécution des chrétiens avait cessé. Mais le soleil printanier coulait à flots par les fenêtres. De toute évidence, je ne retrouverais plus le sommeil et il était temps de commencer la journée.

Comme je me dépouillais de ma chemise et commençais mes ablutions dans la cuvette, j'entendis des voix montant de la rue. Dans mes cheveux apparaissaient quelques fils d'argent sur les tempes, mais je me rendais partout à pied plutôt qu'en char ou en chaise, et mon corps était toujours ferme. Hrodlind apparut à la porte et, me voyant debout, se hâta de m'apporter une chemise propre et une de mes plus jolies stola en soie safran brodée de bottes de blé autour de l'ourlet.

Quand elle lut la surprise sur mon visage, elle sourit.

– Tu as de la visite, Maîtresse. Tu voudras paraître à ton avantage aujourd'hui.

J'envisageai de la contraindre à parler, mais apparemment, ce n'était pas un nouveau malheur. J'écartai les bras sans un mot pour qu'elle agrafe la tunique en me retenant de sourire devant sa physionomie. Elle ne s'attendait pas à ce que je cède aussi facilement.

Comme j'approchais de la salle à manger en posant une fine palla de laine de couleur crème sur mes épaules pour me protéger de la fraîcheur matinale, je sentis l'arôme irrésistible de la crème aux pignons que Drusilla préparait pendant les vacances quand Constantin était enfant. Là, je m'arrêtai net, comprenant brusquement qui, par-delà tout espoir et toute attente, ce visiteur devait être.

Mon cœur cognait dans ma poitrine et je repris mon souffle, bénissant le sens de l'odorat qui est la clé de la mémoire et qui m'avait alertée. Constantin ne pouvait apporter de mauvaises nouvelles, me dis-je, sinon les serviteurs n'auraient pas été aussi joyeux. J'attendis un moment en essayant de rassembler le courage nécessaire pour affronter ce fils que je n'avais pas revu depuis qu'il était venu nous rendre visite – il avait alors dix-huit ans. Il m'avait écrit, bien sûr, mais avec circonspection, comme s'il craignait que ses lettres fussent interceptées. Je ne savais pas de quel côté penchait son cœur et me demandai si ces treize années de séparation l'avait changé plus qu'elles ne m'avaient changée.

J'arrangeai les plis de ma palla et fis mon entrée dans la salle.

Un officier inconnu était assis auprès de la fenêtre, placé de sorte que sa cuirasse de bronze fondu reflétait le soleil matinal. Au moins, il avait eu la courtoisie de retirer son casque. Je remarquai ses cheveux blonds, qu'il portait assez longs et légèrement bouclés, et brusquement ma vue se dédoubla. Je le vis tel un étranger mais en même temps je reconnus en lui mon fils. Il avait ouvert la fenêtre et regardait les oiseaux qui s'ébrouaient dans la baignoire que je leur avais aménagée dans l'atrium. Il ne m'avait pas entendue entrer.

Un instant encore, je me permis de le contempler. Une tunique à manches longues de laine blanche bordée de pourpre se voyait sous l'armure ainsi qu'un pantalon en daim ocre fatigué. En fait, l'ensemble de sa tenue, bien que d'excellente qualité, portait des traces d'usure. Peut-être que Constantin n'avait pas eu l'intention de se faire valoir, mais qu'il était venu à moi en armure parce qu'il n'avait rien de plus présentable à se mettre. Je dois respecter son amour-propre, me dis-je.

— L'uniforme te sied, mon fils, déclarai-je doucement.

Il se retourna avec vivacité et bondit sur ses pieds, la surprise cédant la place à la joie qui éclairait son visage comme si le soleil inondait la pièce. L'instant d'après, il me broyait dans une rude étreinte, m'écartait pour contempler mon visage et me serrer de nouveau contre lui.

— J'imagine que cette cuirasse est plus confortable à l'intérieur qu'à l'extérieur, constatai-je en souriant d'un air piteux quand il me lâcha et je me frottai les côtes là où les plaques de l'armure avaient pénétré.

— On s'y fait, concéda-t-il sans lâcher ma main.

Au bout d'un moment, je me sentir rougir sous ce regard scrutateur.

— Oh, ma mère, si tu savais combien de fois j'ai rêvé de ce jour ! Et tu n'as absolument pas changé !

Ce n'est pas vrai, me dis-je en lui rendant son sourire. L'image qu'il avait conservée de moi était-elle si forte qu'il ne pouvait me voir telle que j'étais ? Ou bien la plupart de ces changements étaient-ils intérieurs ?

— Assieds-toi et laisse Drusilla apporter le petit déjeuner qu'elle a préparé pour toi. Que fais-tu ici et de combien de temps disposes-tu ?

– Un jour seulement, répondit-il à la dernière question en s'asseyant.

La chaise grinça sous son poids, car il était devenu aussi grand et charpenté que son père, la taille un peu plus haute et découplée que chez la plupart des hommes. Sans aucun doute, méditai-je avec satisfaction en le regardant, il est le digne Enfant de la Prophétie !

– Mon père m'a accordé l'autorisation expresse d'accoster ici plutôt qu'à Eburacum et, demain, je dois partir au nord pour rejoindre ma légion. Les Pictes n'attendront pas mon bon plaisir.

Mon cœur se mit brusquement à cogner contre ma poitrine. Constance se trouvait donc en Angleterre ! J'aurais dû m'y attendre. Après plusieurs années de paix, les tribus barbares du nord essayaient une fois encore de franchir la frontière et, en plusieurs endroits, elles avaient écrasé les troupes stationnées sur le Mur d'Hadrien. Le souverain de l'Occident avait pour mission de défendre l'Angleterre.

Je m'efforçai de chasser l'espoir soudain et traître que Constance eût accompagné son fils à Londinium.

– Mais comment se fait-il que tu sois ici ? Je croyais que tu servais en Orient avec Galère…

Le visage de Constantin s'obscurcit, mais il avait appris à se maîtriser. Sinon, me dis-je, il y a longtemps qu'il aurait été éliminé et il ne se trouverait pas aujourd'hui sous mon toit.

– Absolument, confirma-t-il d'un air sombre. J'ai participé à cette horrible marche à travers les plaines à l'est de Carrhae, dans les mêmes provinces qui ont coûté la vie à Crassus [1] et à dix légions romaines il y a deux cents ans. À peine un dixième de nos hommes sont rentrés de cette campagne. J'ai été surpris que Galère lui-même survive au courroux de Dioclétien quand nous avons atteint Antioche. Sais-tu qu'il a dû marcher pendant près de deux kilomètres derrière le char de Dioclétien ?

Je hochai la tête. Je me félicitai à présent de n'avoir pas su que mon fils avait participé à cette déroute.

– Tu ne m'as rien écrit à ce sujet.

Il leva un sourcil, mimique qu'il tenait de moi.

---

1. Général romain qui triompha en 71 avant J.-C. de Spartacus. Il fonda en 60 le premier triumvirat avec César et Pompée. (NdT)

– Ma chère mère, mon père est un homme honorable et la confiance a toujours régné entre Maximien et lui. En revanche, il n'en va pas de même dans la partie orientale de l'Empire. Quand je servais dans la maison de Dioclétien, un de ses affranchis lisait notre courrier et Galère avait encore moins de raison de se fier à moi.

Je soupirai, comprenant que mes propres lettres, peut-être en réaction à sa propre réserve, étaient devenues avec les années de plus en plus superficielles, de sorte qu'aujourd'hui nous étions des inconnus l'un pour l'autre.

Drusilla apporta le gruau et Constantin se leva pour la serrer dans ses bras. Elle avait les larmes aux yeux quand il la laissa repartir.

– Étais-tu avec lui pour la seconde campagne aussi ? m'enquis-je quand il eut commencé à manger.

– À l'époque, je servais dans sa garde personnelle. Je dois reconnaître que Galère ne recommence pas deux fois les mêmes erreurs. L'empereur lui a donné une armée de vétérans de l'Illyrie et d'auxiliaires goths, et nous avons pris la route du nord, à travers les montagnes de l'Arménie dont la population était amie. Je dois également lui accorder qu'il a du courage. Il est allé de nuit en reconnaissance dans le camp ennemi avec deux hommes pour le protéger et a conduit la charge quand nous avons fondu sur eux. Ce jour-là, chacun s'est couvert de gloire. Narsès a pris la fuite et le traité que nous avons finalement établi a de fortes chances d'assurer la sécurité de nos frontières orientales pour au moins une génération.

– Galère doit apprécier tes qualités s'il t'a pris dans sa garde.

Je reposai ma cuiller et le regardai faire la grimace.

– Je sais me battre. Je ne te raconterai pas mes exploits pour ne pas t'effrayer. Mais je sais que les dieux me protègent car je me suis tiré des deux campagnes avec à peine une égratignure. Toutefois, je crois que Galère me voulait près de lui pour m'avoir à l'œil. Il croit que je survivrai à mon père, que je parviendrai au pouvoir suprême et que je représente une menace pour ses propres ambitions.

Brusquement, son regard s'assombrit.

– Qu'a-t-on su de l'abdication dans les provinces ?

Surprise, je levai les yeux.

– Seulement qu'elle a eu lieu et que deux hommes, dont je n'avais jamais entendu parler, étaient élevés au rang de César.

— Le choix est celui de Galère, prononça Constantin, les dents serrées. Je ne sais par quel moyen il a réussi à faire pression sur Dioclétien pour parvenir à ses fins, peut-être en brandissant la menace de la guerre civile. Sais-tu qu'on avait déjà battu monnaie à Alexandrie avec mon nom dessus ? J'étais sur le point de demander à Maximien s'il pouvait fixer une date pour mon mariage avec sa fille, Fausta, qui m'a été promise quand mon père a été proclamé César et qui est enfin en âge de se marier. Tout le monde était sûr que le choix tomberait sur Maxence, le fils de Maximien, et sur moi… Nous étions donc là, debout, à attendre sur cette maudite colline, sous la colonne de Jupiter, et Dioclétien a commencé à geindre qu'il était devenu trop faible et qu'il n'aspirait qu'à se retirer du monde après tous ses travaux. Donc mon père et Galère deviendraient les Augustes et, pour les assister, il élevait Maximin Daia et Sévère au rang de César ! Les gens chuchotaient en se demandant si j'avais changé de nom jusqu'à ce que Galère me pousse de côté pour exhiber Daia, le fils de sa sœur !

— Certains ont dit que Maxence et toi avez été écartés du fait que vous étiez fils d'empereurs ; cela pour éviter d'établir une monarchie héréditaire, dis-je avec douceur.

Constantin étouffa un juron.

— Je peux te citer une dizaine de noms qui auraient été plus dignes de cet honneur que ces deux-là ! Des hommes que j'aurais été fier de servir. Sévère est le meilleur ami de Galère et, de même que Daia, il n'a jamais eu plus qu'une centurie sous son commandement. Galère ne veut pas d'égal, il ne veut que des serviteurs, et Dioclétien, lui, ne veut qu'une chose : la paix et la tranquillité pour pouvoir continuer à croire qu'il a sauvé l'Empire ! s'emporta-t-il. Galère a été un bon serviteur, mais, par les dieux, il sera un mauvais maître. Il continue de harceler les chrétiens dans ses territoires alors que les persécutions ont échoué.

Je repris mon souffle.

— Je suis surprise qu'il t'ait laissé partir.

Constantin éclata de rire.

— Lui aussi ! Père a multiplié les lettres pour lui dire qu'il était malade et avait le désir le plus vif de me serrer dans ses bras. Galère a usé de divers prétextes pour gagner du temps et, dès lors, j'ai échappé à un nombre incroyable d'accidents. Ma patrouille est tombée dans une embuscade, les rabatteurs qui étaient censés retenir un sanglier que nous chassions l'ont laissé échapper, des coupe-jarrets m'ont attaqué à la sortie d'une taverne. Les choses ont pris une telle tournure que j'ai acheté un esclave pour goûter ma nourriture.

Je me mordis la lèvre. Inutile de demander pourquoi ses lettres n'avaient pas fait état des dangers qu'il courait – elles ne me seraient jamais arrivées. Mais chaque matin depuis qu'il m'avait quittée, j'avais prié pour que les dieux le protègent quand je faisais mon offrande quotidienne.

– Pour finir, Galère m'a accordé son autorisation, reprit Constantin. C'était la tombée du jour et il comptait probablement que j'attendrais le matin. Mais à ce moment-là, je n'étais pas sûr de voir le jour se lever. J'avais un ami dans l'administration qui a pu me délivrer un sauf-conduit pour les chevaux de poste et j'ai fait diligence, faisant preuve de la plus grande célérité non seulement pour distancer mes poursuivants mais aussi tout messager. Surtout quand j'ai traversé le vaste territoire tenu par Sévère…

Il eut un sourire vorace et se concentra sur sa nourriture.

Je me laissai aller contre le dossier de ma chaise avec un long soupir et réfléchis à son récit en attendant que les battements de mon cœur s'apaisent.

– Donc, tu es allé retrouver ton père, repris-je. Était-ce une ruse lorsqu'il a dit qu'il te voulait auprès de lui parce qu'il était souffrant ?

Constantin s'arrêta de manger et plissa le front.

– Ma foi, je l'ignore. Il le dit, mais il perd facilement son souffle et ne me paraît pas en bonne forme. C'est l'autre raison pour laquelle j'ai tenu à venir te voir sans attendre. Il n'autorisera pas les médecins à l'ausculter et j'ai pensé que toi, peut-être…

Je secouai la tête.

– Mon chéri, ce droit revient désormais à une autre femme. Cela ne ferait que causer une souffrance pour nous deux si j'allais trouver ton père maintenant.

Son front se plissa plus profondément et je me rendis compte que malgré, ou peut-être du fait même qu'il avait dû si longtemps tenir le rôle du parfait subalterne, il ne souffrait pas de ne pas être obéi. Mais une mère jouit de certains privilèges. Je soutins son regard gris et, pour finir, c'est lui qui détourna les yeux.

Après cet intermède, les choses devinrent plus faciles. Quand il eut fini de manger, je lui fis visiter ma maison et lui présentai Vitellia. Ensuite, bras dessus, bras dessous, nous fîmes le tour de la ville. Constantin assura l'essentiel de la conversation et je me délectai de redécouvrir ce jeune homme glorieux que les dieux m'avait donné pour fils. Quand nous rentrâmes pour nous attabler devant le copieux dîner préparé par Drusilla, la nuit tombait. Et cette fois, Constantin attendit le matin pour reprendre la route.

Cet été-là, je suivis les nouvelles des combats avec plus d'intérêt que je ne l'avais fait depuis que j'avais cessé d'être femme d'officier en Dalmatie. La garnison de la forteresse, qui avait été fort impressionnée par Constantin, veillait à me tenir informée. Asclepiodotus, le préfet du Prétoire, qui avait si bien servi celui qu'on surnommait désormais Constance le Pâle dans la campagne contre Allectus, fut de nouveau nommé commandant en second de ses légions. Je me souvenais de lui sous les traits d'un jeune officier sérieux quand nous étions stationnés à Sirmium.

Celui qui avait été mon époux avait toujours su inspirer le dévouement. N'avais-je pas moi-même quitté Avalon pour le suivre ? Et Constantin idolâtrait son père. Si Galère l'avait élevé au rang de César, mon fils l'aurait soutenu comme il soutenait aujourd'hui son père. En agissant ainsi, l'Auguste de l'Empire d'Orient s'était fait deux redoutables ennemis.

Les légions que Constance avait levées en Germanie avaient accosté à Eburacum pour rejoindre des détachements provenant des garnisons stationnées sur le Mur. Comme le printemps cédait la place à l'été, ils poussèrent au nord à travers le territoire de la Calédonie à la poursuite d'un ennemi qui battit en retraite au-delà de la Bodotria jusqu'au pied des monts Grampians, où Tacite avait défait leurs ancêtres il y a un peu plus de deux siècles. Là, nous signalaient les rapports, l'empereur avait remporté une grande victoire.

Cette nouvelle fut proclamée au forum et apposée aux portes du palais du gouverneur. La prêtresse de Bastet, qui faisait partie de ceux à qui j'avais présenté Constantin, me congratula. Je la remerciai, mais, malgré l'allégresse générale, je ne me trouvai pas de place et me rendis au temple d'Isis [1] pour faire une offrande.

La déesse du sanctuaire était représentée à la romaine, le front ceint d'une couronne de blé et de fleurs surmontée d'un croissant de lune, et drapée d'étoffes. Le bruit provenant des étals au-dehors parut s'évanouir quand je versai l'encens sur les charbons rougeoyants du brasero devant l'autel.

– Déesse, murmurai-je, au nom de ton fils Horus, le puissant guerrier qui est le Faucon du Soleil, veille sur mon enfant et ramène-le au foyer sain et sauf.

J'attendis un moment, contemplant le jeu de la lumière sur les veines du marbre, puis jetai une autre poignée sur les braises.

– Et veille aussi sur l'empereur, comme tu as veillé sur le Pharaon.

Tout citoyen peut faire des offrandes au nom de l'empereur, mais je n'avais plus le droit de prier pour lui en tant que femme pour son époux. L'eussé-je fait, c'était précisément la mort d'Osiris qui rendait la fidélité d'Isis inoubliable. Je rentrai chez moi, mais n'éprouvai aucun soulagement. Pourtant, les rapports continuaient d'être positifs. *Je me fais vieille*, me dis-je. *Nulle raison de se tourmenter ainsi...*

À la fin juin, je reçus une lettre de Constantin.

> « Mon père a eu un malaise au retour d'Alba. Il est à nouveau debout et nous sommes parvenus à Eburacum, mais il paraît souvent être pris de douleurs. Les docteurs se taisent et je suis inquiet pour lui. Viens, je t'en prie. Il te réclame... »

Constantin avait fait mander des chevaux de poste. Voyageant en voiture et changeant de chevaux à chaque relais du gouvernement, il me fallut un peu plus d'une semaine pour traverser le pays jusqu'à Eburacum. À cinquante-cinq ans, le corps n'est plus fait pour ce genre de voyage. Lorsque j'arrivai au fort, j'étais rompue par le roulis et le tangage incessant du véhicule. Mais bien que le bruit de la maladie de l'empereur courût dans la campagne et que je visse nombre de

---

1. Isis, déesse égyptienne, Mère éternelle et consolatrice, était souvent représentée allaitant Horus (identifié à Apollon par les Grecs). Le culte isiaque gagna la Grèce et Rome, puis tout l'Empire. *(NdT)*

visages inquiets, à chaque arrêt on me faisait savoir que Constance était toujours en vie. Aussi, l'espoir me soutint durant tout ce trajet.

Je compris alors que le chagrin de notre séparation était un peu adouci par le fait de savoir que Constance était toujours de ce monde. Pourtant, au cours de mon voyage, je ne pus m'empêcher de revoir l'image d'Isis pleurant l'absence de son époux. Si même les dieux perdaient ceux qu'ils chérissaient, pourquoi me croirais-je préservée ?

L'annonce de mon arrivée m'avait précédée. Constantin sortit du Praesidium comme nous franchissions le portail avec fracas et, quand la voiture s'arrêta, il me souleva dans ses bras. Je me serrai un instant contre lui pour y puiser des forces.

– Comment est-il ? demandai-je quand je pus me tenir debout.

– Il exige chaque jour qu'on l'habille et s'efforce de faire un peu de travail. Mais il se fatigue très vite. Je lui ai annoncé ta venue et toutes les heures, semble-t-il, il me demande où tu te trouves, d'après moi.

Il parvint à sourire.

– Mais nous l'avons persuadé de s'allonger il y a quelques instants et il dort.

Il m'escorta à l'intérieur du bâtiment pour me faire voir la chambre qu'on avait installée pour moi ainsi que la jeune esclave qu'on avait attachée à mon service. Quand j'eus fait ma toilette et changé mes vêtements, je trouvai Constantin qui m'attendait dans la chambre voisine, où une table était dressée avec du vin et des gâteaux de miel.

– Et comment vas-tu ? demandai-je en remarquant les cernes sous ses yeux.

J'étais sans doute la plus épuisée, mais il souffrait, lui aussi.

– C'est curieux. Quand je pars au combat, je n'ai pas peur. Pourtant, cet ennemi-là, je ne puis le combattre et j'ai peur.

C'est vrai, me dis-je avec tristesse. *Même la force d'un jeune homme qui ne croit pas pouvoir mourir ne peut rien contre certains ennemis.*

– Je me souviens, quand j'étais enfant... tu peux faire des choses étranges, dit-il lentement en évitant mon regard. Tu dois l'aider, mère, sinon nous sommes perdus.

– Est-ce la mère ou la prêtresse que tu as fait venir ?

Il leva les yeux et, pendant un instant, je crus qu'il allait se lover contre moi, la tête sur ma poitrine, comme lorsqu'il était enfant.

– J'ai besoin de ma mère, mais mon père a besoin de la prêtresse.

– Alors c'est en tant que prêtresse que je te réponds. Je ferai ce que je pourrai, Constantin, mais tu dois comprendre que nos vies ont un cycle naturel auquel même les dieux doivent se soumettre.

– Alors ces dieux sont mauvais ! grommela-t-il.

– Mon cœur proteste aussi vigoureusement que le tien, mais peut-être ne pourrai-je que l'aider à partir.

La chaise grinça avec force quand il se leva et prit ma main.

– Viens…

Il me força à me lever et, sans même attendre que j'enroule la palla autour de mes épaules, il me fit sortir de la pièce.

– Il a bougé tout à l'heure, annonça le médecin qui le veillait quand nous apparûmes sur le seuil de la chambre. Il va sans doute se réveiller bientôt.

L'empereur était sur sa couche, le haut du corps relevé sur des oreillers. Je m'arrêtai et fis un effort pour me ressaisir. Constantin avait raison. L'épouse et la mère auraient sombré dans les larmes en voyant leur bien-aimé étendu, presque sans vie. C'était la prêtresse qui était nécessaire ici.

Je m'approchai du lit et étendis les mains au-dessus du corps de Constance en me concentrant pour sentir le flux d'énergie. Au-dessus de la tête et du front, la force vitale circulait encore vigoureusement, mais l'aura au-dessus de sa poitrine vacillait faiblement et, plus bas, bien qu'il fût régulier, le flux manquait de fermeté. Je me penchai pour écouter son souffle et je pus entendre le râle de la congestion.

– A-t-il de la fièvre ?

Il me semblait que non, car il n'avait pas le teint empourpré, mais était au contraire d'une pâleur inquiétante. Toutefois, je l'espérais, car si la fièvre pulmonaire est une maladie grave, je savais la combattre. Le médecin secoua la tête en signe de dénégation et je soupirai.

– Le cœur, alors ?

– Je lui ai donné une décoction de digitale quand il a eu des douleurs, expliqua l'homme de l'art.

– Voilà qui est bien, mais peut-être pouvons-nous faire quelque chose pour lui redonner des forces. As-tu un homme de confiance que tu puisses charger de quérir les plantes suivantes ?

Il hocha la tête et je dictai ma liste : queue-de-lion et aubépine, ortie et ail. Le visage abattu de Constantin s'éclaira.

Le malade sur le lit s'agita alors et soupira, et je m'agenouillai auprès de lui, frictionnant ses mains glacées entre les miennes. Les yeux toujours clos, Constance sourit.

— Ah, la Déesse est de retour...

— La Déesse ne t'a jamais quitté, mais à présent, je suis ici aussi, articulai-je en m'efforçant de garder une voix ferme. Qu'as-tu fait pour te mettre dans cet état ? N'incombe-t-il pas à l'Auguste de rester dans son palais et de laisser les hommes plus jeunes se battre ?

— Je n'ai pas encore ouvert les yeux que déjà elle me houspille ! plaisanta-t-il.

En vérité, il ne semblait pas sûr de ma présence.

— Voilà qui adoucira peut-être mes paroles.

Je me penchai pour effleurer ses lèvres d'un baiser et, quand je m'éloignai de nouveau, il ouvrit les yeux.

— Tu m'as manqué, dit-il simplement ; et il lut la réponse dans mes yeux.

Durant la semaine qui suivit, j'administrai mes potions à Constance, mais bien que Constantin s'extasiât volontiers sur ses progrès, je soupçonnais qu'il avait usé ses dernières forces à m'attendre. Nous nous relayions, Constantin et moi, à son chevet, lui tenant la main pendant qu'il se reposait ou évoquant les années que nous avions vécues ensemble.

Un jour où je baignais son corps, je remarquai une cicatrice livide sur le côté de sa cuisse et lui demandai quand il avait pris des risques aussi insensés.

— Oh, c'était en Gaule, il y a trois étés de cela et je t'assure que je n'avais nulle intention de courir au-devant du danger !

Trois ans, me dis-je, et la balafre était encore rouge et irritée. Elle n'avait pas cicatrisé vite et bien, signe que sa circulation était déjà défaillante à l'époque. L'eussé-je su, j'aurais pu lui donner des remèdes pour consolider son cœur. Mais peut-être que cela n'aurait rien changé. Ce n'était pas Theodora ma rivale. Constance Chlore avait donné son cœur à l'Empire bien avant de me l'offrir.

Juillet tirait à sa fin et, même à Eburacum, les journées étaient chaudes. Nous ouvrions les fenêtres pour faire entrer la fraîcheur et couvrions le malade d'une étoffe de fine laine tandis que la stridulation des grillons se mêlait au râle de sa respiration.

Un après-midi, quand j'étais seule avec lui dans sa chambre, Constance s'éveilla d'une courte sieste et m'appela par mon nom.

– Je suis là, mon aimé, dis-je en lui prenant la main.

– Hélène… je sens que c'est une bataille que je ne vais pas gagner. Le soleil brille de tous ses feux, mais il décline, et moi aussi. J'ai fait la plus grande partie de ce que j'avais mission d'accomplir en ce monde, mais je crains pour l'Empire, qui sera à la merci de Galère et de ses Césars fantoches.

– Sans aucun doute, Auguste pensait de même, et pourtant Rome est toujours debout, dis-je. En fin de compte, sa sécurité dépend des dieux et non de toi.

– Sans doute as-tu raison. Quand un empereur se voit octroyer les honneurs divins, il devient difficile parfois de faire la différence. Seulement, les dieux ne meurent pas. Dis-moi, ma dame, ce corps peut-il guérir ?

Un instant, je le regardai fixement, essayant de retenir mes larmes. Son regard était limpide et franc. Nous avions toujours été sincères. Je ne pouvais l'abuser en cet instant crucial.

– Il y a bien longtemps que j'ai étudié l'art de guérir, dis-je enfin. Mais chaque jour, tu passes plus de temps à dormir. La force vitale de ton corps diminue. Si tu continues ainsi, tu peux rester avec nous encore une semaine, mais guère plus.

Curieusement, son visage s'éclaira.

– À la bonne heure ! En voilà plus que mes médecins n'ont pu me dire. Un bon général a besoin d'informations aussi précises pour organiser une retraite en ordre que quand il brigue la victoire.

Je n'avais pas vu les choses sous cet angle mais, malgré mes larmes, je lui rendis son sourire.

– Constantin t'a demandé de me guérir, mais maintenant je vais te demander quelque chose de beaucoup plus difficile, ma prêtresse bien-aimée. J'ai passé trop de temps de ma vie à essayer de rester en vie sur les champs de bataille et il m'est difficile de partir. À présent, tu dois m'apprendre à mourir.

– Je ne puis le faire que si je cède totalement la place à la prêtresse… et dans ce cas, celle qui t'aime ne sera plus là.

– Je comprends, approuva-t-il. Quand je conduisais Constantin au combat, c'était l'empereur qui l'envoyait au-devant du danger, pas son père. Mais il nous reste peu de temps, mon amour. Sois mon Hélène bien-aimée aujourd'hui et repaissons-nous de nos souvenirs.

Je lui serrai la main.

– Je me souviens de la première fois où tu m'es apparu, cette vision que j'ai eue quand je n'avais que treize ans. Tu resplendissais comme un soleil et c'est encore le cas aujourd'hui.

– Encore aujourd'hui où mon front s'est dégarni et mes forces m'ont abandonné ? plaisanta-t-il.

– Un soleil d'hiver, peut-être, mais tu continues d'illuminer pareillement le monde pour moi.

– Et moi, la première fois que je t'ai vue, tu avais l'air d'un chaton mouillé ! rétorqua-t-il et je ris.

Nous passâmes le reste du jour à évoquer chacune de nos rencontres à la douce lumière du souvenir. Pendant un moment, Constantin s'assit avec nous, mais ce qui se passait là ne le concernait pas directement et il partit prendre du repos pour pouvoir assurer son tour de veille. Quand je regagnai ma chambre, cette nuit-là, je pleurai longtemps, sachant que nous venions de nous dire adieu.

Le matin, je vins voir Constance vêtue de ma robe bleue et enveloppée de l'invisible majesté de la prêtresse. Quand il ouvrit les yeux, il saisit immédiatement la différence. D'autres notèrent ce changement sans le comprendre, à part Constantin, qui me regarda avec la terreur de l'enfant qui vient de perdre la mère qu'il croyait connaître.

Tu es un adulte à présent, essayai-je de lui faire comprendre par mon regard ferme. *Tu dois apprendre à voir tes parents comme des compagnons de voyage sur la route de la Vie.* Mais il n'était sans doute pas surprenant qu'il nous voie avec des yeux d'enfant du fait qu'il n'avait que treize ans quand il avait été séparé de nous.

– Ma dame, je te salue, prononça Constance d'une voix grave. Que vas-tu m'enseigner sur les Mystères ?

– Tous les hommes qui sont nés de la femme doivent parvenir un jour à la fin de leur vie, murmurai-je, et ce moment est venu pour toi.

D'âme à âme, tu dois écouter sans te laisser distraire. Ton corps t'a dignement servi et te servir l'a usé. Tu dois te préparer maintenant à le délivrer, à t'en séparer, à t'élever au-dessus du royaume du tangible, qui est sujet au changement et à la décomposition, pour rejoindre ce lieu où se trouve la Lumière et où la nature véritable et éternelle de toute chose est révélée…

Cela faisait de longues années que j'avais appris ces paroles et je ne les avais prononcées qu'une seule fois, quand, à tour de rôle avec d'autres novices, nous les avions lues pour une vieille prêtresse mourante. En ce jour, un besoin impérieux les rappelait du fond de ma mémoire, intactes et parfaites.

Jusqu'au soir, je suivis les instructions, expliquant comment le corps deviendrait un poids trop lourd à soulever et toute sensation disparaîtrait. Quand cela se produit, l'âme est prête à s'élever et s'échappe par la calotte crânienne pour s'unir à la Source de Toutes Choses. Les soins du monde et l'affection pour ceux qui nous sont chers concourent à retenir l'esprit ici-bas, mais la détermination de les quitter doit demeurer inébranlable.

— Tu traverseras un tunnel long et obscur comme le jour où tu as été éjecté de l'obscurité de la matrice. Ce voyage est celui de la naissance de l'esprit et, à la fin, tu émergeras non dans la lumière du jour mais dans la splendeur qui est la véritable Source du soleil…

Constance s'était assoupi, mais je continuai à parler, sachant qu'une partie de son esprit restait attentive. Il me semblait que les dieux lui réservaient une mort douce et que c'était ainsi qu'il partirait, dans son sommeil. L'âme se séparerait du corps et enfin la chair, sans esprit pour la diriger, renoncerait, elle aussi.

Dès lors, chacun comprit que l'empereur se mourait. Dans la cité, me dit-on, la clameur du marché était étouffée et l'encens fumait sur chaque autel. Les habitants d'Eburacum avaient toujours considéré Constance comme l'un des leurs. Ils lui étaient reconnaissants de les avoir libérés des Pictes. Dans la place forte, les soldats montaient la garde autour du Praesidium, tandis que Crocus et ses soldats se pressaient dans le corridor devant la chambre de l'empereur, où ils attendaient avec la patience infinie de braves chiens.

Cette nuit-là, Constance s'éveilla suffisamment longtemps pour s'entretenir avec son fils. Épuisée, j'étais allée me coucher, mais à l'heure blafarde qui précède l'aurore, un soldat vint me chercher. Je fis brièvement mes ablutions en essayant de rassembler mes esprits, mais, à vrai dire, je n'étais pas surprise. J'avais accordé à Constance l'autorisation de partir et lui avais donné les instructions nécessaires pour qu'il le fasse. Il n'avait nulle raison d'atermoyer.

– Il perd de plus en plus souvent conscience, chuchota le médecin comme je gagnais la porte. Et sa respiration est oppressée.

– Mère est là, elle est venue te voir, annonça Constantin, un peu désespéré, comme je prenais place sur le siège bas auprès de la couche.

Constance fit un effort désespéré pour trouver de l'air, s'étouffa un instant et souffla.

– Mettez-lui d'autres oreillers dans le dos, dis-je en débouchant une fiole d'essence de rose accrochée à une chaîne que je portais autour du cou.

Je vis ses narines frémir et la respiration suivante se trouva facilitée. Il ouvrit les yeux et ses lèvres grimacèrent un pauvre sourire.

Pendant quelques instants, il eut moins de mal à respirer. Alors, il rassembla ses forces et tourna les yeux vers Constantin :

– Souviens-toi, chuchota-t-il. Prends soin… de ta mère… et de tes frères… et sœurs…

Son regard parut se concentrer et il reprit son souffle.

– Prie pour que le Dieu suprême… sauve l'Empire…

Il ferma les paupières, mais il était toujours conscient, luttait toujours. Les croisées étaient closes, mais je sentis un imperceptible changement dans l'air. J'adressai un geste aux médecins : qu'on ouvre les fenêtres !

Quand les persiennes furent repoussées, une pâle lumière remplit la chambre qui, peu à peu, devint plus forte. Le soleil se levait. Sur les joues de ces hommes rudes, je voyais la trace luisante des larmes. D'instant en instant, le visage de Constance devenait plus radieux. Je me penchai vers lui et joignis ses mains sur sa poitrine.

– Le monde s'évanouit autour de toi, chuchotai-je. Il est temps de partir dans la Lumière…

Il tourna son regard vers moi, sans que sache vraiment ce qu'il voyait car, en cet instant, il était transfiguré par une expression d'émerveillement.

– Ma Déesse…

Le mot resta suspendu dans l'air. Puis ses yeux s'écarquillèrent, fixés dans le vide, le corps se débattit pour prendre un ultime souffle sans y parvenir et il retomba, immobile.

Pendant les huit jours qui s'écoulèrent entre la mort de Constance et son incinération, Constantin ne quitta pas sa chambre, mangea peu et ne parla à personne. Pour moi, ces jours passèrent comme un cauchemar, où les souvenirs qui me revenaient dans les moments de veille étaient pires encore que mes rêves. Mais quand les huit jours s'achevèrent, je passai les habits blancs du deuil et sortis pour suivre le corps de mon époux sur le bûcher. Lavé, rasé, revêtu d'une toge immaculée, Constantin attendait et, bien que ses yeux fussent noyés d'ombre, il avait manifestement retrouvé son emprise sur lui-même.

Il me reste une série d'images de cette nuit-là, des torches fouettées par le vent, pâles dans la poussière grandissante, et le marbre blanc et neuf du tombeau qui luisait doucement à la lueur des flammes. Une sépulture au bord de la route hors de la ville, ce n'était pas pour Constance. Les magistrats d'Eburacum avaient demandé à ce qu'il fût enseveli au forum, car s'il ne pouvait plus les protéger dans la vie, son esprit, cédant aux hommages rendus à sa tombe, accorderait peut-être à la ville sa bénédiction.

J'ai une autre image. Le corps de Constance, enveloppé dans la pourpre et le front ceint d'une couronne d'or, allongé sur le bûcher, un haut tas de bon bois de chêne anglais parsemé d'épices. Je me souviens de la lueur des torches sur le visage lugubre d'Asclepiodotus et de Crocus, qui nous escortaient, et de leur miroitement sur les armures. Et le mutisme de Constantin, comme s'il était taillé dans le même marbre que la tombe…

J'entends un bruit, un gémissement qui monte de la foule quand Constantin jette sa torche entre les bûches. Les soldats qui remplissaient tout un côté de la place murmurent, mais la discipline est la plus forte et, comme la fumée tourbillonne vers le ciel, dissimulant le corps rigide de l'empereur, le silence retombe, à part les lamentations des pleureuses. J'ai déjà vu cette scène, dans la vision que j'ai eue lors de mon initiation. Cependant je me suis vue portant la pourpre, ce qui jamais n'arriva. Alors comment est-ce possible ?

Je me souviens des morceaux de charbon calcinés tombant du bûcher quand les premières étoiles scintillent dans l'obscurité du firmament et de la voix grave d'Asclepiodotus disant à Constantin qu'il doit prendre la parole devant le peuple sur le champ. Tel un somnambule, Constantin se retourne, les yeux brûlants. Il lève les bras et c'est le silence absolu.

— Mes frères et mes sœurs, mes frères d'armes et fils de l'Empire. Mon père, et le vôtre, est mort et son âme monte au ciel. Nous avons perdu notre protecteur et qui désormais veillera sur nous ?

Un gémissement monte parmi les femmes, vite étouffé par un cri profond jailli de la gorge des hommes.

— Constantin ! Constantin nous protégera ! *Constantinus, Imperator* !

Il lève une fois encore les mains comme pour les faire taire, mais les cris deviennent plus forts. À présent, les soldats se précipitent, Crocus au premier rang, et l'un d'eux porte une robe pourpre. Asclepiodotus me prend le bras pour me tirer en arrière.

Je ne me souviens pas comment nous avons regagné le Praesidium. Mais il me parut que, la nuit durant, les cieux répercutaient ce cri : *Constantin, empereur* !

Troisième partie

La voie de la sagesse

XV

307-312 après J.-C.

Durant les années où j'accompagnais Constance dans ses pérégrinations à travers l'Empire, je n'étais jamais allée en Italie. Rome me restait inconnue, mais la nouvelle cité de Mediolanum, bâtie par Maximien dans la plaine du Pô, était censée être presque aussi magnifique. Aujourd'hui, avec ses rues récemment lavées par les pluies de printemps et chaque arc de triomphe orné de guirlandes de fleurs, j'étais prête à le croire, tandis que les maîtres de l'Empire tentaient de forger une nouvelle alliance par le biais du mariage de Fausta, la fille à peine nubile de Maximien, avec mon fils Constantin.

On les avait fiancés l'année même où Constance avait été élevé au titre de César. À l'époque, Fausta n'était encore qu'une enfant et, durant les longues années où Constantin avait été l'otage de Dioclétien d'abord puis de Galère, nul n'aurait été surpris que cet accord tombe dans l'oubli, y compris Constantin. Sauf que je commençais à me rendre compte que celui-ci n'omettait jamais rien dont il pouvait réclamer la propriété. J'espérais que son intérêt personnel le porterait à avoir de l'affection pour elle et que Fausta, ayant grandi dans l'idée qu'elle deviendrait un jour sa femme, serait inclinée au respect. Bien sûr, c'était beaucoup d'attendre véritablement de l'amitié dans une union entre une jeune fille de quatorze ans et un homme de trente-cinq.

Ces derniers neuf mois avaient été déconcertants. Bien que l'armée, conduite par Crocus, l'eût proclamé Auguste, Constantin avait jugé plus politique de ne revendiquer que le titre de César quand il informa Galère qu'il avait un nouvel associé avec lequel il devrait partager le pouvoir. Entre-temps, Maxence, le fils de Maximien, avait décidé

293

d'imiter l'exemple de Constantin et Maximien lui-même était sorti de sa retraite pour voler à son secours. À présent, tous s'octroyaient le titre d'Auguste.

Je me serais volontiers contentée d'attendre au palais, mais Constantin tenait à ce que sa famille au complet, y compris ses demi-sœurs et ses demi-frères, les enfants de Theodora que nous avions ramenés avec nous de Treveri, fassent partie de la procession. Je voyais donc Mediolanum du haut d'un char triomphal, orné de guirlandes de fleurs, doré et ombragé de soie rose qui tranchait avec la palla pourpre que je portais, bien qu'elle flattât sans doute mon teint.

Au milieu des acclamations, Maximien et Constantin, chevauchant côte à côte, passèrent sous l'arc de triomphe conduisant à la place principale. D'autres cris, s'élevant derrière moi, proclamèrent l'arrivée de la fiancée, qui avançait dans un char tiré par quatre poneys d'un blanc immaculé auxquels on avait ajouté des ailes de sorte que chacun ressemblait à un Pégase en miniature. Elle avait le visage en partie dissimulé par la soie orange de son voile.

Je ne savais toujours pas si la proclamation de Crocus avait pris Constantin au dépourvu ou s'il l'avait organisée lui-même. Rétrospectivement, il allait de soi que le fils aîné de Constance Chlore se devait de réclamer le pouvoir impérial. S'il ne l'avait fait, Galère lui aurait sans doute porté un coup fatal pour l'en écarter. Et pourquoi devrais-je reprocher à mon fils d'accomplir ce qui était sa destinée depuis sa conception ?

En fait, Constantin avait agi avec sagesse et fermeté en s'établissant à Treveri, la capitale de son père. Pour quiconque, ses ambitions se limitaient à l'administration des provinces de Constance et, à présent, tout le monde lui faisait sa cour.

Certains jours, cela me semblait être un rêve. J'aurais pu trouver plaisir à tout cela auprès de Constance, toutefois j'avais du mal à me sentir à ma place aux côtés d'un fils que j'adorais mais que je connaissais à peine. Cependant, j'avais loué ma maison de Londinium et fait venir mes gens à Treveri, où Drusilla prit la responsabilité des cuisines et Vitellia celle du train de maison, comme si elles étaient nées pour vivre dans des palais. Mes jeunes élèves me manquaient, de même que Katiya et mes autres amies de Londinium. Pourtant, l'enthousiasme de

Constantin était contagieux. Constance avait accompli son devoir, mais Constantin prenait un réel plaisir à l'exercice du pouvoir.

Quand nous atteignîmes le palais, j'avais la tête douloureuse en raison de la clameur et je rêvais de m'asseoir sur quelque chose de stable et d'immobile. Constantin observa les placages de marbre comme s'il envisageait de les faire copier pour sa nouvelle *basilica*. Ils étaient somptueux, des plaques polies rose et gris disposées en motifs sur les murs bas et sur le sol. Mais si le bâtiment était impressionnant en lui-même, un examen plus attentif permettait de voir qu'il avait été remis en fonction d'une façon hâtive. Les longues tables magnifiquement drapées de brocart étaient en bois grossier et les tentures n'avaient pas encore été accrochées aux fenêtres.

Les convives aux riches atours assis à ces tables ne semblaient guère s'en soucier. Crocus était présent avec deux de ses officiers ainsi qu'un petit homme rondelet, Osius, qui était l'évêque de Corduba. Bien que le mariage fût célébré dans la tradition romaine, Constantin avait demandé à l'évêque de le bénir, ce qui ne pouvait manquer de plaire aux chrétiens présents à cette célébration.

Néanmoins, quand nous eûmes fait les sacrifices, lu les oracles et signé le contrat de mariage, nous assistâmes à un banquet mémorable, même si la jeune épousée n'avait pas encore perdu les rondeurs de l'enfance. Elle avait aussi une rougeur peu seyante – du fait de l'excitation, espérais-je, et non du vin. Fausta avait de fins cheveux roux, que ses servantes avaient bouclés à l'excès, et les yeux gris. Elle deviendrait peut-être jolie avec le temps, mais pour le moment, les joues bourrées de sucreries, elle évoquait plutôt un écureuil aux yeux vifs.

Au cours d'un intermède entre les divertissements où les convives déambulaient, Constantin vint jusqu'à mon lit.

– Mon chéri, dis-je, en levant les yeux vers lui. Ta beauté éclipse celle de la mariée.

Nulle mère n'avait eu le privilège d'avoir un fils aussi magnifique. En ce jour, toutes mes souffrances paraissaient justifiées.

Constantin m'adressa un large sourire. Sa tunique en soie orientale d'un blanc mat était bordée et ceinturée d'un galon d'or qui mettait en valeur ses cheveux brillants.

– Elle n'est pas laide quand elle n'est pas surchargée d'ornements comme une génisse dans un défilé. Mais il est vrai qu'elle est encore très jeune. Dirigeras-tu ma maison, mère, tant que Fausta ne sera pas en âge de le faire ?

Je fis mine de soupeser le pour et le contre, mais comment aurais-je pu refuser ? Il me prit la main et l'embrassa sous mon regard attendri.

– J'ai une autre requête à te présenter, plus chère encore à mon cœur, reprit-il après un silence, comme s'il cherchait ses mots. Quand j'étais en Orient, j'ai eu… une relation… avec une femme appelée Minervina et, il y a deux ans, elle m'a donné un fils.

Je haussai un sourcil, comprenant combien il pouvait être gênant pour lui aborder la question tant, de son point de vue, cette histoire évoquait la mienne.

– Et qu'en as-tu fait, maintenant que te voilà pourvu d'une épouse légitime ? demandai-je avec aigreur.

Je vis son front s'empourprer.

– Elle est morte de la fièvre il y a un an, répondit-il avec dignité. J'ai été contraint de laisser l'enfant à son oncle quand j'ai fui Galère, mais je l'ai envoyé quérir. Il s'appelle Crispus, mère. Te chargeras-tu de lui pour moi ?

– *Pater familias*, le taquinai-je doucement. Tu rassembles tous les membres de ta famille sous ton aile. Te déplaît-il tant que je n'aie pu te donner des frères et des sœurs ?

Un instant, il eut l'air désemparé. Puis il m'adressa le gentil sourire qu'il avait dans son enfance. *Un petit-fils !* L'excitation que j'éprouvais me surprit.

– Qu'importe, repris-je. Amène-moi ton enfant. S'il me sourit ainsi, nul doute que je vais l'aimer.

– *Avia ! Avia !* Regarde… Borée va sauter pour moi !

Je me retournai en souriant tandis que le garçon aux cheveux dorés levait la branche. Le jeune lévrier, qui faisait partie d'un couple que Constantin m'avait récemment envoyé, sauta par-dessus et la femelle, Favonia, gambada autour d'eux en aboyant.

– Ils sont encore jeunes, mon chéri, ne les excite pas trop, le mis-je en garde – bien qu'en vérité, il fût autant dans la nature d'un chiot de rechercher l'excitation que dans celle d'un petit garçon.

Crispus était curieux de tout et il charmait son monde. Constantin ne parlait jamais de la mère de l'enfant, mais il était clair qu'elle avait élevé son fils assez longtemps pour lui donner l'assurance qu'il était aimé. Bien qu'elle fût plus en âge d'être sa sœur que sa belle-mère, Fausta jouait avec lui comme avec une poupée et jurait qu'elle voulait l'adopter.

Au cours des trois années écoulées depuis l'arrivée de Crispus à Treveri, je m'étais accoutumée à entendre crier ce mot, « *Avia !* », « Grand-mère ! ». Ainsi, au début du règne de Constantin, il me semblait parfois que j'avais vécu trois vies et que la troisième était la plus heureuse des trois.

Dans la première vie, vierge d'Avalon, j'avais dû me battre contre la haine de Ganeda pour trouver ma propre force. La deuxième m'avait apporté les joies d'une vie de femme accomplie et les souffrances de la passion. Toutefois, pendant les années où nous fûmes séparés, telle une fleur à jamais tournée vers le soleil, ma personnalité était restée profondément marquée par mon attachement à Constance. Désormais, mon corps avait trouvé un nouvel équilibre, qui n'était plus à la merci de la lune, et je menais une autre existence en tant qu'impératrice mère, rôle le plus inattendu de tous.

Las de son jeu, Crispus courut vers moi pour grimper dans mon giron et les chiens hors d'haleine s'affalèrent à nos pieds. Je pris une figue confite dans l'assiette décorée sur le banc près de moi que je fourrai dans la bouche de l'enfant, avant de le serrer contre mon sein.

Pour la première fois de ma vie, je n'avais nul besoin de me montrer économe et j'avais une légion de serviteurs pour accomplir la charge de travail nécessitée par une demeure impériale. J'étais libre de passer le plus clair de mon temps avec Crispus, qui possédait le charme de son père avec, me semblait-il, plus de gentillesse encore. Mais il s'agit peut-être là du parti pris d'une grand-mère, qui peut consacrer plus d'amour à ses petits-enfants parce que leur réussite ou leur échec dans la vie n'a pas de répercussion immédiate sur la sienne.

– Dis-moi une histoire de quand mon père était un petit garçon ! bafouilla Crispus, la bouche pleine de figue.

– Ma foi, dis-je en réfléchissant, quand il avait ton âge, il adorait les figues, comme toi. À l'époque, nous habitions à Naissus et nous avions un voisin qui tirait grand orgueil du figuier de son jardin. Or nous avions aussi une chienne appelée Hylas, qui adorait les fruits et qui était même capable de grimper aux arbres pour cela. Alors

Constantin a fabriqué une muselière pour Hylas ; puis, un matin très tôt, il l'a fait passer par-dessus le mur dans le jardin du voisin et l'a encouragée à grimper au figuier pour faire tomber les fruits mûrs. Ensuite, il s'est faufilé dans le jardin avec un panier, les a ramassées et les a emportées dans la cabane qu'il s'était construite dans notre jardin pour les manger.

— Les a-t-il toutes mangées ? s'enquit l'enfant. Il n'en a pas donné une seule au gentil petit chien ?

— Mais si, et il lui a même étalé de la figue autour du museau. Quand le voisin a découvert le forfait et est venu nous trouver en agitant le poing et en exigeant qu'on punisse notre fils, Constantin a montré le chien et juré par Apollon que c'était Hylas la coupable… ce qui, bien sûr, était vrai. Quand l'homme a refusé de le croire, ton père a insisté pour se rendre au pied du figuier et laisser Hylas grimper de nouveau. Cette fois, évidemment, elle n'avait pas de muselière et elle est parvenue à en attraper une qui lui avait échappé plus tôt.

— Qu'est-ce que le voisin a dit ?

— Eh bien, d'abord il a voulu qu'on abatte la chienne, mais il s'est finalement contenté de la promesse qu'on veillerait désormais à empêcher l'animal de pénétrer à nouveau sur sa propriété. Nous avons donc juré nous aussi par Apollon, donné à l'homme quelques deniers d'argent pour le prix de ses figues et il est rentré chez lui.

— Je suis content que la chienne n'ait rien eu, reconnut Crispus. Est-ce que Père a eu des ennuis ?

— Certainement, parce que, vois-tu, Hylas avait été dressée à ne pas grimper sur ce mur. Constantin s'est cru très malin mais nous lui avons expliqué la différence entre dire la vérité et être honnête, et il a dû aider notre jardinier à sarcler les plates-bandes jusqu'à ce qu'il ait remboursé le prix que nous avions payé.

Les yeux de l'enfant s'écarquillèrent en apprenant que son père avait pu ne pas être un modèle de vertu. Mais, ces dernières années, Constantin s'était pris de goût pour la pompe et je trouvais que cela ne ferait pas de mal à Crispus de se rendre compte que son père était humain, lui aussi.

Si j'avais un motif d'inquiétude, c'était l'agitation politique perpétuelle tandis que Constantin se battait contre ses rivaux pour accéder au pouvoir suprême. Je ne doutais pas vraiment qu'il finirait par triompher, car n'était-il pas l'Enfant de la Prophétie ? Néanmoins, je guettais avec impatience les lettres de mon fils et, trouvant en sa mère sa plus sûre confidente, il m'écrivait souvent.

Quand Crispus se releva pour retourner jouer avec les chiens, je sortis sa dernière missive, envoyée des environs de Massilia. Après le mariage, Maximien s'était querellé avec son fils Maxence et, pendant un temps, avait trouvé refuge auprès de nous, à la cour. Galère, n'ayant pu rétablir la situation par la force, avait signé un autre traité et établi un certain Licinius à la place de Sévère, que Maxence avait exécuté.

À présent, Maximien qui, à mon avis, donnait des signes de sénilité, avait fait main basse sur le trésor déposé en Arelate et se terrait derrière les murs de la ville de Massilia après avoir adressé à Fausta un message proclamant qu'il serait bientôt à nouveau le seul maître de l'Occident.

À l'époque, Constantin passait en revue ses troupes sur le Rhin et Fausta, qui l'adorait, lui avait promptement écrit pour le tenir informé. En ce moment, Constantin était peut-être occupé à combattre son beau-père. Nous n'avions reçu aucune nouvelle depuis cette missive, expédiée du temple d'Apollon à Granum où Constantin avait dormi, trois jours plus tôt.

« Comme Granum était sur notre chemin, j'ai saisi cette occasion pour passer la nuit dans le sanctuaire qui s'y trouve et le dieu m'a envoyé un rêve. Apollon en personne est venu à moi, assisté par la Victoire, et m'a offert quatre couronnes de laurier. Peut-être sauras-tu interpréter ce présage mieux que je ne saurais le faire, mais je crois que chacune représente un nombre d'années pendant lesquelles je règnerai. Le Soleil Tout-Puissant a toujours favorisé notre famille et j'invoque donc Sa protection. Si Apollon m'accorde la victoire dans la bataille qui m'attend, j'inscrirai la devise *Soli invicto comiti* sur la prochaine monnaie que je frapperai en Son nom. Prie pour moi, Mère, que ce songe devienne réalité et que j'emporte en effet la victoire... »

Une rumeur, tel un lointain bruissement d'arbres dans la tempête, retint mon attention. Il n'y avait pas de vent et, du reste, le bruit venait de la cité. Les jardins annexés au palais étaient vastes. Si le bruit de la rue parvenait jusqu'à moi par-delà nos grilles, où la nouvelle *basilica* s'élevait au-dessus des arbres, c'est que le bruit devait être fort. Mes entrailles se tordirent quand je me mis debout, mais je rangeai soigneusement la lettre de Constantin que je glissai dans les plis de ma robe, là où elle blousait au-dessus de la cordelette qui m'enserrait la taille.

Crispus et les chiens se poursuivaient toujours dans le jardin. Si c'étaient de bonnes nouvelles, me dis-je, je pouvais attendre pour les entendre, et je n'avais nul besoin de me hâter d'avoir du chagrin si elles étaient mauvaises.

Cependant, ce ne fut pas un messager couvert de la poussière des chemins qui sortit en courant du palais, mais Fausta, comme si toutes les Furies des Enfers étaient sur ses talons. La contraction dans mon ventre grandit quand je vis son visage déformé et ses joues maculées de larmes.

— Mère ! Mère ! Il s'est tué et c'est ma faute !

Brusquement, ma propre terreur se fit jour. Mon fils croyait trop en sa destinée pour renoncer à la vie, quelle que fût l'ampleur du désastre. Je la pris dans mes bras et la serrai contre moi en attendant que ses sanglots s'apaisent.

— Qui, Fausta ? Que s'est-il passé ?

— Mon père, se lamenta-t-elle. Il s'est fait prendre à Massilia et maintenant il est mort et cela parce que j'ai dit à Constantin ce qu'il m'avait écrit !

— Tu te dois à ton mari, tu le sais, murmurai-je en lui tapotant le dos. Et de toute façon Constantin l'aurait vite retrouvé et la fin aurait été la même.

C'était un suicide fort commode, en fin de compte, et je me demandai si une main secourable avait aidé Maximien à expier son crime. Peu à peu, Fausta cessa de renifler.

— Pleure ton père, Fausta, car, en son temps, il fut un grand homme et il n'aurait jamais voulu connaître la vieillesse et la déchéance. Porte le blanc pour lui, mais garde-toi d'avoir les yeux rougis et gonflés quand Constantin reviendra.

Elle hocha la tête. Constantin aimait que tout le monde fût heureux autour de lui. Je me demandais parfois si les incertitudes de son enfance avaient donné à Constantin le désir d'une famille parfaite ou

300

s'il croyait simplement que cela lui était nécessaire pour remplir son rôle d'empereur.

Lorsque Constantin était de retour, il avait coutume de s'asseoir avec moi pendant une heure pour finir la soirée. Nous parlions parfois de la famille et parfois de l'Empire. J'étais probablement le seul de ses conseillers auquel il pouvait se fier sans crainte, mais même à moi, il était rare qu'il ouvrît totalement son esprit. Il m'arrivait de regretter l'enfant sincère qu'il était avant qu'il eût rejoint la cour de Dioclétien, mais cette innocence n'aurait pu survivre aux dangers et aux intrigues qui entouraient un empereur.

J'avais un petit salon entre ma chambre et les jardins, dont les portes donnaient sur la chaleur de l'été, et une cheminée à l'anglaise pour les jours d'hiver et contre la fraîcheur de l'automne. En cette fin d'été, j'étais assise près de l'âtre, filant à la quenouille. Ce travail n'était plus une nécessité comme à Avalon, mais il m'apaisait l'esprit et me permettait de me concentrer.

— Comment obtiens-tu un fil si fin et régulier, mère ? Peu importe combien de temps je t'observe, la laine rompt toujours entre mes mains maladroites lorsque j'essaie de t'imiter.

Constantin était assis, ses longues jambes allongées vers le feu et les yeux mi-clos, profondément enfoncés, fixés sur le fuseau tourbillonnant.

— Dans ce cas, c'est une chance que tu ne sois pas une fille, répondis-je en coinçant le fuseau sous mon pied le temps de libérer la laine de la quenouille et d'ajuster la tension.

Une preste torsion relança le mouvement.

— Sans doute ! dit-il en riant. Mais les Parques, qui ont établi mon parcours depuis le berceau, n'aurait pu se tromper sur un point aussi fondamental. Je suis né pour devenir empereur.

Je levai le sourcil. Cette conviction avait quelque chose de troublant, mais je ne pouvais disputer ce qui était, pour moi aussi, une certitude.

— Et ton père pour fonder une dynastie ? Crispus devient un jeune homme de qualité, mais un fils unique ne suffit pas à former une famille. Fausta a dix-neuf ans, à présent, et elle a l'âge de partager ta couche. Elle va te poser des problèmes si tu ne lui donnes pas d'enfants.

Il éclata de rire.

– S'en serait-elle plainte ?... Allons, bien sûr, tu as raison, mais je n'engendrerai pas d'autres rejetons tant que je ne serai pas sûr d'être plus souvent à Rome pour surveiller leur éducation. La mort de Galère a modifié l'équilibre du pouvoir. J'ai toute raison de croire que Maximin Daia a passé une alliance avec Maxence. J'ai été moi-même en contact avec Licinius, qui lui aussi réclame l'Orient, et je lui ai promis la main de ma sœur Constantia.

Il m'adressa un bref coup d'œil, guettant apparemment ma réaction à l'évocation de sa demi-sœur. Mais depuis longtemps j'avais accepté le fait que Constance avait demandé à notre fils de veiller sur les enfants de Theodora. En dépit de la haute naissance de celle-ci, c'était mon fils qui était empereur.

– Ainsi, les lignes sont tracées...

– Maxence a renversé mes statues. Il prétend que c'est pour venger la façon dont j'ai traité celles de son père, mais Maximien est mort en usurpateur, alors que je suis censé être l'empereur et le frère de Maxence. Je vais devoir marcher contre lui et je devrai le faire bientôt, avant que la neige ferme les cols des Alpes. De toute façon, c'est un prétexte qui en vaut un autre.

– Si les rumeurs que j'ai entendues sont vraies, le Sénat t'applaudira. Maxence s'est accordé des libertés avec trop de femmes et de filles de patriciens et il a levé trop d'impôts. Mais as-tu les forces qu'il faut pour faire face aux hommes qu'il a ajoutés à la garde prétorienne et aux troupes qu'il a ramenées d'Afrique ?

– En qualité, rétorqua-t-il, le sourire figé. Pas en quantité. Mais je suis un meilleur général. La supériorité du nombre ne comptera pas s'ils n'ont pas un bon chef.

– Que la bénédiction de tous les dieux soit sur toi ! dis-je, le regard sombre.

Son visage redevint grave.

– Si je savais lequel m'accorderait la victoire, je lui promettrais un temple et je ferais célébrer son culte dans tout l'Empire. Je dois combattre Maxence et je dois le faire sans attendre, mais tu as raison de penser que l'issue du combat dépend de la faveur des cieux. Prie pour moi, mère, tu as l'oreille des dieux !

– Tu es toujours dans mes pensées et dans mes prières, répondis-je quand le silence menaça de s'éterniser.

J'aimais Constantin. Il était le centre de ma vie. Mais il semblait parfois avoir besoin de plus que je ne pouvais lui donner.

Le lendemain, il partit pour rassembler ses fidèles légions sur le Rhin, imaginai-je, bien qu'il ne fût fait aucune annonce qui pût mettre son ennemi sur ses gardes. Plus tard j'appris que Maxence, ayant prévu que Constantin passerait à l'action, avait confié la défense du nord à Ruricius Pompeianus et était resté lui-même à Rome au cas où Licinius en aurait fini avec les Perses à temps pour l'attaquer. Mais, à cette époque, je fus incapable de juger les nouvelles qui nous parvenaient, car Crispus avait attrapé une maladie des enfants du jardinier et, bien qu'il se remît assez vite, je la contractai à mon tour après l'avoir soigné.

J'eus d'abord une éruption, puis une fièvre qui parut me brûler jusqu'aux os. Si c'était une maladie qui existait en Angleterre, mon enfance à Avalon m'en avait protégée. Et comme il arrive souvent quand un adulte attrape une maladie infantile, je fus beaucoup plus mal que Crispus.

Je restai couchée, alternant l'hébétude et le délire tandis que le mois d'octobre touchait à sa fin. Dans mes moments de lucidité, j'entendais des noms de ville : Segusio, Taurinorum, Mediolanum et, plus tard, Verona, Brixia, Aquileia, Mutina. J'appris par la suite que c'était les villes que Constantin avait prises. En refusant aux soldats le droit de piller les premières, il avait gagné une rapide reddition des suivantes. Mais je menais mon propre combat et, les jours passant, je sentis que je perdais du terrain.

Les événements se succédaient autour de moi comme dans un mauvais rêve. Toutefois, dans cet état intermédiaire où je flottais, qui n'était ni le monde des humains ni le monde spirituel, je sentais le cours des saisons avancer vers Samhain. À cette époque, d'après l'ancienne tradition de l'Angleterre, la vieille année se meurt et la gestation de la nouvelle commence. Vient alors un moment où une porte s'ouvre entre les mondes et les morts reviennent.

Le bon moment, me dis-je vaguement, *pour mon propre trépas*. Je regrettais seulement de ne pas pouvoir dire adieu à Constantin. Or ce n'était pas ma vie qui s'achevait, mais une époque, même s'il me fallut encore bien des années pour comprendre clairement le sens de la fête de Samhain.

Un jour vint où la fièvre monta une fois encore et mon esprit, libéré d'un corps affaibli, flotta entre deux mondes. Je voyais la terre en contrebas et l'amour me transportait vers l'Orient, où mon fils allait être aux prises avec l'ennemi. Je vis une grande cité au bord d'un fleuve et je savais que c'était Rome. Mais les forces de Maxence avaient franchi le Tibre en amont de la ville et se disposaient en formation face aux légions moins nombreuses sous l'autorité de Constantin. L'hiver était précoce et, dans l'air vif, le soleil semblait voler en éclat et ses rayons se réfractaient à l'horizon en formant une croix de lumière.

Les légions de Constantin chargèrent l'ennemi après que la cavalerie gauloise eut esquivé les cuirassiers italiens à l'armure pesante et submergé la troupe légère des Numides. Je voyais Constantin dans son armure dorée et sa garde prétorienne, un chi et un rhô grecs peints sur leur bouclier pour leur porter chance.

Les prétoriens de Maxence moururent sur place, tandis que les survivants prenaient la fuite. Le pont rompit sous le poids des fuyards, précipitant hommes et chevaux dans les eaux grises et tumultueuses du fleuve. Les attaquants les poursuivirent, réparèrent le pont et, au coucher du soleil, entrèrent dans Rome.

Comme l'ombre s'étendait sur la terre, je plongeai également dans l'obscurité. La maladie avait achevé sa course, mais j'étais dans un terrible état de faiblesse. Je mangeais et buvais quand on me soulevait, mais la plupart du temps, je somnolais. Parfois, à demi consciente, j'entendais les conversations autour de moi.

— Il n'y a pas d'amélioration, constatait la docte voix du médecin grec. L'empereur doit en être informé.

— Nous n'osons le distraire. Si Constantin est vaincu, nos vies ne vaudront pas un denier. Maxence nous ferait subir le même traitement que Maximien a infligé à la femme et à la fille de Galère.

C'était Vitellia. Elle paraissait avoir pleuré. Je voulus lui dire que Constantin avait triomphé, mais ne pus soumettre mon corps à ma volonté.

— Même si nous envoyions un message maintenant, mon seigneur ne pourrait être là à temps, ajoutait Fausta.

C'était la sœur de Maxence et elle pouvait espérer être épargnée si ce dernier emportait la victoire, à moins qu'il ne lui reproche la mort de leur père. Les premiers empereurs n'hésitaient pas à tuer les membres de leur propre famille. Pourquoi devrais-je me battre pour revenir à la vie dans un monde où de pareilles choses sont possibles ?

Cependant, le lendemain matin, un messager vint confirmer ma vision et, profitant de l'allégresse générale, le petit Crispus se glissa dans ma chambre. Tandis qu'il me serrait dans ses bras, riant de joie pour la victoire et pleurant de me voir aussi pâle et amaigrie, je sentis un élan de vie jaillir de son jeune corps robuste vers le mien et je sus que, finalement, les dieux ne m'emporteraient pas encore en ce jour de Samhain.

Constantin rentra à Treveri après les Saturnales. Je recouvrais mes forces ; seul mon souffle court me rappelait parfois que j'avais dû me battre pour respirer. Mais mes cheveux qui, jusque-là, n'avaient encore que quelques mèches grises étaient devenus blancs au cours de ma maladie. Cela l'empêcherait sans doute de remarquer d'autres changements, car je ne permis à personne de lui dire à quel point j'avais frôlé la mort.

Je le reçus dans mon salon, où la lumière réfléchie par mes murs ocres me donnerait meilleure mine. Malgré cela, j'étais heureuse d'être assise quand il vint me voir car il émanait de lui une puissance pareille au souffle chaud d'un brasier.

– *Ave ! Sol Invictus !* Tu es véritablement le soleil dans toute sa splendeur !

Je levai la main pour lui souhaiter la bienvenue ou peut-être pour le tenir à l'écart, car en cet instant, on eût dit un colosse à côté duquel mon salon paraissait minuscule. Plus tard, quand je vis la statue monumentale qu'il avait commandée à Rome, dont la tête seule pesait le poids d'un homme, je compris que le sculpteur avait ressenti comme moi quelque chose en lui qui dépassait la dimension humaine.

Constantin sourit, se pencha pour m'embrasser, puis commença à arpenter la pièce, comme si la force qu'il portait en lui ne le laissait pas en repos. Il ne fit aucune réflexion sur mon apparence. Peut-être avait-il l'esprit trop envahi par ses visions pour vraiment se concentrer sur le monde extérieur.

– Mère, je regrette que tu n'aies pas été là, car véritablement, le Dieu de Lumière était à mon côté ce jour-là !

Il fit à nouveau demi-tour et revint à mes côtés.

— J'ai entendu parler de nombreux signes et prodiges. Que s'est-il passé au juste, Constantin ? Qu'as-tu vu ?

— Certes, ils disent tous maintenant que ma victoire était écrite, mais à l'époque, les oracles des deux côtés prédisaient la victoire pour leur parti. Les Livres sibyllins [1] prophétisaient qu'un ennemi de Rome périrait le jour de la bataille... Bien sûr, Maxence a dit que c'était moi, tandis que les astrologues marmonnaient sombrement sur une conjonction de Mars, Saturne, Jupiter et Vénus en Capricorne. Mais je suis l'Enfant de la Prophétie et je savais comment réduire mes ennemis en mon pouvoir.

Je le regardai, ébahie. Constantin avait toujours été sûr de lui, mais il parlait à présent avec la ferveur d'un prêtre en transe.

— Maxence était devenu un tyran et Rome devait voir en moi un libérateur. Il était sur le pont quand celui-ci s'est effondré ; il a été entraîné dans la vase par le poids de son armure et il s'est noyé. Quant aux étoiles, la veille de la bataille, j'ai rêvé qu'une silhouette étincelante me montrait un parchemin couvert de lettres grecques dont les scribes se servent pour indiquer qu'un passage est bon... Elle me disait que c'était le Signe par lequel je devais faire ma conquête. Quand je me suis éveillé, j'ai dit aux forgerons d'apposer le chi et le rhô sur un étendard et aux hommes de ma garde de dessiner le Signe sur leur bouclier. Alors, le soleil s'est levé et s'est dissocié en une croix de lumière : j'ai su alors que j'aurais la victoire. Sopater croit que j'ai vu Apollon, mais l'évêque Osius m'assure que ma vision me vient du Christos.

— Et toi, que crois-tu ? demandai-je.

— Le Juif Jésus, que nous avons crucifié, est un dieu pour les esclaves, déclara Constantin. Mais le Père suprême, que les chrétiens adorent, le Roi et le Créateur de l'Univers, est le même que le dieu des philosophes et digne de protéger un empereur. Pour moi, peu importe le nom que le peuple Lui donne tant qu'il reconnaît qu'Un seul Dieu règne dans le ciel et, sur la terre, un seul empereur.

---

1. Manuscrits attribués à la Sybille de Cumes et peut-être d'origine étrusque, acquis par Tarquin et disparus dans l'incendie du Capitole en 83 avant J.-C. *(NdT)*

– Si le Sénat t'a assigné le premier rang entre les Augustes, observai-je doucement, Licinius règne toujours en Orient et va devenir ton beau-frère…

– C'est vrai, admit Constantin d'un air sombre. Je ne sais comment le dieu réglera ces problèmes, mais dans mon cœur, je sais que ce que j'ai dit est vrai. Tel est mon destin.

– Je te crois, dis-je doucement – car, en cet instant, comme les derniers feux du soleil d'hiver le nimbaient d'une lumière dorée, il semblait touché par un dieu. Et, après les désordres civils de ces dernières années, une seule et forte main aux commandes de l'Empire serait la bienvenue.

Les prophéties d'Avalon avaient prédit qu'un enfant changerait le monde et, chaque année, il devenait plus clair que Constantin était celui-là. Ma révolte se trouvait donc justifiée. Je me demandai pourquoi j'éprouvais encore ce sentiment de malaise même lorsque je me réjouissais de la victoire de mon fils.

Le printemps qui suivit fut l'un des plus beaux que j'aie jamais connus ; on eût cru que le monde entier célébrait la victoire de Constantin. Un heureux mélange de soleil et de pluie fit naître les fleurs et le blé d'hiver donna une moisson abondante.

Je parlais au jardin avec l'homme qui s'occupait des roses quand Vitellia sortit en courant du palais, serrant un rouleau dans ses mains, les joues striées de larmes.

– Que se passe-t-il ? m'écriai-je, mais quand elle s'approcha, je vis que ses yeux brillaient de joie.

– Il nous prend sous sa protection ! s'exclama-t-elle. Ton fils, béni par Dieu, préserve notre sécurité !

– De quoi parles-tu ? m'étonnai-je en lui prenant le papyrus.

– Cela vient de Mediolanum… Les empereurs ont pris une décision concernant la religion…

J'ouvris le rouleau et parcourus les mots qui faisaient référence à l'ancien édit de tolérance de Galère en y ajoutant ceci :

« … nous ne devons refuser à quiconque la liberté de suivre la religion des chrétiens ou tout autre culte de son choix qu'il estime le mieux convenir pour lui-même, afin que la Divinité suprême, au service de laquelle nous faisons preuve de notre libre obéissance, nous accorde en toutes choses sa faveur et sa bienveillance tant désirées ».

Les paragraphes qui suivaient restituaient aux chrétiens les biens et les libertés dont ils avaient été privés par les persécutions, stipulant que tous les cultes devaient jouir d'une liberté égale et sans entraves. Comment s'étonner des larmes de Vitellia ? L'ombre qui avait pesé sur elle et son Église avait disparu et les chrétiens pouvaient enfin se tenir aux côtés des fidèles des religions traditionnelles dans la lumière bénie d'un nouveau jour.

Je n'avais pas vu pareille reconnaissance d'une Vérité allant au-delà du culte ou de la croyance durant mes longues années parmi les Romains. Leurs dieux semblaient rivaliser pour avoir les faveurs de leurs fidèles, tels les magistrats avant les élections ou les philosophes pour qui les autres écoles étaient dans l'erreur, ou parmi les chrétiens, qui déclaraient simplement que toutes les autres religions étaient dans le faux.

Cette reconnaissance d'une Puissance, dans la lumière de laquelle toutes les croyances pouvaient être égales, me rappelait les enseignements qu'enfant, j'avais reçus à Avalon. Et à cette pensée, mes yeux se remplirent de larmes de gratitude.

XVI

316 après J.-C.

Assis sur la plage de Baiae, on eût pu se croire au cœur du soleil. La lumière se reflétait avec une intensité aveuglante sur le sable blanc qui bordait la crique dont les eaux scintillaient d'un azur limpide, un ton plus sombre que le bleu du ciel. Pour un enfant du nord, cette lumière était envahissante et pourchassait les ténèbres, non seulement du corps mais de l'âme. Comme j'étais allongée sur mon lit de repos, disposé sur la terrasse située entre la mer et la piscine d'eau douce, je sentais la chaleur dissiper les fièvres qu'un hiver à Rome avait fait pénétrer jusque dans mes os.

Il me semblait que les angoisses des dernières années se dissipaient aussi. Il y en avait toujours qui défiaient l'autorité de mon fils, mais il s'était montré un brillant général et je ne doutais pas qu'un jour il aurait le pouvoir suprême sur l'Empire.

Depuis plusieurs années, la maison impériale était établie à Rome. Mais la grande cité, accablée par un froid aigre en hiver, était aussi invivable en été, où une chaleur moite enveloppait les sept collines. Fausta, qui en était à présent à la dernière lune de sa première grossesse, s'était plainte qu'elle suffoquait à cause de la chaleur. Aussi avais-je transporté la maison impériale ici, dans le palais que l'empereur Septime Sévère avait édifié au bord de la baie de Puteoli, dans le golfe de Neapolis, cinquante ans plus tôt.

Fausta était allongée auprès de moi. Deux esclaves agitaient un éventail au-dessus d'elle et une toile était tendue contre le soleil pour protéger sa peau claire. Pour ma part, je n'avais qu'un chapeau pour m'abriter les yeux. De mon point de vue, la chaleur était en Italie partout la même, mais sur la côte, l'air avait une pureté revigorante, même si elle était accablante. Aussi passais-je le plus clair de mon temps au soleil à écouter le soupir des vaguelettes scintillantes qui venaient mourir sur la plage.

Un éclat de rire me parvenait de temps à autre de la piscine, où Crispus jouait avec les fils de nobles familles romaines venus lui tenir compagnie. En me retournant, je pouvais apercevoir l'éclat de leurs jeunes corps lisses, dorés par le soleil. À quatorze ans, Crispus était fortement charpenté comme son père et avait, la plupart du temps, une voix d'homme. À quinze ans, mon fils était déjà à la cour de Dioclétien depuis deux ans. Chaque année que Crispus passait auprès de moi était une bénédiction, comme si m'étaient rendues ces années pendant lesquelles j'avais été privée de Constantin.

Je voyais peu ce dernier. La défaite de Maxence avait fait de lui le maître incontesté de l'Occident. Licinius était maintenant son beau-frère, mais le pacte conclu par les deux empereurs fut de courte durée. Deux années plus tard, ils se lançaient dans une succession de conflits qui allaient durer une décennie. Néanmoins, mon fils se sentait suffisamment sûr de lui pour prendre Fausta dans sa couche et, à vingt-trois ans, elle attendait enfin un enfant. Elle jurait que cela ne changerait en rien son affection pour Crispus et, en effet, elle l'avait adopté comme si c'était son propre enfant. Toutefois, je ne pouvais m'empêcher de me demander si son attitude changerait quand elle aurait un fils de son sang.

Le bruit provenant de la piscine s'accrut quand les enfants en sortirent, leurs corps luisant sous le soleil. Borée et Favonia, qui dormaient couchés à l'ombre de ma couche, levèrent le museau pour regarder, leur queue battant doucement contre les dalles. Des esclaves se précipitèrent avec des serviettes pour sécher les garçons, tandis que d'autres apportaient des plateaux chargés de fruits, de petites pâtisseries et de cruches d'eau à la menthe – qui avait été rafraîchie avec de la glace transportée des Alpes et conservée dans une cave profonde, enveloppée de paille. Drusilla se serait récriée devant pareille extravagance, mais elle était morte l'année de la grande victoire de Constantin. Sa cuisine simple me manquait au milieu de tout ce luxe.

Riant toujours, Crispus conduisit les autres vers la terrasse et je me redressai tandis que les chiens lui faisaient la fête. En grandissant, il ressemblait de plus en plus à son grand-père Constance, sauf qu'à la place de la peau si claire de mon bien-aimé, la sienne brunissait au moindre soupçon de soleil. Crispus avait hérité du teint de sa mère et le soleil qui décolorait ses cheveux donnait à sa peau la couleur de l'or bruni. À part la serviette jetée sur son épaule, il était nu, telle une statue grecque, ses muscles solides ondulant sous la peau, aussi beau qu'un jeune dieu. *Mais il n'est encore qu'un enfant*, me dis-je, croisant subrepticement les doigts contre la malchance de peur qu'une de ces divinités entende ma pensée et veuille se venger.

Je suis depuis trop longtemps parmi les Romains, me repris-je, car les dieux de mon propre peuple n'étaient pas si enclins à la convoitise ni à la jalousie vis-à-vis des mortels. Néanmoins, Crispus approchait de l'âge que l'on tenait, dans ces contrées méridionales, pour l'apogée de la splendeur. Fausta l'observait avec le même ravissement et, malgré moi, je retins un frisson.

– *Avia, Avia !* Gaius dit que le lac sur l'autre versant de la colline est l'endroit par où Énée est descendu aux Enfers. Organisons une expédition pour aller voir. Nous pouvons emporter un déjeuner, pique-niquer sur la plage et lire des passages de l'*Énéide*. Ce sera très instructif !

– Qui les lira ? intervint Fausta en riant. Pas Lactance !

Elle tenta de se relever, mais son ventre rond l'en empêcha et elle tendit la main pour qu'une servante vienne l'aider.

Je souris. Vers la fin de sa vie, l'éminent rhétoricien était devenu un fervent chrétien et il nous avait été envoyé récemment par Constantin pour qu'il fût le tuteur de son fils. L'empereur ne cachait pas que, désormais, le Christos était sa divinité protectrice ; aussi, ceux qui voulaient s'élever à sa cour avaient trouvé qu'il allait de leur intérêt de devenir chrétiens eux aussi. Jusque-là, il n'avait pas exigé d'engagement formel de la part de sa famille, bien que nous fussions censés assister aux parties des offices ouvertes aux non-initiés. Vitellia, qui était rentrée à Londinium pour y rebâtir l'église en l'honneur de son neveu, me manquait.

– N'en sois pas si sûre, rétorqua Crispus. Lactance est un grand admirateur de Virgile, dont il dit qu'il est l'un des vertueux païens qui a prédit l'avènement de notre Seigneur.

– Dans ce cas, j'imagine qu'il ne s'opposera pas à l'expédition, m'immisçai-je. Fort bien. Prévoyons de partir demain matin de bonne heure afin d'y arriver avant les grosses chaleurs.

À ma grande surprise, non seulement Lactance ne fit aucune objection, mais il décida même d'être des nôtres, un rouleau de l'*Énéide* à la main. Fausta resta au palais pour se reposer, mais le vieil homme et moi fûmes transportés en litière, tandis que les garçons gravissaient le sentier tortueux montés sur de petits ânes aux pieds sûrs provenant du village voisin. Un chariot chargé du nécessaire pour le pique-nique fermait la marche.

Dans le nord de l'Italie, il m'arrivait parfois d'apercevoir des scènes qui m'évoquaient mon pays, mais ici je savais que j'étais sur une autre terre, où l'air chaud embaumait l'artémise et le parfum des fleurs qui poussaient à profusion sur le riche sol volcanique. Comme nous arrivions au sommet de la montagne qui surplombait Baiae, j'ordonnai une halte pour permettre aux porteurs et aux ânes de se reposer. Je me tournai pour admirer les eaux bleues étincelantes de la baie de Neapolis et, au-delà, le cône parfait du Vésuve. Aujourd'hui, aucune volute ne s'élevait du sommet, même si les pentes du « forum de Vulcain », à une demi-journée de là, fumaient en laissant échapper diverses puanteurs. On appelait cet endroit « les Champs de Feu » et je sentais le feu de la terre couver sous la surface, nous rappelant sans cesse que rien n'est éternel, pas même le sol solide sous nos pas.

Puis nous descendîmes en cahotant vers le rond bleu miroitant en contrebas. Les colonnes blanches des thermes, édifiés sur la plage par les premiers empereurs, étincelaient dans la lumière de l'été. Mais nous nous arrêtâmes à l'ombre d'un boqueteau, dans le creux d'une montagne, et les esclaves disposèrent notre déjeuner. Les garçons s'égaillaient déjà, dévalant la pente pour tâter la température de l'eau, se défiant de plonger.

– Êtes-vous sûrs que ceci est bien le lac Avernus ? interrogea Crispus tandis que Lactance et moi prenions place dans des chaises de repos. Regardez, les oiseaux le traversent sans encombre et, bien que cela sente un peu l'eau stagnante, nous ne nous en portons pas plus mal.

— Virgile devait savoir qu'il n'y avait pas de problème, déclara un autre garçon. On dit que Jules César lui-même est venu ici visiter les bains.

— Ma foi, les choses étaient peut-être différentes lors de la fondation de Rome, dis-je en souriant. Après tout, cela fait plus de huit cents ans. Et nous sommes au cœur de l'été. En hiver, quand une tempête survient, cet endroit doit avoir l'air plus sinistre.

— Mais où se trouve la « caverne béante » dont parle Virgile ? s'obstina Crispus.

— Peut-être y a-t-il eu jadis un gouffre qui s'est refermé, avança Lactance. Car on dit que c'est une terre de changements.

Il étendit un bras dans la pose de l'orateur. Malgré la canicule, il portait une longue robe et, avec sa barbe fleurie qui lui couvrait la poitrine, on eût cru un ancien sage comme il dépliait le rouleau et commençait à psalmodier :

— *Il y avait une caverne béante, profonde et vaste et déchiquetée, protégée par un lac ombragé et obscurcie par des bosquets ; une telle vapeur s'élevait de ces noires mâchoires vers la voûte céleste que nul oiseau ne pouvait la survoler sans dommage...*

— Et quand le sol commença à vibrer, ce fut un tremblement de terre et non Hécate qui en sortit ? interrogea Crispus.

Lactance approuva en souriant.

— Pareils mauvais esprits ne sont guère qu'illusions et chimères, transformés en démons par les peurs des hommes. Quand la terre tremble, c'est par la volonté du Seigneur Dieu, mais il était nécessaire qu'Énée, qui vécut bien longtemps avant que la lumière du Christos éclaire le monde, fût conduit à fonder Rome.

— Pourtant, Virgile était lui-même un païen, fis-je observer.

— Certes, confirma Lactance, souriant toujours. Mais d'une âme si noble qu'elle fut accessible à la lumière de Dieu, comme ce fut le cas pour nombre de nos plus grands poètes, hommes de génie. Sénèque, Virgile et Cicéron, pour nos écrivains romains, Platon, Aristote, Thalès de Milet et beaucoup d'autres parmi les Grecs, tous accèdent à la vérité par moments et seule la coutume de leur temps, qui soutenait que Dieu n'était pas Un, explique qu'ils aient continué d'honorer de faux dieux.

— S'il y a eu un gouffre ici, peut-être s'est-il fermé quand le Christ est né, envisagea le jeune Gaius, dont le père était un des rares sénateurs à avoir embrassé de tout cœur la nouvelle foi.

– Cela se pourrait bien, approuva Lactance.

Entre-temps, la nourriture fut prête et les garçons, qui étaient à l'âge où un repas est toujours le bienvenu, s'y attaquèrent avec cœur. Outre les pains, les olives et les fromages habituels, les cuisiniers avaient ajouté une terrine de crustacés cuits avec des orties de mer et des épices. Je la considérai d'un œil méfiant, mais les serviteurs avaient pris soin de l'emballer dans la glace de nos caves et le plat paraissait frais.

– Quel est ce temple dont je vois le dôme étinceler au-dessus des arbres ?

– C'est le temple d'Apollon qui surmonte la colline de Cumes, répondit l'un des esclaves.

– Cumes ! s'exclama Lactance en levant les yeux, intéressé. Mais bien sûr, c'est évident, puisque la Sibylle a rendu ses oracles à Énée dans sa grotte et l'a fait descendre aux Enfers en traversant le lac.

– S'y trouve-t-il toujours une voyante ? demandai-je, me souvenant comment Heron avait prophétisé l'arrivée de Constance et me demandant, avec un reste de curiosité professionnelle, comment l'oracle s'y prenait ici.

– Non, répondit Lactance. Ne connais-tu pas l'histoire ? Au temps de Tarquin, le dernier roi de Rome, la septième sibylle de Cumes lui a apporté neuf livres de prophétie. Quand, la croyant folle, il a refusé de payer le prix qu'elle réclamait, elle en a brûlé trois, puis trois autres et, pour finir, le roi a acheté les trois derniers pour le prix qu'elle exigeait au départ pour la totalité. Ensuite, les paroles des autres sibylles ont été recueillies dans toutes les cités d'Italie et de Grèce, surtout celles d'Erythrae, et les dirigeants de Rome ont été guidés par elles depuis ce jour jusqu'à notre temps.

– Alors, il n'y a plus de sibylle résidant au sanctuaire de Cumes ?

– Non, noble dame, répliqua l'esclave. Seulement la prêtresse qui s'occupe du temple d'Apollon. Mais la grotte dans laquelle la sibylle rendait ses oracles existe toujours.

– J'aimerais la voir si les porteurs ont terminé leur repas, dis-je.

Cunoarda, la jeune fille originaire d'Alba qui était devenue ma servante après que j'eus affranchi Hrodlind, s'approcha du bord de l'eau où les esclaves mangeaient et revint avec huit robustes Germains, que Constantin m'avait donnés. Ses cheveux roux me rappelaient Dierna, la petite cousine que j'avais aimée il y avait bien longtemps.

– Cela ne devrait pas présenter trop de risques, déclara Lactance avec sérieux. Il n'y a pas de vent et ce démon d'Apollon restera tranquille. Et peut-être que l'esprit de la Sibylle qui a proclamé l'unité de Dieu te parlera. Je vais rester pour surveiller les garçons.

Je me retins de hausser un sourcil. Après tant d'années, le croissant d'Avalon s'était presque effacé sur mon front et je n'avais nulle envie d'expliquer au vieil homme pourquoi je ne craignais pas d'entendre la voix du démon de Cumes, qu'il fût un esprit ou un dieu. Lactance ne m'avait jamais questionnée sur ma foi, mais il savait que je n'étais pas une fidèle de son église ; Crispus m'avait d'ailleurs confié que son tuteur s'inquiétait de l'état de mon âme.

Les prières de quiconque me veut du bien n'ont jamais suscité mon déplaisir, peu importe le dieu auquel elles sont adressées, et Lactance était un brave homme de même qu'un érudit. Si mon petit-fils devait avoir pour précepteur un chrétien, c'était une chance que ce fût ce vieil homme.

Une heure de trajet nous amena à une falaise de grès doré, percée d'un tunnel ombreux qui était l'entrée de Cumes.

– Ne leur dis pas qui je suis, ordonnai-je à Cunoarda comme elle m'aidait à descendre de la litière. Annonce au gardien que je suis Julia, une veuve venue de Gaule, et que je ferai un don si on me montre la grotte de la Sibylle.

Je m'assis sur un banc sous un chêne, heureuse que nous soyons à présent suffisamment en altitude pour sentir la brise marine et je regardais la tresse rousse de la jeune fille étinceler sous le soleil tandis qu'elle se dirigeait vers le portail. Elle avait le sourire quand elle revint.

– On a envoyé quérir la prêtresse d'Apollon en personne pour te guider. Je crois qu'ils ne reçoivent plus beaucoup de visites au sanctuaire.

Quelques instants plus tard, une femme d'âge mûr en tunique blanche sortit du passage. Quand elle se rapprocha, je vis que sa robe était très élimée, mais d'une propreté immaculée.

– Sainte femme, j'offrirai au dieu ce bracelet en or au nom de mon époux, qui l'a honoré, mais j'ai le plus grand intérêt pour la grotte de la Sibylle. Peux-tu m'y conduire ?

Je n'avais pas apporté de bourse avec moi, mais l'anneau d'or que je portais au poignet était suffisamment lourd pour nourrir cette femme pendant quelque temps.

— Certainement, *domina*. Viens par ici.

La prêtresse se tourna vers les fraîches ténèbres du tunnel et je la suivis, Cunoarda fermant la marche. Comme nous émergions dans la lumière, elle releva le fin voile sur sa tête et je fis de même.

Devant moi se trouvait une cour pavée de grès usé et un socle portant une statue de la Sibylle, les bras levés, les cheveux hirsutes.

— Quand Énée vint ici, il demanda à consulter l'oracle. La Sibylle se tenait là-bas, devant les portes, lorsque la puissance du dieu la pénétra, dit la prêtresse.

Elle indiqua une porte de forme curieuse à flanc de colline, sorte de triangle allongé dont on aurait coupé la cime.

— Elle paraissait plus grande, poursuivit la prêtresse de sa voix tonnante. C'est dans la nature humaine de résister quand un pareil pouvoir tente de s'emparer de vous. On dit que la Sibylle allait et venait à toute allure telle une jument effarouchée jusqu'à ce que le dieu la maîtrise. Et alors, dit-on, son pouvoir se précipitait dans la grotte pareil à un grand vent et toutes les portes s'ouvraient brusquement, emportant les paroles de la Sibylle vers les hommes qui attendaient.

— Cent portes, n'est-ce pas, chez Virgile ? demandai-je.

— Il n'y en a pas autant, mais il y a des ouvertures tout du long, dit la femme en souriant. Viens voir.

Elle souleva la barre, avança un petit morceau de bois vers la lampe qu'on entretenait à l'entrée, s'en servit comme d'une torche et referma la porte. À présent, je voyais que ce n'était pas une vraie grotte, mais un passage taillé dans la pierre. À droite, une série de niches avaient été découpées dans le flanc de la colline. Un peu de lumière filtrait par les ouvertures.

À gauche, un long chenal longeait le passage dans lequel coulait de l'eau. Comme nous avancions, la lumière vacillante se refléta dans l'onde et renvoya d'étranges ombres qui dansaient sur le sol poussiéreux. Après la chaleur éclatante du dehors, l'air paraissait humide, froid et immobile.

Peut-être Apollon n'était-il pas présent, me dis-je en suivant mon guide, mais je sentais un pouvoir d'une autre espèce tapi dans la pierre silencieuse. Était-ce vraiment Apollon qui avait parlé jadis par la voix de l'oracle ? Ou bien, écrivant cinq siècles après le départ de la dernière prophétesse de Cumes, Virgile avait-il simplement supposé qu'elle servait le dieu auquel on attribuait la plupart des autres oracles dans le monde méditerranéen ? Je concentrai mes sens longtemps en sommeil en me demandant si la force qui jadis séjournait ici conservait suffisamment de cohérence pour réagir.

Entre deux souffles, j'éprouvai cette impression de chute et cette modification de la conscience qui annonçaient l'approche d'une transe. Cunoarda me saisit le coude quand je trébuchai, mais je secouai la tête et tendis le doigt vers la niche obscure à l'extrémité du tunnel.

— Oui, c'est là que la Sibylle s'asseyait, dit-on, quand elle donnait ses réponses, prononça la prêtresse. Nous ne savons quelle espèce de siège elle avait, mais nous conservons ici un trépied comme il s'en trouve à Delphes.

C'est à peine si je sentais le sol sous mes pas, mais le trépied au bout du couloir semblait irradier sa propre lumière. *Une croyance séculaire l'a sanctifié*, me dis-je.

— Je vais m'asseoir dessus, décrétai-je d'une voix si altérée que je ne la reconnus pas.

Je retirai le bracelet de mon autre poignet et le tendis à la prêtresse. Un instant, elle resta interdite, fixant le trépied avec nervosité, mais nous n'étions pas ici dans le temple du dieu qu'elle était chargée de défendre contre tout sacrilège. Elle ne ressentait pas la puissance qui commençait à me faire tourner la tête.

Frissonnante, je me laissai plonger sur le siège et mon voile, en glissant, me laissa nu-tête. La position éveilla des souvenirs enfouis dans mes os. Le tremblement devint convulsif tandis que mon corps tentait de s'ajuster à l'afflux de la puissance qui m'envahissait.

— Ma dame, as-tu un malaise ? s'écria Cunoarda en tendant le bras vers moi.

Mais la prêtresse la retint et la partie de mon esprit qui m'appartenait encore nota avec soulagement que, si la femme n'était pas voyante, elle avait une instruction suffisante pour comprendre ce qui se produisait.

— Ne la touche pas, intervint-elle, avant d'ajouter : Tout cela est tout à fait irrégulier. Elle aurait dû me dire qu'elle avait le Don, pour que je puisse prendre des précautions… À présent, il n'y a plus rien à faire.

Une pensée me vint brusquement et disparut aussitôt : à vrai dire, j'ignorais moi-même que ces connaissances qui m'avaient été enseignées il y avait bien longtemps ressurgiraient brusquement.

— *Alors, ma fille, vas-tu Me laisser entrer ?* retentit une voix intérieure et, avec un long soupir, je m'abandonnai à l'éblouissante obscurité comme entre les bras d'une mère.

J'étais vaguement consciente que mon corps s'était raidi et mes cheveux libérés de leurs épingles. Mes bras se tendirent et mes doigts fléchirent comme si Quelqu'un redécouvrait une fois encore les sensations que l'on éprouve à habiter la chair. Je regrettais de n'avoir à lui offrir que ce corps qui avait servi près de soixante-dix ans.

— Qui es-tu ? souffla la prêtresse.

— Je suis la Sibylle…, articulèrent mes lèvres. Je suis toujours la Sibylle. En Erythrae j'ai parlé et aussi en Phrygie, à Samos et en Libye et en bien d'autres lieux sacrés sur la terre des hommes. Mais il y a longtemps, bien longtemps, qu'il n'y a eu personne en ce sanctuaire pour Me prêter voix.

— Parles-tu avec la voix d'Apollon ? interrogea la prêtresse, méfiante.

— Retourne à ton temple qui se tient sur les hauteurs, ouvre les portes au vent et au soleil, et Il te parlera. Mon pouvoir vient des profondeurs ténébreuses de la terre, et des eaux perpétuellement jaillissantes de la source sacrée. Je suis la Voix du Destin. Chercherais-tu un oracle ?

Il y eut un silence inconfortable, puis le rire de la Sibylle retentit.

— Femme, tu as servi les dieux toute ta vie. Pourquoi es-tu si étonnée qu'une Puissance te parle ? Allons, je lis dans l'esprit de cette vieille femme qui me porte que bien des choses ont changé. Rome perdure, mais parmi ses habitants, il s'en trouve qui ont abandonné les anciens dieux.

— C'est la faute des chrétiens ! s'exclama la prêtresse. Ils disent qu'il n'y a qu'un seul dieu…

Je sentis ma conscience se modifier à nouveau, elle s'approfondit et s'élargit tandis que la présence, qui m'avait éclipsée, était à son tour dominée par un éclair fulgurant qui balaya toute conscience mortelle.

— Certes, la Source Divine est une déité unique d'une puissance prédominante, qui a créé les cieux, le soleil, la lune et les étoiles, la terre fertile et les vagues de la mer. C'est l'Un, qui seul fut et sera de siècle en siècle.

La voix horrifiée de la prêtresse devint plus aiguë.

— Me dis-tu que les chrétiens sont dans le vrai ? Et que leur dieu est l'unique ?

— Nul mortel, sauf dans les plus grands transports de l'extase, ne peut appréhender la déité suprême. Toi qui vis dans la chair, tu vois avec les yeux du monde, une chose à la fois, et ainsi tu vois Dieu sous diverses formes, tout comme des images différentes se reflètent dans les multiples facettes d'un joyau. À chaque facette, tu as prêté une forme et un nom, Apollon ou Ammon, Cybèle ou Héra, qui ont jadis rendu des oracles dans ce sanctuaire. Jahveh chez les Juifs ne veille que sur un seul peuple, et leur Jésus ne bénit que ceux qui prononcent son nom. Ils désirent atteindre l'Unique, mais leurs limites humaines ne leur permettent de voir qu'une seule face, qu'ils identifient au tout. Comprends-tu ?

À cet instant, je comprenais ses paroles et priais pour m'en souvenir.

— Alors, ils se trompent ! s'exclama la prêtresse.

— Ils ont raison de servir le Christos, s'ils obéissent à ses enseignements, de même que tu fais bien de servir le radieux Apollon. Ils sont dans l'erreur seulement quand ils supposent qu'il n'y a de vérité que celle qu'ils voient. Mais je te le dis : leur vision est puissante et je prévois un temps où le temple d'Apollon ne sera plus qu'un tas de ruines, son culte oublié pareillement à celui de la déesse qui fut honorée en ce lieu avant lui.

— Lamentez-vous, ô grands dieux, et pleurez, habitants de l'Olympe, car le temps viendra où vos autels seront renversés et vos temples étendus sous la Croix !

La vision s'élargit dans une mosaïque de scènes tandis que je voyais la Croix s'élever au-dessus de monuments pleins de dignité et de splendeur, ou apposée sur les habits d'hommes qui soignaient les malades ou tombaient les uns sur les autres avec des épées ensanglantées. La vision continua de se dérouler sous mes yeux, tandis que la Sibylle prononçait des mots que je ne pouvais plus entendre et que la prêtresse s'accroupissait à ses pieds, en larmes.

Les images se tarirent et je me rendis compte que la Sibylle avait tourné son regard vers Cunoarda.

— Et toi, enfant… as-tu une question à poser ?

Cunoarda baissa les yeux, puis les releva dans un brusque mouvement d'espoir qui la transforma.

— Combien de temps resterai-je esclave ?

— Quand ta maîtresse sera libérée, tu seras libérée aussi, et une terre lointaine vous servira de refuge à toutes les deux. Avant que cela advienne, elle devra endurer bien des peines et des tourments et accomplir un long voyage.

— Merci, murmura la jeune fille.

Bien qu'elle inclinât la tête, je vis que ses joues luisaient de larmes.

— Je pourrais en dire plus, mais ce corps se fatigue. C'est une désolation pour moi, car, je vous le dis, bien des siècles s'écouleront avant qu'une autre me permette de parler par sa voix.

Ma tête retomba et, pendant un moment, je fus deux êtres en un seul corps. L'Oracle immortel, d'une part, et une vieille femme qui souffrait dans chacun de ses os. Je tentai de m'accrocher à la conscience de la Sibylle, mais ce fut comme vouloir retenir la marée qui se retire. Alors cette présence vitale qui s'était emparée de moi disparut et je m'effondrai dans les bras de Cunoarda.

Quand nous retrouvâmes le palais de Baiae, j'avais repris possession de mes facultés, bien que mon corps, tendu au-delà de sa capacité normale par la puissance qui l'avait habité, fût aussi flasque qu'une outre vide. Dès que je pus parler, j'intimai à Cunoarda de ne rien dire de ce qui s'était passé, mais de me rappeler ce qui avait été dit et de l'écrire, car déjà les détails s'effaçaient de ma mémoire comme les rêves s'évanouissent avec le jour. Concernant les personnes libres du palais, je fus obéie, mais je pense à présent qu'elle a dû en parler aux porteurs de litière germains, car dès lors, ils me traitèrent avec un respect qui dépassait largement ce qui leur était imposé et je pouvais les entendre chuchoter sur mon passage : « *Haliruna.* »

Crispus et les autres s'inquiétèrent de mon état, mais pour eux, ma lassitude n'était qu'une faiblesse de vieille femme qui avait abusé de ses forces et ils s'excusèrent de m'avoir entraînée à faire une si longue randonnée par une journée aussi chaude. Je leur assurai que j'en avais pris le risque de mon plein gré, même s'ils ne savaient pas à quel point ce risque avait été grand. Et il l'avait été, car si mon corps souffrait, mon esprit était transporté de savoir que la faculté d'accéder à l'Au-delà, qui avait fait les délices de ma jeunesse, n'était pas à jamais perdue pour moi.

Nous passâmes les grilles du palais comme le crépuscule tombait, mais la demeure resplendissait de lumière.

– Qu'y a-t-il ? demandai-je en retenant le rideau de la litière. L'empereur serait-il arrivé ? Aurions-nous un festin que j'aurais oublié ?

– Oh non, ma dame ! s'exclama l'eunuque qui était notre intendant. Ce n'est pas l'empereur, mais un César... Dame Fausta a commencé le travail cet après-midi. Elle a demandé après vous, *domina*. Je vous en supplie, allez la rejoindre.

Je me radossai avec un soupir en regrettant que cela arrive maintenant, alors que j'étais déjà si fatiguée.

– Je ne lui serai d'aucune aide tant que je n'aurai pas fait ma toilette et mangé. C'est son premier enfant. Il y a le temps.

Quand j'allai à la chambre de travail, Fausta s'y trouvait seule et gémissait à chaque douleur.

– Pourquoi as-tu renvoyé tes servantes, mon enfant ? Elles ne souhaitent que t'aider.

– Elle n'ont pas arrêté de s'affairer si bien que je n'en pouvais plus. Oh, *Avia*, cela fait si mal ! Vais-je mourir ?

– Tu es jeune et robuste, Fausta, dis-je avec force en lui prenant la main. Je sais que ce n'est pas plaisant, mais il faudra du temps pour que ta matrice s'ouvre suffisamment afin de libérer l'enfant.

Je n'avais porté moi-même qu'un enfant, mais par la suite, j'avais souvent assisté au travail des femmes des officiers que Constance avait sous son commandement, expérience qui s'ajoutait à ce que j'avais appris du savoir-faire de l'accoucheuse d'Avalon.

Je jetai un regard vers la porte où la sage-femme allait et venait, hésitante, et lui fis signe d'entrer.

– Tout se passe très bien, dit la femme avec prudence.

Je me demandai ce que Fausta lui avait dit avant.

Les doigts de Fausta serrèrent douloureusement les miens quand une nouvelle contraction survint. Ses cheveux auburn étaient noirs de transpiration et son visage barbouillé de larmes au-dessus de son ventre distendu. *Tant mieux*, me dis-je, *que son mari ne soit pas là pour la voir dans cet état.*

— Parle-moi, *Avia*, me supplia-t-elle quand elle put à nouveau parler. Un poème, une plaisanterie ou une histoire sur Constantin quand il était petit… N'importe, pourvu que j'oublie les douleurs.

Je lui tapotai la main.

— Très bien… Ne t'a-t-il jamais raconté comment il remporta ses premiers lauriers ? C'était sous le règne de Probus et nous habitions Naissus.

Elle secoua la tête.

— Il me parle parfois de ce qu'il compte faire à l'avenir, mais il ne me parle jamais de son enfance.

— C'est donc à moi de le faire, j'imagine, afin que tu puisses à ton tour le raconter à tes enfants.

J'attendis qu'une nouvelle contraction fût passée, mais ma présence semblait avoir apaisé sa tension et les contractions paraissaient moins pénibles à supporter.

— Constantin arrivait à la fin de sa septième année, mais comme il a toujours été bien charpenté, il paraissait plus âgé, et l'empereur Probus avait offert un trophée pour le marathon de la fête d'Apollon.

Je poursuivis d'une voix plus grave, haussant ou baissant le ton à la cadence des contractions qui étreignaient le ventre de Fausta.

— Constantin commença à s'entraîner et courut chaque matin avec Surette, la chienne que nous avions à cette époque. Je prenais le petit déjeuner en attendant qu'ils rentrent, tous deux hors d'haleine.

Peu à peu, Fausta se détendit et épousa mon rythme pour trouver le sien en haletant un peu à chaque mot.

— Il a aisément gagné cette première course car, parmi les garçons de son âge, il était grand et fort. Mais l'année suivante, il est entré dans une division supérieure et, bien qu'il fût aussi grand que d'autres, ils étaient plus forts et avaient plus d'expérience. Il a obtenu des résultats honorables, mais n'a pas gagné… et je sais que mon fils n'aime pas perdre.

— Qu'a-t-il fait alors ?

— Il est resté muet, avec ce front buté que nous lui connaissons tous. Et il s'est entraîné matin et soir pendant tout le printemps. Mon fils a toujours été un rêveur, mais un rêveur réaliste, qui fait tout ce qui est en son pouvoir pour que ses rêves deviennent réalité. Quand l'été est revenu, il a de nouveau remporté la victoire.

Fausta poussa un grand soupir, puis fit une grimace en se souvenant qu'elle n'était pas encore au bout de sa course.

– Et l'année suivante ?

– Nous avons été transférés à Sirmium et, cet été-là, l'empereur a été assassiné avant la date des courses.

– Raconte-moi autre chose encore sur Constantin, réclama Fausta rapidement. Quels jeux aimait-il ?

Je plissai le front pour me remémorer. On dit que l'enfant est le père de l'homme. Il me vint alors à l'esprit que je ne devais pas reprocher à Dioclétien ce qu'il avait fait de mon fils : les signes de son caractère étaient présents dès son enfance, à condition d'avoir des yeux pour le voir.

– Il aimait rassembler les enfants des autres officiers pour défiler dans la rue en prétendant qu'ils célébraient une Victoire. Je me souviens qu'une fois il a essayé d'entraîner deux chats de l'écurie à tirer un char. Ç'a été son seul échec et il a dû prendre le chien à la place. Je ne crois pas qu'il ait jamais accepté le fait que, parfois, il n'y a pas d'accord possible.

Et c'était là un trait de caractère qu'il avait conservé. À présent, il était empereur et disposait du pouvoir de faire respecter sa volonté, incapable de comprendre pourquoi les factions chrétiennes schismatiques auxquelles il avait accordé sa faveur continuaient de manifester leur hostilité. Les donatistes [1] de Numidie et, ailleurs, les fidèles de l'Égyptien Arius [2] étaient massacrés par les orthodoxes avec plus d'énergie qu'ils n'en mettaient à se battre contre les païens, et eux-mêmes n'étaient pas en reste.

---

1. Donat, évêque de Casae Nigrae en Numidie, mort en Gaule ou en Espagne (env. 355), dirigea, contre l'évêque de Carthage, une église schismatique appuyée sur la population berbère. Condamné aux conciles d'Arles (314) et de Constantinople (411), le donatisme fut combattu par saint Augustin. *(NdT)*

2. Prêtre d'Alexandrie (env. 256-336), Arius fut le fondateur de l'arianisme, hérésie chrétienne niant la divinité du Christ et condamnée aux conciles de Nisée (325) et de Constantinople (381). *(NdT)*

— Mon mari est brave, persévérant et sûr de lui, dit Fausta. Et mon fils sera comme lui.

— Es-tu tellement sûre que ce sera un garçon ? demandai-je en souriant.

À vrai dire, quel droit avais-je de la taquiner, moi qui avais été si convaincue que je portais l'Enfant de la Prophétie ? J'entendis le bruit des persiennes qu'on ouvrait et, me retournant, je vis par la fenêtre les premières lueurs de l'aube.

Comme le jour nouveau croissait, les douleurs de Fausta commencèrent à s'intensifier et ses gémissements devinrent des cris. La sage-femme tenta de l'encourager en lui disant qu'il n'y en avait plus pour longtemps à présent, mais Fausta en était au point où la femme en travail appelle sa mère et maudit son mari.

— Dis à cette femme qu'elle cesse de me mentir ! hoqueta Fausta. Je me meurs, je le sais. Bientôt je vais rejoindre mon père et mon frère entre les ombres et je leur dirai que c'est Constantin qui m'a envoyée ici !

Elle grogna quand son ventre se contracta à nouveau.

— Mais tu resteras auprès de moi, n'est-ce pas, *Avia* ?

— Certainement, mon enfant, dis-je en me penchant pour écarter les cheveux mouillés de son front. Et je me réjouirai avec toi quand ton enfant viendra au monde. N'oublie pas que les contractions que tu éprouves font partie du travail de la Grande Mère. Ce que tu éprouves, ce n'est pas la douleur, mais sa puissance.

Épuisée, elle ferma les paupières, mais je continuai à lui caresser la tête et ne fus jamais plus proche de l'aimer d'un amour véritable qu'en cette heure. Je sentais les forces puissantes qui œuvraient en elle, je concentrai mon esprit sur la Déesse et recherchai Son harmonie.

Un instant plus tard, le ventre de Fausta se contracta encore une fois mais, cette fois, elle ouvrit des yeux étonnés.

— *Avia*, j'ai envie de pousser... quelque chose va mal ?

La sage-femme sourit et je tapotai la main de Fausta.

— Au contraire, tout va bien, la rassurai-je. Le bébé est presque prêt à sortir. Nous allons t'installer sur la chaise de travail et quand tu éprouveras à nouveau le besoin de pousser, pousse...

L'instant d'après, le pouvoir de la Mère la traversa à nouveau. Quand la douleur s'apaisa, nous installâmes Fausta dans la chaise étroite et la sage-femme s'agenouilla devant elle pendant que je la soutenais, tout mon épuisement antérieur effacé par l'euphorie du miracle qui allait s'accomplir.

– Allez chercher de l'eau chaude, ordonnai-je d'une voix sèche aux servantes qui s'agitaient inutilement. Et assurez-vous que les langes sont prêts. Ce ne sera plus long.

En grognant, Fausta se tordit contre mes mains. Maintenant que nous arrivions à l'épreuve, elle avait cessé de gémir et elle témoignait d'un courage digne de la lignée de soldats dont elle était issue. Une fois, deux fois, trois fois, elle poussa, puis elle retomba en arrière avec un soupir tandis que le nouveau-né frétillant, rouge de sang et protestant déjà avec énergie, glissait dans les mains de la sage-femme.

Je continuai de soutenir Fausta, pendant que les autres femmes s'affairaient autour d'elle, coupaient le cordon et l'aidaient à expulser le placenta tandis que les servantes baignaient et langeaient l'enfant. Puis on emporta la jeune mère dans un lit propre et je pus me relever, tremblante par contrecoup.

– Où est-il ? interrogea Fausta. Je veux voir mon enfant !

– Il est là, répondit la sage-femme. Un bien beau garçon.

Elle lui remit l'enfant emmailloté, qui pleurait toujours.

Mon petit-fils…, me dis-je en considérant son petit visage déformé par les pleurs. Tous les nouveau-nés ressemblent à leurs grands-parents, mais je n'y pus trouver nulle trace de Constance. Écarlate de fureur sous une tignasse noire, l'enfant que je tenais ressemblait à son autre grand-père, Maximien.

Avec précaution, je déposai mon précieux fardeau entre les bras de sa mère.

– Un fils ? demanda-t-elle. Sans tare ?

– Il est parfait à tous égards, confirma la sage-femme.

Fausta soupira d'aise et l'enfant s'apaisa, bien que ses traits fussent toujours plissés par une grimace.

– Mon *Constantinus…*, chuchota-t-elle en déposant un baiser sur le crâne du bébé qu'elle serrait contre elle. Mon petit Constantin, premier fils légitime de l'empereur…

– Certains prétendent mettre en cause la validité de mon union avec le père de l'empereur, remarquai-je d'un ton sec. Je te déconseille de parler en ces termes à Constantin, de peur de paraître douter de sa propre légitimité. Quoi qu'il en soit, la tradition romaine veut que le plus compétent revête la pourpre, et pas nécessairement un membre de la famille, moins encore le fils le plus légitime.

Et c'était sûrement Crispus, qui avait le privilège de la maturité et celui de posséder un esprit brillant, qui serait choisi le moment venu, me dis-je alors.

Perdue dans la contemplation de la merveille qu'elle venait d'engendrer, je ne crois pas que Fausta m'entendît. Mais pour la première fois, me souvenant de récits des luttes intestines chez les Perses quand un Grand Roi montait sur le trône, l'angoisse m'étreignit le cœur.

XVII

321-324 après J.-C.

– *Domina*, il y a une lettre de Crispus…

Cunoarda s'arrêta sur le seuil de mon salon.

– Ferme la porte, je te prie, et voyons ce qu'il nous raconte.

Le brasero tentait de combattre l'humidité pénétrante d'un mois de février à Rome et je reposais mes pieds sur le flanc de Borée, le fils du premier chien auquel j'avais donné ce nom. Cependant, même après les travaux que j'avais commandés pour rénover le Domus Sessorianum, un don de Constantin, les courants d'air parcouraient toujours cette ancienne Maison des Cavaliers. J'avais fait de mon mieux pour qu'elle reste accueillante, en espérant rendre au palais la relative simplicité de la villa d'origine. Mais les architectes étaient gagnés par les idées de grandeur de l'époque, et c'est seulement dans cette pièce, dont les murs étaient tendus d'étoffe anglaise et dont le sol en mosaïque était couvert de tapis rayés, que j'avais suffisamment chaud pour limiter les crises régulières d'essoufflement qui m'accablaient pendant l'hiver.

– Maîtresse, que fais-tu ? demanda Cunoarda en me tendant le tube de cuir.

– Je file…

Je rougis un peu tandis que je tordais le fil autour de la quenouille et reposais le fuseau, me rendant compte que c'était un comportement curieux pour la mère d'un empereur.

– Quand j'étais enfant, le fuseau quittait à peine ma main. Je veux voir si je sais encore m'en servir.

– Moi aussi, j'avais coutume de filer quand j'étais enfant à Alba, dit Cunoarda d'une voix adoucie.

– Alors, tu auras ton propre fuseau, et tu pourras t'asseoir avec moi auprès de l'âtre, répondis-je. Mais regardons d'abord ce que mon petit-fils a à nous dire.

Le rouleau était couvert de l'écriture appliquée de Crispus. Il avait dix-neuf ans, le titre de César et, depuis deux ans, il résidait à Treveri comme adjoint de Constantin entre des campagnes à la frontière germanique. L'été dernier seulement, ses troupes avaient obtenu une importante victoire contre les Alamanni. Il me manquait, car Fausta et ses enfants vivaient chez la mère de celle-ci à Mediolanum, et je les voyais rarement. Après des débuts tardifs, elle se révélait d'une exceptionnelle fécondité. Elle avait donné le jour à un deuxième fils, Constance, un an après le petit Constantin, et à un troisième, appelé Constant, cette dernière année.

> « Avia Nobilissima,
> J'ai des nouvelles d'un grand bonheur. Je vais épouser la plus charmante jeune personne, fille du haut magistrat de Treveri. Elle aussi s'appelle Hélène ! N'est-ce pas une heureuse coïncidence ? Je l'appelle Lena. J'ai appris à l'aimer ce dernier hiver, mais je ne savais pas si nous serions autorisés à nous marier. Maintenant, mon père a accordé son autorisation et nous donnerons une fête le mois prochain, avant que je parte rejoindre ma légion sur le Rhin. J'espère que tu pourras assister aux festivités, mais si cela n'est pas possible, je demande ta bénédiction.
> Que le Dieu Suprême te garde en bonne santé, ma très chère Avia.
> Ton Crispus qui t'aime. »

– Béni soit cet enfant et qu'il est empoisonnant de se marier avec une pareille hâte. Il doit bien savoir que les routes et les mers sont trop mauvaises en cette saison pour que je puisse venir ! m'exclamai-je.

– Ma foi, sa précipitation se comprend, s'il part pour la guerre. Sans doute va-t-il installer sa femme à Colonia ou à Argentoratum pendant qu'il sera dans l'armée, avança Cunoarda en ramassant le fuseau que, dans mon excitation, j'avais jeté au pied du tabouret.

Je hochai la tête.

– Comment mon petit Crispus peut-il se marier ? Il me semble qu'hier encore il venait s'asseoir sur mes genoux.

— Peut-être vous fera-t-il bientôt arrière-grand-mère, suggéra Cunoarda en souriant.

Je poussai un soupir. J'avais du mal à m'imaginer Crispus père, mais en cette saison, quand les fièvres des marais autour de la ville semblaient avoir élu domicile dans mes os, je me sentais largement assez vieille pour être arrière-grand-mère. L'hiver avait été rude et j'avais appris qu'une nouvelle épidémie de peste sévissait dans les bas quartiers de Rome.

— Je vais leur faire don de mon palais à Treveri, décrétai-je alors, et ferai redécorer la chambre à coucher pour la nouvelle épousée. Et je lui enverrai mon long collier de perles. Cela fera meilleur effet sur sa jeune peau que sur la mienne.

— Oh, ma dame, ne dis pas cela. Ne sais-tu pas que le bruit court que les dieux t'ont accordé une jeunesse prolongée ?

Je haussai un sourcil.

— Cunoarda, je ne savais pas que je devais te compter parmi les flatteurs ! Apporte-moi mon miroir. Peut-être s'est-il produit un miracle depuis la dernière fois que j'y ai observé mon image !

Rougissant un peu, elle m'apporta le disque d'argent poli dont la poignée épousait la forme des Trois Grâces aux bras enlacés. Je relevai ma face vers la lumière. Le visage qui me regardait était encadré par une chevelure argentée, tordue en arrière en deux coques impeccables retenues par un bandeau tissé. La chair, qui jadis adhérait si étroitement aux pommettes, pendait à présent, et mes yeux étaient profondément enfoncés et obscurcis par les arcades.

— Ce que je vois, mon enfant, c'est le visage d'une femme de soixante-douze ans en bonne santé. Si ce n'est pas vraiment l'image d'une vieille harpie, c'est parce que je veille à ce que je mange et m'oblige à faire de l'exercice. Mais ce n'est pas parce que je vis dans un palais que j'ai le droit d'ignorer les réalités de la vie, ajoutai-je, acerbe. Allons, emporte ceci maintenant. L'heure à laquelle je donne audience est presque arrivée. Combien de personnes attendent au salon ?

— Pas autant qu'à l'ordinaire, mais parmi elles se trouve Sylvestre [1], le Patriarche de Rome.

---

1. Pape de 314 à 335, saint Sylvestre vit son autorité éclipsée par celle de Constantin, qui convoqua lui-même le synode d'Arles et le concile de Nicée. (NdT)

– Très bien, il doit être temps de ranger mon rouet pour redevenir une *Nobilissima Femina*, même si j'en suis une vieille. Je porterai la tunique de soie vert sapin et, par-dessus, la palla vert d'eau.

– Oui, ma dame, avec les boucles d'oreilles et le collier d'émeraudes et de perles ?

J'approuvai en silence, tendis la main vers ma canne et me relevai en soupirant. Je sentais déjà peser sur mes épaules le poids des brocarts et des bijoux.

Depuis que je résidais au Domus Sessorianum, j'avais pris l'habitude de recevoir les solliciteurs juste avant le repas de midi. J'étais toujours étonnée par le nombre impressionnant de gens qui traversaient la ville jusqu'à ma demeure, tapie dans l'angle sud-est de l'enceinte que l'empereur Aurélien avait construite pour abriter les faubourgs grandissants de Rome.

Aujourd'hui encore, en dépit du mauvais temps, le vestibule était bondé. Au-dessus du parfum aromatique des herbes posées sur les charbons du brasero flottait l'odeur de la laine mouillée et je souris, car cela me rappelait des souvenirs de l'Angleterre. Escortée de Cunoarda, mes lévriers trottant à mes côtés, je montai sur l'estrade pour m'asseoir dans le fauteuil sculpté et considérai la foule.

Je reconnus Iulius Maximilianus, qui surveillait la reconstruction des bains dans le domaine. J'avais l'intention de les ouvrir au public quand ils seraient terminés, puisqu'un établissement de cette taille convenait difficilement aux soins d'une vieille femme.

Maximilianus était sans doute venu pour faire son rapport sur la progression des travaux, qui avaient été retardés par les pluies d'hiver et la maladie qui avait frappé les ouvriers. Certains autres étaient mes clients, mes protégés, effectuant une simple visite de courtoisie. Mais que faisait ici le Patriarche de la cité ?

Sec et nerveux, une couronne de cheveux roux grisonnants autour de la tonsure, le petit homme attendait avec une patience surprenante, vêtu d'une simple tunique blanche et d'un manteau. Pour seule marque de son rang, il portait sur la poitrine une grosse croix, qui était en or massif. En revanche, le jeune prêtre qui l'accompagnait pianotait et marmonnait entre ses dents, agacé par l'attente.

Si certains de mes solliciteurs trouvèrent à redire à l'allure à laquelle je recevais mes visiteurs, ils n'osèrent l'exprimer et, avant qu'une heure fût passée, il ne resta plus que Sylvestre à entendre.

– Mon Seigneur, je suis sûre que seule une affaire de grande importance a pu te conduire à moi en un pareil jour. Cependant, je suis une vieille femme et guère habituée à jeûner. Afin que tu aies tout loisir de m'exposer ce qui t'occupe, accepteras-tu de partager mon repas de midi ?

Je vis l'amusement danser dans ses prunelles, mais il accepta avec une gravité égale à la mienne. L'évêque Osius était devenu l'un des conseillers les plus écoutés de Constantin, mais je n'avais jamais éprouvé d'amitié pour lui. Sylvestre paraissait différent. J'étais curieuse d'en savoir plus sur ce prêtre qui était l'héritier de l'apôtre Pierre et le Patriarche de Rome.

Après que Cunoarda eut envoyé le jeune prêtre manger aux cuisines, elle nous accompagna au *triclinium*. Il considéra autour de lui les visages gravés dans le marbre sur les murs bas et les fresques au-dessus, et je ressentis un certain embarras, bien que les scènes représentées fussent relativement innocentes – des nymphes et des bergers inspirés par la légende de Daphnis et Chloé.

– Je vous prie d'excuser le faste et le froid, dis-je en lui faisant signe de prendre place sur un lit de l'autre côté du brasero.

Dans la vaste salle, nous avions l'air perdus.

– Je ne m'assieds guère ici quand je suis seule, mais mes gens seraient mortifiés si je leur disais de nous servir dans mon petit salon.

– Nous sommes tous à la merci de nos serviteurs, répondit Sylvestre. Ma gouvernante me houspille sans pitié.

– S'il y a quelque chose que vous ne devez pas manger, il faut m'en avertir, précisai-je, un peu nerveuse, ce qui le fit sourire.

– Ce n'est pas un jour maigre et, de toute façon, Pierre lui-même a dit que ce n'est pas ce qui entre dans la bouche de l'homme qui le souille, mais ce qui en sort.

– Tout à fait vrai, convins-je – mais je n'en glissai pas moins à l'oreille de Cunoarda de donner l'ordre aux cuisines qu'on préparât quelque chose de simple.

Que ce fût en raison de mon ordre ou par respect pour le Patriarche, en peu de temps, on nous servit un potage à l'orge, puis un plat de lentilles et de panais avec des œufs, du pain et du fromage. L'évêque mangeait de bon appétit et je me demandai brusquement si cela était son premier repas du jour.

— Alors, dis-je quand nous eûmes calmé notre faim et que nous buvions le vin chaud aux épices. Que puis-je faire pour toi ?

— Es-tu si sûre que je sois venu te solliciter ?

— Tu es un homme trop occupé pour faire toi-même ce déplacement si un simple messager ou un délégué avait pu le faire.

— Assurément, reconnut Sylvestre avec un soupir. Le besoin est pressant, sinon je ne serais pas venu vers toi. Tu as peut-être entendu dire que la maladie sévissait dans la cité, mais tu ne sais peut-être pas à quel point la situation est grave. Il ne s'agit pas d'une de ces fièvres qui nous frappent chaque été, mais de quelque chose de différent, où la victime crache du sang et meurt étouffée par sa lymphe. Certains disent que cela annonce le Jugement dernier et ils s'allongent sur leur couche pour attendre l'avènement de Notre Seigneur. Pour ma part, je pense que c'est une autre épreuve qui nous est envoyée.

— Cela paraît abominable. Que puis-je faire ?

— Pas grand-chose pour les malades. J'ai ouvert la basilique du Latran et nous prenons soin d'eux de notre mieux. Mais il y a tant de malades et de morts que les difficultés sont partout. J'ai déjà épuisé mon propre trésor. Il nous faut l'autorisation de distribuer du blé provenant des greniers de la ville et de réquisitionner pour les malheureux d'autres produits chez les marchands.

— Et les consuls ne la donneront pas.

— J'ai pensé que la mère de l'empereur saurait se montrer plus convaincante que moi.

— Je puis essayer, dis-je, songeuse. Je me draperai d'or et leur rendrai visite dès demain. Et peut-être que d'autres idées utiles me viendront quand j'aurai visité ton hôpital.

Cet homme-là devait rarement s'étonner des caprices de la nature humaine, me dis-je, qu'ils soient bons ou mauvais. Mais je vis avec plaisir que ma réponse l'avait surpris.

Mon chemin pour le temple de Saturne, où je devais retrouver les consuls, traversait le centre de Rome et celui-ci me parut en effet moins encombré que dans mon souvenir. Comme nous passions dans les rues, je vis, pendus aux portes des maisons, de l'ail, des amulettes ou pis encore, dans l'ultime espoir de repousser le mal. Juste au-delà de l'amphithéâtre Flavien, j'écartai les rideaux et ordonnai aux porteurs de s'arrêter près de l'arc que Constantin avait fait dresser sur l'ancienne route triomphale entre le mont Palatin et le mont Caelius. Je n'avais pas été surprise d'apprendre que l'arc de Constantin était le plus monumental de Rome.

Mais bien que sa taille pût susciter l'admiration, son décor avait provoqué un étonnement considérable, car seule la frise qui parcourait le haut se référait à Constantin et célébrait sa victoire sur Maxence. Le reste des panneaux, des reliefs et des médaillons avait été prélevé sur les monuments des empereurs qui l'avaient précédé, tels Hadrien, Trajan et Marc Aurèle. L'architecte avait justifié ces pillages en proclamant que Constantin était le summum et l'accomplissement du génie impérial. Mais comme j'examinais le monument, je ne pus me cacher que le savoir-faire des sculpteurs de Constantin était manifestement d'une facture inférieure au reste.

Tu es trop pressé, mon fils, me dis-je tout bas. *Qu'as-tu besoin de voler la gloire des autres hommes ?*

Comme l'avait imaginé Sylvestre, la parole de l'impératrice mère était un ordre qu'aucun magistrat romain ne pouvait ignorer. Sur le chemin du retour au palais, je me mis un voile pour me protéger de la contagion et commandai à mes porteurs de faire un détour par l'hôpital.

Constantin ne passait guère de temps à Rome, mais il s'était montré généreux pour la construction des églises. Plutôt que de saisir les biens de l'aristocratie, qui était encore païenne pour la majorité, il avait édifié la plupart d'entre elles sur des terres impériales, à l'extérieur des murs de l'ancienne cité. Mais l'année de son mariage avec Fausta, il avait offert le palais impérial du Latran, où elle était née, au Patriarche de Rome. Après avoir rasé les casernes de la cavalerie de Maxence, il avait aussi fait bâtir sa première cathédrale à proximité du palais.

Je me souvins du petit garçon qui aimait tant construire des forteresses dans notre jardin et me rendis compte que, pour lui, le christianisme comportait, entre autres attraits, celui de lui permettre de bâtir de nouveaux monuments…

De nouveaux monuments de taille imposante. Comme j'entrais, je pus voir une énorme rangée de colonnes qui soutenaient la nef et les piliers de marbre qui portaient les arcades plus basses des bas-côtés. La lumière tombait par les hautes fenêtres au-dessus de l'abside et se reflétait sur le treillis argenté du chancel, ainsi que sur les mosaïques de la Résurrection et du Christ en gloire contemplant la scène.

Mais comme mes yeux s'accoutumaient à la pénombre, j'oubliai la splendeur des lieux. La nef et les bas-côtés derrière les colonnes de part et d'autre comportaient à l'infini une succession de grossières paillasses alignées les unes à côté des autres ; sur chacune était étendu un malheureux, dont la plupart crachaient et s'étouffaient affreusement ou étaient figés dans une immobilité abominable. Certains avaient des proches qui s'occupaient d'eux, mais pour la majorité, c'était des prêtres et les vieilles femmes de la communauté chrétienne qui se déplaçaient parmi eux, distribuant de l'eau à ceux qui voulaient boire et réconfortant les agonisants. La puanteur du sang séché et des excréments humains vous prenait à la gorge.

Sylvestre avait paru dubitatif quand j'avais évoqué la possibilité de l'aider et, tant que cette horreur n'aurait pas achevé son cours, il n'y avait aucun secours possible ni aucun miracle à attendre, si ce n'était simplement soigner ces pauvres gens. Tous n'étaient sans doute pas des chrétiens. Sylvestre se contentait de savoir qu'ils étaient des hommes et des femmes dans le besoin. Je compris alors comment, malgré les failles et les incongruités de sa théologie, cette nouvelle foi était devenue aussi forte.

Je ne m'attardai guère. Le Patriarche, qui m'avait accueillie à mon arrivée, ne l'espérait pas et, avant même que j'aie quitté la basilique, il vaquait à nouveau à ses occupations. Pendant le court trajet de retour jusqu'à la villa le long des remparts, je gardai le silence et me retirai de bonne heure. Mais le sommeil fut long à venir.

Comme la plupart des patriciens romains, j'avais méprisé la ferveur naïve du christianisme. Mais ces gens avaient plus de compassion et de courage que moi, qui avais été formée à Avalon. Je compris alors que j'avais honte. Aujourd'hui encore, j'ignore si c'est la honte ou l'orgueil qui m'amena, le lendemain matin, après que j'eus emprunté un châle et une tunique à l'une des esclaves de l'office et donné à Cunoarda l'ordre de dire à tous que je me reposais, à parcourir à pied le court trajet jusqu'à la basilique. Mais à peine avais-je tourné le coin que j'entendis un bruit de pas derrière moi. C'était Cunoarda.

Ses traits prirent une expression butée quand je voulus la renvoyer à la villa.

— Maîtresse, je dois t'obéir, mais si tu me renvoies, je promets de dire à tout le monde où tu es allée ! Je t'en supplie, j'ai vu ton visage après ta visite à la cathédrale. Je ne puis te laisser aller seule dans cette abomination.

Je la regardai, l'air mécontent, mais j'avais appris depuis long-temps à m'incliner devant la tyrannie que les serviteurs pouvaient exercer sur ceux qui ostensiblement les possédaient. Le bon sens me dit qu'il pouvait être sage d'avoir quelqu'un de jeune et de robuste à mes côtés.

Si nous pouvions éviter Sylvestre, je n'avais pas à craindre d'être reconnue, car je portais un voile lors de ma précédente visite. Et à vrai dire, personne ne voulut savoir qui nous étions : les uns et les autres étaient trop bousculés et chaque paire de bras était la bienve-nue. C'est ainsi qu'après avoir été, pendant dix ans, la femme la plus puissante de l'Empire, je travaillai comme je ne l'avais plus fait depuis mon enfance à Avalon, transportant de l'eau et tentant de faire la toilette des malades. Et Cunoarda travailla à mes côtés.

Je fus surprise de constater à quelle vitesse on s'accoutume non seulement à la puanteur mais aussi à l'horreur. Il fallait nettoyer le sang et les matières fécales, c'est tout. Mais l'épuisement exacerbe l'humeur des meilleurs hommes et il apparut rapidement que, même s'ils étaient pleins d'abnégation et risquaient leur vie à soigner les malades depuis que les autorités ne leur offraient plus le martyre, tous les chrétiens n'étaient pas des saints.

Je bassinais doucement la poitrine d'un vieil homme qui avait essayé de cracher ses poumons quand j'entendis une exclamation dans mon dos. L'homme qui tenait le seau venait apparemment d'être bousculé par une femme aux bras surchargés par une pile de vieux chiffons propres et un peu d'eau avait éclaboussé le sol.

— Ne peux-tu regarder où tu vas ? Il ne manquerait plus que quelqu'un glisse là-dessus et se torde la cheville !

Il avait la voix sourde de fatigue, mais la femme n'était guère mieux.

– Qui es-tu pour me blâmer ? Chacun sait que pendant les persécutions, tu brûlais de l'encens pour plaire aux démons que les païens appellent leurs dieux.

– Et n'ai-je pas fait pénitence pour ce péché ?

Il montra du geste la souffrance alentour.

– Ne risqué-je pas ma vie tous les jours ici ? Si le Seigneur Dieu veut me punir, il Lui sera facile de m'abattre. Toi en revanche, tu es de si peu d'importance que nul ne s'est jamais soucié de te persécuter. Prends garde à ne pas être damnée toi-même pour le péché d'orgueil !

– Vous devriez avoir honte de vous chamailler en présence des mourants ! dis-je de cette voix qui avait dirigé une maison pendant cinquante ans. Toi, femme, donne-moi un chiffon propre et toi, l'homme, de l'eau pour le mouiller, afin que ce pauvre malheureux puisse au moins être propre pour ses derniers instants !

Mais déjà, le corps du malade se tendait dans une ultime convulsion pour aspirer de l'air avant de retomber, immobile. Malgré mes muscles raidis qui m'arrachèrent une grimace, je me levai et fis signe aux hommes qui emportaient les cadavres de l'enlever.

Les premiers jours furent atroces et, pour résister, je me confectionnai un bouclier intérieur contre la souffrance. Le jour, je travaillais sans réfléchir et, le soir, je m'éclipsais pour rentrer chez moi, où je prenais des bains afin de me débarrasser de cette infection et dormais sans rêves jusqu'au matin. Peut-être parce que ma pensée allait tout entière aux besoins des autres, j'accordais peu d'attention à mes propres douleurs.

Peu à peu, nous nous rendîmes compte que nos patients ne mouraient pas tous. Certains, s'ils buvaient suffisamment d'eau, pouvaient avoir des sécrétions suffisamment liquides pour expectorer au lieu d'étouffer. Ils finirent par se remettre, bien qu'ils fussent si faibles que toute autre contagion risquait de les emporter. Nous redoublâmes d'efforts, mais les prêtres qui œuvraient avec nous devaient encore donner les derniers sacrements quand nous échouions. Parfois, je voyais Sylvestre travailler avec les autres, vêtu d'une robe souillée et portant une croix de bois au lieu de celle en or, mais je parvins à rester à l'écart. En vérité, je doutais qu'il me reconnaisse si je me tenais devant lui. La vision de la plupart des gens se limite à leurs attentes.

Ce n'est qu'à la fin de la deuxième semaine, quand l'épidémie parut enfin céder du terrain, que quelque chose ébranla mon sang-froid. On avait amené une jeune esclave syrienne, Martha, qui avait soigné son maître et sa maîtresse jusqu'à la mort, puis avait elle-même contracté le mal, mais il ne restait personne pour l'aider. Elle était chrétienne et, bien qu'elle sût ce qui l'attendait, je n'avais encore jamais rencontré quiconque qui affrontât la fin avec pareille sérénité.

– Notre Seigneur a enduré de plus grandes souffrances pour nous racheter, chuchota-t-elle quand elle en eut la force. Je lui offre mon martyre.

Je me croyais au-delà de toute émotion, mais quand je vis l'espérance qui brillait dans ses yeux, je sentis s'éveiller en moi une détermination indomptable.

– L'eau du baptême a pu sauver ton âme, murmurai-je sombrement. Mais ce qui se trouve dans cette tasse peut sauver ton corps. Avale-le bravement... je ne te laisserai pas mourir !

Je fis boire Martha jusqu'à ce que ses urines soient à nouveau claires, mais je sentais son cœur frémir sous ma main et je sus que la bataille se jouait contre moi. Afin de juger de son état, je devais déposer les armes et, grâce au lien qui unit l'infirmière à sa malade, je pus éprouver la pure ferveur de son âme.

La force vitale vacillait comme la flamme d'une chandelle tremblotante. On dit que, pour les vieux, le passé est plus vivace que le présent. Or, en cet instant, ce n'était plus une petite esclave syrienne que je serrais dans mes bras, mais ma bien-aimée Aelia, morte pendant mon absence. Je fermais les yeux et les pouvoirs, négligés depuis si longtemps que je les croyais oubliés, ressurgirent en moi.

J'inspirai profondément et soufflai, puisai la force vitale dans les tréfonds de mon être pour la lui insuffler. *Ma Dame*, priais-je, *accorde la vie à ton enfant !* Encore et encore, je recommençai comme si j'introduisais le souffle de la vie dans ses poumons. Mais quelque chose de moins tangible et de plus puissant passait de mon corps astral dans le sien.

Et, à présent, le souffle laborieux devenait plus aisé. Un moment, je me figeai sur place de peur qu'elle ne me quitte. Puis j'ouvris les yeux et regardai, ébahie, car Martha dormait, le souffle profond et clair.

Le cœur bondissant, je me raidis. C'est alors que je réalisai que nous n'étions pas seules.

Cunoarda était à mon côté, les yeux écarquillés, mais agenouillé en face de moi se trouvait Sylvestre, avec le jeune prêtre qui l'avait apparemment fait venir en se rendant compte qu'il n'aurait pas à donner les derniers sacrements.

— Mais qui es-tu ? murmura-t-il tout bas, s'emparant de sa croix en bois.

Nos yeux se croisèrent et je vis que l'effroi dans son regard cédait la place à l'étonnement quand il me reconnut.

— Ma dame, que fais-tu ici ?

Je réfléchis un instant, cherchant une raison qu'il pourrait comprendre.

— Je fais l'œuvre du Très Haut, répondis-je, décidant qu'il n'avait pas besoin de savoir si cette Puissance était Déesse ou Dieu.

— Le Christ soit loué, ô combien ! s'exclama-t-il avec chaleur.

— Ne parle pas de cela ! l'exhortai-je.

Le cérémonial qui m'entourait en tant qu'impératrice mère était suffisamment contraignant sans y ajouter des espérances ou des craintes superstitieuses.

L'ardeur de son regard se refroidit quand il réfléchit, à son tour, aux implications politiques de ce dont il avait été témoin.

— Ma dame, je comprends, tu ne dois pas rester ! Me promets-tu de rentrer chez toi et d'y demeurer ? Je ne pourrais affronter ton fils… s'il devait t'arriver quelque chose.

— Ne crois-tu pas que Dieu me préservera ? dis-je un peu dépitée — car je me rendais compte que cette époque où j'avais pu me rendre pleinement utile me manquerait maintenant qu'elle était sur le point de s'achever. Peu importe, je ferai comme tu le désires. Mais quand cette petite sera remise, amène-la-moi. Si son maître a des héritiers, je leur paierai son prix et la prendrai à mon service.

Je trébuchai en me levant, car cela m'avait coûté plus de forces que je ne le croyais, et Sylvestre prit mon bras. On avait allumé les lampes et je savais qu'il était temps pour moi de partir.

— Merci. Si tu peux m'accompagner à la porte, Cunoarda m'aidera pour le reste du trajet. Comme tu le sais, j'habite un peu plus loin sur cette route.

– Je louerai Dieu ce soir dans mes prières, ajouta Sylvestre doucement comme nous passions la porte. Car il m'a fait voir un miracle.

Je poussai un soupir ; il ne me semblait pas qu'il parlait de la guérison de Martha. Mais le vieux tatouage sur mon front palpitait et
j'avais l'impression d'avoir assisté, moi aussi, à un miracle : après
toutes ces années, j'étais toujours une prêtresse.

– Le Patriarche ne cesse de chanter tes louanges, déclara
Constantin.

C'était le cœur de l'été et les derniers pestiférés étaient morts ou
rétablis depuis des mois. Toutefois, Sylvestre et moi continuions
d'œuvrer ensemble pour le bien des pauvres de la cité et c'était sans
doute à cela que mon fils faisait allusion.

– Mais tu n'aurais pas dû prendre de risque, ajouta-t-il. Si je
l'avais su, je l'aurais interdit. Tu ne te rends pas compte de l'importance que tu as.

Importante, une vieille femme, allons donc ! songeai-je. Puis je
réalisai qu'il parlait de la mère de l'empereur, pas d'Hélène. Ce
n'était pas moi qu'il voyait, mais une icône, un symbole portant mon
nom. Il était assez naturel qu'un enfant ne pense à sa mère qu'en
fonction de lui, me dis-je, mais en tant qu'adulte, on devait être
capable de voir ses parents comme des êtres menant leur propre vie.
À présent, je commençais presque à comprendre Ganeda, même si je
ne lui pardonnais toujours pas. Je ravalai une réplique qui l'aurait
irrité en songeant que je devais me féliciter que Sylvestre n'en eût pas
dit plus.

Constantin avait fait campagne sur la frontière de la Dacie et, dans
la forte lumière matinale, il paraissait bien la cinquantaine qui le guet-
tait. La maturité venant, mon fils était devenu plus massif, comme s'il
était taillé à la mesure de sa basilique. Mais ses cheveux clairs, dont
la teinte hésitait à présent entre lin et argent, étaient toujours drus et
abondants.

– Le besoin était grand, dis-je. Je n'avais d'autre choix que
d'apporter toute l'aide que je pouvais.

– Tu avais le choix, me reprit-il. Combien de patriciennes de cette
ville travaillaient parmi les malades à tes côtés ?

Je réfléchis un instant et avançai quelques noms.

– Elles sont déjà chrétiennes et il leur fallait seulement un exemple, répliqua-t-il. Tu ne rencontres pas cette abnégation chez les païens. Vois-tu à présent pourquoi je favorise le Dieu des chrétiens ?

J'approuvai car, concernant les Romains, sa remarque était vraie. Mais à Avalon, nous nous efforcions d'apporter toute l'aide que nous pouvions à ceux qui venaient à nous.

– Il y a longtemps que nous n'avons eu l'occasion de parler ensemble, ma mère, et j'ai beaucoup à te dire, poursuivit-il. Chaque année, il devient plus clair que nos anciennes coutumes sont dépourvues de toute vertu. Si nous voulons préserver l'Empire, nous devons obéir au Vrai Dieu Unique et la famille de l'empereur doit servir d'exemple à tous. C'est pourquoi j'ai autorisé Crispus à faire un mariage précoce.

– Tu dois être très fier de lui, approuvai-je, songeant aux victoires de l'an passé contre les Germains.

En Crispus, je retrouvais Constantin, plus glorieux encore, sans soupçonner ce que mon fils avait appris de Dioclétien.

– Certainement. Je le nomme consul cette année ainsi que le petit Constantin.

– Cela ne sera pas pour plaire à Licinius, observai-je. L'an dernier, tu t'es nommé toi-même ainsi que ton puîné Constance, sans mentionner Licinius ni son fils. Et si tu continues à passer le plus clair de ton temps à Serdica, si près de sa frontière, Licinius croira que tu as en tête de l'attaquer.

– As-tu vraiment cru que le partage de l'Empire pourrait durer à jamais ? demanda Constantin avec un haussement d'épaules. Si les chrétiens d'Arménie font appel à moi, je les aiderai, et si les Wisigoths attaquent Thrace, je les repousserai. Licinius y fera certainement objection et cela déclenchera une autre guerre.

– J'espère que tu pourras retarder cela d'un an ou deux, jusqu'à ce que Crispus ait suffisamment d'expérience pour assurer un véritable commandement, répondis-je.

– Oui, ce garçon est prometteur…

Sa réponse me parut prononcée un peu à contrecœur et, en cet instant, me revint le souvenir du rituel de la course du cerf que le petit peuple des marais près d'Avalon effectue parfois quand le besoin s'en fait sentir. Et je crus entendre l'écho chuchoter leur cri : *Qu'advient-il du Roi Cerf quand le Jeune Cerf est adulte ?*

Mais nous étions à Rome, me dis-je, et Constantin était un homme civilisé. En frissonnant, je rejetai ce souvenir dans l'obscurité d'où il avait surgi.

– … mais il est encore jeune, poursuivit Constantin. Et soumis aux appétits de la chair, qui conduisent les hommes à des égarements coupables.

Je retins un sourire.

– Ces prétendus égarements ne sont pas tous proscrits, sinon il n'aurait pas vu le jour. Et du reste, ton père et moi aurions vécu dans le péché.

– Non ! s'exclama Constantin. Tu étais véritablement la femme de mon père ! Il me l'a dit !

Je soupirai. Je me rendais compte combien il était inutile de tenter d'expliquer que notre mariage était valable au royaume des esprits plutôt que pour la loi romaine. Je me souvenais à présent que Constantin avait toujours été obstinément attaché à sa propre version de la réalité.

– Les jours de l'immoralité païenne touchent à leur fin ! Bientôt le christianisme sera la seule foi et la famille impériale doit donner l'exemple. J'élève une basilique en l'honneur des martyrs Marcellin et Pierre sur la route conduisant à l'enceinte de ton palais. Tu seras sa protectrice.

– Constantin ! Même l'empereur ne peut commander la conscience d'un autre, comme Dioclétien et Galère l'ont appris à leurs dépens. Nieras-tu ton propre édit qui accordait la tolérance à tous ?

Il eut un geste de dédain.

– Oh, je ne persécuterai pas les païens… Quand ils verront la pompe de l'Église, ils supplieront pour pouvoir y entrer ! Mais pour que Dieu bénisse mon règne, ma famille ne doit servir que Lui !

– Allons donc, fis-je d'une voix plus douce. Et quand as-tu été baptisé ? J'aurais aimé y assister.

Il s'immobilisa brusquement et je me demandai si le frémissement qui m'avait parcourue était un frisson de peur. C'était un empereur, et les empereurs ont eu la réputation d'exécuter leurs proches, voire leur mère, dans les temps passés. L'instant d'après, il sourit et je me dis que j'étais folle d'avoir envisagé pareille chose. C'était Constantin, l'enfant auquel j'avais donné le jour pour qu'il change le monde. Ce qu'il faisait, en effet, même si nous étions loin d'imaginer à Avalon qu'il le ferait ainsi.

— Le baptême est un très grand sacrement, dit-il d'une voix aussi douce que la mienne. Tellement qu'il ne peut s'effectuer qu'une seule fois, pour laver tous les péchés et laisser l'âme pure et prête à entrer au paradis. Mais je suis empereur et je dois régner dans un monde imparfait, un monde de pêcheurs…

Et tu crois avoir encore quelques péchés à commettre…, pensai-je sèchement en me gardant de prononcer ces mots à haute voix.

— Je vis dans le même monde, dis-je plutôt. Tant que tu n'auras pas pris cet engagement toi-même, tu ne peux l'exiger de moi. Mais je prendrai ta nouvelle église sous ma protection et me ferai instruire dans la foi en tant que catéchumène.

Touchée par la ferveur de Martha, Cunoarda n'avait pas attendu. J'avais affranchi les deux jeunes filles quand j'avais attaché Martha à ma maison, car je ne pouvais traiter Cunoarda comme une esclave alors que nous avions travaillé côte à côte comme deux prêtresses à l'hôpital.

— Tu es donc chrétienne ! s'exclama Constantin.

— Appelle-moi comme il te plaît, dis-je avec lassitude. La Vérité ne change pas.

Je me gardai de lui dire que, loin d'être son exemple, c'était la foi simple d'une petite esclave syrienne qui m'avait inspirée.

— Le Christos soit loué, par le Nom duquel nous serons sauvés !

Les yeux profondément enchâssés de Constantin étincelaient de conviction et j'eus un mouvement de recul en essayant de me souvenir où j'avais déjà vu pareil regard. Ce fut le soir seulement, comme je m'apprêtais à me mettre au lit, que cela me revint. Constantin était l'image même de Ganeda, décrétant la loi avec l'assurance de celui qui détient la vérité.

XVIII

325-326 après J.-C.

— Au nom du Christ, pourquoi ne peuvent-ils se mettre d'accord ? s'exclama Constantin. J'ai convoqué ce concile pour que les évêques puissent aplanir leurs différends.

— Certainement, Auguste, dit l'évêque Osius, le visage écarlate. Mais ces questions sont subtiles et importantes. Une seule syllabe peut faire la différence entre salut et damnation. Nous devons nous montrer vigilants.

L'évêque Eusèbe [1] de Césarée, qui l'avait accompagné pour rendre compte des délibérations, plissait le front. Les païens présents dans la salle avaient l'air ébahi et mon ancien précepteur, Sopater, qui était devenu un estimable maître de rhétorique et membre de la cour de Constantin, se retenait de sourire. Les trois cents évêques, venus participer au concile de Nicée au début de mai, disputaient déjà de la nature du Christ et de la relation entre Dieu et Son Fils.

Mes hanches commençaient à me faire souffrir et j'essayai discrètement de changer de position dans mon fauteuil d'ivoire. La première fois que j'avais vu la salle d'audience de l'empereur au palais de Nicomédie, j'avais été subjuguée par sa splendeur. Mais cinquante ans s'étaient écoulés. À présent que je m'étais accoutumée aux idées de Constantin concernant l'État qui convenait à un empereur, la salle du trône d'Aurélien me paraissait classique et sobre. Seule la

---

1. Cet écrivain grec chrétien travailla dans la bibliothèque laissée par Origène à Césarée, où il devint évêque en 313. Il est considéré comme le père de l'histoire religieuse. *(NdT)*

magnificence des atours et des parures témoignait du goût de l'ère de Constantin.

Alors qu'Aurélien n'avait autorisé que la pourpre de sa toge à le proclamer empereur et s'était contenté d'une simple chaise curule, le trône doré de Constantin était élevé sur une estrade et ses robes, qui étaient de pourpre tissée d'or et ornées de pierreries, en ternissaient l'éclat. Et tandis qu'Aurélien avait présidé seul, Constantin siégeait encadré de ses deux impératrices, car l'année précédente, après avoir définitivement éliminé Licinius, il nous avait décerné, à Fausta et à moi-même, le titre d'Augusta.

Resplendissante d'améthystes et d'étoffes d'argent, j'étais placée à la droite de l'empereur ; à sa gauche se trouvait Fausta, étincelante d'émeraudes et de bronze. Emprisonnés dans de lourdes robes, nous étions assis, tels les images de Jupiter entre Junon et Minerve dans le temple de Rome, bien que je m'abstins d'en rien dire à Constantin.

— Ne comprennent-ils pas que l'unité de l'Église est essentielle à l'unité de l'Empire ? s'écria-t-il.

Il était inutile de souligner que l'Empire avait prospéré pendant plus de deux siècles en tolérant une grande diversité de cultes et de croyances. Les évêques qui étaient venus participer au concile représentaient ceux qui avaient préféré se laisser massacrer plutôt que de jeter une pincée d'encens sur le feu de l'autel. Je me demandais parfois s'ils ne s'étaient pas accoutumés aux persécutions au point de se quereller entre eux maintenant qu'ils avaient la faveur de l'empereur.

Même après plusieurs années d'instruction dans la foi chrétienne, il m'était difficile, comme à Constantin, de comprendre les infimes subtilités dont disputaient les évêques. Ce qui devait compter, à mes yeux, c'était ce que Jésus avait dit et non s'il était dieu ou homme.

— Certes, convint Osius, en sueur, mais si l'Empire n'est pas fondé sur la vérité, il s'effondrera. Si le Fils et le Père ne sont pas un seul et même Dieu, nous ne sommes que des polythéistes.

— Nous ne sommes que des idiots si nous refusons la logique ! éclata Eusèbe, une rougeur animant la sérénité de ses traits de penseur.

Son haut front se perdait dans sa tonsure et il portait une longue barbe de philosophe.

— Si le Père a engendré le Fils, il doit y avoir un temps où le Fils n'existait pas.

– Mais ils étaient de la même substance ! répliqua Osius. *Homoou-sios*, ajouta-t-il en grec. Dieu de Dieu, Lumière de Lumière, vrai Dieu issu du vrai Dieu !

– Ne pourrions-nous dire *Homoiousios* ? D'une *semblable* subs-tance ? proposa Eusèbe en désespoir de cause.

On m'avait prévenue qu'il était un savant respecté pour ses écrits sur l'histoire de l'Église et qu'il pèserait chaque mot avec soin. Constantin approuva.

– *Consubstantialis* – « de la même substance » –, cela nous a par-faitement convenu à nous autres Romains. Que les hommes l'inter-prètent à leur convenance. Ainsi nous pourrons nous occuper de ques-tions plus à notre portée. Toutes ces belles paroles nous détournent de la réalité et nous ne valons guère mieux que des philosophes qui rai-sonnent sur une chose sans l'avoir jamais regardée.

« Si la discorde règne entre les évêques, qui sont les pasteurs du peuple, les gens vont se battre, eux aussi, poursuivit-il. Vous n'auriez pas dû soulever pareilles questions et si on les a soulevées, nul ne devrait avoir l'imprudence de les résoudre ! C'est de la frivolité philosophique ! Avec les Perses sur nos frontières orientales et les Germains au nord, j'ai bien assez de préoccupations sans ces chamailleries. Je vous en supplie, rendez-moi des nuits paisibles pour que je puisse vivre dans la pure lumière de l'Esprit et consacrer mon énergie à la défense de l'Empire ! »

Pendant ce discours, les deux évêques avaient légèrement pâli.

– *Consubstantialis ?* répéta Eusèbe d'une voix faible. Peut-être pourrons-nous les amener à s'entendre là-dessus. Mon Seigneur, je vais porter ce mot à mes frères.

– Non, j'irai moi-même, déclara l'empereur. Peut-être que si je plaide en personne, ils comprendront !

Les deux évêques s'inclinèrent avec humilité, touchant de leur front les dalles de marbre, et reculèrent devant la présence impé-riale. Constantin sourit comme s'il les avait convaincus et j'imagine que c'était le cas, car s'il n'était pas un maître de la logique, il leur était supérieur par le pouvoir.

Au moins, mon fils n'exigeait pas de moi que je m'incline devant lui. Je transférai mon poids sur l'autre hanche et priai le Fils, quelle que fût sa relation avec le Père, pour que l'audience impériale ne s'éternise pas trop longtemps.

Nulle part dans le palais de Nicomédie on ne se sentait chez soi, mais la salle à manger rouge était assez petite pour que nos voix ne fassent pas écho quand une douzaine de personnes s'y réunissaient. Fausta reposait sur une couche tendue de brocart écarlate qui jurait avec la tunique pourpre qu'elle portait. Aucune de ces deux couleurs ne lui allait au teint, mais peut-être le feu de ses joues était-il dû au vin. Après avoir donné trois fils à Constantin, elle avait mis au monde deux filles, Constantina et un dernier bébé auquel on avait donné mon nom. Sa silhouette en avait souffert et le bruit courait dans le palais qu'elle ne partageait plus la couche de l'empereur. Par ailleurs, Constantin ne dormait avec personne d'autre, mais que ce fût par vertu ou parce qu'il en était incapable, nul n'osait conjecturer.

Il me vint à l'esprit que je devenais cynique sur mes vieux jours et je fis signe à un serviteur de me verser du vin à mon tour. Je trouvais ces temps-ci que m'allonger sur un lit de repos représentait trop d'effort pour moi et j'avais réclamé un fauteuil confortablement rembourré. Toutefois, tous se levèrent quand l'empereur entra.

Sa couche grinçait un peu quand il s'y allongeait, mais sa masse comportait plus de muscles que de graisse, encore maintenant. Rapidement, les serviteurs disposèrent des tables devant nous et apportèrent les mets.

— Crois-tu que les évêques vont pouvoir s'entendre sur la formulation de la foi ? demandai-je.

J'avais peu d'appétit ces derniers temps et quelques bouchées de beignets de seiches cuites dans leur encre m'avaient suffi.

— Il est nécessaire qu'ils le fassent. Cela doit être bien clair, affirma Constantin.

— S'ils savent où est leur intérêt, ils s'inclineront ! intervint Fausta en gloussant.

Un silence inconfortable s'installa, tandis que chacun pensait aussitôt à Licinius et à son jeune fils, qui, malgré la promesse de Constantin à sa demi-sœur, épouse de Licinius, de les épargner, avaient été exécutés à peine quelques semaines plus tôt.

— J'entends : pour le bien de leur âme, bien sûr, ajouta Fausta.

Quelqu'un étouffa un éclat de rire car l'impératrice, contrairement au reste de la famille impériale, s'avouait toujours païenne. Constantin fronça les sourcils, mais il continua à mâcher avec application l'épaule de sanglier farcie qu'on venait d'apporter.

– A-t-on quelque nouvelle des Wisigoths ? s'enquit Sopater pour changer de sujet.

Cela ne fut guère une réussite, car d'éventuels échanges avec les barbares avaient été un des prétextes invoqués pour l'exécution de Licinius. Constantin les avait battus en Thrace deux ans plus tôt en pénétrant à cette fin sur le territoire de Licinius et avait ainsi déclenché la dernière guerre civile.

– Ma foi, s'ils te font des difficultés, tu peux toujours leur envoyer Crispus pour régler cela avec eux ! lança Fausta en riant trop fort. Ne l'appelle-t-on pas *Invictus*, l'Invaincu ?

J'éprouvai un certain malaise. Durant la guerre contre Licinius, Crispus avait reçu le commandement de la flotte égéenne et, en battant l'amiral ennemi, il avait permis à Constantin de s'emparer de Byzance. L'empereur avait attendu l'an passé pour frapper un médaillon représentant Crispus et le jeune Constantin ensemble. Depuis, Crispus avait été muté de Treveri à la frontière de la Dacie. Le vieux Crocus était mort depuis longtemps, mais sa tribu avait continué d'envoyer de jeunes guerriers pour servir dans la garde de César. Peut-être Fausta faisait-elle allusion à cela, mais quelque chose dans son rire me déplut.

– Ces évêques s'occupent trop des mots, décréta Constantin en repoussant son plat.

Je me demandai s'il n'avait vraiment pas entendu ou s'il faisait semblant.

– Ils oublient l'aspiration à la foi, constata-t-il. Les mots divisent, mais les symboles de la religion élèvent l'âme.

– Que veux-tu dire ? intervint Osius.

– Les païens ont des sanctuaires où ils vénèrent les trésors qu'ils croient tenir de leurs dieux. Si nous voulons détourner les gens de pareilles illusions, nous devons leur donner quelque chose à la place. Comment de vrais fidèles peuvent-ils avancer dans la pureté quand chaque bosquet et chaque carrefour sont consacrés à un dieu païen ?

– Que leur donnerais-tu à adorer alors ? s'enquit Fausta.

– Des lieux où notre Dieu S'est manifesté aux hommes. Pourquoi n'avons-nous pas de basilique pour honorer le tombeau vide du Christ ?

– Quelqu'un sait-il seulement avec certitude où il se situe ? demandai-je.

– Là est bien le problème ! s'exclama l'empereur. J'ai en tête d'envoyer une expédition pour fouiller le lieu. Sais-tu ce qui se dresse actuellement sur la colline du Golgotha ? s'insurgea-t-il. Un temple à Aphrodite la putain.

– Abomination ! renchérit Osius.

À vrai dire, n'était-ce pas le lieu du supplice qui avait été une abomination ? me demandai-je. Quelle ironie du sort l'avait transformé en un temple de la Dame de l'Amour ?

– Allons, marmonna Fausta. Nous savons tous qu'*Elle* n'a plus aucun pouvoir...

En juillet, le concile de Nicée se conclut par la création d'une croyance à laquelle tout le monde, y compris Arius, fut disposé à souscrire, respectant, sinon la volonté de Dieu, au moins les vœux de l'empereur. Au début de l'année suivante, Constantin, se flattant d'avoir amené par sa sagacité les chrétiens divisés à s'unir, transporta sa cour à Rome pour célébrer les vingt années de son règne.

Notre entrée dans la cité, si elle ne fut pas un « triomphe » au sens traditionnel, fut incontestablement triomphale. Chaque fenêtre était tendue de blanc et chaque arc décoré de guirlandes de fleurs printanières. Lentement, nous descendîmes l'ancienne voie longeant la Via Triomphalis, entre le Palatin couronné de pins et le Circus Maximus vers le mont Caelius, où nous prîmes en direction de l'amphithéâtre Flavien et l'arc que Constantin avait fait ériger vingt ans plus tôt. La procession s'arrêta pour permettre à une délégation de jeunes gens et de jeunes filles de nous accueillir par un discours de louanges et des chants.

Suivant le défilé des sénateurs et un groupe de joueurs de flûte vinrent plusieurs cohortes de troupes d'élite arrivées de toutes les provinces de l'Empire. Fausta ouvrait le cortège de la famille impériale, trônant avec ses plus jeunes enfants sur un char bas qui avait été confectionné de manière à représenter l'Empire, enveloppé d'une bannière qui la proclamait « la santé et l'espoir de la République », légende apparue sur la pièce de monnaie frappée à son effigie l'année précédente. Son fils aîné, Constantin, à présent âgé de dix ans, suivait sur un poney blanc.

Ensuite venait un char représentant la bataille de l'Hellespont, où la flotte conduite par Crispus avait détruit la majeure partie des forces appartenant à Licinius. C'était très impressionnant, me dis-je, avec des bateaux miniatures posés sur une mer d'argent. Crispus en personne l'accompagnait, resplendissant tel Apollon en armure, monté sur une jument ibère fringante qui dansait et secouait la tête à chaque nouvelle salve d'applaudissements.

Mon propre char évoquait plutôt un sanctuaire, surmonté de colonnes et d'un fronton doré, car j'avais insisté pour avoir un semblant d'ombre avant de consentir à participer à la procession. Il portait en légende les mots : « *Securitas Republicae* ».

Je me sentais de moins en moins comme la sécurité de l'État à mesure que le matin avançait, car les cahots du char arrachaient une souffrance à chacun de mes os malgré les coussins moelleux qui tapissaient mon trône. Au moins, à cette période de l'année, le temps était-il encore suffisamment frais pour que je n'étouffe pas dans mes robes pesantes. Mais il me semblait qu'une statue peinte aurait aussi bien fait l'affaire.

Dans un triomphe traditionnel, les chars auraient été suivis par des animaux harnachés pour le sacrifice, mais Constantin avait remplacé la coutume païenne par deux rangs de jeunes gens et de jeunes filles vêtus de blanc, qui chantaient des hymnes et agitaient des palmes, et le haut clergé chrétien de la cité conduit par le patriarche Sylvestre, en robes de cérémonie. La garde impériale, qui les escortait, portait le labarum, la lance dorée avec une barre transversale qui était autant une bannière religieuse qu'un étendard militaire. Au sommet se trouvait une couronne ornée de pierreries entourée des lettres grecques chi et rhô, qui, depuis la victoire de Constantin au pont Milvius, symbolisaient le début du nom du Christ.

À présent, la tête de la procession descendait la Voie sacrée en passant devant la basilique commencée par Maxence et achevée par Constantin, et les vieux sanctuaires qui se nichaient au pied du mont Palatin, pour remonter et contourner la colline sur laquelle se dressait le temple dédié à Jupiter Capitolin. Afin de supporter les cahots et le balancement incessants, je me réfugiai dans un état de transe, où il me parut que ce n'était pas moi qui bougeais, mais toutes les gloires déclinantes de l'antique Rome qui défilaient sous mes yeux.

Toutefois, même lorsque nous tournâmes pour rentrer au palais sur le mont Palatin où nous attendait le festin, la marée grossissante des acclamations me parvenait. Derrière moi, étincelant tel le Dieu Soleil en habit d'or, l'empereur avançait sur un chariot tiré par deux chevaux immaculés.

– *Constantinus !* criait la foule. *Vivat Constantinus !*

Vingt ans…, me dis-je tristement. *Vingt ans déjà que Constance est mort. Mon bien-aimé, du royaume des esprits porte ton regard ici-bas et réjouis-toi du triomphe de notre fils !*

L'été fut précoce cette année-là, apportant une moisson de rumeurs aussi abondante que le blé dans les prés. J'avais renoncé à accompagner l'avancée triomphale de Constantin à travers le reste de l'Empire et il m'avait laissée à Rome pour le représenter avec pouvoir de puiser sur le Trésor. Mais jusque dans mon palais, j'entendais des gens prédire que, après vingt ans de règne, l'empereur imiterait l'exemple de Dioclétien et abdiquerait en faveur de son fils aîné qui s'était couvert de gloire.

D'autres le démentaient en soulignant que Crispus était tenu à la longe par son père tandis que le gouvernement de la Gaule était allé au petit Constantin. Un jeune patricien, appelé Ceionius Rufius Albinus fut arrêté pour avoir séduit une jeune fille et Crispus, qui était son ami, fut accusé de complicité.

J'eus peine à le croire, sachant que mon petit-fils était toujours amoureux de sa femme, qui lui avait donné un fils, malheureusement décédé, puis une petite fille. Mais d'autres choses se disaient encore à voix basse, des choses plus troublantes. Ses victoires étaient le véritable crime de Crispus, il avait le tort d'être trop aimé du peuple. Et je ne pouvais m'empêcher de repenser que, le jour de la procession, la foule l'avait acclamé aussi fort que Constantin.

Aussi, quand j'appris que Crispus avait été arrêté et conduit dans la ville de Pola, sise en Illyrie, à l'entrée de l'Adriatique, ce ne fut pas tant pour moi une surprise qu'un choc, semblable à celui que reçoit le malade quand il entend la sentence du médecin.

L'ordre de son arrestation émanait de Sirmium, mais Constantin pouvait faire preuve de célérité quand il le désirait et personne n'était vraiment sûr de l'endroit où il se trouvait. Ma réaction spontanée fut d'écrire une missive passionnée à l'empereur pour le supplier de reconsidérer la question et je la confiai à un messager digne de foi.

Constantin, pensai-je, va sûrement se contenter de garder Crispus sous bonne garde quelque temps. Mais pourquoi avoir arrêté le jeune homme ? Même si Crispus était son enfant, je ne pus m'empêcher de penser à sa sœur Constantina suppliant l'empereur d'épargner la vie de son mari et de son fils. Il avait promis qu'ils auraient l'un et l'autre la vie sauve… et les avait exécutés malgré cela. Mon estomac se nouait à l'idée que ma lettre pourrait ne pas parvenir à l'empereur ou, pis encore, qu'elle pût le laisser insensible.

Mais si j'ignorais où joindre Constantin, je savais où l'on retenait Crispus et j'avais la tablette impériale que l'empereur m'avait remise en quittant Rome. Mes os gémissaient à la seule idée d'un voyage, mais lorsque le soleil se leva le lendemain matin, j'étais dans une voiture rapide avec une escorte de gardes germains dont j'entendais le pas derrière moi. Cunoarda à mon côté, je faisais route vers le nord.

Dans la canicule de l'été, ce fut un voyage abominable, car le chemin le plus court était la Via Flaminia qui franchit la crête de l'Italie. En changeant de chevaux à chaque relais, le trajet dura une semaine et j'étais à demi morte quand nous parvînmes à Ancône, sur la mer Adriatique. La vue de la tablette impériale et quelques pièces d'or m'assurèrent les services d'une rapide galère de Libourne et, après un jour, une nuit et un autre jour en mer, la côte déchiquetée de la péninsule de l'Istrie apparut à nos yeux.

J'exigerai de voir mon petit-fils et j'irai au fond des choses, me dis-je tandis que la litière que nous avions louée au port bringuebalait sur la route. *Si Crispus a fait quelque chose que l'empereur a mal interprété…* J'interrompis le cours de mes réflexions. J'avais passé une semaine à chercher pour quelles raisons Constantin aurait pu croire que son fils l'avait trahi. Il était inutile de poursuivre dans cette voie.

Pola était une ville typique de l'Adriatique, avec un lacis de ruelles enchevêtrées et de carrefours, un amphithéâtre et des bains aux abords de la ville, des temples, des échoppes et des habitations à l'intérieur. Nous passâmes sous la porte du forum et parvînmes à la *basilica* malgré la cohue. Comme j'attendais que l'officier qui commandait ma garde me trouve un responsable, je me rendis compte que les passants que j'apercevais entre les rideaux de la litière n'étaient pas la foule ordinaire d'un jour de marché.

Les hommes, dont la plupart avaient revêtu la toge de leur province d'origine, formaient des groupes sombres, comme s'ils discutaient. On sentait dans l'air une tension qui ne pouvait être attribuée à l'apparition soudaine d'une troupe de légionnaires.

Je ne me laisserai pas gagner par la peur ni ne titerai de conclusions précipitées, me dis-je. *Après tant de chemin parcouru, je peux patienter encore un peu.*

Un moment plus tard, le commandant de ma garde réapparut avec, dans son sillage, un magistrat en sueur. *C'est la chaleur*, me rassurai-je. Mais sous la sueur, le visage de l'homme était blême. J'avais posé sur mon front le diadème de perles avec lequel je suis représentée sur les pièces de monnaie. Je tirai les rideaux pour me montrer.

— Je suis Flavia Helena Augusta et je représente l'autorité impériale. Je souhaite voir mon petit-fils… Je crois savoir que vous le détenez ici.

— Oui, Augusta, piaula-t-il. Mais…

— Conduis-moi à lui.

Je lançai mes jambes par-dessus le bord de la litière et m'apprêtai à descendre. Son visage se crispa.

— Oui, Augusta…

Escortée par le commandant et Cunoarda, je suivis le magistrat dans l'ombre de la *basilica*. Je me souviens du bruit sonore de ma canne sur les dalles quand nous traversâmes le vaste vestibule central pour atteindre la rangée de bureaux située à l'arrière. À ces moments-là, l'esprit s'accroche aux moindres détails.

Un homme était de garde devant une des pièces, mais la porte était ouverte. Le magistrat s'écarta pour me laisser entrer.

C'était un ancien bureau qu'on avait transformé en prison en remplaçant la table de travail par un lit de camp. Crispus était étendu là. Une force me poussa en avant malgré moi tandis que je remarquais avec un étrange détachement que son teint doré était devenu cireux et que ses joues se creusaient comme la chair se décomposait. Curieusement, l'ossature de son visage paraissait encore plus belle.

À ce que j'en jugeais, il était mort depuis quelques heures déjà.

Le souffle que j'ai senti aux premières lueurs du jour… était-ce ton esprit passant de vie à trépas, mon bien-aimé ? me demandai-je, anéantie. *Ne pouvais-tu séjourner ici-bas assez longtemps pour me dire adieu ?*

Peu à peu, je me rendis compte que le magistrat me parlait.

– L'ordre provenait de l'empereur et il arrivait de Sirmium. Le jeune César devait être jugé pour trahison par les magistrats. Des preuves ont été fournies. L'empereur… n'avait pas spécifié comment nous devions exécuter la sentence. Nous avions peur de lui laisser une arme, car nous connaissions ses exploits militaires. Il a alors réclamé pour lui la mort de Socrate. Un prêtre chrétien lui a donné les sacrements de l'Église avant qu'il rende son dernier souffle…

Je ne sais ce que cet homme a lu sur mon visage, mais il a reculé en avalant péniblement. J'aurais voulu me déchaîner telle une ménade, faire massacrer ces hommes qui avaient condamné mon Crispus. Mais ce n'étaient pas eux les coupables.

– Que faisons-nous à présent, Augusta ? Nous n'avons pas reçu d'ordres…

– Avez-vous un sculpteur dans cette ville ? Dis-lui d'apporter la cire pour faire un masque mortuaire. Entre-temps, qu'on prépare un bûcher funéraire.

J'aurais voulu emporter le corps pour le jeter aux pieds de Constantin, mais en cette saison, c'était impossible. J'étais encore sous le choc, hébétée, pourtant quelques pensées commençaient à s'agiter. J'emporterai l'image de Crispus pour confondre son père et je réclamerai vengeance à Constantin lui-même ou à quiconque l'avait conduit à détruire son enfant.

Quand le magistrat fut parti accomplir sa mission, je demandai à rester seule avec le défunt et laissai la douleur incandescente qui couvait en moi exploser en dévastant tout sur son passage.

En silence, je me déchaînai contre ma propre impuissance. J'invoquai Dieu, mais je comprenais à présent le grand secret, qui était que, au-delà de ma propre force, il n'y avait rien. Comment pourrais-je croire en un dieu qui laisserait Constantin commettre un pareil forfait ? Il me sembla alors que les hommes s'étaient inventé leur Dieu mâle pour se réconforter dans le noir quand leur mère n'était pas là pour leur tenir la main.

Mon éducation à Avalon devait me permettre de voir le divin avec un visage différent. L'ancienne maxime me revint en mémoire : « Comme Dieu ne peut être partout à la fois, il a inventé la Mère. » En fait, ce devait être l'inverse : comme la mère n'avait pas suffisamment de seins pour tous, l'homme a inventé les déités pour donner à chacun une mère qui ne le quitterait pas pour un autre…

Cependant, les chrétiens soutenaient que leur terrible divinité était la seule et l'unique. Sylvestre prêchait l'amour du Christ, mais j'étais femme et je savais que la seule puissance et le seul dieu ne sont autres que cette force qui est là quand nous sommes petits et démunis. Et c'était elle que j'implorais à présent.

Je songeai à Hécube pleurant la mort de Priam et la destruction de Troie, frappée par la vieillesse et assistant, impuissante, au viol de ses filles emprisonnées et dispersées aux quatre coins de la terre. Hécube affligée, perdant l'esprit, à qui l'on arrache ses enfants… Mais Hécube elle-même n'avait pas enduré la douleur de voir son petit-fils bien-aimé sauvagement assassiné par son propre père, son fils chéri. *Tel est mon châtiment*, me dis-je, *pour avoir renié mes dieux.*

Avant que je rattrape Constantin à Treveri, il s'écoula près de deux mois et l'automne commençait à teinter les feuilles de touches de cuivre et d'or. La ville avait grandi depuis ma dernière visite. La grande basilique de Constantin était achevée de même que les thermes. Comme nous passions sous la grande arche de la Porta Nigra et tournions sur la voie principale conduisant au palais, je notai les changements avec plus de lassitude que de curiosité.

Notre caravane s'était grossie d'un chariot pour les bagages dans lequel Cunoarda voyageait et d'une deuxième équipe de porteurs pour la litière, car je ne supportais plus d'autre forme de transport. C'était juste assez large pour une personne, mais je n'étais pas seule : le masque funéraire de Crispus et l'urne contenant ses cendres me tenaient compagnie.

Durant le long voyage, nous avions entretenu nombre de conversations, Crispus et moi. Je savais que les porteurs avaient dit aux autres qu'ils m'entendaient murmurer derrière les rideaux. Je voyais Cunoarda guetter les signes de démence quand elle plongeait son regard dans mes yeux. En effet, ils ne pouvaient percevoir cette voix qui me répondait, car Crispus me parlait de son amour pour son Hélène et la petite fille qu'ils avaient eue, de l'orgueil de ses victoires et des espérances qu'il avait caressées pour un avenir qui ne serait plus.

Tant mieux, pensai-je tandis que les portes du palais s'ouvraient devant moi, *si mon voyage a été suffisamment long pour apaiser ma fureur*. Maintenant, ma détermination était inébranlable. Personne n'était en sécurité si Constantin pouvait assassiner son propre fils, et, encore que la vie d'une vieille femme fût de peu de valeur, je voulais vivre assez longtemps pour que justice fût faite.

Je prétendis ne pas entendre les chuchotements tandis que les serviteurs m'installaient dans mes anciens appartements, ni remarquer les regards curieux qui s'adressaient au paquet que je berçais dans mes bras. Tout le personnel ici était nouveau. Drusilla était morte depuis longtemps, Vitellia s'était retirée à Londinium. Quant aux esclaves qui avaient servi Crispus et Hélène, la plupart avaient été vendus. Constantin et Fausta se trouvaient encore au palais d'été dans les collines au nord de la ville. Je me demandai combien de temps il lui faudrait pour trouver le courage de m'affronter.

Le lendemain matin, j'ordonnai à mes porteurs de me conduire chez les parents de la jeune Hélène, où elle habitait quand Crispus était avec l'empereur. Comme me l'avait dit mon petit-fils, Lena était une vraie beauté, la peau pâle et les cheveux noirs et lisses. Sa peau blanche était presque translucide et quand je l'embrassai, je sentis la fine ossature, comme si la douleur la rongeait de l'intérieur.

De toute sa vie, elle n'a jamais connu l'affliction, me dis-je en la délivrant. *Elle ne sait comment survivre.* Puis la nourrice amena la petite Crispa, qui avait presque un an et demi et était lumineuse comme un rayon de soleil. Alors je m'assis pour prendre mon arrière-petite-fille dans mes bras. Quel serait l'avenir de cette enfant ? m'interrogeai-je en humant le parfum suave de ses cheveux.

– Mon Crispus n'était pas un traître, murmura Lena quand l'enfant glissa de mes bras et courut vers elle. Il n'aurait jamais pu faire ce qu'on dit de lui. Il aimait l'empereur.

– Je le sais et je te jure de rendre justice à sa mémoire, répondis-je.

Les inscriptions et les statues de Crispus étaient déjà défigurées tandis que les hommes cherchaient à travestir le passé en avilissant son souvenir.

— Entre-temps, tu m'écriras pour me donner de tes nouvelles. Sois courageuse et prends soin de toi pour l'amour de l'enfant.

Ses yeux se remplirent de larmes.

— Je tâcherai…

Ce soir-là, la cour arriva. J'attendis un mot de Constantin, mais au matin, ce fut l'évêque Osius qui vint à moi.

— Il t'attend, m'annonça l'évêque dont le regard survola mon visage puis se détourna. Je sais ce que tu es venue dire. J'ai essayé moi-même de protester auprès de l'empereur contre cette… abomination. Mais il ne paraît pas m'entendre. Je crois que cela le tourmente mais qu'il refuse de le voir. Viens, peut-être que les paroles d'une mère l'atteindront quand les miennes en sont incapables.

— Sinon, dis-je doucement en ramassant au passage le paquet enveloppé de soie que j'avais transporté de si loin, j'ai ici le moyen de le convaincre.

Nous longeâmes un corridor vidé par la rumeur qui nous avait précédés. Ces gens étaient bien avisés, pensai-je en clopinant derrière l'évêque tandis que ma robe noire bruissait sur le dallage telle Némésis réclamant vengeance. Quand les dieux se querellent, les mortels se terrent de peur qu'un éclair malencontreux ne les frappe au passage.

Constantin était assis dans la petite salle à manger, dont les murs ocres étaient couverts de fresques représentant des scènes de l'*Énéide*. La lumière provenant de la porte du jardin formait comme une barrière à travers le sol de mosaïques, mais l'empereur était assis dans l'ombre. Une cruche se trouvait sur la petite table marquetée et il tenait un gobelet de vin dans sa main. Je m'arrêtai dans l'embrasure.

— Augustus…, prononça l'évêque d'une voix douce.

— Es-tu venu encore pour me harceler, Osius ? grogna Constantin d'une voix lasse, sans lever les yeux. Tu parles des lois du ciel, mais j'ai la charge de l'Empire. Tu n'as pas le droit de me reprocher…

Osius voulut objecter qu'il avait, lui, la charge de l'âme de l'empereur, mais je lui intimai le silence.

— Lui, peut-être pas, mais voici quelqu'un qui le peut !

Écartant la tenture, je m'avançai et projetai le masque mortuaire de Crispus dans la lumière.

– Mon fils ! s'écria Constantin en reculant, tendant les mains pour se protéger.

La table vacilla, propulsant à terre le gobelet et le flacon. Le vin renversé s'étala comme une flaque de sang sur les dalles.

Le regard de Constantin alla du masque au vin, puis, enfin, vers moi. Il avait le teint terreux et des cernes sous les yeux comme s'il avait été souffrant.

– Je devais le faire ! Je n'avais pas le choix ! s'écria-t-il. Dieu m'a demandé de sacrifier le fils que j'aimais, comme Abraham, mais il n'a pas donné d'agneau pour le remplacer. C'est donc que Crispus devait être coupable ! Dieu ne serait pas aussi cruel !

Il balançait la tête d'avant en arrière, les yeux exorbités et fixes comme s'il ne me voyait pas. Je me demandai brusquement s'il avait remarqué ma présence ou si je n'étais que l'icône de la « mère », sans plus de réalité qu'une image sainte peinte sur un mur.

– Dieu t'a-t-il envoyé une vision ou est-ce un mortel qui t'a convaincu de le faire, Constantin ? Quel crime crois-tu que Crispus ait commis ?

Savait-il qui lui parlait ou ma voix n'était-elle que l'écho des accusations de son âme ?

– Il voulait que j'abdique et si je refusais, il se serait soulevé contre moi. Il avait consulté un oracle ! Il avait l'intention de prendre Fausta pour femme afin de légitimer son autorité. Une autre guerre civile aurait anéanti l'Empire. Crispus frayait avec des pécheurs. Il était adultère et Dieu nous aurait tous maudits. Un Dieu, un empereur… Nous devons rester unis, ne comprends-tu pas cela ?

Fausta ! Peut-être Constantin ne comprenait-il pas, mais pour moi, une image commençait à prendre forme.

– Est-ce là ce que Fausta t'a dit ? demandai-je d'une voix calme. T'a-t-elle donné des preuves solides de tout cela… ou seulement *une* preuve ? As-tu permis à Crispus de se défendre… Lui as-tu posé des questions ou avais-tu peur de voir le jugement de Dieu dans son regard clair ?

Constantin tressaillait à chaque question sans cesser de hocher silencieusement la tête de droite à gauche.

– Non, tu te trompes ! Tu la hais parce qu'elle est la demi-sœur de Theodora, qui t'a pris mon père ! Mais Fausta s'est toujours montrée loyale envers moi... Elle m'a prévenu quand son père complotait contre moi, elle m'a soutenu contre son propre frère...

— Elle a trahi son propre sang pour l'amour du pouvoir... Crois-tu qu'elle hésiterait à sacrifier le tien ? le coupai-je d'un ton sec. Elle l'a fait dans l'intérêt de ses fils, non pour le tien, comptant qu'un jour ils lui accorderaient l'autorité que tu m'as donnée !

— Ta mère parle avec raison, mon seigneur, intervint Osius doucement. Mon enquête n'a révélé aucune félonie.

— Es-tu un traître, toi aussi ? s'insurgea l'empereur, une veine formant saillie sur sa tempe. Je devais sauvegarder la succession, ajouta-t-il alors. Crispus était seulement leur demi-frère. Cela aurait été la guerre entre lui et Constantin... Fausta n'arrêtait pas de me le répéter et je voyais combien il était populaire...

— Croyais-tu qu'elle te servirait un plat de champignons empoisonnés, comme Agrippine l'a fait à l'empereur Claude pour l'amour de son fils Néron ?

— Elle m'a dit que Crispus avait voulu lui faire l'amour ! s'écria-t-il.

— Mon pauvre Constantin, tu n'es pas Abraham... Tu es Thésée et tu n'es qu'un sot !

Hors de moi, j'agitai le masque sous son visage jusqu'à ce qu'il recule.

— L'eût-il tenté, ce que je ne crois en aucune manière, quelle sorte de péché est une tentative de séduction comparée au meurtre de ton propre enfant ? Peut-être que le dieu des chrétiens te pardonnera... N'a-t-il pas laissé mourir son propre fils ? Aucune divinité païenne ne peut pardonner pareil forfait !

Tel un grand arbre qui s'abat, Constantin tomba à genoux.

— Dieu m'a abandonné..., gémit-il.

— Dieu te pardonnera, intervint l'évêque Osius.

M'adressant un regard lourd de reproches, il s'avança et posa une main sur la tête de l'empereur.

— Mais tu dois te repentir et faire réparation.

— Si c'est Fausta qui t'a convaincu de commettre cet acte, tu dois la châtier, approuvai-je. Fais-le ou Crispus te poursuivra sans cesse, et moi de même.

— Dieu, m'as-tu abandonné ? chuchota Constantin. Mon Père, pardonne-moi parce que j'ai péché...

– Laisse-nous, murmura l'évêque en m'indiquant la porte. Je vais m'occuper de lui maintenant.

Je fis ce qu'il dit, car je me sentais mal et je tremblais, et je ne désirais nullement regarder le maître du monde romain ramper devant son dieu.

Pendant le reste du jour, je restai allongée dans la pénombre d'une chambre et refusai toute nourriture. Cunoarda crut que j'étais souffrante, mais dans ce cas, ce fut une maladie de l'âme. J'attendais et pourtant, jusqu'à ce que j'entende des cris vers la fin de l'après-midi, je ne savais pas ce que j'attendais.

J'étais déjà assise quand Cunoarda se précipita dans ma chambre.

– Ma dame ! L'impératrice Fausta est morte !

– Comment cela s'est-il produit ? répondis-je sèchement. Était-ce une exécution ?

J'avais réclamé que Fausta fût punie sans penser que Constantin aggraverait son crime en en commettant un autre, à peine moins terrible.

– Personne ne semble le savoir, répondit ma fidèle servante. Elle était allée aux nouveaux thermes et les gardes sont venus la chercher au nom de l'empereur. Mais avant qu'on ait pu l'arrêter, ils ont entendu des cris. Quelqu'un a soulevé une vanne pour laisser entrer l'eau bouillante. Fausta se trouvait là et elle est morte ébouillantée dans son bain ! On rapporte son corps à présent. On dit que c'est horrible à voir.

Sa voix tremblait d'une jubilation à peine contenue.

– Crispus, tu es vengé ! m'écriai-je en retombant sur mon lit, incapable de comprendre pourquoi cette nouvelle ne faisait qu'accroître ma désolation.

Mon fils était devenu un monstre, à la merci de ses propres frayeurs. Mais étais-je meilleure, moi qui l'avais poussé à commettre ce crime abominable ?

Bien sûr, il y eut une enquête, mais personne ne sut jamais comment l'accident s'était produit. À vrai dire, bien que l'empereur souhaitât la punir, je ne suis pas sûre que sa mort, telle qu'elle se déroula, fût ordonnée par Constantin. Crispus avait été très populaire dans cette ville qu'il avait longtemps gouvernée. Il était donc possible qu'un esclave travaillant dans l'hypocauste des bains publics et apprenant que l'impératrice était condamnée eût profité de l'occasion pour lui donner un avant-goût des Enfers qu'elle avait si amplement mérités.

XIX

327-328 après J.-C.

— Je crois que tu devrais consentir à le voir, insista l'évêque Sylvestre. À mon avis, l'empereur éprouve un repentir sincère, mais son esprit est toujours troublé. On dit qu'il a commandé à un graveur une image dorée de son fils qu'il a placée dans une sorte d'oratoire. Il se tient devant et se lamente. Peut-être peux-tu lui apporter un soulagement...

Je le fixai, ébahie. J'étais sans doute la dernière à pouvoir lui apporter un réconfort.

— Je sais que tu pleures toujours Crispus, et il se peut que tu tiennes Constantin pour responsable de ce qui s'est passé, mais si le Christ a pu pardonner à Ses assassins quand il était sur la Croix, pouvons-nous faire moins ?

Peut-être cela m'aurait été plus facile, me dis-je sombrement, si mon fils avait péché contre moi. J'avais passé à Rome les huit mois écoulés depuis la mort de Fausta, mais ni dans la nouvelle chapelle aménagée dans une des salles de mon palais, ni à l'église de Marcellin et Pierre, je n'avais assisté à un office chrétien. Je n'étais pas entrée non plus dans un temple de l'ancienne religion. La Déesse et Dieu m'avaient désertée. En fait, depuis mon retour, j'avais à peine franchi le seuil de ma demeure.

On dit que les vieilles personnes reviennent sans cesse sur le passé, comme si elles revivaient leur vie à l'envers depuis le début. Je préférais sans doute me souvenir des jours où Constance et moi étions jeunes ensemble et, de plus en plus souvent, les rêves qui remplissaient mes nuits me transportaient à Avalon. Je savais que mes serviteurs avaient peur de me voir mourir, non sans raison, car j'étais à présent dans ma soixante-dix-septième année et la vie ne me réservait plus rien que je désirais encore.

Je soupçonnais en outre que, pendant mon absence, la jeune Syrienne, Martha, en avait dit plus sur sa guérison que je ne le souhaitais. Quand il m'arrivait d'aller à l'étranger, les gens se prosternaient plus bas que mon rang ne l'exigeait et des offrandes de fleurs étaient souvent déposées sur le seuil de ma porte.

Dans la même période, Constantin s'était soulagé la conscience en s'attaquant directement à la religion païenne pour la première fois. Il fit tuer les devins d'Apollon à Didyme et à Antioche et détruire le sanctuaire d'Esculape à Aigai. Mais la plus grande partie de son courroux fut dirigé vers ce qu'il appelait l'immoralité. Il promulgua des lois de plus en plus sévères contre la séduction – la jeune fille fût-elle consentante – et les temples où les prêtresses servaient Aphrodite furent saccagés.

Sylvestre se gratta la gorge et je me rendis compte qu'il attendait toujours.

– L'empereur est dans la salle d'audience, Augusta. Ce n'est pas bon pour une mère et son fils de vivre comme des étrangers. Si tu ne te sens pas assez bien pour te lever, peut-il venir te voir ici ?

Je n'ai plus de fils, me dis-je avec amertume. Pourtant, j'opinai. Constantin était toujours empereur.

Cunoarda remit de l'ordre dans les plis de ma palla en laine. C'était déjà le printemps à Rome, mais j'étais transie. Ces temps-ci, je passai le plus clair de mon temps dans la petite chambre aux draperies anglaises. Constantin n'y était encore jamais entré. Me sentant tendue, les chiens se levèrent quand il entra et je leur intimai de reprendre leur place habituelle à mes pieds.

– N'es-tu pas heureuse de ton palais, mère ? demanda-t-il, en regardant autour de lui. Tu dois sûrement disposer d'un endroit plus… convenable.

L'évêque Sylvestre, dont les appartements privés étaient encore moins luxueux, tiqua un peu mais ne dit rien.

– Cette pièce est confortable et facile à chauffer. Tu dois pardonner ses extravagances à une vieille femme, mon seigneur, répondis-je.

– Mais tu es en bonne santé… Tu peux voyager.

Il me considéra avec une soudaine perplexité. Je fronçai les sourcils. Allais-je partir en exil ?

— Où veux-tu m'envoyer ?

Constantin se redressa et son visage s'anima.

— En Terre sainte, mère. En Palestine !

Je le regardai, ébahie. Je savais que Jésus avait vécu en Palestine mais, après tout, son propre pays l'avait rejeté. De nos jours, c'était l'une de nos provinces les plus pauvres. Antioche et Alexandrie étaient les plus grands centres chrétiens de l'Empire.

— Notre Seigneur a jadis foulé cette terre sacrée ! Chaque pierre qu'il a touchée est sacrée. Mais à part à Césarée, il n'y a dans toute la province que quelques lieux de culte chez des habitants. Les lieux de Ses miracles, qui devraient être envahis par la foule des pèlerins, ne possèdent aucun sanctuaire !

Le visage de Constantin était rouge d'indignation.

— C'est malheureux, mais je ne comprends pas…

— C'est moi qui les construirai ! Les travaux de déblaiement du tombeau du Christ sont en cours. L'évêque Macaire m'a déjà envoyé des morceaux de la Vraie Croix, je t'en donnerai un pour ta chapelle. Embellir les lieux où Dieu s'est révélé sera ma pénitence et mon offrande. Alors, Dieu me pardonnera mon odieux péché !

Une offrande, certes, me dis-je, cynique, mais une bien modeste pénitence, si ce n'est pour ceux dont les impôts supporteront cet audacieux projet de construction. Je ne comprenais pas pourquoi ma bénédiction était nécessaire.

— Je veux le faire maintenant, mais les Wisigoths s'agitent et il faudra bientôt que je m'occupe des Perses. Je ne puis prendre le temps de me rendre en Palestine, mais tu pourrais y aller en mon nom. Tu saurais retrouver les Lieux saints et les bénir, continua-t-il avant d'ajouter, ingénument : Et montrer à l'Orient que la famille de l'empereur est toujours unie !

— Ce serait un voyage difficile pour une femme de mon âge, avançai-je en m'efforçant de cacher ma surprise.

— Eusèbe de Césarée prendra soin de toi. La Palestine est une terre où coulent le lait et le miel, et le soleil y est chaud…

Sa voix se fit enjôleuse et ses yeux étaient pleins de rêves.

— J'aurai besoin de prier pour cela.

Il ne pouvait me refuser pareille requête.

— Je dois partir, à présent, mais l'évêque Sylvestre est toujours là. Il t'expliquera.

Constantin voulut m'embrasser, mais son sourire sanguin vacilla quand ses yeux croisèrent les miens et il se contenta de baiser ma main tendue.

— Ta colère ne s'est pas apaisée, constata Sylvestre quand l'empereur nous eu quittés. Et tu as une bonne raison à cela. Toutefois, je te demande de faire ce voyage.

— Pourquoi ? soufflai-je. Quel intérêt puis-je trouver à visiter les Lieux saints d'une religion dont le protecteur est responsable des actes que Constantin a commis ?

— Dieu Lui-même a souffert comme tu souffres quand Il a vu ce que les hommes avaient fait à Son Fils, mais Il n'a pas détruit l'humanité pour cela. Quand tu vois combien nous, chrétiens, sommes loin de la perfection, le fait que notre Église ait survécu est une preuve que nous sommes dans la Vérité. Va en Palestine, Hélène, pas pour l'empereur, mais pour toi. Dans le désert, Dieu parle clairement. S'il y a quelque dessein derrière cette tragédie, peut-être que tu pourras le comprendre là-bas.

Je lui fis une réponse prudente et il me laissa seule. J'étais résolue à attendre que Constantin eût quitté Rome pour lui adresser mon refus. Mais cette nuit-là, je rêvai que je me tenais sur une étendue desséchée de sable doré et de pierre blanche auprès d'une mer d'argent. C'était un lieu d'une terrible beauté, un lieu de pouvoir. Et je sus, alors que je contemplais ce paysage décoloré, que je l'avais déjà vu.

Quand je me réveillai, en sueur, je réalisai que ce n'était pas dans cette vie, mais dans une vision que j'avais eue au cours de mon initiation à Avalon. Je compris alors que j'avais peut-être encore quelque chose à faire dans cette vie et que ce voyage en Terre sainte était ma destinée.

Étant parti de son côté, Constantin n'épargna aucune dépense pour mon transport à Césarée, le port que l'infâme Hérode avait construit quatre siècles plus tôt. À la mi-août, j'embarquai à Ostie avec Cunoarda et Martha, car elles avaient juré de ne pas me quitter bien que je les eusse affranchies depuis quelque temps déjà. Nous contournâmes paresseusement la botte de l'Italie, passâmes des rivages de la Grèce à ceux de la Crète, où nous prîmes du ravitaillement frais, puis traversâmes tout droit en direction de l'Orient.

Nous accostâmes alors que le soleil se couchait derrière nous, illuminant la plaine côtière couverte de cultures, luxuriante de vergers et de vignes et, au-delà, le versant baigné d'or des collines. La forteresse se dessinait au-dessus de la corne du petit port, la ville fortifiée à l'arrière, mais d'autres bâtiments blanchis à la chaux se distinguaient entre les arbres, vers le sud. Et quand nous nous approchâmes, je pus voir le croissant plat de l'amphithéâtre et ses gradins face à la mer.

Comme Hierusalem avait été détruite en représailles après la deuxième révolte des Juifs, Césarée était devenue la capitale de la Palestine. C'est ici que le procurateur avait son palais et qu'Eusèbe, l'évêque principal de la province, avait son église et siégeait. Je compris pourquoi les Romains l'aimaient : par le climat et l'atmosphère, Césarée évoquait pour moi les environs de Baiae.

Le troisième jour après mon arrivée, quand je me fus suffisamment reposée au palais du Procurateur, mes porteurs m'emmenèrent dîner avec Eusèbe dans une petite maison qu'il avait au milieu des plantations d'oliviers situées au-dessus de la ville. C'était la fin de l'été et l'on avait disposé nos lits sur la terrasse, d'où nous pûmes admirer le coucher du soleil et attendre la chute bienfaisante de la température qui venait avec la fin du jour.

– C'est un beau pays, dis-je en avalant une gorgée du vin local.

– La bande côtière est fertile si on en prend soin, remarqua Eusèbe. De même qu'une partie de la vallée du Jourdain et les environs du lac de Tibériade, en Galilée. Toutefois, à l'intérieur, les terres deviennent arides et conviennent aux troupeaux de moutons, tandis que plus au sud, il y a le désert, qui ne convient qu'aux scorpions.

Chez lui, entre ses murs, il paraissait plus à son aise, mais c'était bien le même homme, maigre et le teint cireux, que celui que j'avais rencontré à Nicomédie. On disait que la bibliothèque d'Origène, qu'il avait complétée, était bien supérieure, surtout dans le domaine théologique, à tout ce qui se trouvait à Rome ; c'était un apologiste et un historien respecté. Il devait avoir dix ans de moins que moi.

– Ma dame n'est guère accoutumée à la chaleur, remarqua

Cunoarda. J'espère qu'il ne lui sera pas demandé de passer trop de temps en plein air.

Eusèbe s'éclaircit la gorge.

— Augusta, puis-je parler librement ?

Je l'y encourageai d'un geste, haussant le sourcil avec perplexité. Il poursuivit.

— Si cela ne tenait qu'à moi, nul n'exigerait de toi un pareil voyage. Localiser les lieux associés à notre Seigneur peut apporter une aide utile à notre foi, mais en faire des lieux de vénération et de pèlerinage comme s'ils étaient saints en eux-mêmes, cela revient à tomber dans les mêmes égarements que les païens et les Juifs. La religion de Moïse se fondait sur la Cité sainte et, aujourd'hui, même le nom de Hierusalem s'est perdu. Sans le Temple, leur religion est vouée à disparaître. Aucun Juif ne vit plus à Colonia Aelia Capitolina.

Je ne cachai pas ma surprise. Il y avait des Juifs dans toutes les grandes villes de l'Empire. Ceux que j'avais connus à Londinium étaient aisés. Même si Hadrien avait rasé la Judée pour en faire la Palestine, les Juifs avaient su préserver leur religion. Je me gardai néanmoins de le lui faire remarquer.

— Pourtant, les chrétiens… ? préférai-je m'enquérir.

Sylvestre avait pris soin de m'informer de la rivalité qui opposait Eusèbe et l'évêque Macaire de Aelia Capitolina. Il haussa les épaules.

— Rien qu'une petite communauté. Mais l'emplacement de certains lieux associés avec l'incarnation du Christos sont connus. Puisque l'empereur en a donné l'ordre, je serais heureux de t'y escorter.

— Nous devons tous nous plier aux ordres de l'empereur, convins-je, impassible.

Deux jours plus tard, nous entreprîmes notre voyage en suivant la Via Maris vers le sud, traversant, à petites étapes, la riche plaine de Sharon. Il y avait pour moi une litière avec deux équipes de porteurs bien entraînés, tandis que Cunoarda, Martha et Eusèbe montaient des mules. Par le rideau de tulle, je voyais le soleil se refléter sur les casques de mon escorte, envoyée pour veiller sur moi ainsi que sur le coffre de pièces avec lesquelles, au nom de l'empereur, je fonderai la première des églises sur les lieux que j'estimerai dignes. Le bruit cadencé des pas et des épées à l'arrière-garde parvenait jusqu'à moi.

À Rome, j'étais une femme mourante et j'avais entrepris ce périple, que l'empereur m'avait imposé, dans l'espoir que les préoccupations du voyage me distrairaient de mon chagrin. Tel fut le cas en effet, puisqu'au lieu de la mort, je puisais la vie dans chaque souffle d'air chaud chargé de sel. La Palestine était-elle vraiment la Terre sainte ou retrouvais-je enfin le chemin de ma destinée ?

La route traversait des bois clairsemés où le pin d'Alep se mêlait au chêne vert. Chaque jour, les collines à notre gauche devenaient plus hautes et plus escarpées, recouvertes de buissons argentés et d'un reste d'herbe dorée. La chaleur ambiante était tempérée par la brise venue de la mer. À l'intérieur des terres, on trouvait des champs d'orge et des maisons de boue séchée dont les jardins étaient plantés de grenadiers, de vignes et d'oliviers.

La nuit, je dormais dans un lit pliant tapissé de coussins sous une tente de soie jaune ; des couvertures chaudes me protégeaient de la fraîcheur nocturne à l'heure où tombait la rosée. Martha ou Cunoarda dormait sur une paillasse devant l'entrée. En cette contrée, si proche de sa terre natale, Martha s'épanouissait comme une fleur. La peau claire de Cunoarda brûlait et pelait, mais elle ne se plaignait pas. Comme je passais plus de temps en sa compagnie, je commençais à réaliser que l'évêque Eusèbe était un homme complexe. Il avait survécu aux persécutions sans perdre sa réputation ni sa vie et avait réussi à éviter d'être emporté avec les perdants de la controverse arienne. À présent, il devait relever un défi encore plus grand.

Les chrétiens d'Occident avaient eu près de vingt ans pour tirer profit de l'enthousiasme de Constantin, mais en Orient, bien que Licinius les traitât avec tolérance, cela faisait seulement deux ans qu'ils étaient confrontés à la tentation des privilèges. Un royaume qui n'est pas de ce monde, d'après la théologie d'Eusèbe, devait parfaitement convenir à une communauté urbaine cernée par une statuaire païenne. D'après les récits, les Romains avaient fait de leur mieux pour priver la Palestine de toute signification spirituelle. Mais Constantin n'avait pas caché qu'il avait l'intention de transformer la Terre sainte, de remplacer la mythologie des anciennes religions par celle de la nouvelle, et il parlait à présent de fonder une nouvelle Rome pour remplacer l'ancienne capitale hébraïque et son poids dans l'histoire. Cette idée avait une grandeur épique qui, malgré mon état d'esprit désenchanté, forçait mon admiration. Cela tenait-il à un sentiment vraiment chrétien ? Je n'en savais rien. Mais Eusèbe, s'il voulait survivre, devrait s'y plier.

Après Joppa, notre route tourna vers l'intérieur et suivit dans les collines le lit d'un ruisseau qui ne comportait plus qu'un mince filet d'eau à cette époque de l'année. L'air était plus sec ici, bien qu'une remarque de ma part en ce sens fît rire les habitants. Cela n'était rien comparé à la région au-delà du Jourdain, fleuve qui se jetait dans un lac plus salé encore que la mer. Heureusement, en prenant de l'altitude, nous laissâmes derrière nous la chaleur moite de la plaine et pûmes accélérer le pas.

Comme un jour doré en suivait un autre, nous serpentions sur la route entre les collines jusqu'à ce qu'un matin, nous contournâmes une pente et je vis, sur la hauteur par-delà la vallée incurvée, Colonia Aelia Capitolina, qu'on appelait jadis Hierusalem.

Ses murailles étaient bâties dans la pierre locale, laiteuse et dorée avec des taches de rouille comme si tout le sang versé en ce lieu avait séché et s'était incrusté dans le sol. Des cabanes s'accrochaient aux pentes en contrebas, avec des tronçons de chemins qui indiquaient qu'il y avait eu jadis d'autres habitations dans les parages. On apercevait les toits en tuile de quelques bâtiments romains derrière l'enceinte. C'était la ville édifiée par Hadrien après avoir maté la dernière insurrection des Juifs derrière Bar Kokhba, deux cents ans plus tôt. Visiblement, ce n'était plus la cité de David. Comment pourrait-on en faire la cité de Constantin ?

Puis les porteurs soulevèrent ma litière. Je laissai retomber la fine gaze des rideaux et nous amorçâmes la dernière étape du voyage.

À cette époque, Aelia, transformée en place forte, n'existait que pour accueillir la dixième légion romaine, stationnée ici pour monter la garde et parer à une invasion qui viendrait de l'est ou une nouvelle révolte de la population locale. Son commandant habitait dans la forteresse et l'évêque Macaire dans une bâtisse modeste dépourvue de chambres pour les visiteurs et située hors les murs, sur le mont Sion. Toutefois, un des quelques riches marchands de la ville avait été enchanté de libérer sa maison pour héberger la mère de l'empereur. Il s'était lui-même rendu dans son autre résidence à Alexandria, de sorte que je n'avais pas à me sentir gênée de l'avoir incommodé.

Le lendemain matin, l'évêque en personne m'escorta au Saint Sépulcre. Il me sembla qu'il saluait Eusèbe avec un soupçon de pieux triomphe, comme s'il tenait déjà en son pouvoir la primatie de la Palestine. Mais Macaire était de plus en plus fragile, alors qu'Eusèbe était un vétéran de la politique de l'Église. Quelles que fussent les reliques qu'on trouverait ici, il ne serait pas facile de le détrôner.

— On pourrait croire que nous n'avons guère progressé, s'excusa l'évêque Macaire, mais l'endroit a beaucoup changé en quelques mois. Le temple d'Aphrodite, cette abomination, a été rasé et nous avons déjà retiré une bonne quantité des gravats qui jonchaient le sol sacré.

Et quels gravats, me dis-je en regardant autour de moi. Plusieurs colonnes de marbre, qu'un architecte prévoyant avait préservées pour les réutiliser ailleurs, étaient entassées à une extrémité du forum, qui était jonché de cordes et de divers matériaux. Les ouvriers sortaient de la fosse située au-delà comme autant de fourmis affairées, ployant sous le poids de paniers en osier remplis de terre et de caillasse qu'ils déchargeaient sur un tas qui grossissait à vue d'œil. Les femmes, dont les vêtements étaient si imprégnés de poussière qu'elles semblaient des êtres sortis des Enfers, ramassaient les décombres.

— Chaque soir, des tombereaux transportent la terre tamisée dans la vallée pour agrandir les champs, expliqua Macaire. On conserve les plus grosses pierres pour le bâtiment et les petites pour réparer les routes quand les pluies viendront. Et, parfois, on trouve d'autres choses : de la poterie ou du verre, un bijou ou des pièces de monnaie. Ce sont surtout celles-ci que nous recherchons.

— Serait-ce afin de réduire le coût des travaux ?

— Pas exactement. Nous permettons aux ouvriers de conserver ce qu'ils trouvent, car sinon ils chercheraient à dissimuler les objets et certaines reliques de notre Seigneur pourraient passer inaperçues. Tant que les pièces de monnaie que nous trouvons sont postérieures à l'époque de Tibère, nous savons que nous devons creuser encore.

Je fus amusée et quelque peu surprise de constater chez ce vieillard un tel sens pratique.

— Dans les Évangiles, poursuivit-il, on nous dit que les soldats jouèrent aux dés la tunique du Christ au pied même de la Croix. Ne pouvons-nous espérer que, quand la terre a tremblé et que les cieux se sont obscurcis, une partie de leurs gains a pu leur échapper ?

À cet instant, une des femmes leva un petit objet et l'évêque clopina jusqu'à elle.

— Ce discours sur les reliques, c'est de la superstition, bien que son idée de datation d'après les pièces de monnaie montre un bon sens historique, intervint Eusèbe à côté de moi. Ce qui devrait nous intéresser ici, c'est le tombeau vide, le signe de la Résurrection.

Ensemble, nous nous rapprochâmes du lieu des travaux.

— À l'époque de l'Incarnation, reprit-il, cet endroit se trouvait juste à l'extérieur des remparts. Mais le nouveau mur construit par Hérode Agrippa l'a intégré à l'intérieur et quand Hadrien a construit la nouvelle ville païenne, il a placé le forum ici, juste au carrefour.

On pouvait compter sur Eusèbe pour s'en tenir aux faits, remarquai-je en contemplant la terre rongée. Un amas de rochers semblait émerger d'un côté. Pourtant, l'enthousiasme de Macaire était plutôt contagieux.

— J'ai entendu dire que l'empereur avait établi ici le temple d'Aphrodite exprès pour scandaliser les chrétiens.

— Peut-être, cependant il n'a pas fait partie des grands persécuteurs, remarqua Eusèbe en haussant les épaules. Ce sont les Juifs qui ont fait l'objet de sa fureur. J'ai l'impression qu'Hadrien a placé le temple ici simplement parce que c'était commode et qu'on a recouvert le site pour le niveler.

Je compris son idée. La ville était située sur un plateau entouré de vallées sur trois côtés et même le dessus était irrégulier. L'ancien rempart se terminait là où une carrière avait profondément entaillé le sol, mais, au-delà, s'élevait une autre montagne. Je voyais également le commencement d'une sorte de ravin au-delà du forum. Les événements qui étaient censés s'être déroulés en ce lieu auraient dû m'émouvoir, mais je ne trouvais aucun sens à la scène confuse qui s'offrait à mon regard.

Eusèbe eut l'air préoccupé.

— Tant que les ouvriers creusent, il n'y a pas grand-chose à voir ici. Peut-être devrais-tu visiter les autres lieux : la Galilée ou peut-être Bethléem, qui n'est qu'à une demi-journée de route vers le sud.

— Pour commencer par le commencement ? approuvai-je.

Pour certains, tel l'évêque, la religion chrétienne trouvait sa preuve dans l'harmonie de sa théologie. Mais je venais d'un lieu où le pouvoir circulait dans le sol et se rassemblait en bassins sacrés. Si Dieu s'était fait homme en Palestine, la terre porterait en elle le témoignage de ce miracle.

C'était la saison des vendanges et, dans les villages, les gens ramassaient les fruits mûrs dans les étroits vignobles qui couvraient le versant des collines. De courageux petits ânes avançaient sur la route devant nous, disparaissant presque sous les grands paniers de raisins qu'ils transportaient. Durant le trajet à Aelia, j'avais été isolée de tout contact avec les habitants, mais même le commandant oublia de se montrer soupçonneux quand des jeunes filles rieuses lui offrirent sur la route un gobelet de jus fraîchement pressé et coiffé d'écume.

Le village de Bethléem n'avait guère changé depuis l'époque de Jésus. Un petit groupe de maisons en boue séchée et au toit plat s'intercalaient avec des basses-cours et des boqueteaux de verdure qui s'étageaient sur le sol vallonné.

— Vois-tu où certaines habitations sont construites avec des pierres de la colline ? demanda Eusèbe. Il y a des grottes derrière qui servent d'étables et de greniers, parce qu'elles sont fraîches. C'est également là qu'on presse les olives pour en extraire l'huile.

— Veux-tu dire que Jésus est né dans une grotte ?

— Une grotte qui servait d'étable. C'est là-bas, devant nous. Ce lieu est connu depuis fort longtemps. La mangeoire en argile est toujours là.

Il ne paraissait pas très excité, mais j'avais compris que ce qui comptait pour Eusèbe ce n'était pas autant l'endroit que sa valeur de preuve historique de l'Incarnation. Son manque d'enthousiasme était amplement compensé par la présence des villageois qui nous entouraient, offrant de nous faire visiter la grotte sacrée.

Je fus surprise de constater que le chemin était en partie bouché par un bouquet de cèdres.

— C'est le bois de Tammuz [1], annonça la petite fille qui m'avait

---

1. Dieu de la fertilité dans la religion babylonienne, Tammuz est un berger roi dont la vie, les souffrances et la mort sont liées au cycle de la végétation. *(NdT)*

prise par la main. Les païens le pleurent au printemps, quand nous pleurons Jésus.

Je clignai des yeux devant autant d'indulgence, mais Eusèbe m'avait prévenue que certains chrétiens dans cette région ne valaient guère mieux que des païens. Cela ne me paraissait pas plus mal, s'ils pouvaient ainsi vivre en bonne entente.

La grotte paraissait très sombre après la lumière éblouissante du dehors, mais une lampe à huile tremblotait et, quand mes yeux s'accoutumèrent, je distinguai l'auge en argile à l'endroit où les parois descendaient en pente abrupte au fond de la grotte. L'intérieur de la mangeoire était jonché de fleurs. Le silence régnait.

Eusèbe s'agenouilla pour prier, Martha à côté de lui. Je restai debout, les yeux clos et les pieds fermement plantés dans le sol, et une tension qui ne m'avait pas quittée depuis que ce voyage m'avait été ordonné commença à se dénouer. Derrière les fragrances de vieil encens, de la lampe à huile et une vague odeur de chèvre, il y avait une autre senteur, dans laquelle je reconnus au bout d'un moment l'arôme de la pierre mouillée. *La pierre est éternelle*, songeai-je, et je m'approchai de la paroi pour poser la main sur sa surface fraîche. *La pierre conserve la mémoire.*

Je concentrai mon esprit pour pénétrer la roche, à la recherche des traces du passé. Un temps, je ne perçus que les besoins élémentaires des bêtes qu'on avait gardées ici. Puis, pendant un moment, j'éprouvai les douleurs de l'enfantement, le profond soulagement de la naissance et l'explosion d'allégresse quand l'enfant est placé entre vos bras. Peu importe ce que Jésus était, je peux croire qu'il est né ici, me dis-je.

Quand j'ouvris les yeux, Martha et la petite fille me fixaient d'un regard émerveillé.

— J'ai soif, réclamai-je vivement. Y a-t-il de l'eau ici ?

— Il y a un puits sous les arbres, chuchota la fillette.

À présent, l'après-midi touchait à sa fin et la lumière teintait d'or le bois de cèdres. Des bandes de tissus et des rubans étaient noués aux branches de l'un d'eux, qui s'inclinait vers le point d'eau.

— Cela se fait aussi dans mon pays, constatai-je en posant la main sur le tronc rugueux, les yeux fermés, laissant mon esprit suivre la vie de l'arbre jusque dans ses racines puis remonter une fois encore jusqu'aux feuilles qui puisaient leur vie dans le soleil.

Alors, pendant un instant, ce ne fut plus l'arbre mais le corps d'une femme que je sentis, les pieds ancrés dans le sol et les bras tendus vers le ciel. L'image se transforma et je vis un tronc d'arbre sculpté à l'image de la Déesse. Des femmes tourbillonnaient autour d'elle, ornées de guirlandes de fleurs. « Asherah, scandaient-elles. Asherah… »

Ce sont les Asherim que les prophètes coupaient dans la cour du Temple ! réalisai-je avec stupéfaction. *Ils voulaient détruire la Déesse et c'est Elle, avant Tammuz, qu'on honorait dans ce bois sacré !*

Comme la vision me quittait, je me rendis compte que la petite fille poursuivait ses explications.

– Les arbres sont pour la Mère, la Vierge qui donne le jour à l'Enfant de la Prophétie. À Mamre, qui se trouve juste en bas de la route, il y a un vieux térébinthe où Abraham a vu en songe sa descendance. La famille du roi David est un arbre, au faîte duquel se trouve Jésus… J'espère qu'on ne coupera pas ces arbres.

– Quand je donnerai les ordres pour la construction de la basilique, je demanderai aux architectes de les épargner, répondis-je.

Eusèbe aurait sans doute désapprouvé les croyances entremêlées de cette enfant, mais cela me semblait en harmonie avec l'instant et je compris qu'à leur manière les arbres bruissants portaient également témoignage du fait qu'une fois encore la Mère était vénérée en ce lieu.

La nuit tombait quand nous reprîmes la route. Les villageois nous supplièrent de rester pour la nuit et de nous joindre à leurs célébrations, mais je jugeai qu'un voyage avec mon propre lit au bout serait moins éprouvant qu'une nuit sur un matelas défoncé bourré de puces. Comme nous amorcions la descente de la dernière pente, j'étendis un cri aigu et un des chevaux des soldats rua.

Par-dessus les jurons du centurion, pendant qu'on calmait l'animal, un faible gémissement parvint jusqu'à moi.

– Attendez, criai-je. Il y a quelque chose par là.

– Une bête sauvage, trancha le commandant en s'emparant de son javelot. Mais rien d'assez gros pour nous menacer, à ce qu'il semble.

Il fit signe à un soldat de le suivre avec une torche.

– On dirait un chien…, précisai-je en suivant la lumière vacillante qui s'éloignait sur le côté de la route.

– Tu avais raison, ma dame ! répondit le commandant. C'est un des chiens sauvages qui errent dans les collines, il a une patte cassée. Je vais mettre fin à ses souffrances.

– Ne lui fais pas de mal ! m'écriai-je. Demande à un de nos hommes de l'envelopper dans un vêtement pour qu'il ne puisse pas mordre et nous le ramènerons à la ville.

– Augusta, un chien sauvage ne peut pas devenir un animal de compagnie ! intervint Eusèbe.

– T'imagines-tu pouvoir dire à l'impératrice mère ce qu'elle ne peut pas faire ? s'insurgea Cunoarda, menaçante.

Je ne tins pas compte de leurs remarques et n'accordai mon attention qu'à la boule de laine rousse gigotante d'où émergeait une tête dorée à poil court et des yeux noirs affolés. Je parlai doucement à l'animal qui finit par s'apaiser. Alors, je donnai l'ordre du départ.

Cette nuit-là, je rêvai que, redevenue jeune fille à Avalon, je me penchai pour boire aux sources de la fontaine du sang, où l'eau s'écoulait d'une fente à flanc de colline. Dans mon songe, cela ressemblait à la grotte de Bethléem, mais je me rendais compte à présent que l'ouverture rappelait l'entrée de la matrice de la femme.

En rêve, je pleurai tout ce que j'avais perdu, jusqu'à ce qu'une voix chuchotât : « *Tu es l'enfant de la Terre et du ciel étoilé. N'oublie pas le sol dont tu es issue...* » et je fus réconfortée.

Ma petite trouvaille était en fait une chienne à peine sortie de l'enfance. Je l'appelai Arié, ce qui veut dire « lion » en hébreu. Elle mordit deux des soldats avant que le vétérinaire de la légion eût réussi à poser une attelle à sa patte. Puis, après un séjour dans une petite pièce sombre, elle se calma. Peut-être se crut-elle dans une tanière. Dès lors, personne d'autre que moi ne fut autorisé à lui apporter à boire et à manger et, peu à peu, sa panique céda la place à la soumission, la soumission à la confiance, jusqu'à ce qu'elle vînt manger dans ma main.

Arié resta farouche avec tout le monde, mais, dès lors, elle ne me quitta plus. Elle se cachait sous mes jupes quand l'agitation devenait trop grande et bondissait en avant en montrant les dents si elle me croyait menacée. Elle en rendait nerveux plus d'un, mais à quoi bon être impératrice si on ne peut céder à ses caprices ?

Quelques semaines plus tard, nous fîmes une autre expédition, celle-là au mont des Oliviers, qui se dresse à l'est de la cité. Avec l'âge, je me réveillais de bonne heure, bien qu'il me fallût souvent faire la sieste. Quand Eusèbe suggéra que je me réveille assez tôt pour voir le lever du soleil sur la cité, j'acceptai, bien que je fusse perplexe en sortant dans les froides ténèbres qui précédaient l'aube.

À l'intérieur de ma litière, j'étais chaudement couverte et Arié diffusait sa chaleur contre ma cuisse. Nous traversâmes les rues silencieuses et descendîmes dans la vallée du Cedron, puis escaladâmes à nouveau les pentes jonchées de gravats et dépassâmes le jardin de Gethsemani, où Jésus avait lutté contre la mort avant d'être trahi par Judas.

Quand nous atteignîmes le sommet, les étoiles pâlissaient et, devant nous, l'obscure masse de la cité noyée d'ombre prenait forme et sens, comme au matin de la Création du monde. On aurait cru voir surgir sous nos yeux sa première émergence. Telle Rome, Hierusalem tirait une grande partie de sa force de ses collines sacrées. À présent, je pouvais distinguer le mont Moriah, sur lequel les Juifs avaient construit le Temple, et regardai le mont Sion, situé juste en dehors du mur dans la partie sud. De plus en plus de bâtiments se détachaient, bien qu'ils parussent inanimés contre le gris du ciel.

Tout à coup, l'air se remplit de splendeur et mon ombre s'allongea devant moi comme si elle allait toucher la cité lumineuse par-delà l'abîme de ténèbres qui s'étendait en contrebas. Les bâtiments qui, un instant plus tôt, semblaient faits de boue, de plâtre et de pierre sans vie, s'embrasèrent d'or.

– Notre Seigneur s'est tenu ici, chuchota Eusèbe, la voix rauque d'émotion inaccoutumée. Il enseignait à ses disciples et Il prophétisait que Hierusalem serait détruite, qu'il ne resterait pas pierre sur pierre. Et Titus a accompli Sa prédiction.

Pourtant, la cité se dresse toujours devant nous, me dis-je alors. Et je frissonnai en sentant s'opérer en moi ce changement qui modifiait mes sens. Je voyais toujours Hierusalem, mais à présent je la voyais comme une série de strates, ses contours se modifiant sans cesse tandis que son essence demeurait la même. Les mots se répercutaient dans mon esprit.

Les Romains n'ont pas été les premiers à détruire cette cité et les

Juifs ne seront pas les derniers à la perdre. Elle est tombée de nombreuses fois auparavant et encore et encore elle retombera dans le feu et le sang et elle sera à nouveau reconstruite dans une pierre sans tache, car un conquérant remplace l'autre sur cette terre. Les fidèles du Christ en feront leur haut lieu, pourtant les hommes d'une foi encore inconnue régneront sur elle jusqu'à ce que les enfants d'Abraham viennent la reprendre.

Encore et encore, le sang coulera sur ces pierres jusqu'à ce que non seulement les trois religions de Jahweh, mais tous les cultes dont les autels ont été détruits, puissent à nouveau prier ici. Car je vous le dis, Hierusalem est bien un lieu de pouvoir et ce ne sont pas les hommes qui ont fait cela, mais plutôt ceux qui ont été effleurés par la force qui s'élève des tréfonds de ce rocher pour s'unir avec le ciel...

Je clignai des yeux et revins à moi. Les contours fantomatiques des cités passées et à venir s'estompaient, et la ville qui se trouvait devant moi *hic et nunc* se révéla avec une brutale clarté sous la dure lumière du jour. Pourtant, je savais que ces autres visages de Hierusalem étaient toujours présents et faisaient partie de la Cité sainte éternelle qui toujours sera.

– Ma dame, es-tu souffrante ? chuchota Cunoarda.

Je me rendis compte que je m'appuyais contre elle. Eusèbe contemplait toujours le spectacle et je compris avec soulagement que je n'avais pas parlé tout haut.

– Un moment d'inattention, répondis-je en me redressant.

Eusèbe indiqua le sommet où un affleurement de pierres était entouré d'oliviers.

– Et de ce point, le Christ est monté au ciel. Les chrétiens ont vénéré ce lieu depuis ce jour.

J'inclinai la tête en signe de respect. Je savais déjà que lorsque je donnerais l'ordre aux architectes de bâtir l'église, elle ne couronnerait pas le sommet, mais s'élèverait au-dessus de la grotte souterraine où Jésus avait révélé à ses disciples les mystères les plus profonds.

Cette nuit-là, je rêvai que j'escaladais une montagne. Au début, je croyais faire l'ascension du mont des Oliviers en compagnie de pèlerins chrétiens, mais c'était une plus petite colline et, quand la lumière crût, je me rendis compte que c'était le Tor. J'aperçus en contrebas le groupe de cabanes en forme de ruches et l'église ronde construite par

Joseph d'Arimathie. Et je compris que c'était l'Inis Witrin des moines et non Avalon. Pourtant, tandis que je grimpais, ma perception se modifia et je sus que je voyais les deux à la fois. Ma vue devint plus aiguë et je distinguai sous la surface du Tor la structure cristalline des grottes qui en sillonnaient l'intérieur.

Avec le mois de décembre, l'hiver s'installa dans les collines de Judée accompagné de violentes tempêtes et d'un froid humide perpétuel qui vous pénétrait jusqu'aux os. Les tempêtes en Méditerranée rendaient peu recommandable un retour à Rome, le travail sur le Sépulcre était devenu presque impossible et, quand je fus atteinte d'une épouvantable toux qui aggrava mes sempiternels problèmes respiratoires, l'évêque Eusèbe me conseilla de partir pour Jéricho, où il faisait plus chaud, tandis qu'il resterait à surveiller le tombeau.

Comme nous progressions sur la route de Jéricho, j'observai les changements de terrain, les arbres qui recouvraient les collines autour de Hierusalem cédant la place à des broussailles, qui diminuaient pour ne laisser la place qu'à des collines de cailloux. Au pas lent exigé par mes articulations douloureuses, cela nous prit trois jours pour atteindre l'oasis ceinte de palmiers, dont les bâtiments de boue séchée se blottissaient au pied de l'ancienne butte. Le palais d'Hérode était en ruine, mais, encore une fois, un marchand local fut heureux de mettre sa maison à la disposition de l'impératrice.

Je commençai à me sentir suffisamment bien pour explorer les environs et donner à Arié une chance de galoper. Comparé aux grands fleuves d'Europe, le Jourdain était une modeste rivière, même quand il était gonflé par les eaux hivernales. Mais la verdure qui le bordait le rendait fort agréable. En nous aventurant plus loin, nous suivîmes son cours jusqu'aux rivages de la mer Morte.

À l'ouest, les nuages qui arrosaient sans doute Hierusalem dominaient les collines, mais ici, le ciel était d'azur. En cette saison, les creux des collines abritaient de la végétation, cependant il semblait impossible que des hommes puissent vivre ici, jusqu'à ce que notre guide nous indiquât un abri de broussailles ou un trou dans la falaise où un ermite s'était réfugié pour échapper aux tentations du monde. Nous établîmes notre camp sous les ruines d'un lieu appelé Sekakah, où une communauté de Juifs pieux avaient vécu dans les temps anciens.

Sur cette terre désolée, je trouvai curieusement un semblant de paix. Un messager fut diligenté afin qu'il nous rapporte les provisions qui nous étaient nécessaires pour un séjour plus prolongé et nous nous installâmes. Je me baignai dans les eaux salines, chaudes comme le sang et si denses de sels minéraux que je flottai à la surface tel un enfant dans le ventre maternel. Puis, avec Arié folâtrant à mon côté, je fis de longues promenades sur le rivage inondé de soleil.

C'est au cours d'une de ces promenades, au milieu du jour où les roches – ravinées ou sculptées par les pluies en forme de champignons fantastiques – étaient éblouissantes sous le soleil, que je rencontrai le vieil homme. Les bras levés au bord de la mer, il était venu, comme moi, saluer le soleil de midi.

Curieusement, Arié attendit, tranquille, qu'il eût fini ses dévotions. Comme elle s'approchait de lui en folâtrant, il se retourna avec un sourire. Mais je restai en retrait en attendant un geste de bienvenue de sa part. La vie dans cette région aride l'avait tanné jusqu'à l'os, la peau tellement brûlée qu'il était impossible de lui donner un âge, hormis la présence de sa barbe et de ses cheveux grisonnants. À part un morceau de peau de chèvre noué autour de ses reins décharnés, il était entièrement nu.

– J'ai pensé que vous faisiez peut-être partie de ceux qui ne sont pas autorisés à parler à une femme, dis-je quand nous nous fûmes retournés pour contempler l'eau.

Sa couleur de plomb miroitait sous le soleil et je clignai des yeux en essayant de comprendre pourquoi j'avais l'impression d'avoir déjà vécu ce moment.

– Sommes-nous homme ou femme quand nos esprits se présentent devant Dieu ? demanda-t-il. Dans le désert, les vrais contraires sont évidents : la lumière s'oppose aux ténèbres, la chaleur combat le froid. La vérité est plus facile à voir. Les hommes viennent désormais ici pour vivre en anachorètes, parce qu'ils ne peuvent plus espérer subir le martyre du sang pour les laver de leurs péchés. Mais ils ne sont pas les premiers à rechercher la lumière dans la nature. Les hommes de Sekakah vivaient une vie de pureté dans leurs grottes et notre Seigneur Lui-même a passé quarante jours et quarante nuits à combattre des illusions pas très loin d'ici.

– Êtes-vous l'un de ceux qui recherchent la sagesse ? demandai-je en observant Arié qui chassait entre les pierres et les morceaux de bois qui jonchaient le rivage.

– Avant Son temps, il y avait toujours eu une petite communauté ici qui transmettait certains enseignements que les religions établies ont oubliés. Dans les temps passés, la persécution a failli rompre les traditions. De nos jours, je crains que certains aspects de l'ancienne sagesse ne deviennent inacceptables pour une Église qui apprend à cohabiter avec la richesse et le pouvoir.

– Pourquoi me dites-vous cela ? questionnai-je en fixant son visage – et brusquement, j'eus la certitude que je l'avais déjà vu. Je suis la mère de l'empereur.

– Même dans cette vie, tu n'es pas seulement cela, fit-il en tendant la main pour toucher l'endroit où, jadis, le croissant d'Avalon avait béni mon front.

Comment avait-il su ? Mon front était à présent parcouru de rides profondes et ma peau brunie par le soleil. L'ancien tatouage n'était plus qu'une tache décolorée.

– À cela, je te reconnais comme une sœur dans une tradition proche de la mienne, une initiée des Mystères.

Je le fixai avec stupéfaction. De temps à autre, j'avais rencontré des prêtres des dieux méditerranéens qui reconnaissaient que, derrière leur culte, se cachait une vérité plus grande. Mais je ne m'attendais pas à entendre un chrétien parler ainsi.

– Et il y a plus. J'ai eu une vision, ajouta-t-il alors. Pendant un temps, Joseph d'Arimathie – le saint homme dans la tombe duquel le Christ fut mis en terre – a séjourné parmi nous, avant de franchir les mers. Dans ma vision, il est apparu pour m'annoncer ta venue. Quand je te verrais, je devais prononcer ces paroles : *Suis le soleil couchant vers le commencement de ton voyage et à travers les brumes matinales, tu passeras entre les mondes...*

« Cela a-t-il un sens pour toi ? »

Je me souvins alors. Deux fois, j'avais rêvé cela. Je hochai la tête en pleurant, mais l'air chaud sécha mes larmes avant qu'elles ne tombent.

XX

327-328 après J.-C.

Nous nous rendîmes dans la Ville sainte juste avant la fête de la Résurrection. Sur les pentes inférieures, le vert tendre du printemps prenait la maturité dorée de l'été, mais les hauteurs autour de Hierusalem se couvraient de feuilles nouvelles et les prairies étaient constellées de renoncules teintées de pourpre, de petites orchidées mauves, de linettes floconneuses et d'une multitude d'autres fleurs. Chaque oiseau migrateur de cette région du monde semblait survoler la Palestine et l'air vibrait de leurs cris.

– Réjouis-toi ! Célèbre le printemps ! claironnaient-ils. Perséphone quitte le royaume d'Hadès et le Fils de Dieu s'élève du tombeau !

Sur les pentes autour de la ville, des colonies d'hélanthèmes étaient couvertes de fleurs d'un blanc neigeux, de même que les branches hérissées des paliures. À l'abri des portails, on soupçonnait la présence d'un jardin clos quand une trille et une bouffée odorante nous parvenaient, flottant dans l'air.

Le visage rond de l'évêque Macaire était aussi éclatant que les fleurs. Au cours des deux derniers mois, ses ouvriers avaient accompli de gros progrès. Ils avaient dégagé une protubérance rocheuse, qui était visiblement le lieu de la Crucifixion, et avaient dégagé la colline qui s'étendait au-delà, dans les flancs de laquelle plusieurs tombes avaient été creusées. Mais son succès même posait un nouveau problème, car toutes les sépultures étant vides, on ne pouvait reconnaître celle dont l'ange avait fait rouler la pierre.

Avec ma canne d'un côté pour me retenir et un jeune prêtre robuste de l'autre prêt à m'aider, je franchis la fosse et me frayai un chemin à travers le sol accidenté. Un philosophe se serait réjoui, dans la situation présente, de vérifier l'hypothèse que de grands événements peuvent sanctifier un lieu, car cet emplacement, certes historique, était resté inaccessible jusqu'ici. À Bethléem et sur le mont des Oliviers, deux siècles de dévotions avaient laissé leur empreinte, mais ici, je n'étais pas tout à fait sûre si les images que je percevais provenaient des événements qui s'y étaient produits ou du zèle des pèlerins qui croyaient en eux. Pour Eusèbe, le simple fait de localiser l'endroit soutenait la foi du croyant, mais Macaire et Constantin voulaient un lieu de pouvoir.

Je m'arrêtai pour observer le rocher à ma gauche.

— Nous croyons que cet endroit s'appelait le Golgotha, parce qu'il ressemblait à un crâne. Cette roche est plus fissurée que le reste et je pense que c'est pourquoi elle n'a pas été exploitée, précisa Macaire en indiquant la surface inégale.

Je posai la paume sur la surface et, au bout d'un long moment, elle tressaillit, frissonnant encore du lointain écho de la souffrance qu'elle conservait.

— Ce fut sûrement le lieu de l'exécution, les pierres mêmes crient de douleur, chuchotai-je, bien que je ne pusse dire avec certitude de qui il s'agissait.

Un murmure d'effroi parcourut l'assistance et je soupirai en songeant que cette histoire ne manquerait pas de faire le tour de la cité avant la tombée de la nuit.

— Remets-toi, ma dame, dit le jeune prêtre quand il vit combien j'étais secouée. Et regarde le tombeau vide !

Il y avait en fait deux chambres encore en bon état dans le flanc de la colline et plusieurs autres qui avaient pu être également des fosses avant que la pierre s'effrite. Manifestement, Eusèbe et Macaire s'étaient bien gardés de faire un choix de peur que l'autre s'y oppose. C'était donc à moi, qui représentais l'empereur, d'en décider.

Pour ceux qui ont le don de percevoir ces choses, les lieux conservent la mémoire des grands événements qui s'y sont déroulés. Mais cette tombe, contrairement aux autres, était importante parce que le corps de Jésus n'était pas resté à l'intérieur.

— Nous devons prier Dieu de nous guider, leur dis-je. Célébrez en ce lieu l'office divin des jours de fête et peut-être nous communiquera-t-Il alors Sa volonté.

Le dimanche des Rameaux était déjà passé et la ville était pleine de visiteurs. L'air vibrait d'exaltation tandis que l'Église triomphante par la grâce de l'empereur se lançait dans la traditionnelle série de cérémonies et le flot de dévotion m'entraîna dans son sillage. La veille du Vendredi saint, je me rendis une fois de plus sur le site en espérant avoir une inspiration.

Les tombes ne me furent d'aucune aide, mais comme je m'en retournais, je remarquai dans la fosse un brin de verdure. Un des ouvriers le déterra pour moi et je le rapportai dans ma chambre, où Cunoarda, qui était accoutumée à mes excentricités, me trouva un pot pour le planter. Je le posai sur le rebord de ma fenêtre, près de la statuette en argile d'une déesse-arbre qu'un des ouvriers avait également trouvée dans la terre.

L'air de Hierusalem semblait être obscurci par l'émotion du Vendredi saint et les habitants rassemblés au pied du Golgotha se lamentaient comme ils avaient jadis pleuré Tammuz, qui lui aussi trouvait la mort chaque printemps. Durant tout le jour qui suivit, je restai allongée sur ma couche et jeûnai. Et, dans cet état second qui provient de la privation de nourriture, de nombreuses pensées s'ancrèrent dans mon imagination et s'y épanouirent. Comme je songeais aux chambres funéraires, il me revint en mémoire d'autres cavités que j'avais vues. Il me sembla que toutes les trois étaient des matrices façonnées dans la terre. De la première, le Christ était né au monde mortel. La deuxième était le lieu de naissance de la sagesse et, de la troisième, Il était né à l'immortalité. Ses fidèles niaient la Déesse, mais elle était ici, sous la forme de Marie – la Vierge, la Mère et la Vieille affligée, et les replis mêmes de la Terre, qui accueille les morts en son sein pour qu'une nouvelle vie puisse surgir au printemps.

Je songeai alors que c'était là précisément ce qu'Eusèbe, dont la religion n'était qu'esprit, ne comprenait pas. Si l'on ne doit adorer qu'une seule divinité, qu'on puisse le faire de multiples façons, qu'elle soit Homme, Dieu ou Mère, ou qu'elle soit pur Esprit ; et devant les icônes, qui témoignent de la présence divine telle qu'elle s'est manifestée au monde. Même la superstition peut favoriser la foi. À cet égard, Constantin parlait pour son peuple, car son cœur était toujours assez païen pour savoir que les signes extérieurs et visibles étaient nécessaires pour conduire des hommes de ce monde vers la grâce intérieure et invisible.

Quand l'obscurité tomba, je sombrai dans un sommeil agité durant lequel j'eus une succession de songes. Dans le premier, j'étais éveillée, car toujours dans ma chambre, mais le soleil éclairait ma plante et je savais qu'il faisait jour. Toutefois, la plante avait grandi et s'était divisée en plusieurs branches noueuses qui portaient des feuilles vertes et des épines. Sous mes yeux, elle commença de faire des fleurs blanches en étoile. J'y reconnus le buisson épineux qui provenait, d'après les moines d'Inis Witrin, du bâton que Joseph d'Arimathie avait planté dans le sol.

Après cette réminiscence, je me transportai en songe au Golgotha, tel qu'il était à l'époque de Tibère. Je me trouvais avec une foule de gens devant l'affleurement rocheux. Trois croix avaient été placées là, mais tandis que je regardais, celle du milieu se couvrit de feuilles, de branches et de fleurs blanches étoilées. Ce n'était plus du bois mort que nous honorions, mais un arbre vivant, le renouveau au lieu du sacrifice.

Et, de nouveau, la scène changea. C'était le soir et la ville tremblait sous un ciel menaçant. Deux hommes descendaient un grossier brancard du Golgotha, que suivaient des femmes en pleurs. Ils portaient un corps brisé. Comme ils s'approchaient de la colline où étaient creusées les tombes, un soldat leur fit signe de se hâter. Alors ils introduisirent le corps sans vie dans une des cavités obscures et l'étendirent sur un banc d'argile. Une grosse pierre était appuyée sur le côté contre le versant, les bords encore à vif là où on l'avait taillée. En grognant, les deux hommes parvinrent à la rouler devant l'entrée.

Puis le plus jeune s'approcha des femmes en essayant de les réconforter. Mais le plus âgé s'interrompit un moment et, voyant que le Romain observait les autres, il traça avec le doigt sur la pierre le sceau d'un initié aux plus hauts Mystères. D'âge mûr avec des fils d'argent dans sa barbe, il était mieux vêtu que les autres. Quand il se retourna, les derniers rayons du soleil illuminèrent ses traits et, avec la conviction du rêve, je reconnus en lui non seulement l'anachorète que j'avais rencontré sur les rives de la mer Morte, mais aussi le vieux moine avec lequel j'avais parlé, il y a bien longtemps, à Inis Witrin.

Le matin, on m'emmena dans une chaise à porteurs pour assister aux célébrations de la Résurrection car j'étais trop fatiguée pour marcher. L'aube parut, resplendissante et claire, et au-dessus du murmure de la foule vint le chœur triomphant des oiseaux. Le chant grave des fidèles fit naître un frisson qui me parcourut l'échine. L'or et les bijoux, sur les robes des prêtres, rutilaient sous le soleil et la fumée de l'encens qui brûlait dans l'autel qu'on avait installé devant les tombes restait suspendue en volutes bleues dans l'air immobile.

Il y a un pouvoir ici, me dis-je comme la messe touchait à sa fin. *Ce peut ne pas être l'unique vérité au monde, mais l'histoire qu'ils racontent est vraie.* Je sentais la vie revenir dans mes membres et, tandis que l'évêque levait les mains pour congédier l'assistance, je quittai ma chaise. Dans le soleil matinal, la cavité des tombes était clairement visible par-delà l'autel. Près de l'une d'elle était couché un morceau d'une grosse pierre.

Il me semblait à présent que si les événements s'étaient déroulés comme les Évangiles les narraient, ils auraient laissé une impression de pouvoir à l'intérieur de la tombe, un pouvoir si grand que j'avais peur de la toucher. Mais je pouvais chercher l'empreinte sur la pierre, car j'étais une initiée des mêmes Mystères.

Et c'est ce que je fis, sans même remarquer que les gens s'étaient tus et m'observaient, car je fixais du regard l'ouverture ténébreuse au-delà de la pierre que j'avais trouvée.

Sur le sol rocailleux, il y avait quelques pétales blancs disséminés provenant de la sainte épine.

Je restai à Hierusalem durant ce printemps et l'été, m'entretenant avec les architectes que Constantin avait envoyés pour bâtir les églises sur les sites sacrés que j'avais choisis. De ma fenêtre, je voyais les fondations de l'église du Saint-Sépulcre, avec sa longue nef orientée à l'est, comme cela était courant dans les églises de Constantin. Ainsi, lorsque les portes étaient ouvertes, le maître-autel étincelait sous la lumière du soleil levant. On avait taillé le rocher du Golgotha pour qu'il s'intègre dans la cour du côté sud et dégagé la pente derrière le tombeau afin de le recouvrir d'un dôme.

On m'avait appris que les forces éternelles ne peuvent être emprisonnées dans des temples fabriqués par la main de l'homme et qu'un espace sacré devait être vénéré plutôt que possédé. Mais si cette construction, dorée et parée de mosaïques du sol au plafond, avait plus de chance de rendre les pèlerins sensibles à la gloire de l'Église que le miracle de la Résurrection, c'était la tradition du monde méditerranéen. Je prévoyais un temps où les sanctuaires païens, qui avaient sanctifié le paysage et scandalisé les chrétiens, seraient remplacés par des icônes chrétiennes. Je me demandais s'il y aurait encore des païens pour être navrés de ce changement.

Un soir, Eusèbe vint dîner, rayonnant. L'empereur, me dit-il, avait décidé de reconstruire la cité de Drepanum, qui s'appellerait Helenopolis en mon honneur, et d'y élever une basilique au martyr Lucien.

– C'est une victoire pour le mode de pensée arien, me dit-il en mangeant l'agneau et l'orge. Car Lucien n'était pas seulement le meilleur étudiant du théologien Origène, il comptait également Arius parmi ses élèves.

– Je croyais que c'était un prêtre de l'église d'Antioche, qui a publié une nouvelle version des Écritures...

– C'est bien le cas, mais il a été exécuté à Drepanum par Maximien. Tu devrais t'y arrêter sur ton chemin de retour pour lui donner ta bénédiction.

Cela plairait sans doute à Constantin, me dis-je tristement. Mon fils avait pris l'habitude de s'appeler le treizième apôtre, un statut qui semblait exiger en pratique l'adulation réservée autrefois aux dieux. Les empereurs romains avaient été déifiés pendant des siècles, mais d'ordinaire ils attendaient la mort pour s'octroyer véritablement le statut divin. Constantin semblait adopter la manière orientale de considérer les souverains comme les avatars vivants d'un dieu. Manifestement, personne n'osait lui rappeler que le royaume de Jésus n'était pas de ce monde.

– Il est temps que je songe à organiser mon départ, dis-je tout haut.

Les paroles de l'anachorète résonnaient dans ma mémoire et les images d'Avalon hantaient mes rêves. Mais ma vie actuelle faite de privilèges était également une prison. Comment pourrais-je y échapper ? Pour le moment, il suffirait que je rentre à Rome. Peut-être qu'à partir de là je parviendrais à trouver mon chemin.

Quand vint pour moi le temps de quitter la Palestine, une année entière s'était écoulée. Je ne fis pas de détour pour voir Drepanum, préférant la conserver dans mon souvenir telle qu'elle était quand j'y avais vécu avec Constance. Martha, dont la ferveur était intacte, était restée pour servir dans la maison de l'évêque Macaire, mais ma fidèle Cunoarda ne m'avait pas quittée, de même que mon chien cananéen et le petit buisson d'épines. Nous emportions avec nous plusieurs coffres remplis de souvenirs, des présents et des objets que j'avais achetés, des robes et des poteries de Palestine, des étoffes de Tyr et du verre d'Ashkelon. Mais Rome me parut étrange, un vaste labyrinthe de splendeurs délabrées, au nombre desquelles figurait la Domus Sessorianum.

Constantin était toujours en Orient où il surveillait la destruction de la vieille ville de Byzance, afin de pouvoir y bâtir une nouvelle Rome qui porterait son nom. Le bambin qui construisait des forteresses dans notre jardin disposait à présent d'une ville entière pour jouer. Même les projets de construction de l'empereur Hadrien n'étaient pas allés jusque-là. Quand Constantin en aurait fini avec Constantinople, contraindrait-il Dieu de le laisser recréer le monde ?

Peu après mon retour, je me rendis à l'église des saints Marcellin et Pierre pour assister à l'office et faire don d'un vase doré qui m'avait été offert par le procurateur de Palestine. Dans l'une des cours se trouvait un sarcophage de marbre blanc avec des reliefs de cavalier. Il avait été commandité par Constantin, m'apprit le prêtre, mais à présent l'empereur projetait un grand mausolée à Constantinople et personne n'avait donné de nouvelle indication concernant cette commande.

Dissimulant mon étonnement, je lui assurai qu'on lui trouverait sans doute une utilité et l'encourageai à retourner à son compte rendu sur les bonnes œuvres de l'Église. J'avais envisagé d'occuper mes journées en l'aidant, mais visiblement, *Helena Augusta*, l'auguste Hélène, était une personnalité beaucoup trop importante pour se salir les mains de cette façon. Au moins, supposais-je, le respect qu'on me témoignait était dû à mon statut. Mais depuis mon retour de Terre sainte, les offrandes de fleurs devant ma porte avaient repris et parfois on me saluait avec un cérémonial que l'empereur n'exigeait pas pour lui-même. C'était troublant, et je me rendis compte que je serais contrainte de vivre en recluse ou de me déguiser pour me déplacer dans la cité.

Bien que Cunoarda en fût outrée, la Palestine m'avait accoutumée à une vie plus simple. J'approchais à présent les quatre-vingts ans et, comme je lui dis, j'avais gagné le droit de faire à ma guise – du moins, pour autant que mon corps vieillissant me le permît. Trop souvent les vieilles gens étaient laissées de côté, ou expédiées dans une chaumière perdue où elles ne dérangeraient pas leurs descendants, voire jetées à la rue si elles n'avaient pas d'enfants pour les entretenir, fût-ce de mauvais gré. Être transformée en une icône dorée, dûment rangée dans une niche du mur et qu'on sort pour les fêtes était seulement une façon plus confortable d'être tenue à l'écart.

J'avais déjà été mise à l'écart, quand Constance m'avait quittée pour épouser Theodora, et je n'avais nulle envie que cela se reproduise. Même si j'étais vieille, je n'étais pas réduite à l'impuissance.

Me souvenant comment j'avais soigné les malades pendant la peste, j'ordonnai à Cunoarda d'aller dans une boutique qui vendait des vêtements usagés et d'acheter ce qui convenait à la mise d'une pauvre veuve. Elle revint avec deux robes à manches longues, l'une d'un marron fané, l'autre d'un bleu passé, l'une et l'autre proprement raccommodées, de robustes sandales et plusieurs voiles de lin décolorés. Les prêtres de l'église de Marcellin et Pierre ne m'avaient rencontrée que couverte de bijoux et parfumée, les traits à demi dissimulés par un voile pourpre. Je doutais qu'ils pussent me reconnaître avec un morceau de lin blanc me cachant le front et vêtue d'une robe informe.

Et ce fut le cas. Je n'étais que l'une des vieilles femmes qui aidaient à distribuer à manger aux affamés, des habits et des remèdes aux pauvres. Mon activité m'aidait à me sentir moins malheureuse, mais après une année en Palestine, l'hiver romain me parut âpre, et je tombai malade en décembre. Pendant quelques mois, je menai une vie de recluse.

Comme j'étais alitée dans ma chambre, tantôt tremblant de froid, tantôt brûlante de fièvre, il me vint à l'esprit que ma vie arrivait à son terme. C'était l'ultime parabole de l'Âge, être vieille, impuissante, inutile. J'avais grand besoin de retrouver des forces et l'aide de Dieu, et telle une initiée sondant les profondeurs des Mystères, j'en vins à me reposer enfin dans un sanctuaire vide. Et là, le secret me fut confié :

il n'y a ni Dieu ni Déesse, seul existe le pouvoir de la Mère qui réside à l'intérieur et qui donne à chacun le peu de force qu'il a.

Et je compris que, tout comme j'avais créé en lui donnant le jour mon propre bourreau, qui me dévorerait et me détruirait, je devais subir à la fin de ma vie la douloureuse expérience de donner naissance à moi-même pour moi-même. Je devrais renoncer à tout pouvoir sur mon enfant pour m'en détacher et m'en éloigner, afin de le laisser construire son monde. Quoi de surprenant à cela ? N'avais-je pas toujours agi de mon plein gré : quitter Avalon avec Constance, prendre la responsabilité de mon enfant ? Par mes actes, j'étais devenue la Déesse, dotée à mon tour du même pouvoir implacable.

À présent, j'avais renoncé à mon enfant et le petit-fils que j'aimais m'avait été arraché. C'était maintenant à des femmes plus jeunes de porter des enfants et de s'en occuper. Je pouvais apporter de la sagesse et des conseils, mais il ne m'incombait plus de me mêler des affaires du monde, à moins que ce ne fût pour enseigner aux jeunes ce que j'avais appris.

Il ne me restait plus que la vieillesse et des forces déclinantes avec, au bout du chemin, la mort. Mais je commençais à entrevoir que cela pouvait être aussi une chance. En tant que mère, j'avais dû faire passer les autres avant moi. À présent, il m'était donné d'être à nouveau libre, de n'être que moi-même, de vivre pour moi-même, la procréation cédant la place au pouvoir de création.

Quand je retrouvai la force de me lever, le printemps était de retour. Le petit buisson d'épines, que j'avais mis en terre à l'entrée de la chapelle de mon palais, avait survécu à la transplantation et se parait à présent de solides pousses vertes constellées de fleurs blanches. Quand je le regardais, je ne voyais pas mes jardins bien entretenus, mais la brume sur l'eau et la douce pente verte du Tor sacré.

Je convoquai un magistrat et, avec son aide et celle de Cunoarda, je m'occupai de mon testament. Chaque détail devait être prévu, depuis la liberté pour ceux de mes gens qui étaient toujours esclaves jusqu'à la disposition des objets que j'avais rapportés de Palestine. Une tunique d'homme, dont un marchand m'avait assuré que c'était le vêtement même porté par Jésus, devait être envoyée à l'évêque de Treveri, et un ensemble de diadèmes dignes des Sages transmis à l'église de Colonia. À l'évêque Sylvestre, je laissai le Domus Sessorianum avec l'instruction d'en utiliser les ressources à sa convenance et de prendre soin du petit buisson d'épines.

Cunoarda ne cachait pas sa désapprobation, mais du simple fait de me dépouiller d'autant de choses, ne serait-ce qu'après ma mort, je me trouvais soulagée. Combien me serais-je sentie plus libre encore si j'avais pu simplement m'en aller ? Même si j'assurai à Cunoarda que je me sentais mieux, il était probable que la mort me délivrerait bientôt. Sinon, peut-être qu'un jour j'abandonnerai tout ce qui me retenait à Rome.

En annexe à l'église de Marcellin et Pierre se trouvait une cuisine et un espace couvert, où les pauvres pouvaient recevoir un repas. Il y avait aussi un petit bâtiment, dernier survivant des casernes qui avaient jadis occupé l'endroit et où les malades pouvaient recevoir des soins pendant quelque temps. Il y avait longtemps que j'avais appris l'utilisation des plantes et des simples, mais j'en savais plus sur ces choses que les prêtres ou la plupart des autres femmes, et ils étaient heureux d'avoir mon aide quand je pouvais venir.

J'avais prétendu servir une famille qui avait des domaines en plusieurs endroits et que je devais souvent accompagner ces personnes dans leurs déplacements, ce qui m'évitait de trop fraterniser avec le reste du groupe. Ce fut cependant agréable de me retrouver parmi des gens ordinaires. Durant le printemps qui suivit mon retour de Palestine, je passai trois après-midi par semaine à l'église, tandis que Cunoarda répondait à tout visiteur au palais que je me reposais.

C'est au cours d'un de ces après-midi qu'une vieille Gauloise s'effondra, la tête dans sa soupe, et fut transportée dans le refuge. Cela faisait plusieurs semaines qu'elle venait. Elle s'appelait Drusa et elle était venue en ville avec son fils, mais celui-ci était mort, la laissant seule. Je l'avais remarquée parce que les autres lui trouvaient une ressemblance avec moi. Peut-être était-ce l'ossature celtique du visage ? Elle ne savait pas son âge, mais elle devait avoir quelques années de moins que moi.

Drusa rendit l'âme juste avant la fête de la Pentecôte, le jour où un messager vint m'annoncer que l'empereur était en route pour Rome. Depuis lors, l'angoisse me donnait des aigreurs d'estomac, car je savais qu'une confrontation était inévitable. Mais la mort de la vieille femme plaça mes propres craintes sous un nouvel éclairage et, dans un moment de clarté, du tréfonds de mon âme, je conçus un plan.

– Drusa est ma sœur en Jésus-Christ, dis-je au prêtre. Je tiendrai le rôle de sa famille et je m'occuperai de ses funérailles. Une charrette viendra prendre le corps dans l'après-midi.

Constantin fit une entrée triomphale dans la cité. Je n'allai pas l'accueillir, bien que de mon palais on pût entendre les cris de joie. Il était prévu qu'il assisterait à l'office à la cathédrale du Latran et, le lendemain, il devait faire un discours au Sénat. Ensuite, sans doute, il y aurait un banquet. Ce n'est que le troisième jour après son retour qu'un messager m'informa que la suite impériale était en chemin.

Chaque surface ayant été dûment cirée et frottée, ma demeure était digne d'accueillir la présence impériale. Constantin n'aurait plus de raison de s'insurger contre les négligences de sa mère. Je le reçus dans un des salons privés, plus intime que la salle d'audience mais tout aussi somptueux car j'y avais ajouté des draperies de pourpre de Tyr et des tapis richement colorés que j'avais achetés en Palestine.

Cela trouve grâce à ses yeux, me dis-je en me levant pour l'accueillir. Il revenait d'une réception officielle et portait encore la toge pourpre brodée de fleurs d'or. Les cheveux retenus par le diadème, je m'étais parée des atours de l'impératrice mère.

Trois silhouettes plus petites, vêtues à son image, le suivaient. Un instant, je les pris pour des nains dont la fonction eusse été de donner plus d'ampleur à la silhouette impériale. En regardant mieux, je vis que c'étaient des enfants, trois garçons aux cheveux bruns dont la peau ne voyait pas suffisamment le soleil. Ils toisèrent les superbes ornements de la salle d'un regard dédaigneux, puis s'affalèrent sur les larges coussins près de la table basse, où j'avais posé un plateau de pâtisseries à base de figues trempées dans le miel dont Constantin se délectait dans son enfance.

– Mère, tu as l'air en bonne santé…

J'ai l'air vieille, rectifiai-je silencieusement, tandis que l'empereur me prenait les mains et pressait sa joue contre la mienne. L'eussé-je désiré, les robes de cour empesées interdisaient toute étreinte.

– J'ai amené mes fils pour te voir : Constantin, Constance et Constant, saluez votre grand-mère.

Même si les noms proclamaient leur lignage, ils étaient bien par leurs traits les fils de Fausta. Je ne les avais pas revus depuis leur petite enfance. L'aîné devait avoir environ onze ans, les deux autres un et trois ans de moins. Comme ils renonçaient aux friandises pour se lever et faire leur révérence, je me demandai ce qu'on leur avait dit du trépas de leur mère.

– As-tu des chevaux ? s'enquit le jeune Constantin. Moi, j'ai un poney blanc que j'ai monté pendant la procession.

J'étouffai le souvenir de l'étalon immaculé que Crispus avait monté lors de leur entrée triomphale à Rome. Au moins, cet enfant s'efforçait d'être poli. Ses frères allaient et venaient dans la salle, tirant sur les rideaux et soulevant les vases en albâtre et les délicates figurines en bronze.

– Je suis trop vieille pour monter à cheval, mais j'ai des chiens. Si tu veux sortir dans mes jardins, tu pourras jouer avec eux.

Arié éviterait ces enfants avec la méfiance farouche d'un animal sauvage, mais les autres chiens se montreraient affectueux. Avec un autre pincement au cœur, j'écartai le souvenir de Crispus jouant avec mes chiens.

– C'est cela, les enfants ! Allez courir dehors. Il fait beau !

Manifestement, les garçons savaient faire la différence entre la bonhommie paternelle et un ordre impérial, de sorte qu'il n'y eut aucune protestation quand le serviteur que j'avais sonné arriva pour les conduire. Je pris le plateau de pâtisseries, que je mis dans les mains du jeune Constantin.

– Ce sont de braves garçons, dit Constantin affectueusement en les suivant des yeux.

Des gosses mal élevés, oui, me dis-je. Mais c'était son problème, pas le mien, et il l'avait mérité.

– J'aime les garder avec moi, poursuivit-il. Certains pourraient s'en servir contre moi, tu sais, malgré leur âge.

Je pris place sur un des fauteuils sculptés en ivoire, dont le dos arrondi était orné de scènes évoquant Pénélope et Ulysse. Son vis-à-vis, qui gémit sous le poids de Constantin, représentait Didon et Énée.

Comment en suis-je venue à avoir un fils aussi vieux ? m'étonnai-je alors. Depuis notre dernière rencontre, la chair avait commencé à s'affaisser sur les os et la peau du visage était profondément striée par les rides de la colère et de la méfiance, de même que par le pouvoir. Il semblait s'être vite remis de la tragédie qu'avaient représentée la mort de Crispus et de Fausta, mais cela ne l'avait pas laissé intact.

— Ton voyage en Palestine a été une grande réussite, déclara-t-il en versant un gobelet de vin d'un flacon qui était resté avec les pâtisseries sur la table. Même s'ils ne peuvent se mettre d'accord sur rien d'autre, Eusèbe et Macaire sont unanimes pour faire l'éloge de tes vertus.

Il fit une grimace en se souvenant combien il avait dû batailler pour obliger les évêques à parvenir à un accord. J'avais entendu dire que les compromis de Nicée partaient déjà en quenouille. Dans les temps anciens, les hommes servaient les dieux selon leur tempérament et personne n'aurait eu de raison à vouloir que tous voient les choses de la même manière.

— Comme je l'espérais, l'image de la famille impériale recommence à briller de tous ses feux. À présent, j'aimerais que tu fasses un voyage aux églises fondées par saint Paul dans les cités de la diaspora grecque.

— Non.

Même si je trouvais une grande beauté aux paroles de Jésus, je me rendais compte de plus en plus de la différence entre les vérités qu'Il enseignait et l'Église que Paul avait établie en son nom.

Constantin continuait de parler. Je m'éclaircis la gorge.

— Non. Je n'entreprendrai pas d'autre voyage pour toi.

— Pourquoi cela ? Es-tu souffrante ? demanda-t-il, les yeux écarquillés en comprenant que je venais de lui opposer un refus.

— Je vais plutôt bien, pour le moment, mais je suis vieille. Je vous ai loyalement servis, toi et l'Empire. À présent, pour le temps qu'il me reste, je dois m'occuper de moi, de mon vrai Moi qui est resté si longtemps négligé pendant que je m'occupais des besoins des autres.

— Souhaites-tu te retirer du monde ? Peut-être qu'une communauté de saintes femmes, priant pour l'Empire...

Je le voyais déjà calculer. Je ne pouvais pas vraiment le lui reprocher ; cette capacité à tirer un bénéfice politique de tout était, j'imaginais, une des qualités qui avaient fait de lui un grand empereur.

— Je n'irai pas diriger ta congrégation de vestales chrétiennes, Constantin, répondis-je, acerbe. Cependant, je pars...

— Non, je ne puis permettre cela, intervint-il. Tu m'es trop utile ici.

— Utile ! m'insurgeai-je, sentant enfin monter la colère. Combien te serais-je utile si je disais que la mort de Crispus était un meurtre, ou si je me déclarais déçue par le christianisme et faisais des offrandes au temple de Juno Regina sur le Capitole ?

— Tu ne feras pas cela ! Je peux te mettre en prison…, menaça-t-il, quittant son fauteuil à demi, le visage s'empourprant dangereusement.

— Crois-tu que je n'ai pris aucune précaution ? le coupai-je. Je suis ta mère ! J'ai distribué des lettres qui seront acheminées dans une semaine à moins qu'un mot de moi ne les rappelle.

— Tu donneras cet ordre…

— Sinon, tu me tueras, comme tu l'as fait pour Fausta ? Je suis vieille, Constantin, et la mort ne m'effraie pas. Nulle menace ni nulle souffrance ne fléchira ma volonté !

— Es-tu toujours chrétienne ?

Il ne posait pas cette question par intérêt personnel mais en raison d'une peur plus profonde et plus superstitieuse.

Je soupirai. Comment me faire comprendre ?

— Je me suis toujours demandé pourquoi on tenait pour handicapé un homme qui ne peut voir qu'une seule couleur, et pourquoi le louait s'il n'acceptait qu'une seule divinité. Je crois que le Christ portait le pouvoir de Dieu et j'honore son enseignement, mais je sais que la Déesse sous de nombreux aspects aime aussi ses enfants. N'essaie pas de me définir en chrétienne ou en païenne, Constantin, ajoutai-je avant de reprendre mon souffle, me souvenant du sceau que Joseph d'Arimathie inscrivait sur la tombe dans mon rêve. Je suis une servante de la Lumière. Que cela te suffise.

En silence, nous nous fixâmes un long moment et, pour finir, ce fut Constantin qui baissa les yeux.

— Je ne comprends pas, mère. Que veux-tu ?

Même alors, une partie de moi aspirait à le prendre dans mes bras pour le réconforter, comme je l'avais fait dans un lointain passé, mais je ne pouvais laisser cela décider de ma vie.

Je rassemblai mes forces.

— Constantin, je veux ma liberté…

Je compris enfin l'erreur que j'avais commise il y avait si longtemps.

Nous donnons le jour à nos enfants, mais nous ne les créons pas. Avec orgueil, j'avais cru que Constantin justifiait mon existence et je revendiquais la responsabilité de ses péchés comme de ses exploits. Je pouvais prier pour lui, mais Constantin était un esprit immortel et, bien que ce fût mon corps qui l'avait mis au monde, je ne devais ni m'attribuer le sort que ses actes avaient mérité, ni lui reprocher les miens.

– Mais comment ? Que dira-t-on ?

– Tu peux dire que je suis morte, car à vrai dire, je serai morte pour toi et pour le monde.

– Que veux-tu dire ? Que comptes-tu faire ?

– Je vais quitter le monde que tu connais et me rendre en un lieu où tu ne me trouveras jamais. Dans la chapelle de mon palais repose le corps d'une pauvre femme de cette cité. Tu peux l'enterrer dans le tombeau qui attend à l'église de Marcellin et Pierre : toutes les vieilles femmes se ressemblent et le peuple verra ce qu'il voudra voir. Raconte ce qu'il te plaît, Constantin, pleure l'image d'Hélène que tu as créée pour servir ta gloire. Mais laisse-moi m'en aller !

– Tu es ma mère, protesta-t-il, en tournant la tête tel un aveugle.

– Ta mère est morte, tranchai-je en me levant. Tu parles à un souvenir.

Il tendit la main mais j'avais drapé autour de moi un voile d'ombre comme j'avais appris à le faire, il y avait bien longtemps, à Avalon, et ses doigts n'attrapèrent que le vide.

– Mère ! cria-t-il. Ma mère est morte et je suis tout seul !

Malgré ma résolution, mes yeux s'emplirent de larmes. Je me détournai, ombre dans l'ombre, et me hâtai de quitter la salle. Tandis que je longeais le corridor en clopinant, j'entendais le maître de l'Empire pleurer la mère qu'il n'avait jamais vraiment connue.

Cette nuit-là, Flavia Helena Augusta rendit l'âme.

Avec l'aide de Cunoarda et d'une ou deux autres servantes qui, sachant ce qui était vraiment arrivé à Crispus et à Fausta, étaient disposées à nous aider, le corps de Drusa fut mis dans mon lit et enlevé immédiatement par les embaumeurs, tandis que la nouvelle de la mort de l'impératrice mère se répandait dans Rome.

Il était fort étrange d'assister à mon propre décès, bien que ce fût une condition nécessaire à ma résurrection. Je fus étonnée par le chagrin qui balaya la cité en émoi, même si je savais que l'on ne me pleurait pas, moi, mais l'image de sainte Hélène créée en partie par les conseillers de Constantin. Peut-être avais-je fait quelque bien dans la cité, mais je ne me reconnaissais pas en cette faiseuse de miracles.

L'air autour du palais embauma bientôt le parfum des fleurs que les gens avaient entassées devant les portes, déjà ornées de cyprès en signe de deuil. En fait, on dit qu'il ne restait plus une fleur dans Rome tant on m'en avait apporté ici et dans des sanctuaires surgis à l'improviste dans la cité.

Dans tout cela, Constantin mena le deuil, échangeant sa pourpre pour le blanc des endeuillés, les traits creusés par la douleur. Personne n'aurait pu douter de son chagrin et, à vrai dire, je pense qu'il s'était convaincu que le corps enveloppé dans le linceul qui reposait dans la chapelle était bien sa mère. Même si j'avais changé d'avis, il n'était plus possible de faire demi-tour. J'avais trop profondément blessé Constantin et il me tuerait si je me risquais à une résurrection publique.

L'évêque Sylvestre devait être mon exécuteur testamentaire, assisté de Cunoarda pour la distribution de mes biens. J'avais pourvu généreusement aux besoins de celle-ci et nous avions prévu que j'attendrais à Ostie qu'elle vienne me rejoindre. Mais je fus prise du désir morbide d'assister à mes propres obsèques et, revêtant ma tenue de veuve, je me réfugiai dans les modestes chambres proches de l'église de Marcellin et Pierre que j'avais louées pour rendre mon personnage crédible.

Le huitième jour qui suivit ma « mort », l'évêque Sylvestre célébra une messe de funérailles. La grande cathédrale du Latran était pleine à craquer, car tous les notables de la cité étaient venus, qu'ils fussent ou non chrétiens. Le peuple, parmi lequel je me trouvais, se rassembla à l'entrée. Comme les hautes portes étaient ouvertes, on pouvait entendre des bribes de chants et humer, de temps en temps, une bouffée d'encens. En fin de compte, je fus soulagée de ne pas avoir à écouter l'oraison funèbre.

Quand ce fut terminé, le cortège sortit pour accompagner le cercueil en bois de cèdre jusqu'au sarcophage qui attendait à l'église de Marcellin et Pierre, située à proximité. Constantin marchait pieds nus en tête de la procession, ses fils auprès de lui. Je reconnus Cunoarda parmi les femmes voilées qui le suivaient. La foule se pressa derrière, en larmes, et je fus emportée avec les autres.

Je n'ai jamais vraiment compris l'attitude des chrétiens à l'égard des ossements. Les Romains païens, qui redoutaient par-dessus tout la pollution, exigeaient que leurs morts fussent enterrés en dehors de la cité. Les routes qui conduisaient aux cités romaines étaient bordées de tombes. Les tombes des héros et des empereurs recevaient un mausolée, où les offrandes des pèlerins les soutenaient sur le chemin de la déification. Même en Palestine, on honorait le tombeau des patriarches. La tombe des grands hommes ancrait le peuple à la terre.

En revanche, les morts chrétiens étaient ensevelis dans les églises, en plein cœur de la ville. Déjà, chaque église ayant quelque prétention de grandeur possédait son *martyrium*, où était pieusement conservé le corps d'un saint qui avait accédé à l'état de sainteté en se faisant sauvagement assassiner. Toutefois, la fin des persécutions avait cessé d'approvisionner l'Église en martyrs. Je me demandai si on devrait découper les corps en morceaux pour les partager : une phalange dans une église et un pied dans une autre, à quelques kilomètres ? L'évêque Macaire avait raison. Les gens avaient soif de preuves tangibles que leur foi existait dans ce monde comme au ciel. Mais à un certain stade, ils devraient apprendre à se passer de ces liens. J'étouffai un gloussement irrépressible quand je m'imaginai Dieu tentant de rassembler tous ces morceaux dispersés afin de reconstituer le corps des saints le jour du Jugement dernier.

Évidemment, le tombeau le plus célèbre de tous était vide et j'avais des doutes concernant la tombe de certains des apôtres, après tant d'années. Aussi peut-être ne devrais-je pas m'inquiéter du fait que les os reposant dans ce sarcophage n'étaient pas les miens. Ce qui comptait, ce n'était pas que mon corps fût là, mais qu'on le crût. Et si les prières conduisaient plus vite au ciel la pauvre âme dont l'enveloppe charnelle avait remplacé la mienne, je devais bien cela à celle dont la mort m'avait rendu la liberté.

XXI

329 après J.-C.

— La mort n'est pas si terrible. À vrai dire, je me sens chaque jour plus vivante, dis-je à Cunoarda en lui adressant un sourire rassurant.

Nous avions songé à me faire passer pour sa mère, mais l'affranchie de l'impératrice était connue et il parut plus sage de dire que j'étais une vieille servante anglaise qui s'appelait Eilan. Il eût été amusant de la voir essayer d'éviter d'avoir à me donner un ordre si je n'avais su combien cela l'embarrasserait. Elle avait trente ans à présent et, bien qu'elle ne fût plus jeune fille, ses cheveux roux et sa frimousse ronde auraient été jolis sans son air perpétuellement soucieux. Mon testament l'avait suffisamment pourvue pour qu'elle puisse s'acheter un gentil petit bien quelque part dans l'Empire et un mari en plus si elle le désirait. Chaque jour qu'elle passait à mes côtés, sa fidélité était pour moi une leçon d'humilité.

Près de deux mois s'étaient écoulés depuis que nous avions embarqué à Ostie dans l'aube grise d'un jour d'été. À Massilia, nous achetâmes une modeste voiture et entreprîmes le long voyage au nord vers l'Angleterre.

— Tu te sens vraiment plus forte ? insista Cunoarda.

J'approuvai. Je ne m'étais pas rendu compte combien les robes rigides et la pompe des cérémonies qui allaient de pair avec mes anciennes fonctions avaient pesé sur moi. Sans elles, je me sentais plus légère de corps et d'esprit, et l'essoufflement qui m'avait accablée à Rome avait presque disparu. J'avalais une bonne bouffée de l'air embaumé par les foins, comme si je pouvais boire le soleil. *Bientôt, me dis-je, je serai si légère que je flotterai dans l'air.*

Certes, flotter eût été un mode de transport plus confortable. La voie que nous avions choisie remontait la vallée du Rhône d'Arelate à Lugdunum, puis, de là, par monts et par vaux à travers la Gaule. Malheureusement, l'état des routes de chaque province était à la discrétion des magistrats qui en étaient responsables. Un an plus tôt, j'aurais refusé de bouger sans une litière bien rembourrée et une équipe de Nubiens au pied léger pour la porter. Mais à présent, je supportais à merveille les cahots de la voiture.

Si j'avais su combien je savourerais ma liberté, me dis-je, il y a des années que je me serais échappée. Mais il y a des années, me souvins-je tristement, j'espérais encore sauver l'Empire à travers mon fils.

À présent, je reconnaissais les collines des environs de Treveri. C'était risqué de s'arrêter ici, mais qui aurait regardé à deux fois une vieille femme au visage bruni par le soleil sous son large chapeau, enveloppée d'un châle rapiécé ?

Dès que nous eûmes passé le vieux pont qui enjambait la Moselle et que nous serpentâmes dans la ville, j'observais des changements. Le palais dont j'avais fait don à Crispus avait été détruit en partie et on le rebâtissait sous la forme d'une double cathédrale. À présent, les fresques des femmes impériales qui avaient décoré ses appartements nuptiaux devaient n'être plus que des débris sous le nouveau sol.

La femme qui tenait l'auberge où nous descendîmes était une intarissable source de ragots. Nous apprîmes ainsi que les thermes où Fausta était morte étaient devenus propriété de l'évêque. La salle de gymnastique avait également été convertie en église et le reste des bâtiments démoli.

Sans que nul ne le dît, on pensait manifestement que Constantin espérait apaiser sa conscience en y mettant le prix. Mais c'était le souvenir de Crispus qu'on avait éliminé. Or les habitants de Treveri, qui avaient aimé leur jeune gouverneur, ne pouvaient admettre que les statues et les inscriptions qui l'avaient jadis honoré n'aient pas été restaurées.

Et cela faisait des mois que j'étais sans nouvelles d'Hélène, sa femme.

— N'oublie pas, tant que nous ne connaissons pas la situation, tu dois me laisser parler...

Cunoarda regardait nerveusement par-dessus son épaule. Hormis un esclave qui balayait le crottin devant la porte de son maître, la rue était déserte. Il était toujours possible que quelqu'un au service de l'empereur fasse suivre ma servante, mais nous n'avions rien remarqué durant les longues journées sur la route.

Je tirai mon voile sur ma figure pour cacher mes traits.

— Je comprends.

La maison des parents de Lena était située dans une rue calme à l'entrée de Treveri, bordée de maisons bien entretenues, bien que le quartier où nous nous trouvions n'eût pas été balayé récemment et que le plâtre du mur près de la porte s'écaillât. Il fallut, sembla-t-il, beaucoup de temps avant qu'on nous répondît, puis la porte fut ouverte par une jeune servante, les cheveux enserrés dans un chiffon comme si elle faisait le ménage.

Cunoarda et moi échangeâmes un coup d'œil entendu. Nous avions déjà été accueillies par un portier lors d'une précédente visite. Mais du fond de la maison, le rire joyeux d'un enfant me parvint.

— Ton maître ou ta maîtresse sont-ils chez eux ?

— Cæcilia Justa est couchée. Elle a été souffrante.

— Ou bien dame Hélène… Est-elle là ?

La jeune fille nous considéra avec une méfiance soudaine, puis, estimant sans doute que Cunoarda avait un visage honnête, elle répondit :

— Elle est dans l'atrium, avec l'enfant.

Comme nous traversions le vestibule, j'entrevis l'autel consacré aux dieux lares avec une lampe à huile allumée devant et je me rendis compte que, comme beaucoup de membres de la vieille aristocratie, cette famille tenait à l'ancienne religion. Même s'ils traversaient une période difficile, la maison tentait de rester à la hauteur. Les dalles usées qui pavaient l'atrium étaient propres, les fleurs dans les poteries étaient arrosées et taillées.

De l'autre côté de la fontaine, une petite fille jouait et ses cheveux clairs passaient de l'or à la cendre quand elle passait de l'ombre au soleil. Elle devait avoir environ quatre ans à présent. *C'est elle*, me dis-je, *la véritable enfant de la lignée de Constance.* Quel sort sera le sien quand la progéniture de Fausta parviendra au pouvoir ?

J'aurais voulu la prendre dans mes bras, mais je restai cachée derrière mon voile. *Je suis morte*, pensai-je. *Je n'ai plus aucun droit sur elle.*

Quand nous entrâmes, la femme qui la surveillait se retourna sur son banc pour nous accueillir. L'épouse de Crispus était encore plus menue que lorsque je l'avais rencontrée la première fois, mais elle était toujours belle. Ses yeux cernés se posèrent sur Cunoarda.

— Je me souviens de toi. Tu es venue ici avec l'impératrice.

Cunoarda approuva, embarrassée.

— Ma maîtresse m'a chargée de remplir certaines obligations qu'elle ne tenait pas à dévoiler publiquement dans son testament. Je t'ai apporté un effet pour un banquier ici à Treveri afin de pourvoir aux besoins de la petite fille.

Les yeux de Lena se remplirent de larmes.

— Que sa mémoire soit bénie ! Je regrette de n'avoir pas répondu à sa dernière lettre, j'avais peur. Crispus est vengé, mais cette femme a gagné. Tout le monde sait que nous sommes en état de disgrâce et que nous avons été mis au ban de l'Empire. Mon père est mort l'automne dernier et nous avons dû apprendre à économiser.

— Je suis donc contente de t'apporter l'héritage de l'impératrice, répondit Cunoarda.

Nous nous assîmes sur l'autre banc. La servante apporta un plateau de fruits séchés et un pichet de sirop d'orgeat, qui était le bienvenu par une pareille chaleur. Bien que mince, Lena ne semblait plus aussi fragile, comme si l'adversité l'avait forgée, lui donnant la force dont elle n'avait pas eu besoin auparavant.

— Si seulement l'argent avait été mon seul souci ! s'exclama Lena. Depuis la mort de mon père, ma mère est sous l'autorité de mon oncle. Il est disposé à la prendre, mais Crispa et moi sommes une responsabilité dont il entend se passer, héritage ou pas. Je crains même que cela ne me rende plus séduisante encore aux yeux d'un des fermiers auquel il m'a offerte… Peu m'importe désormais ce qui m'arrivera, ajouta-t-elle, amère. Mais qu'adviendra-t-il de ma petite fille, qui n'a le choix qu'entre la sécurité d'une bête de somme ou la mort, si elle tente de réclamer son héritage à Rome ?

Je ne pus me taire plus longtemps. Cunoarda étouffa un cri quand je me penchai en avant et rejetai mon voile.

— Elle a un autre héritage…, murmurai-je.

Lena écarquilla les yeux et, un instant, je crus qu'elle allait s'évanouir.

– Mais vous êtes morte à Rome…

– Je suis morte pour Rome, rectifiai-je. En me révélant à toi, je place ma vie entre tes mains. Écoute-moi, Lena. Vous êtes, toi et Crispa, tout ce qu'il me reste de mon petit-fils, qui était l'amour de ma vie. Je vais là où même l'empereur ne peut me suivre. As-tu le courage de m'accompagner ?

Cunoarda me désapprouvait et son refus lui sortait par tous les pores. Elle n'avait jamais vraiment cru que nous pourrions nous enfuir ensemble et imaginait sans doute que nos chances seraient encore plus réduites si nous avions la charge de cette femme fragile et d'un enfant.

Une rougeur soudaine se répandit sur les joues de Lena, puis s'évanouit, la laissant plus pâle encore qu'avant.

– Je me suis toujours demandé, chuchota-t-elle, pourquoi Crispus voulait m'épouser. Il était si glorieux et si brave, et moi, j'avais toujours peur. Mais je vois que le moment est venu pour moi de me montrer digne de lui. Nous irons avec toi, ma dame, que ce soit aux Hespérides ou au royaume d'Hadès.

– C'est aux Hespérides que nous irons, mon enfant, dis-je doucement, dans l'île d'Avalon…

Percevant l'émotion de sa mère, Crispa sautilla jusqu'à nous pour se tenir près des genoux de Lena, son regard passant de nos visages aux figues confites sur la table, puis revenant à nous.

– Crispa, prononçai-je tout bas. Me reconnais-tu ?

Elle fronça un peu les sourcils puis, un moment, je vis une âme ancienne regarder par ses yeux limpides.

– Tu es ma mère, articula-t-elle.

Lena et Cunoarda échangèrent un regard soucieux, mais je pris dans ma paume sa petite main chaude.

– Oui, peut-être l'ai-je été, mais dans cette vie, je suis ton autre *avia*, petite fille, dis-je doucement. Aimerais-tu partir en voyage avec moi ?

Quand nous parvînmes à Ganuenta, il y avait de nouveaux fils d'argent dans les cheveux roux de Cunoarda. Mais si les agents de l'empereur nous observaient, ils avaient l'ordre de ne pas s'en mêler. Quand nous atteignîmes le Rhin à Mogontiacum, nous vendîmes le cheval et la voiture et prîmes un passage sur une barge transportant du bois d'œuvre. Ce fut une bien agréable façon de voyager et la vue spectaculaire des gorges au nord de la ville émut .même Cunoarda. Le seul risque, c'était Crispa qui le courait, car elle escaladait la barge avec l'agilité d'un singe et risquait de tomber par-dessus bord.

Le Rhin nous transporta rapidement au-delà des avant-postes que Rome avait construits pour garder la frontière. Comme nous passions près de Colonia, je considérai le mur où Constance m'avait annoncé que nous devions nous séparer et je me rendis compte que la vieille cicatrice était enfin guérie. Ces jours-ci, il me suffisait de fermer les yeux pour revoir son image et revivre les temps de notre bonheur.

Parfois, quand j'étais assise ainsi, j'entendais Lena chuchoter à sa fille de rester tranquille, car les vieilles personnes dorment souvent et il ne faut pas les déranger. Cependant ces temps-ci, ce n'était pas le sommeil qui s'emparait de moi, mais le songe éveillé qu'on appelle la mémoire. Crispus se blottissait, chaud et doré, entre mes bras, aussi réel que la petite fille que je voyais quand j'ouvrais les yeux. Quand j'étais sur ma couchette, sur la barge, Constance s'allongeait près de moi et me racontait ce qu'il avait fait durant les années de notre séparation. Même Constantin venait quelquefois, sous la forme du garçon qu'il avait été avant d'être contaminé par cette maladie qu'on appelle l'Empire. Et comme notre voyage se poursuivait, je recevais de plus en plus souvent la visite des habitants d'Avalon.

Très vite, j'appris à ne pas faire état de ces revenants. Au pire, mes compagnes pensaient que mon esprit vagabondait et, au mieux, je les mettais mal à l'aise. Heureusement, Lena prenait de la santé et des forces à chaque kilomètre qui nous éloignait de Treveri, et elle avait passé une alliance avec Cunoarda. Quiconque résistait à l'autorité brusque de Cunoarda se laissait généralement impressionner par les manières aristocratiques de Lena et je constatai que je pouvais laisser l'organisation du voyage entre leurs mains.

Pourquoi ne m'avait-on jamais dit que la vieillesse avait en réserve des cadeaux autant que des douleurs ? Enfant, je m'étais demandé pourquoi les vieilles prêtresses semblaient aussi contentes quand elles faisaient la sieste au soleil. *Elles savaient*, me dis-je en souriant. Et parfois, quand j'oscillais sur le seuil entre sommeil et rêverie, il me semblait entrevoir des gens et des scènes que j'avais déjà vus dans une autre vie. La petite Crispa était la seule à qui je pouvais parler quand ces lointains échos de la mémoire pesaient sur moi, car les tout-petits viennent à peine de franchir le seuil que les vieux sont sur le point de traverser et, parfois, elle se souvenait de la vie que nous avions partagée auparavant.

Puis ce moment passait et elle repartait, Arié haletant sur ses talons, pour se pencher sur le bastingage et regarder l'eau verte qui filait en dessous, et je restais abandonnée mais pas solitaire.

À Ganuenta, j'avais espéré visiter le sanctuaire de Nehalennia, mais on me dit qu'une inondation l'avait abîmé quelques années plus tôt et que le sol y était instable depuis que le cours de la rivière avait été modifié. Ma première pensée fut de financer un nouveau temple. Après avoir contribué à tant d'églises chrétiennes, c'était bien le moins que je puisse faire pour la déesse qui m'avait guidée si longtemps. Mais un tel geste pourrait soulever des questions déplaisantes et les fonds qui me restaient me seraient nécessaires pour subvenir aux besoins des deux femmes dont je parlais désormais comme de mes filles, et à ceux de l'enfant.

Si Nehalennia devait sombrer dans l'oubli, je ne pourrais seule restaurer son culte. Je me souvins que la Déesse est sans cesse constante et sans cesse changeante. Lorsque, dans un lent cycle d'années, les hommes ressentiraient à nouveau le besoin de sa présence, Nehalennia reviendrait. Mais cette nuit-là, je versai des larmes dans le noir, pleurant quelque chose de charmant et de précieux qui avait disparu de ce monde.

Nous accostâmes en Angleterre à la saison des moissons, quand l'air embaumait les foins et résonnait des chants des moissonneurs dans les prés où le grain ployait. La mer avait été agitée et les cahots de la voiture me furent un soulagement après avoir roulé et tangué pendant trois jours.

– L'île de Bretagne me paraît petite, s'étonna Cunoarda en observant la douce alternance des bois et des prés par-delà les contreforts arrondis des Downs.

— Sans doute, compte tenu de la distance que nous avons parcourue. Londinium te paraîtra minuscule, comparée à Rome ; mais je connais l'odeur de ce foin et la façon dont le pouvoir circule à travers cette terre.

— C'est toutefois un pays très différent du mien, constata-t-elle avec un soupir. J'ai été capturée lors d'une incursion d'un clan rival quand j'étais à peine plus âgée que la petite Crispa. J'ai des souvenirs de pentes mauves de bruyère et du bêlement des moutons quand ils descendaient des montagnes. Mais je ne me souviens plus du visage de ma mère. Peut-être est-elle morte quand j'étais bébé.

— Alors je serai ta mère, Cunoarda…

— Oh, mais c'est juste un déguisement, le temps que nous sommes sur la route. Tu es…

Elle rougit jusqu'à la racine de ses cheveux. Je posai un doigt sur ses lèvres.

— Je ne suis qu'Eilan et j'ai de bonnes raisons de croire que les enfants nés de notre corps ne sont pas toujours les enfants de notre cœur.

Les yeux fixés sur ce visage robuste et familier, je me rendis compte, incrédule, que durant toutes ces années où je m'étais crue privée d'amour, il y avait un trésor à portée de ma main que je n'avais pas remarqué.

— Je n'ai jamais imaginé… Je n'ai jamais osé…

Elle secouait la tête, reniflant et s'essuyant les yeux sur sa manche.

— Oh, ma dame… ma mère ! Tu m'as donné ma liberté, mais j'étais encore une coque vide. Maintenant, tu me donnes une âme !

J'ouvris les bras et la tins contre moi jusqu'à ce que ses sanglots s'apaisent.

Dans mon testament, j'avais légué la maison de Londinium à Cunoarda et elle avait écrit de Treveri pour dire au locataire qu'elle venait y habiter. Quand nous arrivâmes, la maison était vide – en fait, elle avait été pratiquement vidée de son mobilier. Cunoarda et Lena consacrèrent une journée au marché à acheter de la literie et des ustensiles de cuisine.

Il me tardait de voir les changements intervenus dans la ville en plus de vingt ans, mais, ce matin-là, j'avais du mal à respirer et il me parut préférable de rester à l'intérieur avec Crispa pour me tenir compagnie.

— *Avia*, qui sont les jolies dames ? s'enquit-elle en montrant le relief des quatre *matronæ* que j'avais commandité il y avait si longtemps.

C'était un des rares ornements qui avaient survécu à mon absence, peut-être parce qu'il était encastré dans le mur. Je pris prudemment ma respiration.

— Ce sont les Mères.

— Regarde ! L'une d'elle a un chien !

Arié se redressa, la queue battante, en entendant ce mot.

— Pas toi, nigaude ! s'exclama Crispa en tendant la main pour flatter le flanc sculpté du chien sur les genoux du troisième personnage de la composition. Et une a un bébé et les deux autres ont des fruits et une miche de pain. Sont-elles des déesses ?

— Elles sont la Déesse, mais la Déesse a plusieurs visages, autant de visages qu'il y a de mères en ce monde. Et quand elles deviennent vieilles et quittent leur corps pour aller dans l'au-delà, elles continuent de veiller sur leurs enfants…

J'essayai de conserver une voix calme, mais Crispa était une enfant sensible. Elle grimpa sur mes genoux et passa ses bras autour de mon cou.

— *Avia*, veilleras-tu toujours sur moi ?

Comme je la serrais contre moi, je sentis une douleur dans ma gorge et je sus que celle-ci n'était pas causée par un manque de souffle, mais par les larmes retenues.

Cette nuit-là, j'eus une crise. Tandis que j'étouffais, je vis la terreur sur le visage de Cunoarda et de Lena sans pouvoir les réconforter.

— Dois-je envoyer quérir un prêtre ? s'enquit Cunoarda, anxieuse.

Je parvins à m'arracher un éclat de rire.

— À quoi bon ? J'ai déjà été enterrée ! Tu as entendu l'oraison funèbre que m'a faite l'évêque Sylvestre !

Puis je recommençai à tousser.

Au plus fort de la crise, j'aurais volontiers accueilli la mort et je ne continuai à lutter que parce que les deux femmes me suppliaient de ne pas les abandonner.

Un peu après minuit, la vapeur de menthe dont Cunoarda remplissait la chambre commença à me soulager et je réussis à boire un peu de thé. En fin de compte, blottie contre la poitrine de Lena, je tombai dans un état intermédiaire entre veille et sommeil.

Pendant la crise, je m'étais révoltée contre ma faiblesse, refusant de pénétrer dans la nuit. Mais à présent, je réalisais que, dans notre vieillesse, ce que nous perdons dans la petite enfance nous est miraculeusement rendu. Au lieu de pleurer dans le noir la mère qui nous a abandonnés avant que nous soyons capables de nous débrouiller, à présent, les enfants et le reste de la famille étant venus et repartis, nous sommes libres. Dans nos moments les plus sombres, nous nous sentons absolument seules, affaiblies, vieilles. Mais à la fin, la Mère nous est rendue et nous renaissons, retournant à la petite enfance, couchées avec confiance sur le sein de nos filles…

Tout nous est retiré, même Dieu. Nous nous dépensons jusqu'à la mort. Puis la Déesse revient vers nous. Après être *devenues* la Déesse, la mère, nous *créons* la Déesse en nos filles, nos sœurs, quand nous nous tournons vers elle, sachant que même si nous devons mourir sans avoir rien appris, nous mourrons dans Ses bras et sur Son sein.

Mais je n'expirai pas. Me réveillant entre les bras de Lena dans la claire lumière matinale, je pris une profonde inspiration et me réjouis quand l'air source de vie remplit mes poumons. Néanmoins, j'étais dans un état de grande faiblesse et sentais mon cœur battre dans ma poitrine. Pour la première fois, j'envisageai que mon corps pût défaillir avant que j'aie atteint mon but.

Je me souvins des moments où, durant la crise, la mort me parut être un soulagement. À d'autres moments, j'avais fait appel aux enseignements d'Avalon pour maîtriser ma peur. Je croyais que la mort n'était qu'un passage d'une sorte d'existence à une autre, mais je redoutais encore cette transition. Toutefois, je me rendais compte à présent que ce n'était pas pour moi que j'avais eu peur, mais pour celles que je laisserais derrière.

— Tu es réveillée ! s'exclama Lena quand elle me sentit bouger. Et tu te sens mieux, que les dieux soient loués !

— Pour le moment. Mais si je ne me remets pas, il faudra que je te dise comment parvenir à Avalon.

Les joues de Lena devinrent roses d'embarras.

– Veux-tu dire que c'est un endroit réel ? Je croyais que tu parlais comme les poètes, que c'était une façon de dire que nous serions en sécurité en Angleterre.

J'ouvris la bouche pour la reprendre et la refermai en constatant à quel point l'interdiction de parler de l'île sacrée aux non-initiés était profondément ancrée en moi.

– Avalon existe, bien qu'il soit, disons, difficile à atteindre… Il se trouve au Pays d'Été. Il y a un val entre deux rangées de collines, si profond que quand la rivière est en crue ou quand les tempêtes de l'hiver refoulent la marée, l'eau le recouvre et une partie des terres hautes forment des îles. L'une d'elles, que surmonte un pic rocheux, le Tor, s'appelle Inis Witrin. Quand tu y parviendras, ne va pas trouver les moines qui ont leur petite église au pied du Tor, mais arrête-toi au village de pêcheurs qui vivent dans les marais. Dis-leur que tu es la petite-fille d'Eilan et que tu veux qu'on te conduise à Avalon.

Elle avait un air dubitatif et je soupirai, car en vérité, je ne pouvais pas même jurer que je serais moi-même accueillie après toutes ces années. Et avais-je le droit d'imposer cela à Lena ? Cette jeune femme pleine de vitalité, dont les joues luisaient malgré les ombres qu'une nuit blanche avaient creusées sous ses yeux, était très différente de la jeune fille fragile et apeurée que j'avais aidée à fuir Treveri près de deux mois plus tôt.

– L'île sacrée est un refuge où nul roi et nul empereur ne peut se rendre. Mais rien ne t'oblige à t'y rendre. Si tu veux prendre un nouveau nom pour Crispa et toi, il me paraît probable que vous pourrez vivre en toute sécurité à Londinium.

Les sourcils légers de Lena s'abaissèrent.

– Tu ne veux plus de nous ?

– Lena, ne comprends-tu pas combien j'ai appris à t'aimer ? C'est pourquoi il t'incombe de choisir. Je sais seulement que moi, je dois aller là-bas.

Je me remis lentement et il fallut attendre octobre que j'eusse suffisamment récupéré de forces pour entreprendre le voyage. La voiture dans laquelle nous quittâmes Dubris était couverte d'un bon matelas et chargée de provisions. Mais, avant de quitter Londinium, il me restait une dernière tâche à accomplir.

J'avais vu avec quelle célérité, jouissant de la faveur de Constantin, le christianisme était devenu la religion de l'Empire. Je prévoyais un temps où les sanctuaires et les symboles supplanteraient totalement ceux de l'ancienne religion, transformant l'Angleterre en une terre chrétienne. Dans les temps à venir, rares seraient ceux qui comprendraient qu'il était possible d'honorer à la fois la Déesse et le Dieu.

Cela m'attristait de penser que ma sculpture des Mères pourraient un jour être raillée par des gens qui ne verraient plus en elle une représentation sacrée. Aussi des ouvriers reçurent-ils l'ordre de la retirer du mur et de la charger sur une brouette. Dans la nuit, quand les hommes furent rentrés chez eux, Lena et Cunoarda transportèrent la sculpture jusqu'à la rivière qui traversait les champs derrière mon logis, où elles la jetèrent. Cachées dans ses profondeurs, les Mères béniraient la ville que ses eaux arrosaient.

— Raconte-moi comment c'était quand tu étais petite à Avalon…

Crispa préférait rouler un moment à l'intérieur de la voiture avec Cunoarda et moi, bien que je sache qu'elle ne tarderait pas à retouner auprès de Lena, qui conduisait.

— J'avais un chien blanc appelé Surette…

— Comme Arié ?

Crispa écarta le rideau pour montrer le chien qui trottait à côté de nous, la truffe en l'air pour capter toutes les odeurs de ce nouveau pays.

— Il était plus petit et avait le poil frisé. Un garçon du village du Lac me l'avait donné en me disant que c'était un chien fée et je pense que c'était vrai, parce qu'il m'a conduite un jour dans un pays encore plus éloigné qu'Avalon de ce monde et m'en a ramenée saine et sauve.

Cunoarda fit une moue qui indiquait bien que, de son point de vue, je racontais un conte à l'enfant. Il me parut étrange que, née à Alba, elle eût plus de mal à croire à l'existence d'Avalon que Lena, enfant de la bonne aristocratie gallo-romaine. Mais peut-être Cunoarda avait-elle encore besoin des murs qu'elle avait bâtis pour se protéger des souffrances de son passé et qu'elle n'osait pas. Elle avait puisé un grand réconfort dans le christianisme et, quand nous étions à Londinium, elle assistait aux offices de l'église de saint Pancras, que j'avais dotée naguère.

– Y avait-il d'autres filles pour jouer ?

– Je vivais dans la Maison des Vierges, répondis-je, le murmure des voix dans le noir me revenant avec une brusque clarté. J'avais une petite cousine qui s'appelait Dierna, qui était aussi rousse que Cunoarda. Je crois que Dierna est devenue la Dame d'Avalon.

Je me rendis compte avec une brusque bouffée d'angoisse que je n'en savais rien. J'avais rêvé des funérailles de Ganeda. L'aurais-je su si Dierna, que j'avais aimée, était morte, elle aussi ?

Si elle n'était plus, il ne resterait peut-être plus personne à Avalon qui se souvienne de moi.

Après avoir quitté Lindinis, nous prîmes au nord la route d'Aquae Sulis. Nous étions à la fin du mois d'octobre, la saison de Samhain, quand les esprits des morts reviennent. *Le bon moment*, me dis-je, *pour rentrer chez moi*. Le paysage devenait familier à présent. Moi seule semblais irréelle, comme si j'étais morte en vérité autant qu'en apparence, et étais convoquée avec les autres fantômes qui parcouraient la terre à cette époque de l'année.

Il avait plu pendant deux jours et un voile argenté scintillait sur les plaines, mais j'insistai pour qu'on presse le pas, car je me souvenais de ces marais comme d'une région peu propice aux voyageurs. Pourtant, nous eûmes la surprise de découvrir une petite auberge où le chemin conduisant à Inis Witrin bifurquait, s'écartant de la route d'Aquae Sulis.

– Ça oui, ça doit bien faire vingt ans qu'on est là, répondit la femme au visage rond qui nous apporta à manger. Depuis que le bon empereur a accordé sa protection aux chrétiens. Mon père a construit cet endroit pour aider les voyageurs qui vont en pèlerinage chez les moines du Tor.

Je clignai des yeux en entendant cela car, de mon temps, les moines d'Inis Witrin ne formaient qu'une minuscule communauté dont la sécurité dépendait de la vigilance des autorités. Mais les chrétiens détenaient l'autorité à présent, et il restait à voir s'ils useraient du pouvoir qu'ils avaient reçu plus sagement que ceux qui les avaient précédés.

Le matin, nous repartîmes, en rassemblant nos forces tandis que la voiture bringuebalait sur la chaussée de bois. Et quand le soleil déclina, nous vîmes la cime du Tor se profiler dans le ciel doré, nimbé de lumière.

– Il existe vraiment ! murmura Lena.

Je souris car, en cet instant, même l'île qui se trouvait dans le monde mortel était baignée de splendeur ; pourtant, notre véritable destination était un lieu encore plus merveilleux.

Comme nous contournions l'île, je distinguai la fumée des foyers du monastère. À partir de là, nous devions aller à pied, car le village du Lac n'était pas accessible en voiture. Comme le soleil était sur le point de se coucher, Cunoarda et Lena étaient de plus en plus anxieuses. Mais maintenant que nous étions là, l'impatience donnait de nouvelles forces à mes membres. Le sentier, au moins, était le même – sans doute n'avait-il pas changé depuis mille ans. Appuyée sur le bras de Cunoarda et feignant une assurance que je n'éprouvais pas tout à fait, je commençais à descendre.

– Non, honorables dames, vous retournez aux maisons des têtes tondues...

Le chef du village touchait son front pour indiquer une tonsure.

– Pas de place ici pour vous...

Le petit peuple des marais chuchotait dans son dos, nous observant nerveusement. Cette nuit-là, le monticule sur lequel se blottissaient les huttes rondes était éclairé de torches dont la lueur rougeoyante semblait provenir du soleil couchant. Si nous étions arrivées un peu plus tard, ils nous auraient pris pour des esprits et auraient refusé de nous laisser entrer.

C'était une difficulté que j'avais envisagée. Je fixai l'homme en fronçant les sourcils. *J'aurais dû rafraîchir le croissant sur mon front avec de la guède*, me dis-je, *comme les prêtresses les plus âgées le font les jours de fête.* Comment le convaincre d'envoyer un message à Avalon pour avertir de ma venue ?

– Est-ce que votre peuple se souvient d'une fille du peuple du soleil qui fut conduite ici pour devenir prêtresse ? Un garçon appelé Loutre lui donna un chien fée. Est-ce que ce garçon vit toujours ?

Il y eut un murmure dans la foule et une femme, qui semblait aussi vieille que moi, se fraya un chemin.

– Loutre est mon père. Il aime raconter l'histoire. Une princesse du grand peuple, qu'il dit.

Elle me fixa des yeux, incrédule.

– J'étais une petite fille et je suis devenue prêtresse dans l'île sacrée. Mais c'était il y a de longues années. Pourriez-vous envoyer un message à la Dame d'Avalon pour lui dire qu'Eilan est de retour ?

– Si tu es prêtresse, tu peux appeler les brumes pour passer…

Le chef de village semblait toujours méfiant.

– J'ai parcouru un long chemin et ne puis rentrer sans autorisation de la Dame, lui répondis-je, me rappelant que Ganeda avait rompu mes liens avec l'île sacrée quand elle m'avait bannie. Vous serez largement dédommagés. Je vous en prie…

Il s'étrangla de rire.

– Nous servons Avalon, pas le dieu de l'or. J'appelle la Dame, mais ce soir, il y a des cérémonies. Elle viendra pas avant le matin.

Dans mes songes, c'était Ganeda qui venait vers moi, avec Cigfolla, Wren et les autres prêtresses, et Aelia, que j'aimais tant. Je savais que c'était un rêve, car Ganeda souriait, le bras autour de la taille d'une autre femme aux cheveux noirs en qui je reconnaissais Rian, ma mère, sans savoir pourquoi. Elles étaient vêtues du bleu prêtresse, parées comme pour une fête, et elles me tendaient les bras pour m'accueillir. Je sus alors que c'était ma propre conviction, et non les paroles de Ganeda, qui m'avaient exilée d'Avalon.

En riant, je me dirigeais vers elles. Mais quand je fus sur le point de toucher la main d'Aelia, quelqu'un m'appela par mon nom. Agacée, je m'obstinai à tendre la main vers l'image de mon rêve, mais la voix qui répéta mon nom avait une autorité implacable.

J'ouvris les yeux dans la lumière qui coulait à flots par la porte de la maison ronde où nous avions dormi. Faisant étinceler les cheveux clairs de Crispa et la robe dorée d'Arié, la radieuse clarté soulignait la silhouette de Lena et de Cunoarda qui m'aidèrent à me redresser et tombait directement sur la robe bleue de la femme qui se dressait devant moi.

Je ne sais pas pourquoi je m'étais imaginée que Dierna serait encore une jeune fille. Le corps de la femme qui m'avait appelée s'était alourdi avec le temps et ses cheveux éclatants avaient à présent la couleur d'un coucher de soleil sur la neige. Mais moi, qui avais connu tant d'empereurs, je n'avais jamais rencontré quiconque avec une telle aura d'autorité. Auprès d'elle, l'homme et la femme qui la servaient paraissaient frêles. Dierna se souvenait-elle combien je l'avais aimée et protégée, me demandai-je alors, ou, tel mon fils, avait-elle été corrompue par les tentations du pouvoir ?

– Eilan…

Sa voix tremblait et, brusquement, je vis dans ses yeux la petite cousine que j'avais connue.

Je fis signe à Cunoarda de m'aider à me lever en grimaçant quand mes muscles raidis furent mis à l'épreuve.

Dierna m'embrassa, une prêtresse embrassant l'autre, puis son regard devint grave.

– J'utilise toujours ce nom, mais je sais qui tu étais dans l'autre monde. Tu as l'habitude du prestige et du pouvoir, et tu es l'héritière de la plus ancienne lignée d'Avalon. Es-tu venue revendiquer tes droits ?

J'étais abasourdie. Puis je me souvins qu'elle avait été formée par Ganeda. La vieille femme lui avait-elle appris à craindre que je revienne un jour défier son pouvoir ?

– Il est vrai que j'ai possédé le pouvoir et toute la gloire que le monde peut octroyer, répondis-je avec raideur. Et pour cette même raison, je n'en ai nul besoin. À présent, il me suffira de trouver la paix et la sécurité pour celles que j'aime.

– Viens, commanda Dierna en montrant la porte ouverte. Marche avec moi…

Nous la suivîmes au-dehors dans la brume matinale de l'automne qui voilait les marais comme si nous étions déjà entre les mondes.

– Pardonne-moi, mais il était de mon devoir de te le demander, dit Dierna comme nous empruntions le chemin contournant le bord de la butte qui maintenait le village au-dessus des flots.

Comme mon pas n'était toujours pas très solide, Lena me prit par le bras.

– J'ai appris l'accomplissement de la prophétie et ses déceptions. Par le biais de l'enfant que j'ai porté, le monde a bien été changé et, si je n'aime pas le résultat, je ne puis m'en prendre qu'à mon propre orgueil.

– Ne te juge pas trop sévèrement, répondit Dierna. J'ai tenté moi-même de façonner le destin de l'île de Bretagne et je puis te dire que même si nos choix peuvent déterminer la manière de faire, c'est à la Déesse de décider de notre ultime destinée.

Les chrétiens ne sont pas les seuls à avoir besoin de l'absolution, me dis-je en ravalant mes larmes.

Pendant un moment, nous marchâmes en silence. Le soleil matinal dissipait le brouillard. Des rides d'argent scintillaient tandis qu'un héron se tenait, l'air digne, entre les roseaux. Je voyais au loin la pente verte du Tor et les cabanes des moines serrées autour de l'église ronde de Joseph.

D'un geste, Dierna rappela ses compagnons auprès d'elle.

– Te souviens-tu d'Haggaia ?

Le druide aux cheveux argentés m'adressa un sourire et je reconnus dans son visage un vestige du garçon rieur qui aimait jouer au ballon avec Surette, il y avait si longtemps.

– Et voici Teleri, dont j'ai fait l'éducation.

Pour prendre ta succession, me dis-je, souriant à la femme brune à côté d'elle.

– Teleri. Je la connais et je remercie la Dame de l'avoir ramenée ici saine et sauve... J'emmène avec moi deux femmes qui sont devenues mes filles et ma propre arrière-petite-fille, dis-je alors.

– Et souhaitent-elles aussi se rendre à Avalon ?

Les yeux de Lena brillaient.

– C'est comme un rêve qui devient réalité ! Si vous voulez bien de moi et de ma fille, nous serons enchantées de venir.

Le regard de Dierna devint mélancolique quand elle regarda Crispa.

– Mes propres enfants sont morts, dit-elle alors. Ce sera bon de former une autre enfant de notre sang à Avalon...

Mais je m'étais retournée vers Cunoarda et le cœur me manqua quand je vis sur ses joues les traces argentées des larmes.

– Qu'y a-t-il, mon enfant ?

– Tu me manqueras jusqu'à la fin de mes jours, ma dame, mais je ne puis y aller, chuchota-t-elle. J'ai besoin d'apprendre à me servir de la liberté que tu m'as donnée. Et c'est le Christ et non votre Déesse que mon cœur adore. Donc je ne peux aller sur ton île.

— Alors reste, avec ma bénédiction.

Je l'embrassai sur le front. Il n'eût servi à rien de lui dire qu'il y avait un lieu au-delà de toutes ces divisions, où la Vérité était Une. Elle appartenait encore à ce monde.

— Voilà qui est réglé, intervint Dierna rondement. La barge attend. Nous prendrons le petit déjeuner sur l'île sacrée.

— Pas vraiment..., dis-je en pointant l'index par-delà les eaux. Cela représente beaucoup que tu m'acceptes, mais Ganeda m'a chassée d'ici. Je dois prouver – à moi-même, si ce n'est à toi – que je suis toujours une prêtresse. Laisse-moi invoquer les brumes et mériter mon retour à Avalon.

La barge tangue sous la poussée des perches tandis que les passeurs nous éloignent du rivage. Je vois les eaux argentées se fendre devant la proue. Dierna est assise auprès de moi et essaie de cacher ses doutes, tandis que Cunoarda, restée au village, nous suit des yeux, espérant que je n'y arriverai pas et que je rentrerai avec elle à Londinium. Peut-être ont-elles raison de s'interroger et que ce vœu n'est de ma part qu'un dernier geste d'orgueil.

Depuis que j'ai pris cette décision, j'ai repassé en silence les paroles du pouvoir dans ma mémoire. Si je me trompe, tout le monde aura pitié de la vieille sotte qui se prenait encore pour une prêtresse. Mais si je réussis…

C'est le don de l'âge de se souvenir plus clairement des événements qui se sont déroulés il y a cinquante ans que de ceux de la veille. Brusquement, le cours et les distances de ce voyage deviennent clairs. Mon cœur bat et quand le changement du flux d'énergie autour de nous est à son comble, j'ai du mal à trouver de l'air. Crispa me retient quand je me lève, les articulations de mes épaules protestent quand je dresse les bras.

Je cherche ma respiration et puis, brusquement, le pouvoir déferle en moi. Les paroles jaillissent de mes lèvres et, maintenant, tout devient facile, si facile de chasser les brumes et de se faufiler par l'obscur et froid passage entre les mondes. J'entends les autres, inquiets, appeler mon nom, mais je ne puis les laisser me distraire, car les voiles d'argent qui nous entourent se dissipent, se dissipent en scintillements qui ont la splendeur de l'arc-en-ciel...

La lumière inonde tout, la lumière m'enveloppe, la lumière grandit, indicible, jusqu'à ce que je voie, flamboyants, comme illuminés de l'intérieur, les rivages d'Avalon...

TABLE

Impression réalisée sur CAMERON
par BRODARD ET TAUPIN
La Flèche
en mars 2001

Imprimé en France
Dépôt légal : mars 2001
N° d'impression : 6617